# SOCIOLOGÍA Y EDUCACIÓN

# SOCIOLOGÍA
# Y
# EDUCACIÓN

JOSÉ A CÁCERES

EDITORIAL DE LA UNIVERSIDAD
DE PUERTO RICO

Primera edición, 1966; Segunda edición, 1968; Tercera edición, 1970;
Cuarta edición revisada, 1970; Quinta edición, 1970; Sexta edición
revisada y aumentada, 1976
Reimpresiones, 1985, 1989, 1991, 1994, 1996, 1997, 2000, 2003, 2005,
    2007

Catalogación de la Biblioteca del Congreso
Library of Congress Cataloging-in-Publication Data

Cáceres, José A.
    Sociología y educación
    Bibliography: p.
    Includes index.
        1. Educational sociology.        2. Puerto Rico-Social conditions.
    3. Sociology.        1. Title
    LC191.C2 1976 370. 19'3                                76-10842


ISBN: 978-0-8477-2736-0

Impreso en EE.UU. / Printed in USA

LA EDITORIAL
UNIVERSIDAD DE PUERTO RICO
Apartado 23322
San Juan, Puerto Rico 00931-3322
www.laeditorialupr.com

# INTRODUCCIÓN

## (Primera edición)

Durante el año académico 1962-63 la Universidad de Puerto Rico me concedió una licencia sabática para recopilar información y empezar a escribir un libro sobre sociología y educación. La labor que inicié durante ese año fue continuada en los años siguientes hasta llegar a poner fin a la tarea que me había impuesto.

*Sociología y educación* surge romo resultado de mis preocupaciones por estos dos importantes campos del saber, a los que he dedicado la mayor parte de mi vida. La obra es sólo una introducción a los temas tratados. Es muy difícil discutirlos ampliamente en un solo libro. Sobre algunos de los temas fácilmente podría escribirse uno.

Por tratarse de un campo tan amplio y de tanto desarrollo reciente, es difícil hacer una selección de los temas que han de incluirse en un libro introductorio de sociología educativa. Esta disciplina ha sufrido grandes cambios en el siglo xx. Estos han sido mayores en los últimos diez o quince años, en los que la sociología educativa ha tendido a convertirse en una verdadera disciplina científica. De una sociología aplicada a la educación, se ha convertido en una división de la sociología, con personalidad propia. Teniendo en cuenta estos desarrollos y tendencias, he seleccionado los temas que se incluyen en este trabajo.

El libro se divide en cuatro partes: ciencias sociales: sociología y educación; cultura y educación; la personalidad; la escuela y la comunidad. La primera parte sirve de introducción al resto del trabajo, ya que se definen los campos, se presenta la interrelación entre ellos y se traza el desarrollo de la sociología educativa. La segunda parte —cultura y educación— recalca la relación que existe entre esos dos conceptos. El programa educativo tiene que tener en cuenta la cultura; la refleja y le sirve a ella. La escuela tiene la responsabilidad de preparar al hombre para vivir en la cultura. El proceso de adquirir la cultura es un proceso educativo. No puede faltar en esta parte un ligero estudio de la sociedad y la cultura puertorriqueñas y en especial del cambio social en Puerto Rico y sus implicaciones para la educación.

El tema del desarrollo de la personalidad es de gran importancia para la sociología y para el maestro. Como la personalidad se forma de la interacción del hombre con los grupos sociales a que pertenece —la familia, los grupos de actividades, la escuela y la comunidad—, estudiamos este tema en la tercera parte del libro. Se estudia la forma en que el proceso educativo puede ser dirigido para que resulte en un mejor desarrollo del ser humano.

La cuarta parte del libro trata de la escuela y la comunidad porque estas dos instituciones tienen que trabajar unidas para que se puedan lograr efectivamente los objetivos de la educación. La escuela como institución social es la principal agencia educativa de la comunidad. Tiene que servir a ésta y ayudar a mejorar la calidad de vida. La comunidad no solamente vigila para que la escuela cumpla su función, sino que es también una agencia educativa y comparte su responsabilidad con la escuela. Tiene la obligación de trabajar en armonía con la escuela y ofrecer su cooperación a ésta.

Deseo expresar mi profunda gratitud a las personas que han hecho posible esta obra. En primer lugar deseo reconocer la contribución de mi esposa, Ana, que en cierto sentido puedo considerar como coautora del libro. Con ella leí y discutí cada una de las páginas del mismo. En todo momento ella hacía atinadas observaciones y recomendaciones sobre el contenido, las que fueron incorporadas al texto. Siempre me estimuló a seguir adelante la obra que me había impuesto.

A mis compañeros y amigos de la Facultad de Pedagogía, profesores Laura Gallego, Lydia Cruz de Rivera y Juan José Maunez testimonio mi profundo agradecimiento. Ellos leyeron todo el manuscrito, las primeras para corregir el estilo y el último para examinar el contenido y sugerir cambios y adiciones, enriqueciendo la obra de este modo. La ayuda que me brindaron estos tres compañeros fue valiosísima. De no haber contado con su generosa cooperación no hubiese podido realizar esta tarea.

Tengo que agradecer a la Administración de la Universidad de Puerto Rico, y a la del Colegio de Pedagogía en particular, la concesión de la licencia sabática que facilitó el iniciar la redacción de este trabajo.

Agradezco muy de veras la dedicación y el esfuerzo de la señora Aida Rodríguez de Benítez por la excelente preparación del manuscrito a máquina. Estoy agradecido de mis discípulos, que también han sido mis maestros.

J. A. C.

# INTRODUCCIÓN

## (Cuarta edición revisada)

Desde su primera impresión en el año 1966, *Sociología y educación* se ha utilizado constantemente como libro de texto y como fuente de referencia por un número crecido de profesores y estudiantes, tanto de la Universidad de Puerto Rico como de otras instituciones universitarias de Puerto Rico y del exterior. He tenido la oportunidad de conocer las relaciones de varias de estas personas en torno al contenido. Las recomendaciones de ellas y el estudio cuidadoso del material incluido en el libro sirvieron de base para la presente edición revisada.

En esta edición revisada vuelven a tratarse en forma más amplia y abarcadora todos los asuntos incluidos en la primera edición por considerarse que los mismos deben formar parte de un libro de sociología educativa. La primera parte conserva los tres capítulos introductorios, pero el material se ha revisado y se ha aumentado considerablemente. Se han hecho cambios significativos en las partes II, III, IV y V de la presente edición.

En la Parte II, en que se trata el tema *Cultura y educación*, se ha incorporado un capítulo nuevo sobre cambio social y educación. En este capítulo se consideran diversos aspectos del cambio y las implicaciones que los mismos tienen para la educación. Asimismo se considera el papel de la escuela frente a estos cambios. Se dedica, además, una sección a las innovaciones educativas.

La Parte III sobre *Cambio social en Puerto Rico* constituye una adición significativa a la edición revisada. En esta parte no sólo se pone al día la información que se incluyó en la edición anterior, sino que se desglosa el tema de cambio social en Puerto Rico en capítulos separados sobre los aspectos económicos, políticos, sociales, culturales y educativos. En ellos se discuten las implicaciones de estos cambios para la educación y la sociedad puertorriqueñas.

La *Personalidad* es el tema central de la Parte IV. En esta parte se incluye un nuevo capítulo sobre el proceso de socialización. Se destaca cómo el proceso se efectúa en el niño de edad preescolar, en el de escuela elemental y en el de escuela secundaria.

La Parte V se inicia con un capítulo adicional sobre la naturaleza de los grupos sociales. Se incluyen asimismo capítulos sobre la influencia que ejercen los grupos sociales: la familia, los grupos de actividades, la escuela y la comunidad, en el desarrollo de la personalidad. Al igual que en la primera edición, el libro termina con un capítulo sobre la escuela y la comunidad, que constituye la Parte VI.

Toda esta labor no hubiera podido hacerse sin la contribución de mis discípulos en el Colegio de Pedagogía y las valiosas sugerencias de mis colegas de facultad. También ha contribuido en forma destacada la doctora Ricarda Carrillo, Catedrática de Español Comercial y Decana Auxiliar de la Facultad de Administración Comercial de la Universidad de Puerto Rico, quien corrigió el estilo. Para todos ellos mis reconocimientos. Va también mi aprecio para la señora Lydia M. Rivera de Gómez por su dedicación y esfuerzo en la preparación del manuscrito a máquina.

Finalmente, hago constar mi especial gratitud para mi esposa, Ana, Catedrática de la Facultad de Pedagogía. Ella leyó todo el libro e hizo atinadas observaciones que al incorporarse al texto lo enriquecieron. Por ello legítimamente vuelvo a llamarla coautora de esta obra.

J. A. C.

# INTRODUCCIÓN

## (Sexta edición revisada y aumentada)

Dediqué la licencia sebática que concedió la Universidad de Puerto Rico durante el año académico 1974-75 a preparar esta sexta edición revisada y aumentada de *Sociología y educación*. En ella incorporo las sugerencias y recomendaciones de discípulos, maestros del sistema de instrucción pública y colegas de la Universidad de Puerto Rico. Asimismo incorporo las de un número de profesores de prestigiosas universidades norteamericanas con quienes tuve la oportunidad de departir durante dos viajes extensos a los Estados Unidos. Ya había encontrado en Puerto Rico, y lo corroboré a través de mis viajes, que existe en las instituciones universitarias un deseo ferviente por hacer de la sociología educativa una disciplina de gran significación para los estudiantes de pedagogía, tanto en el nivel de bachillerato como el de los estudios graduados.

Conscientes de los problemas que confronta la educación hoy día y de las críticas a que es sometida, los sociólogos de la educación están obligados a ayudar a esclarecer el panorama educativo y sugerir medios para mejorar el mismo. Por esta razón, no sólo he tratado de revisar, poner al día y ampliar el contenido de los capítulos de la edición anterior, sino que he añadido una nueva sección a este libro. Esta nueva sección consiste de cuatro capítulos alrededor del tema de la innovación y el cambio educativo. Varios de los últimos libros de sociología de la educación, como los de Cave y Chesler,[1] Corwin[2] y Boocock,[3] entre muchos otros, dedican por lo menos una sección a los problemas del cambio y las innovaciones educativas. Se destaca la necesidad de hacer un reexamen de la educación con el fin de buscar formas de contrarrestar los males que la aquejan.

Los cuatro capítulos sobre innovaciones educativas que se incorporan a esta edición tratan, en este orden, sobre los siguientes temas: la nueva tecnología educativa, la organización para el aprendizaje, las escuelas de alternativas y el proceso de cambio educativo. La nueva tecnología describe los desarrollos logrados en este campo, los diversos recursos tecnológicos, su aplicación a la educación y la función del maestro ante estos desarrollos. La organización para el aprendizaje considera formas nuevas de agrupar

---

1. William M. Cave y Mark A. Chesler. *Sociology of Education. An Anthology of Issues and Problems*. New York: Macmillan Publishing Co. Inc., 1974.
2. Ronald G. Corwin, *Education in Crisis: A Sociological Analysis of Schools and Universities in Transition*. New York: John Wiley and Sons, Inc., 1974.
3. Sarane S. Boocock. *An Introduction to the Sociology of Learning*. New York: Houghton Mifflin Co., 1972.

a los alumnos y de utilizar el personal docente y otros recursos. Entre estas se incluyen la individualización del aprendizaje por medio de la instrucción individualizada, el salón de clases abierto, la escuela sin grados, el horario flexible y el calendario escolar continuo; y la utilización del personal, como el uso diferenciado de la facultad y la enseñanza en equipo. También se discuten otras innovaciones, como el concepto de responsabilidad (*accountability*), los objetivos operacionales, el programa nacional de evaluación, el sistema P.P.B.S., los contratos de ejecución, el sistema de certificados garantizados, la tutoría y el aprendizaje por contratos. Las escuelas de alternativas garantizan un aprendizaje más efectivo al ofrecer a los estudiantes diferentes opciones que les permiten trabajar en un ambiente agradable, siguiendo sus propios estilos de aprender. El último capítulo trata sobre la teoría y las prácticas del proceso de cambio educativo.

En toda tarea de producción hay un número de personas que colaboran con el autor. A todas ellas expreso mi profunda gratitud. La persona que más ha contribuido en hacer posible esta obra es mi esposa Ana, quien a pesar de estar dedicada a la escritura de una obra profesional sobre su especialidad, sacó tiempo de donde no lo había para terminar la de ella y revisar y mejorar todo el contenido que se modificó y el que se adicionó a esta edición. Por su valiosa aportación, vuelvo a llamarla la coautora del libro. Ana hizo otra aportación que aprecio de veras: la preparación del manuscrito a máquina, no sólo en la fase preliminar para el lector de estilo sino en la forma final.

A otra persona que agradezco sinceramente sus largas horas de dedicado y desinteresado análisis del manuscrito para la corrección del estilo es a la Dra. Ricarda Carrillo, Catedrática de Español Comercial de la Facultad de Administración Comercial de la Universidad de Puerto Rico, Recinto de Río Piedras.

Para mis colegas y mis discípulos de la Facultad de Pedagogía, mi gratitud por su ayuda y estímulo.

J. A. C.

# ÍNDICE GENERAL

## PARTE I

### *CIENCIAS SOCIALES: SOCIOLOGIA Y EDUCACIÓN*

## PARTE II

*CULTURA Y EDUCACIÓN*

Capítulo IV:

## LA NATURALEZA DE LA CULTURA . . . . . . . .  53

# PARTE III

## EL CAMBIO SOCIAL EN PUERTO RICO

*Págs.*

## PARTE IV

### *LA PERSONALIDAD*

**Capítulo X:**

### EL DESARROLLO DE LA PERSONALIDAD . . . . . . 249

1*

## PARTE VI

### *LA ESCUELA Y LA COMUNIDAD*

Capítulo XVI:

## PARTE VII

### *INNOVACIÓN Y CAMBIO*

Capítulo XVIII:

# PARTE I

## Ciencias Sociales:
## Sociología y Educación

El propósito principal de esta primera parte de nuestra obra es relacionar al lector con los tres conceptos que van a servir de base a este trabajo. Estos tres conceptos son: ciencias sociales, sociología y sociología de la educación o sociología educativa. Es necesario entender el primero como requisito para el segundo. El tercero requiere también la comprensión del segundo. Cada uno de estos conceptos es abarcador. Es difícil explicar los tres en pocas palabras. Se puede escribir un libro sobre cada uno. Seleccionaremos los aspectos más significativos de cada concepto para dar una idea lo más exacta posible.

Cada uno de los conceptos se discutirá separadamente en un capítulo. El primero tratará sobre el campo general de las ciencias sociales: definición, método, dificultades y utilidad. También se señalarán las diferencias entre las ciencias sociales y las naturales: el material o contenido, el método y las conclusiones.

El segundo capítulo se dedicará enteramente a estudiar el campo de la sociología, ya que ésta es la disciplina que más nos interesa para los fines de esta exposición. Estudiaremos la definición de la sociología, su historia y los desarrollos más recientes en este campo.

El tercer capítulo presentará la relación entre la sociología y la educación. Se discutirá el origen de la sociología educativa, los desarrollos en este campo y los diversos enfoques de la sociología aplicada a la educación, mejor conocido como la sociología de la educación. Finalmente presentaremos algunas ideas en torno al futuro de esta disciplina.

# CAPÍTULO PRIMERO

## LA CIENCIAS SOCIALES

Es natural que al desarrollar un estudio sobre los temas sociología y educación lo proyectemos desde el campo de las ciencias sociales. Iniciaremos el capítulo clasificando el conocimiento humano en dos grandes campos: las artes y las ciencias. En el área de las ciencias destacaremos las ciencias sociales. Luego trataremos la definición de éstas, señalaremos su campo de estudio y definiremos las distintas disciplinas que las componen.

El capítulo también tratará sobre la interrelación de las distintas ciencias sociales, el método que utilizan y las diferencias entre éstas y las naturales. Se discutirán además las dificultades que se nos presentan al estudiar las sociales y los desarrollos recientes que atenúen esas dificultades. Estudiaremos la utilidad de las ciencias sociales en general y de algunas en particular. Finalmente veremos la relación entre las ciencias sociales y la educación.

### CLASIFICACIÓN DEL CONOCIMIENTO HUMANO

A través de todos los tiempos, el hombre ha sentido gran preocupación por conocer mejor su mundo y el mundo que le rodea. Ha hecho grandes descubrimientos y conquistas y ha acumulado un gran caudal de conocimientos. A pesar del progreso realizado, le falta aún mucho por conocer y continúa en lucha constante por alcanzar mayores conocimientos.

El conocimiento que el hombre ha acumulado acerca de él y de las cosas que le rodean puede organizarse en dos grandes campos: las artes y las ciencias. Las artes incluyen un vasto campo de experiencias, emociones, creencias e ideas de carácter estético que apelan a los sentidos y que evocan en los seres humanos respuestas emocionales e intelectuales. El sociólogo norteamericano James H. Barnett[1] clasifica las artes en: 1) bellas artes —música, literatura y las artes visuales—, 2) las artes combinadas —baile, teatro y ópera—, y 3) las artes aplicadas —cerámica, diseño de textiles y pintura en miniatura. Hay otras formas de clasificar las artes. Algunos incluyen la escultura y la arquitectura en las bellas artes. Otros hablan solamente de dos tipos de arte: las bellas artes y los bellos oficios. En contraste con las artes, las ciencias son un cuerpo organizado de conocimientos, a los cuales se ha llegado mediante la investigación o la experimentación. Los conocimientos científicos descartan las ideas y las creencias no

---

1. James H. Barnett. «The Sociology of Art.» En Robert K. Merton y otros (ed.), *Sociology Today, Problems and Prospects.* New York: Basic Books, Inc., 1959, Capítulo 8.

comprobadas, los prejuicios y las falsedades. La ciencia trabaja con datos: busca el análisis y la objetividad. El campo de las ciencias es el que más nos interesa para fines de este estudio.

Las ciencias se dividen en dos grupos: las ciencias naturales, que estudian el mundo físico, y las ciencias sociales, que estudian el mundo social. Las ciencias naturales se subdividen en ciencias físicas y biológicas. La química, la física y las matemáticas son ciencias físicas. Las diversas ramas de la botánica y la zoología constituyen las ciencias biológicas. Pertenecen al grupo de las ciencias sociales la sociología, la economía, la antropología, la ciencia política, la educación, la psicología y la historia. Algunos científicos sociales son más generalizadores al anotar la lista de estas disciplinas e incluyen la geografía, principalmente la geografía económica y la geografía humana, la jurisprudencia y la penología. Para una clasificación más completa recomendamos que se vea la *Enciclopedia de las ciencias sociales.*[2] Para los propósitos de este trabajo nos vamos a interesar principalmente en el estudio de las ciencias sociales.

## DEFINICIÓN DE LAS CIENCIAS SOCIALES

Las ciencias sociales son un grupo de disciplinas que describen en forma científica la vida del hombre —las relaciones del hombre con los demás hombres. Por esta razón es que son ciencias sociales, porque estudian la forma en que el hombre vive en la sociedad, en relación con las demás personas. Las ciencias sociales estudian la naturaleza del hombre, sus actividades, sus instituciones, sus relaciones y conducta. Según la *Enciclopedia de las ciencias sociales*, estas son aquellas ciencias mentales o culturales que tratan de las actividades del individuo como miembro del grupo.

Algunas ciencias naturales también estudian al hombre, pero no al hombre social. La biología, por ejemplo, estudia al hombre, pero no a éste en sus relaciones sociales. Lo estudia principalmente como organismo físico individual. Por el contrario, las ciencias sociales estudian las relaciones que se producen como resultado del hecho de que el hombre lleva a cabo una vida social en grupo. El estudio del mundo social del hombre es el campo de interés de las ciencias sociales.

### Algunas ciencias sociales

Todas las ciencias sociales —la economía, la ciencia política, la historia, la psicología y la antropología, entre otras— estudian la vida social del hombre. Aunque todas tienen muchos elementos en común, es posible, sin embargo, hacer un esfuerzo por delinear los campos específicos de las distintas disciplinas de las ciencias sociales. Podemos decir que todas tienen un campo particular de estudio, aunque en algunas se puede delimitar mejor ese campo que en otras. Consideremos las definiciones de varias de las ciencias sociales para ilustrar este punto. Empecemos con la economía, la

2. Edwin R. A. Seligman (ed.). *Encyclopedia of the Social Sciences.* New York: The Macmillan Co., 1957, pp. 3-7.

ciencia política y la historia, que aparentemente tienen sus campos específicos de interés independientemente de los campos de otras ciencias sociales. Luego veamos la psicología y la antropología, que a pesar de ser diferentes tienen muchos elementos en común y a menudo se confunden con la sociología.

La economía como ciencia social estudia las actividades del hombre relacionadas con la producción, la distribución y el consumo de bienes económicos y servicios, con el fin de satisfacer las necesidades humanas. La economía estudia los esfuerzos que los hombres hacen para satisfacer sus necesidades y lograr el bienestar material. Aunque de primera intención, veamos al economista estudiando *cosas* —bienes económicos— es cierto que también trata de conocer los valores y las actitudes de la gente hacia esas cosas. Así lo hace, cuando estudia, por ejemplo, los hábitos del consumidor y su efecto en la demanda y la oferta de los bienes económicos.

La ciencia política es la ciencia del gobierno. Incluye principalmente el estudio de la teoría política y la administración del gobierno, ésta última principalmente desde el punto de vista de la organización formal. Recientemente la ciencia política ha ampliado su estudio del gobierno para incluir todas aquellas fuerzas, no necesariamente formales o legales, que influyen en las decisiones políticas o administrativas. La ciencia política ve al hombre como miembro del Estado y de las organizaciones políticas y estudia la conducta humana desde este punto de vista.

La historia estudia e interpreta las actividades del hombre en el pasado. Establece la secuencia en que ocurrieron los principales acontecimientos en que ha estado envuelto el hombre, y describe esos acontecimientos detalladamente. Otras ciencias sociales, como la sociología, por ejemplo, se interesan principalmente en las actividades actuales y recientes en que el hombre ha participado.

La psicología es la ciencia de la conducta humana. Aunque tradicionalmente la psicología se ha considerado como el estudio del hombre como individuo, muchos psicólogos hoy día también se interesan en el estudio del hombre como un ser social, como miembro de la sociedad. La psicología y la sociología se unen en el campo especial conocido como psicología social, que es el estudio de la influencia de los grupos sobre la persona. En el presente, tanto psicólogos como sociólogos están interesados en temas de la psicología social, como la opinión pública, la conducta de las masas, los movimientos políticos, et. Algunos científicos sociales creen que la psicología social debe convertirse en una disciplina aparte y ocupar un sitio como una de las ciencias sociales, y no como parte de la psicología o de la sociología.

La antropología es la ciencia social que más se parece a la sociología, quizás ahora más que nunca cuando la antropología se ha interesado en el estudio de las sociedades avanzadas. Anteriormente esta disciplina estudiaba principalmente las sociedades primitivas e iliteratas. La antropología es el estudio del hombre y su cultura. Al igual que la psicología, la antropología guarda gran relación con las ciencias naturales, especialmente con la biología. La antropología consiste de varios aspectos fundamentales, entre ellos, la antropología física, que es el estudio del hombre como organismo, y la antropología social y cultural, que es el estudio de la conducta humana. Este último aspecto de la antropología se interesa en la cultura o los pa-

trones de conducta aprendidos, comunes a los miembros de un grupo social.
También pertenecen al campo de la antropología, la arqueología o prehisto-
ria y la lingüística comparada, que trata del estudio comparativo de los
idiomas.

Como hemos visto, las diferentes ciencias sociales tienen sus campos
de especial interés. Sin embargo, todas en una forma u otra, se van pare-
ciendo en su enfoque de los distintos aspectos de la conducta humana.
Así ha ido surgiendo la economía social, la sociología política, la historia
social, la sociología histórica y la psicología social. A nuestro juicio el enfoque que más tiende a repetirse en esta combinación de disciplinas es el
de la sociología.

Comparada con las demás ciencias sociales, la sociología es más general
en su contenido. Es la más abarcadora y amplia de las ciencias sociales
porque su materia de estudio es la interacción que resulta de las asociaciones de los seres humanos, sin importarle los propósitos de esas asociaciones.
Como la sociología estudia las consecuencias y resultados del vivir en grupo
y la relación entre estos procesos, tiene que usar los datos que le suministran otras ciencias sociales que tratan esos aspectos particulares de la
asociación humana.

### Interrelación entre las distintas ciencias sociales

Como todas son sociales porque estudian la vida social del hombre,
existe una relación muy íntima entre unas ciencias sociales y otras. Las
diversas ciencias sociales tienen muchos elementos en común. También existen algunas diferencias entre ellas. Las distintas actividades humanas, que
constituyen el campo de las diferentes ciencias sociales, están muy relacionadas. Un ejemplo de eso son las actividades políticas, económicas y sociales. Antes que seres políticos y económicos, los hombres son humanos, y
las ciencias sociales estudian las actividades humanas. Por lo tanto, la ciencia política, la economía y la sociología, están relacionadas, al igual que lo
están la psicología y la sociología y la antropología y la sociología.

Como existe tanta relación entre el contenido de una ciencia social y
otra, es difícil decir dónde termina una y dónde empieza la otra. Cuando
estudiamos psicología, también estamos estudiando elementos de sociología,
y cuando estudiamos ciencia política, también estudiamos algún material
sociológico. Lo mismo ocurre cuando estudiamos historia, ciencias políticas,
geografía y antropología. Nos encontramos con muchos elementos comunes.
Por esta razón el estudiante de la ciencia social no puede limitar su estudio
a una sola disciplina: tiene por necesidad que extender sus estudios para
abarcar otras disciplinas relacionadas.

Todas las ciencias sociales tienen una contribución que hacer al estudio
de la vida social del hombre. Esta es tan compleja que se necesita la
ayuda de todas las ciencias para poderla estudiar a fondo. Ninguna ciencia
social en particular puede monopolizar el estudio de las relaciones sociales.
La información que unas ciencias sociales recogen habrá de ser utilizada
por otras en un esfuerzo por conocer mejor la vida social del hombre.
A pesar de los grandes esfuerzos que el hombre ha hecho por conocer su
mundo social, todavía le falta mucho por saber. No podemos negar que

en el conocimiento de nuestro mundo social. Parece más fácil para el hombre estudiar científicamente aquellas cosas que están más alejadas de él, tales como su mundo físico, que aquellas cosas que están más próximas y le son más íntimas, como su mundo social. Por esta razón es que el hombre adopta una actitud más científica al estudiar las ciencias naturales que al estudiar las ciencias sociales.

## EL MÉTODO DE LAS CIENCIAS SOCIALES

La presente es una época de gran adelanto científico y de gran preocupación del hombre por aplicar los conocimientos de la ciencia. A pesar de esta preocupación por aplicar la ciencia y su método, muchas personas tienen serias dudas en cuanto a si las ciencias sociales son verdaderas ciencias o no. Cuando hablan de la ciencia y del método científico, muchos piensan solamente en las ciencias naturales, como si el método científico pudiera aplicarse solamente en las ciencias naturales y no en las ciencias sociales.

Es un error pensar que solo los científicos naturales son los que aplican el método de la ciencia. Las ciencias naturales no monopolizan el método científico. Las ciencias sociales también emplean el método científico. Aceptamos que puede lograrse más exactitud en las ciencias naturales que en las ciencias sociales, pero el método que ambas disciplinas emplean es esencialmente el mismo. Como ciencias al fin, ambas recogen información, la estudian y analizan y llegan a conclusiones por medio de métodos científicos. Los científicos naturales estudian el mundo físico y los científicos sociales estudian el mundo social, pero ambos estudian sus respectivos mundos haciendo uso del método científico.

La investigación en las ciencias sociales requiere tiempo y esfuerzo. Requiere, además, investigadores competentes y bien preparados en las técnicas de investigación social. Técnicas como la entrevista, la observación, el cuestionario y el estudio de casos ayudan al científico social en su empeño de recoger información verdadera sobre las actuaciones del hombre en el grupo social. El científico social, al igual que sus investigadores y auxiliares, tiene que adiestrarse no solamente en el uso de estas técnicas, sino también en el uso de las estadísticas. La investigación científica requiere cada día un mayor uso de las estadísticas para hacer las interpretaciones más exactas de sus hallazgos.

Ambos, el científico social y el natural, siguen los mismos pasos al aplicar su método. Estos pasos envuelven el formular hipótesis, observar el fenómeno y hacer anotaciones, clasificar y organizar los datos y finalmente formular generalizaciones.

La formulación de una hipótesis es el punto de partida, es la definición del problema a estudiarse, es el punto que se va a probar o rechazar por medio de la evidencia que se acopia. El científico social define claramente su problema y formula sus hipótesis. Como parte indispensable y esencial del método científico, el investigador procede a hacer observaciones cuidadosas y a recoger información sobre el fenómeno o problema que va a estudiar. Algunas veces hay información ya recogida por agencias del gobierno, por agencias privadas o por individuos particulares que participan en algún proyecto de investigación. Esta información recogida por otros puede servir de ayuda, pero en la mayoría de los casos, sin embargo, debe recogerse en el campo, usando diversas técnicas y diversos medios. El tipo y cantidad de información a recogerse dependerá el tipo de problema bajo consideración. Es importante mantener anotaciones cuidadosas y ordenadas de la observación hecha y de la información recogida.

Luego de acumularse la información viene la clasificación y la organización de los datos y el establecimiento de relaciones entre estos datos. Después, el científico social formula generalizaciones y finalmente hace predicciones en aquellos casos en que éstas sean posibles. Conviene recordar que estas predicciones no son siempre tan exactas como las predicciones de las ciencias naturales, ya que existen diferencias básicas entre las dos ciencias. El científico social, sin embargo, puede hacer un número limitado de predicciones, algunas con un alto grado de exactitud.

### DIFERENCIAS FUNDAMENTALES ENTRE LAS CIENCIAS SOCIALES Y LAS CIENCIAS NATURALES

Las diferencias entre las ciencias sociales y las ciencias naturales radican principalmente en el material o contenido con el cual trabajan, en el método a que someten su material y en las conclusiones a que llegan después de someter su material a cierto método. Examinemos estos tres puntos de diferencia.

### Material o contenido

El material de las ciencias sociales es el hombre en sus relaciones sociales. El material humano es complejo, variable y difícil de estudiar. El hombre nos hace quedar mal cuando esperamos que se comporte como se ha estado comportando y reacciona de una manera diferente. Debido a su naturaleza, no es fácil ser completamente objetivo con el hombre al someterlo a estudio. El científico social tiene también sus prejuicios como ser humano. Por esta razón debe examinarse su conducta a la luz de los principios científicos como un medio de asegurarse de que sus prejuicios no influyen en su trabajo.

El material de las ciencias naturales es material del mundo físico. Aunque complejo también como el material de las ciencias sociales, es, sin embargo, más fácil de investigar y someter a experimentación. Este material no es variable como el de las ciencias sociales y no nos hace quedar mal. Por su naturaleza y características, el material de las ciencias naturales puede someterse a un estudio objetivo.

### Método

Aunque ambas ciencias utilizan el método científico, en las ciencias sociales no se puede hacer tanto uso del método experimental como en las ciencias naturales debido a que el material no se presta tanto a la experimentación. Abundan más los experimentos en las ciencias naturales que en las ciencias sociales. En las ciencias naturales se puede controlar el laboratorio si así se desea; en las ciencias sociales no es fácil controlar el laboratorio completamente. A falta del laboratorio controlado, en las ciencias sociales se usan técnicas de tanta validez como el laboratorio. Entre otras técnicas se emplean entrevistas, cuestionarios y estudios de casos. Debemos recordar el hecho de que en las ciencias sociales sólo podemos experimentar muy limitadamente. No es posible controlar a los seres humanos como controlamos a los animales para fines de experimentación.

Las ciencias sociales presentan una ventaja en cuanto a la metodología que ha de aplicarse. No hay que utilizar una sola técnica. Se pueden aplicar varias o una combinación de ellas. En el estudio de una comunidad, por ejemplo, se puede emplear una variedad de técnicas, dependiendo de los propósitos del estudio y de los aspectos que deseen analizarse.

## Conclusiones

Todas las ciencias aspiran a formular conclusiones absolutas y definitivas. Sin embargo, las conclusiones absolutas y definitivas son más posibles en las ciencias naturales que en las ciencias sociales. Es más fácil hacer predicciones en las ciencias naturales. El químico nos puede asegurar que $H_2O$ forma agua. También sabemos a qué temperatura hierve y se congela. Igualmente sabemos cuándo ha de ocurrir un eclipse y cuándo se van a producir las diversas fases de la Luna. Sabemos las horas en que las mareas suben y bajan.

En las ciencias sociales no podemos llegar a conclusiones absolutas y definitivas debido a que hay una serie de circunstancias que pueden afectar las conclusiones. Por esta razón es que el economista dice: "Cuando la demanda es superior a la oferta, los precios tienden a subir". Las conclusiones en las ciencias sociales son relativas, cambiantes. ¿Podemos predecir la felicidad matrimonial de una pareja? Solamente hasta cierto punto, si tenemos una determinada información acerca de la pareja. Sabemos que hay factores que contribuyen a la felicidad matrimonial y sabemos que hay factores que conducen a la infelicidad. Aun así, la predicción es relativa. A veces no logran ser felices parejas que al casarse tienen grandes probabilidades. Siempre hay un margen de error debido a la versatilidad de la conducta humana. Esta es muy variable e inconsistente.

No queremos dar la impresión de que las ciencias naturales son siempre exactas y las ciencias sociales inexactas. Existen muchos fenómenos en todos los campos de las ciencias naturales sobre los cuales no pueden anticiparse predicciones exactas. Uno de los ejemplos que más corrientemente se cita es la dificultad que confronta el astrónomo al tratar de hacer predicciones exactas sobre el tiempo. Veamos otros ejemplos. Por más conocimiento que tenga en su especialidad, el botánico no puede asegurar cuántas de las semillas de un paquete van a germinar. Tampoco puede predecirse cuántos o cuáles de los niños expuestos a una enfermedad la van a adquirir.

## DIFICULTADES QUE PRESENTAN LAS CIENCIAS SOCIALES

Las ciencias sociales presentan un número de dificultades que obstaculiza el estudio científico de la conducta humana. La principal dificultad a nuestro juicio obedece a la naturaleza misma del hombre como material de las ciencias sociales. Ei nombre es un ser verdaderamente complicado. Esta complejidad del ser humano está relacionada con los problemas que presenta la experimentación social. La magnitud y complejidad del ambiente social en que el hombre lleva a cabo su vida provocan también dificultades. Otra dificultad que presenta la disciplina de las ciencias sociales estriba en la actitud que asume el público ante ellas.

### La complejidad del material humano

No cabe duda de que el hombre social es un ser muy complejo. Su prolongada infancia, su sistema nervioso altamente desarrollado, sus diferencias en capacidades y su versatilidad constituyen evidencia para demostrar que el hombre es complejo y difícil de estudiar.

No hay dos seres humanos exactamente iguales; ni aun lo son los gemelos idénticos, como lo prueban los estudios realizados al efecto. Al comparar a los seres humanos encontramos grandes diferencias. Existen diferencias en los grados o niveles de inteligencia, en los rasgos de la personalidad y en la biología o herencia biológica. También existen diferencias en los gustos, intereses y necesidades.

No todas las personas reaccionan de igual manera ante la misma situación. El hombre no necesariamente reaccionará mañana de igual manera que hoy ante la misma situación. Esta versatilidad de la conducta humana hace difícil la predicción de sus actuaciones futuras. El hombre puede responder de un sinnúmero de formas a un insulto, pero es muy difícil para nosotros anticipar con exactitud cuál va a ser su reacción específica.

Existe otro detalle de esta complejidad de la naturaleza humana que no debemos ignorar. Nos referimos al papel que juegan los sentimientos, las emociones y los prejuicios en la conducta del hombre. Estos elementos subjetivos son muy fuertes en el ser humano. El hombre es muy dado a los prejuicios, a las emociones y a los sentimientos en relación con los diversos aspectos de la vida humana: la familia, la religión, la raza, la delincuencia y la pobreza. Es muy difícil para el hombre estudiar a sus semejantes sin identificarse con ellos. Por esta razón es que se le hace difícil al científico alcanzar la completa objetividad.

Es difícil alcanzar completa objetividad en una disciplina, ya sea esta de las ciencias sociales naturales o de las ciencias sociales. En este aspecto las ciencias naturales, sin embargo, han hecho mayor progreso que las ciencias sociales.

El material con el cual bregan las ciencias naturales es distinto y puede ser tratado de una manera diferente. El científico natural no se puede relacionar con su material en un plano de intimidad. No se envuelve emocionalmente, por ejemplo, con la unión de dos elementos en química. En las ciencias sociales, sin embargo, tenemos nuestras preferencias por unos elementos. Muchas veces reflejamos nuestros prejuicios y se nos hace difícil aceptar a los que no sustentan nuestros puntos de vista. Exhibimos prejuicios raciales, religiosos, políticos y nacionales.

Existen diferencias culturales, que también contribuyen a hacer complejo al hombre. Unos hombres han sido expuestos a unos ambientes y a unas situaciones y otros han sido expuestos a otras circunstancias. Existen diferencias en la condición económica, en el idioma que se habla, en las oportunidades educativas, en las facilidades recreativas y de salud, en los ambientes geográficos y en los ambientes emocionales donde se crían los niños y se desenvuelven los adultos.

—⌐Hay que tener en cuenta estas diferencias culturales entre los seres humanos al formular conclusiones acerca del hombre. Unas situaciones significan poco o nada para algunos seres humanos, mientras que esas mismas situaciones significan mucho para otros. El científico social deberá entender el significado que para el ser humano con quien trabaja tiene la situación que estudia. Este hecho ha quedado demostrado por los resultados de las pruebas de inteligencia administradas a soldados blancos procedentes de varios estados del sur de los Estados Unidos y a soldados negros procedentes de varios estados del Norte. Las diferencias en inteligencia no se han debido a que unos sean negros y otros blancos. Estas diferencias se han debido principalmente al ambiente cultural en que unos y otros se han desarrollado. El factor cultural ha sido verdaderamente significativo; no así el factor raza.

Veamos otro ejemplo para demostrar la influencia de las diferencias culturales en la conducta del hombre y cómo el hecho de que existan estas diferencias dificulta el estudio científico de los seres humanos. Lo que significa ir a nadar para un adolescente de la clase media en la zona metropolitana de San Juan es distinto de lo que significa para un adolescente de la clase baja en un pueblo del interior de Puerto Rico. Para el primero, el nadar puede estar relacionado con la piscina de algún hotel lujoso o de algún centro social distinguido. El nadar en ese sitio conlleva cierto tipo de traje de baño, amigos y amigas de su misma clase social, dinero para los "hamburgers" y las Coca-Colas y el disfrute del automóvil privado de último modelo o de un modelo reciente. Para el joven del interior, el nadar no requiere ni piscinas en un hotel, ni dinero para "hamburgers" y Coca-Colas, ni automóvil privado; a lo mejor ni siquiera requiere traje de baño. La piscina para él es un charco o un pozo. Ambos niños nadan, pero cada uno de ellos nada en situaciones y ambientes completamente distintos. El significado de una misma actividad, en este caso el nadar, es distinto para cada uno de estos adolescentes. Así debe verlo el científico social.

## El ambiente

No es fácil controlar al hombre en un ambiente dado para fines de experimentación. Su complejidad como ser humano dificulta el control completo de su conducta. Son tantos y tan complejos los movimientos del hombre en su ambiente, que es difícil seguir sus pasos. Son muy variados y complejos sus contactos, sus actividades, sus intereses y sus necesidades. El ser humano tiene relaciones sociales con una infinidad de personas en el transcurso de un día. Ese campo de acción del ser humano es el laboratorio del científico social. El laboratorio social no tiene límites ni barreras. Es difícil controlar al hombre en ese laboratorio. Por más que se quieran controlar sus movimientos dentro de ese laboratorio, el hombre siempre puede evadir este control.

Son igualmente grandes las diferencias entre las comunidades donde viven los seres humanos. Pueden tomarse por ejemplo las diferencias en complejidad entre las comunidades de la zona metropolitana de San Juan y otras comunidades menos complejas de Puerto Rico. La vida social es distinta en una comunidad y otra. Las necesidades y problemas no son los mismos en estos distintos ambientes. Por esta razón se nos hace difícil a veces comprender la conducta de los que viven en comunidades rurales, pequeñas y aisladas, si solamente conocemos la vida de las grandes zonas urbanas.

El ambiente en el cual se experimenta se puede controlar mucho mejor en las ciencias naturales. En las ciencias naturales se pueden tomar temperaturas en condiciones fijas. Se puede igualmente estudiar la eficiencia de las máquinas, bajo ciertas condiciones. También es posible estudiar las propiedades de la materia en condiciones fijas. No se puede, sin embargo, controlar en igual forma la vida social del hombre. Este es un punto que también dificulta el estudio científico de la conducta humana.

## La experimentación con seres humanos

El método experimental no ha tenido todavía mucha aplicación en las ciencias sociales. Por costumbre, no usamos al hombre como conejillo de Indias. Al hombre tampoco le gusta someterse a estudios y experimentos. Muchas personas rehuyen el hacerse un examen médico porque temen que pueda encontrarse que padecen de una enfermedad contagiosa. Otras personas le temen a los "tests" de inteligencia y prefieren desconocer su nivel intelectual.

La sociedad tampoco gusta de experimentar con seres humanos. Esa misma sociedad critica el uso de animales en el laboratorio. Cierto tipo de investigación, como el determinar el tiempo que el hombre puede estar sin comer o sin tomar agua, irritaría a la sociedad. El hombre tampoco gusta de contestar cierto tipo de preguntas en cuestionarios, especialmente aquellas sobre asuntos personales. Todas estas cosas ofrecen dificultad al científico social.

## La actitud del público ante las ciencias sociales

Otra dificultad que presenta la disciplina de las ciencias sociales consiste en la actitud que asume el público ante ellas. El público no le da a las ciencias sociales la misma importancia que a las ciencias naturales. Se buscan soluciones científicas para los fenómenos del orden físico; sin embargo, todavía queremos resolver los problemas sociales por medio de la emoción y los sentimientos. En los Estados Unidos se invierten millones de dólares en la investigación de las ciencias naturales. No se invierte, sin embargo, ni una décima parte de esa cantidad en las ciencias sociales. Más aún: cuando el científico natural habla, todo el mundo escucha; no importa que hable de su campo de especialización o de los principales problemas de la sociedad. No ocurre así con el científico social. Él tiene que limitarse a hablar de su campo; aun haciéndolo así, muchos no le prestan la atención que merece. Para muchos, los científicos sociales son idealistas y soñadores. El físico y el químico hablan de sus respectivos campos con la certeza de que van a ser escuchados como autoridades científicas. Sin embargo, en el campo de las ciencias sociales todo el mundo opina y habla como si fuera un científico social. Tanto los profesionales como los legos en la materia hablan de los problemas de la sociedad y sugieren soluciones como si fueran expertos.

## El lenguaje

Otra de las dificultades que se menciona como obstáculo para el completo desarrollo de las ciencias sociales es la imprecisión del lenguaje técnico que se emplea. No hay una nomenclatura común a todas las ciencias sociales. Algunas ciencias naturales para vencer esta dificultad han recurrido a las matemáticas, pero todos no estamos de acuerdo en que las ciencias sociales también adopten las matemáticas como su lenguaje.

Veamos algunos ejemplos de la inexactitud del lenguaje empleado por las ciencias sociales. El término socialización no significa la misma cosa para el sociólogo que para el economista o el científico político. Igualmente ocurre con el término valor o valores. El economista y el sociólogo no lo definen del mismo modo.

Hay otro problema que resulta de la dificultad del lenguaje. Este problema surge cuando el hombre común concede un significado a una palabra y el científico social le otorga otro. Se nos ocurre citar como ejemplo el término cultura. El lego generalmente piensa en las cosas bellas y buenas de la vida al mencionarse este término. El científico social no descarta esas cosas como parte de su definición de cultura, pero añade muchos elementos adicionales relacionados con todas las formas de vivir de un pueblo.

Creemos que a medida que se desarrollan las ciencias sociales y aumenta la labor interdisciplinaria, se hacen progresos en el desenvolvimiento de un lenguaje más exacto. Otro factor, que puede ayudar a eliminar esta dificultad es una más amplia educación del pueblo y el mayor estudio de las disciplinas de las ciencias sociales y de su nomenclatura.

### DESARROLLOS RECIENTES QUE ATENÚAN LAS DIFICULTADES

No pretendemos en forma alguna implicar que estas dificultades que hemos señalado imposibilitan el estudio científico de la conducta humana. Lo hacen un poco difícil, pero no lo imposibilitan. El científico social no se siente impedido por estas dificultades para realizar su trabajo. Las dificultades retan al científico social para continuar su obra de estudio e investigación. El científico social tiene ante sí un vasto campo de estudio. El estudia cuidadosamente las diferentes actividades que los grupos llevan a cabo y las relaciones que resultan de estas actividades. Entre esas actividades humanas podemos señalar el juego y el trabajo, la religión, el matrimonio, la industria y la política. Estas actividades y muchas otras constituyen el campo de estudio del científico social. De la información que recoge de estos estudios mediante el análisis científico va desarrollando la ciencia social.

En las ciencias sociales pueden apreciarse algunos adelantos que sin duda conducirán al mayor desarrollo y progreso de estas disciplinas. Nos referimos al desarrollo de un lenguaje más preciso y universal, al aumento en el uso del trabajo en el campo como parte de la creciente investigación empírica y al empleo riguroso del método científico, utilizando el estudio de casos y las estadísticas.

Finalmente, señalamos como un hecho prometedor el enfoque interdisciplinario de las ciencias sociales. Los científicos de las diferentes especialidades unen sus esfuerzos en el estudio de un asunto de interés para todos como un medio de obtener mayor conocimiento sobre el mismo. Estamos convencidos que, para alcanzar un conocimiento completo de la conducta humana, se necesitan de los esfuerzos de las distintas ciencias sociales.

## UTILIDAD DE LAS CIENCIAS SOCIALES

Muy pocas personas tienen duda de la utilidad de la física, la química o la biología. Los desarrollos de estas ciencias han sido tan amplios y sus aplicaciones tan diversas que es fácil para todos comprender la utilidad de estas disciplinas. Son muchos los que tienen dudas, sin embargo, sobre la utilidad de las ciencias sociales. Todavía muchos se preguntan para qué sirven la sociología, la psicología o la economía. Como no advertimos su uso práctico inmediato, dudamos de la utilidad de esas disciplinas. La verdad es que las ciencias sociales son disciplinas jóvenes, y debido a las dificultades que presentan han tardado mucho en desarrollarse.

A pesar de la opinión negativa de muchos, las ciencias sociales tienen importantes contribuciones que hacer. Son estas las ciencias que ayudan al hombre a alcanzar un mayor entendimiento de su ambiente social. Las ciencias sociales dan al hombre un mayor conocimiento sobre su vida social, su conducta, sus actividades, sus relaciones y sus instituciones.

Las ciencias sociales ofrecen otra importante contribución. La información que suministran estas ciencias es usada por las autoridades como guía para tomar decisiones. La información que suple la economía es imprescindible para trazar la política económica y fiscal. La ciencia política ofrece la información que puede ser empleada en la administración de un gobierno moderno. La contribución de la psicología a la medición de las diferencias individuales y las aptitudes ha sido de gran utilidad para la educación. La psicología nos ha ayudado a comprender mejor el desarrollo de la personalidad humana. El campo de la psicología educativa se ha desarrollado grandemente y esta disciplina ha hecho importantes contribuciones al estudio científico del proceso de aprendizaje. La sociología sirvió en la Segunda Guerra Mundial para estudiar las relaciones humanas de las fuerzas armadas. Tiene su aplicación en varios campos de la actividad humana. En 1962, la Asociación Americana de Sociología dedicó su convención anual a discutir los usos de la sociología en campos fuera de aquellos estrictamente académicos: la industria, el comercio, el gobierno y la política. En el próximo capítulo discutiremos con más detalles la utilidad de la sociología.

## LAS CIENCIAS SOCIALES Y LA EDUCACIÓN

A pesar de reconocerse que las ciencias sociales son de valiosa ayuda a la pedagogía, los científicos sociales como grupo se han interesado muy poco en el estudio de la educación. Había habido esfuerzos de algunos de ellos, como psicólogos, por estudiar la educación; pero solo en años recientes es que casi todos los científicos sociales han desplegado mayor iniciativa en esta dirección. Sin embargo, todavía quedan algunos para quienes no tienen suficiente atractivo los problemas pedagógicos.

Aunque las distintas ciencias sociales no han hecho de la educación su campo principal de interés, han realizado estudios de la educación como un proceso social y como una institución social. Sus hallazgos sirven al educador en la implementación de programas y prácticas. Proveen material de importancia para la educación al estudiar los problemas de la juventud, la dinámica poblacional y la estratificación social de una comunidad. Los descubrimientos relativos a estos asuntos ayudan a planificar programas educativos que llenen mejor las necesidades sociales. La educación, como todos sabemos, no puede verse ni estudiarse fuera del contexto sociocultural. No solamente el contenido de las ciencias sociales es de utilidad a la educación, sino también el método que utilizan. Los educadores, en su empeño por mejorar la educación, tienen mucho que aprender en cuanto a la aplicación del método científico de las ciencias sociales.

En último extremo, los educadores trabajan principalmente con seres humanos —administradores, estudiantes, padres y comunidad en general. Las ciencias sociales, como disciplinas que estudian la conducta humana, pueden ser de gran ayuda a los educadores en la mejor comprensión de las relaciones sociales en la escuela y en la comunidad.

En el tercer capítulo, donde se considera el campo de los fundamentos sociales, presentaremos más ampliamente la relación entre las ciencias sociales y la educación.

## RESUMEN

Llamamos ciencias sociales al grupo de disciplinas que estudia la vida social del hombre en forma científica. Cada una de las ciencias sociales trata de alguna fase especializada de las relaciones sociales del hombre. Existe una relación muy estrecha entre las distintas ciencias sociales debido a su campo de estudio. Es difícil, por esta razón, decir dónde termina una ciencia social y dónde empieza otra.

Las ciencias sociales, al igual que las ciencias naturales, emplean el método científico. Ambas ciencias siguen los mismos pasos al aplicar su método. Estos pasos envuelven el formular la hipótesis, observar los fenómenos y hacer anotaciones, clasificar y organizar los datos, formular generalizaciones y hacer predicciones.

Existen diferencias entre las ciencias sociales y las ciencias naturales. Estas diferencias residen en el material estudiado, el método aplicado y las conclusiones establecidas.

Las ciencias sociales se enfrentan con un número de dificultades que obstaculiza el estudio científico de la conducta humana. La principal dificultad se debe a la complicada naturaleza humana. No cabe duda de que el hombre es un ser complejo y difícil de estudiar. Existen grandes diferencias entre un ser humano y otro. El hombre es además versátil, variable y muy dado a prejuicios y sentimientos.

El ambiente en el cual se lleva a cabo la vida social también ofrece dificultad. No es fácil controlar al hombre para fines de experimentación como si fuera un animal. Las actividades del hompre en el ambiente son muy variadas y complejas. La experimentación con el hombre también ofrece dificultades. Al hombre no le gusta que se experimente con él. La sociedad tampoco ve con buenos ojos los experimentos con seres humanos. La falta de un lenguaje preciso es otra dificultad. Estas dificultades no imposibilitan el estudio científico de la conducta humana; por el contrario, estimulan al científico a continuar estudiando con mayor entusiasmo en su empeño de conocerse mejor. Los desarrollos recientes en las ciencias sociales atenúan estas dificultades.

Luego tratamos el asunto de la utilidad de las ciencias sociales. Todavía muchos exhiben dudas en cuanto a la utilidad de estas disciplinas. Nadie duda, sin embargo, de la utilidad de las ciencias naturales. Las ciencias sociales tienen importantes contribuciones que hacer al estudio científico de la vida social del hombre.

Finalmente, discutimos la relación entre las ciencias sociales y la educación. Hace relativamente poco tiempo que aquellas han venido a interesarse en el estudio de la educación. Los hallazgos de esas disciplinas son de gran ayuda al educador en la implementación de programas y prácticas educativas al igual que al trazar planes de acción.


## LECTURAS

Bellamy, Raymond, y otros. *A Preface to the Social Sciences.* New York: McGraw-Hill Book Co., 1956, Capítulo 1.

Biesanz, John y Marvis Biesanz. *La sociedad moderna: Introducción a la sociología.* Editorial Letras, S. A., 1958, Capítulo 1.

Brown, Francis J. *Educational Sociology.* Segunda edición. New York: Prentice-Hall, Inc., 1954, Capítulo 1.

Cuber, John F. *Sociology: A Synopsis of Principles.* New York: D. Appleton-Century Co., Inc., 1947, páginas 19-20.

Gillin, John L. y John P. Gillin. *Cultural Sociology.* New York: The Macmillan Co., 1948, Capítulo 1.

Green, Arnold W. *Sociology: An Analysis of Life in Modern Society.* Tercera edición, New Jersey: McGraw-Hill Book Co., Inc., 1960, páginas 2-7.

Inkeles, Alex. *What is Sociology? An Introduction to the Discipline and Profession.* New Jersey: Prentice-Hall, Inc., 1964, Capítulo 2.

Merrill, Francis E. y H. Wentworth Eldredge. *Society and Culture.* New Jersey: Prentice Hall Inc., 1957, páginas 3-10.

Merton, Robert K. y otros (ed.). *Sociology. Today, Problems and Prospects.* New York: Basic Books, Inc., 1959, Capítulo 8.

Ogburn, William F. y Meyer F. Nimkoff. *Sociología*. Traducción de la segunda edición americana. Madrid: Aguilar, 1959, páginas 3-13.

Seligman, Edwin R. A. *What are the Social Sciences?* En *Encyclopedia of the Social Sciences*. New York: The Macmillan Co., 1957, Vol. 1, páginas 3-7.

Stycos, J. Mayone. *Familia y fecundidad en Puerto Rico*. México: Fondo de Cultura Económica, 1958, Apéndice A, páginas 264-303.

Westby-Gibson, Dorothy. *Social Perspectives on Education: The Society, The Student, The School*. New York: John Wiley and Sons, Inc., 1965, Capítulo 1.

Wilson, Everett K. *Sociology, Rules Roles, and Relationships*. Homewood, III.: The Dorsey Press, 1966, páginas 3-20.

Young, Kimball y Raymond W. Mack. *Sociology and Social Life*. Segunda edición. New York: American Book Co., 1962, páginas 1-7.

# CAPÍTULO II

## EL CAMPO DE LA SOCIOLOGIA

En el capítulo anterior discutimos sobre el campo de las ciencias sociales en general. Estudiamos su definición, su método, sus dificultades, desarrollos recientes para atenuar estas dificultades, su utilidad y su relación con la educación. También analizamos las diferencias entre las ciencias naturales y las ciencias sociales.

Nuestro interés principal en este es concentrar en el estudio de una de las ciencias sociales, la sociología, ya que esta es la disciplina que más nos ocupará. La sociología ha tenido un gran desarrollo en el siglo XX tanto en la investigación como en la enseñanza. La enseñanza de esta disciplina se ha extendido considerablemente en colegios y universidades. Como resultado de este desarrollo, comparte con otras ciencias sociales un sitial de respeto en el campo de la investigación científica.

En este capítulo estudiaremos la relación de la sociología con las demás ciencias sociales, su definición, su historia, su desarrollo y su utilidad. Discutiremos brevemente los orígenes de la sociología y detallaremos su desarrollo en el siglo XIX. También consideraremos las diferencias en métodos y propósitos que existen entre la sociología del siglo XIX y la del siglo XX.

### LA SOCIOLOGÍA Y LAS DEMÁS CIENCIAS SOCIALES

Como explicábamos en el primer capítulo, existe una relación muy estrecha entre las distintas ciencias sociales. Todas tratan en sus aspectos generales sobre las relaciones sociales, pero cada una de ellas en particular trata sobre los aspectos específicos de estas relaciones. La sociología, sin embargo, abarca todo el campo de las relaciones humanas, porque los hombres, antes que seres económicos o políticos, son humanos, y la sociología estudia lo que hay de humano en el hombre. A la sociología le interesan las relaciones sociales, las formas en que los hombres se relacionan para llevar a cabo las distintas actividades, bien sean políticas, económicas o de otra índole.

Ninguna disciplina puede arrojar por sí sola completa información acerca del vasto campo de las actividades humanas. Para tener un cuadro completo de las actividades del hombre, la sociología tiene que utilizar la información que le suministran otras ciencias sociales. No queremos dar la impresión de que la sociología sea una especie de parásito que se nutre de las demás disciplinas. Las demás ciencias sociales necesitan también la ayuda de la sociología, ya que sus problemas particulares no pueden estudiarse a fondo si no se relacionan con los aspectos sociales generales.

Después de esta breve discusión en torno a la relación que existe entre la sociología y las demás ciencias sociales, debemos definir la sociología.

## DEFINICIÓN DEL TÉRMINO SOCIOLOGÍA

Si consultamos diversos libros, encontraremos definiciones como las siguientes: "la ciencia de la sociedad", "la ciencia de los fenómenos sociales" y la "ciencia de las instituciones sociales". Todas estas definiciones no dan separadamente la mejor idea de lo que es. Todas requieren una mayor elaboración.

En vez de elaborar estas definiciones que se dan corrientemente, preferimos dar nuestra definición. Es la ciencia del hombre en el grupo social, o el estudio científico del comportamiento del hombre en grupos, de la interacción social. La sociología estudia al hombre como ser social, como miembro de los grupos sociales y no como individuo aislado. Estudia las relaciones de grupo en las que el hombre participa y los resultados de todas sus actividades.

La sociología es un cúmulo de conocimientos científicos basados en el proceso de interacción social. La interacción social es un proceso de contactos recíprocos entre dos o más personas. Todos los seres humanos están envueltos en este proceso de acción recíproca, ya que todos viven como miembros de grupos sociales relacionados. Existen muy pocos casos de individuos que viven o han vivido aislados. Nuestra conducta es aprendida a través de los contactos con otras personas en los grupos sociales. Estas personas son nuestros hermanos, padres, amigos, maestros y los miembros de la comunidad en general.

No hemos definido la sociología como la ciencia de los problemas sociales. No queremos relacionar la ciencia de la sociología con la solución de los problemas sociales. La sociología investiga las situaciones problemáticas, pero no se dedica a buscar soluciones a los problemas. La información que recoge la sociología puede ser utilizada por individuos y agencias en la solución de los problemas sociales. El sociólogo no resuelve los problemas sociales. Su misión es investigar la realidad social.

La sociología hace sus investigaciones y recoge su material en la forma más científica y objetiva posible, dejando a un lado la emoción. No se apoya en las reacciones emocionales. El sociólogo ve a los seres humanos objetivamente, como miembros de ciertos grupos; busca aquellos elementos en común entre unos hombres y otros y descarta todos aquellos elementos individuales o personales que puedan dar lugar a la emoción y al sentimiento. El hombre que está sometido a estudio por el sociólogo es un hombre como otro cualquiera, no es un hombre distinto a los demás.

Los hombres, muy corrientemente, actuamos sentimental y emocionalmente. Como ciudadano, el sociólogo también puede actuar subjetivamente, pero no puede hacerlo así como científico. El sociólogo científico tiene que ser lo más objetivo posible, dejando a un lado todo prejuicio u otro elemento emocional al estudiar el ser humano. La ciencia es objetiva. La sociología, como ciencia, también es objetiva.

Hay otro detalle que no debemos pasar por alto al definir el término sociología. Nos referimos a la amoralidad de esta ciencia, al igual que la de todas las ciencias. Al informar el resultado de su investigación el sociólogo tiene que informar todo lo que encuentra, sin emitir juicios en cuanto a lo bueno y lo malo, sin entrar en consideraciones morales. La sociología es amoral. Como científico, el sociólogo informa lo que investiga, independientemente de lo que él crea como persona. El sociólogo informa la verdad de sus hallazgos, aunque éstos no gusten a algunas personas que tienen sus prejuicios y sus preferencias, o sus opiniones en cuanto a lo bueno y lo malo. Al informar sus investigaciones, el sociólogo descarta toda consideración sobre la moral, ya que sabe que lo bueno y lo malo dependen de las actitudes de los grupos sociales. Lo que es bueno para un grupo puede ser malo para otro, o viceversa.

HISTORIA DE LA SOCIOLOGÍA

Es difícil decir cuándo surge exactametne una disciplina. Esta no surge en la mente de un solo hombre en un día determinado. Por lo general, varios factores van cobrando forma y madurando en la mente del hombre, hasta que llega un momento en que se proclama el nacimiento de una disciplina. Entonces una persona, por su interés o contribución especial, se conoce como su iniciador. Así ocurrió con la sociología.

Hay que considerar distintos períodos de desarrollo al trazar su historia, primero como especulación filosófica y luego como lo que es hoy, una ciencia de la sociedad basada en la investigación. Han tenido que transcurrir muchos años para que la sociología sea una verdadera ciencia social.

*Sus comienzos*

En todos los tiempos el hombre se ha interesado en comprender mejor sus relaciones con los demás. Los pueblos primitivos también revelaron ese interés. Nosotros lo demostramos hoy también. No teniendo como nosotros métodos objetivos y científicos para explicar los fenómenos de su ambiente, el hombre primitivo daba interpretaciones sobrenaturales a lo que observaba, o dependía de la especulación y la imaginación.

Esta interpretación especulativa del mundo no se limitó a los tiempos primitivos. Tuvo ese mismo enfoque en la época antigua y medieval. Hoy día, a pesar del gran adelanto científico alcanzado, no podemos decir que el hombre se haya podido librar totalmente de la especulación.

El libro de Brown [1] Educational Sociology presenta en forma de diagrama los esfuerzos que el hombre ha hecho por comprenderse y por transmitir este conocimiento a las nuevas generaciones. Recomendamos el estudio de ese diagrama. De acuerdo con Brown, el hombre, en su afán de descubrir los misterios de la vida y ser el agente directriz de las fuerzas que le

---

1. Brown, Francis J. *Educational Sociology*. Segunda edición. New York: Prentice-Hall., 1954, p. 5.

rodean, ha utilizado la contemplación, la experimentación y la instrucción como medios de conocimiento.

Como parte de la historia de los esfuerzos del hombre por conocer su mundo social, no podemos dejar de mencionar los nombres de los grandes filósofos de la antigüedad, Platón y Aristóteles, en los siglos v y iv antes de Cristo. Sus obras fueron reflexiones sobre la sociedad en que vivían y ante todo la idealización de esa sociedad. La historia del pensamiento social no siguió un período de desarrollo continuo después de Platón y Aristóteles. Podríamos decir que el desarrollo fue muy lento, aun en muchos de los siglos posteriores. El progreso fue lento en los siglos de la Edad Media. Las interpretaciones de los fenómenos sociales en esta época reflejaban las enseñanzas de la Iglesia.

No fue hasta el siglo xvi que surgieron los escritores que empezaron a tratar los problemas de la sociedad en una forma más realista. No podemos dejar de dar crédito en ese siglo al italiano Maquiavelo y al inglés Tomás Moro. El primero expone su teoría en la obra El Príncipe, donde presenta sus ideas sobre el estado y el gobernante airoso. El segundo, en su Utopía, describe una sociedad ideal donde se han resuelto todos los problemas sociales. Siguen a estos filósofos otros que aprovechan sus puntos de vista al tratar de presentar los problemas de la sociedad. El mejor análisis de las fuerzas sociales logrado hasta entonces se encuentra en los escritos de figuras como el italiano Vico y los franceses Montesquieu, Condorcet y Saint-Simon, del siglo xviii. Estos pensadores, aunque son principalmente filósofos políticos o sociales, pueden en cierto sentido llamarse precursores de la sociología por su empeño en hacer el análisis objetivo de la sociedad. Todos hablan de la deseabilidad de observar objetivamente la sociedad, investigar científicamente los fenómenos sociales y recoger la información necesaria para resolver los problemas. Sus influencias se dejan sentir en las figuras que le siguieron en los siglos xix y xx.

### Desarrollo en los siglos XIX y XX

Los siglos que precedieron al xix se caracterizaron por la reflexión y la especulación en torno a la vida social. El siglo xix, sin embargo, se caracteriza por el afán de tratar de entender en forma objetiva y científica la vida social del hombre. Contribuyó a esto grandemente el hecho de que el siglo xix fue un siglo de gran desarrollo científico en todos los órdenes de la vida, especialmente en el campo de las ciencias naturales. Este desarrollo fue grandemente estimulado por la Revolución Industrial. El siglo xix produjo a Darwin y a Spencer; también a Karl Max. Las obras de estas personalidades estimularon un vasto campo de investigación científica.

El adelanto logrado en el método científico llevó a los filósofos sociales de la época a pensar en una forma más científica de estudiar la conducta del hombre en la sociedad. Es en el siglo xix que comienza la sociología a tomar forma como ciencia de la sociedad. Surge en este siglo una figura de gran prominencia en la historia de la sociología, el francés Augusto Comte. Le siguen otras personalidades, como Herbert Spencer, Emile Durkheim y Max Weber. Examinemos algunas de sus contribuciones principales.

## Augusto Comte (1798-1857)    Padre de la sociología

Se llama a Augusto Comte el padre de la sociología, porque fue el primero en usar el término en una serie de conferencias y en su obra *Filosofía positiva* en 1839. Comte estaba familiarizado con los escritos de los pensadores que le precedieron. No estando conforme con las maneras en que estos pensadores enfocaban los problemas del hombre, creyó que hacía falta iniciar el estudio científico de la sociedad. Este estudio científico se podía hacer a través de una ciencia social en particular, la sociología, a la cual él llamó primero física social y luego sociología.

Comte clasificó las disciplinas del conocimiento humano, desde la más simple hasta la más compleja, empezando por la matemática. Luego le seguían la astronomía, física, química, biología, psicología y sociología. La disciplina más compleja, según él, era la sociología ya que los fenómenos sociales son complejos y difíciles de estudiar en forma científica. La disciplina más simple, según Comte, era la matemática.

La contribución mayor de Comte no fue tanto el hacer de la sociología una verdadera ciencia social, sino más bien el introducir el término, preocuparse por el estudio de la sociedad y señalar cómo debía hacerse ese estudio. Comte siguió siendo ante todo un filósofo de la sociedad. Los estudiosos que siguen a Comte son los que vienen a aplicar el método científico al estudio de la sociedad. A la luz de lo que llamamos hoy ciencia social, Comte puede catalogarse más bien como un filósofo de la ciencia y no como un verdadero sociólogo.

Augusto Comte es conocido en la filosofía por su teoría de los tres estados o las tres etapas por las cuales pasa el conocimiento humano: la teológica, metafísica y positiva. En estas etapas predomina la fantasía, la abstracción y la ciencia, respectivamente. Comte sostenía que el verdadero conocimiento se lograba solamente en el estado positivo o científico. En esta etapa, la observación objetiva del conocimiento humano tomaría el lugar de la especulación filosófica. Los fenómenos sociales, al igual que los fenómenos del mundo físico, según Comte, podrían estudiarse objetivamente, pero solo a través del método positivo. Aquí se ve claramente que ya Comte visualiza el método científico de la sociología actual.

## Herbert Spencer (1820-1903)

Quizás la persona que ejerció una mayor influencia en el desarrollo de la sociología como ciencia en el siglo XIX fue Herbert Spencer. Spencer trabajó sobre las bases sentadas por Comte. Con los escritos de Spencer, la sociología empieza a cobrar forma como disciplina autónoma. El libro de Spencer *Principles of Sociology* fue el primer texto que se usó en los Estados Unidos en la enseñanza de un curso de sociología. Este se dictó en la Universidad de Yale en el año académico 1875-1876.

Spencer fue más allá que Comte en el sentido de que definió el contenido a incluirse en la sociología. Para él la sociología en general era la unidad de análisis sociológico, lo que justifica su amplia lista de temas en el contenido de la sociología. Spencer aplicó el método inductivo en el estudio de los fenómenos sociales, llegando a conclusiones después del examen y el análisis de los datos.

La sociología de Spencer fue muy influida por la biología, especialmente por las teorías de Charles Darwin. Spencer fue víctima de la analogía biológica: concebía a la sociedad como un organismo y al individuo como una célula. De la misma manera que las células desempeñan diferentes funciones en el organismo, los individuos, según él, cumplen diferentes funciones en la sociedad. Creía que en la misma forma en que las células deben funcionar en armonía con el organismo, los individuos deben estar en armonía con la sociedad para que se logre el funcionamiento satisfactorio de ésta.

La sociología era para Spencer y sus seguidores una ciencia basada en la biología. En el curso de su desarrollo como ciencia, fue modificando y luego abandonando su íntima relación con la biología. Siguieron a Spencer otros sociólogos que contribuyeron al desarrollo de la sociología como ciencia.

### Emile Durkheim (1858-1917)

Al trazar el desarrollo histórico de la sociología no puede faltar el nombre de Durkheim, uno de los más grandes sociólogos europeos de fines del siglo XIX y principios del XX. Durkheim no delineó específicamente el contenido de la sociología como lo hizo Spencer, pero escribió sobre una diversidad de temas: el trabajo, la religión, la moral, el crimen, el suicidio, etc. Fue autor de obras de educación y sociología, convirtiéndose de este modo en un precursor de la sociología de la educación. También escribió extensamente sobre el método sociológico, ayudando así al desarrollo de la sociología como ciencia.

### Max Weber (1864-1920)

El alemán Max Weber es otra de las grandes figuras en el desarrollo de la sociología como ciencia. Dedicó gran parte de sus obras a explicar el método que él predicaba, conocido como el método del entendimiento. Según este método, para estudiar los hechos sociales es necesario entender las motivaciones de las personas como causales de los hechos. La sociología para Weber es la ciencia que trata de entender los hechos sociales. Weber escribió extensamente sobre una variedad de temas: religión, economía, política, burocracia, clase social y casta.

Gracias a las aportaciones de estos prominentes sociólogos, la sociología se ha desarrollado plenamente como ciencia social en Europa y América, durante el siglo XX. Algunos de los colosos de la sociología en Estados Unidos son Coole, Ward, Sumner, MacIver, Znaniecki y Parsons.

DIFERENCIAS FUNDAMENTALES ENTRE LA SOCIOLOGÍA
DEL SIGLO XIX Y LA DEL SIGLO XX

En el corto tiempo de poco más de un siglo la sociología ha evolucionado considerablemente. Existen diferencias entre la sociología del siglo XIX y la

*Diferencia entre la sociología del siglo XIX y XX*

del siglo xx. Señalaremos dos aspectos en los cuales hay diferencias. Estos dos aspectos son el método y los propósitos.

## 1) Método

En el siglo pasado, la sociología usó el método filosófico, especulativo o de escritorio. Así tuvo que ser, ya que la sociología era hija de la filosofía. Este método consistía en reflexionar críticamente sobre un asunto o problema y luego escribir un tratado donde se exponía todo lo que se había reflexionado. El llamado sociólogo del siglo xix podía quedarse en su escritorio y desde allí hacer sus reflexiones y escribir su libro, sin necesidad de salir al campo a hacer investigaciones, como ocurre hoy día.

La sociología del siglo xx no es filosofía. En este siglo el método es científico, tan científico como sea posible. ¿Para qué va el científico a quedarse en su escritorio si puede salir a investigar y a observar los fenómenos sociales? El sociólogo moderno no está estudiando en el escritorio, sino en el campo, entrevistando gente, visitando agencias, haciendo observaciones y recogiendo información. Luego viene al escritorio para interpretar y analizar la información que ha recogido. El sociólogo moderno se mezcla con la gente, la observa, recoge y clasifica datos sobre el problema bajo estudio. Adopta una actitud objetiva; no se escandaliza por los datos que encuentra. El sociólogo asume una actitud científica ante la realidad social. En el siglo xx, el sociólogo está interesado en presentar los problemas como son, investigando realidades. En este siglo abundan los estudios sistemáticos y limitados sobre pequeñas porciones de la sociedad. Así, por ejemplo, se han realizado, entre otros, estudios sobre pequeñas comunidades rurales, grupos de familias, actividades de juego y congregaciones religiosas.

## 2) Propósitos

El propósito de la sociología del siglo xix era tratar de resolver los problemas sociales para mejorar la sociedad. En el siglo pasado se buscaban fórmulas universales para la solución de los problemas sociales con el fin de transformar la humanidad. Se trataba de encontrar panaceas para todo. Ejemplos de estas fórmulas universales sugeridas para solucionar problemas son la teoría de los tres estados de Comte y la teoría de la naturaleza humana de Rousseau: el hombre nace bueno, pero la sociedad lo daña.

En el siglo xx hemos desistido de pretender transformar la humanidad, y mucho menos mediante fórmulas de aplicación universal. Nos hemos limitado, sin embargo, a fraccionar el estudio, a particularizar pequeñas porciones de los problemas sociales. El sociólogo investiga, estudia el problema. Resuelven el problema aquellas agencias o personas que tienen dinero y medios para hacerlo.

Muchos creen que el sociólogo debe decir cómo pueden resolverse los problemas sociales. Ese no es su trabajo. Su trabajo termina con la búsqueda de los datos y el análisis de los mismos. Como sociólogo, informa lo que ha encontrado; otras personas o agencias curan los males. La sociología no es la patología de la sociedad. La misión principal de la sociología del siglo xx no es resolver problemas, sino investigar las distintas situaciones sociales en que los hombres están envueltos.

## ⟨↗⟩ DESARROLLOS RECIENTES DE LA SOCIOLOGÍA

Ha tenido su mayor desarrollo en el siglo xx. Ha sido en este siglo que se ha convertido en una ciencia de la sociedad basada en la investigación empírica y ha descartado su enfoque filosófico original. La sociología ha crecido considerablemente, e incluye hoy día el estudio de un vasto campo de fenómenos sociales. Ha desarrollado técnicas de investigación como la observación, las entrevistas, los documentos personales, el estudio de casos y las técnicas sociométricas. Ha recogido información sobre muchos campos y ha formulado principios básicos de relaciones sociales. Estos principios que se han formulado sobre la relaciones sociales se han utilizado para lograr una mejor comprensión de la sociedad.

Al igual que ha ocurrido con otras disciplinas, la sociología moderna ha tendido a la especialización. Existen muchos campos de especialización en la sociología, tales como la sociología urbana, la sociología rural y la sociología industrial. También incluimos como especializaciones la sociología de la religión, la familia, la educación, la política, las leyes, la medicina, la ciencia y las artes. La literatura sociológica reciente demuestra igualmente su especialización en campos de investigación como lo son estudios de diversos grupos ocupacionales o de otra índole, la organización social en distintas clases sociales, el estudio de comunidades y regiones y el estudio de patrones de conducta definidos, como el matrimonio y la religión. Esta división de la sociología en áreas de estudio ha traído como consecuencia la especialización del personal. El sociólogo general ya casi no existe. Existen los especialistas o técnicos, que estudian campos específicos de la sociología.

Otro de los desarrollos recientes es la aplicación de la sociología. Esta era en los comienzos de este siglo enteramente teórica. Hoy día, las agencias del gobierno y las privadas emplean sociólogos para realizar estudios de sus problemas. Luego estas agencias introducen cambios o modificaciones o inician nuevas operaciones a la luz de la información sociológica recogida.

No puede dejarse de mencionar como un gran desarrollo de la sociología de hoy la integración interdisciplinaria. La vida del hombre puede estudiarse mejor mediante la acción combinada de las diferentes ciencias sociales. Como dijimos anteriormente, la sociología necesita la ayuda de las demás ciencias sociales, y estas, a su vez, necesitan la ayuda de la sociología. Sociólogos, psicólogos y antropólogos, trabajan juntos en problemas de interés común. Solo así se logra el mejor conocimiento de la realidad social.

En la revista *Sociology and Social Research* [2] el sociólogo Burgess hace un interesante resumen de los cambios y desarrollos más significativos de la sociología en los últimos cuarenta años. Esa revista contiene también otros interesantes trabajos sobre los cambios ocurridos en la sociología.

---

2. Ernest W. Burgess. «Seven Significant Changes in Sociology.» En *Sociology and Social Research*, XL, julio-agosto de 1956, páginas 385-386.

Recomendamos la lectura de esa revista para que se tenga una idea más completa del desarrollo de esta disciplina.

## LA UTILIDAD DE LA SOCIOLOGÍA

A pesar de lo que muchos creen, debe afirmarse que la sociología hace importantes contribuciones. Como ya dijimos, en los últimos años se ha extendido considerablemente la enseñanza de la sociología en colegios y universidades. También aumentan en gran escala las investigaciones sociológicas. A pesar del progreso alcanzado muchos se preguntan cuál es la utilidad de la sociología. ¿Para qué sirve el estudio de esta disciplina?

Las investigaciones del sociólogo nos dan una comprensión más clara de la sociedad en que vivimos. Necesitamos tener ese conocimiento de la sociedad. La sociología nos ayuda a entender mejor la estructura social de la que formamos parte y las fuerzas que han producido esa estructura. La sociología nos da además un conocimiento claro de las instituciones sociales. El sistema democrático necesita que el ciudadano conozca las instituciones sociales. Como el sistema democrático descansa en el voto' del ciudadano, este debe tener un conocimiento claro de las instituciones sociales para votar inteligentemente. La sociología ayuda a darle ese conocimiento.

El estudio de la sociología ofrece la comprensión científica de la conducta humana en forma objetiva y ayuda a entender mejor la conducta de otras personas. En el pasado no se estudió siempre la conducta humana de una manera científica. Muchas veces reaccionamos emocionalmente antes que objetivamente. La objetividad se logra mediante el análisis de la conducta humana, el estudio de los factores que producen cierto tipo de conducta. Toda conducta es causada. Por eso las normas morales, las actitudes, los gustos y la influencia de los grupos sociales sobre el comportamiento humano son fenómenos sujetos a análisis.

El conocimiento científico de la conducta humana nos lleva a comprenderla mejor y a ser más tolerantes. No es fácil aprender a vivir con otras personas. El vivir en sociedad requiere comprensión y confianza. El hombre comprende bastante bien el mundo físico que lo rodea, pero no comprende tan bien su propio mundo de la naturaleza humana. Por eso tenemos conflictos tales como guerras, huelgas, divorcios.

En resumen, la sociología aspira a fomentar una mayor comprensión de la sociedad, a ayudar al hombre a conocerse a sí mismo, a conocer sus recursos y sus limitaciones y su función en la sociedad. Esperamos que el hombre haga uso de las aportaciones de la sociología para resolver sus problemas.

## LA SOCIOLOGÍA Y LA EDUCACIÓN

Deseamos recalcar el auge que ha tomado en los últimos años la enseñanza de la sociología en colegios y universidades. Prácticamente todas las instituciones de educación superior ofrecen a sus estudiantes cursos de sociología, y un crecido número tiene programas subgraduados y graduados con especialización en sociología.

Además de la enseñanza de la sociología como una asignatura en el campo de las artes liberales, los colegios y universidades que preparan maestros y otro personal para el sistema educativo ofrecen cursos de sociología de la educación. Este es un campo especializado de la sociología que se halla en completo desarrollo y que tiene grandes posibilidades de crecimiento en el futuro. En el próximo capítulo estudiaremos este aspecto más a fondo.

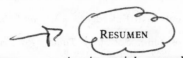

## RESUMEN

La sociología es una ciencia social general que abarca el estudio de todo el campo de las relaciones sociales. Es el estudio de las relaciones del hombre en el grupo social. Este estudio tiene que hacerse por medio de métodos científicos, de la misma forma que las ciencias naturales usan tales métodos para estudiar sus problemas.

En todos los tiempos el hombre se ha interesado en conocer las relaciones sociales. El estudio de las relaciones sociales fue mera especulación filosófica hasta el siglo XIX, cuando empezamos a preocuparnos por la aplicación del método científico. Gran parte de este crédito debe darse a Augusto Comte, conocido como el padre de la sociología, porque fue el primero en usar este término. Comte abogó por el estudio científico de la sociedad. A él siguieron otras personas que se preocuparon también por el estudio científico de la sociedad e hicieron verdadera labor en ese sentido. En el siglo XX, la sociología se convierte en una verdadera ciencia social. En los siglos anteriores al XX, el énfasis recayó en la solución de los problemas sociales; en este siglo, en la investigación científica.

La sociología ha tenido un gran desarrollo en el siglo XX. Ha elaborado técnicas de investigación y ha acumulado un gran caudal de conocimientos sobre la sociedad. Ha tendido hacia la especialización. Otros desarrollos recientes son la aplicación de la sociología, la integración interdisciplinaria y su crecimiento como campo de enseñanza e investigación.

El capítulo entró en la consideración de ciertas ideas en torno a la utilidad de la sociología. Aquí dimos énfasis a la contribución que puede hacer esta al conocimiento de la conducta humana y a una mayor comprensión de la sociedad. Finalmente, se introdujo el tema de la relación entre la sociología y la educación, el cual se desarrollará en detalle en el próximo capítulo.

## LECTURAS

Bain, Read. *Sociology as a Natural Science*. En *American Journal of Sociology*, LIII, núm. 1, julio de 1947, páginas 9-16.

Bell, Earl H. *Social Foundations of Human Behavior*. New York: Harper and Brothers, 1961, Capítulo 1.

Brown, Francis J. *Educational Sociology*. Segunda edición. New York: Prentice-Hall, Inc., 1954, Capítulo 2.

Cuber, John F. *Sociology: A Synopsis of Principles*. New York: D. Appleton-Century Co., Inc., 1947, Capítulos 1 y 2.

Goode, William J. y Hatt, Paul K. *Methods in Social Research*. New York: McGraw Hill Book Co., Inc., 1952, Capítulo 1.

Green, Arnold W. *An Analysis of Life in Modern Society.* Tercera edición. New York: McGraw-Hill Book Inc., 1960, páginas 7-10.

Inkeles, Alex. *What is Sociology? An Introduction to the Discipline and Profession.* New Jersey: Prentice-Hall, Inc., 1964, Capítulo 1.

Koening, Samuel. *Sociology, An Introduction to the Science of Society.* New New York: Basic Books, Inc., 1959, Capítulos 1 y 2.

Landis, Paul H. *Introductory Sociology.* New York: The Ronald Press Co., 1958, páginas VII-XXVI.

Merill, Francis E. y H. Wentworth Eldredge. *Society and Culture.* New Jersey: Prentice-Hall, Inc., 1957, páginas 10-22.

Merton, Robert K. y otros (ed.). *Sociology Today, Problems and Prospects.* New York: Basic Books, Inc., 1969, Capítulos 1 y 2.

Ogburn, William F. y Meyer F. Nimkoff. *Sociología.* Traducción de la segunda edición americana. Madrid: Aguilar, 1959, páginas 13-26.

Recasens Siches, Luis. *Sociología.* México: Editorial Porrua, S. A., 1960, Capítulos 2 y 3.

Rosario, José C. *¿Qué es sociología?* En *Manual de lecturas de Sociología Educativa.* Rio Piedras: Biblioteca General de la Universidad de Puerto Rico. (Reserva). Sin fecha.

*Sociology and Social Research.* Vol. XL, julio-agosto de 1956. Toda la revista.

Wilson, Evertt K. *Sociology, Rules, Roles, and Relationships.* Homewood, Ill.: The Dorsey Press, 1966, páginas 20-40.

Young, Kimball y Raymond W. Mack. *Sociology and Social Life.* Segunda edición. New York: American Book Co., 1962, páginas 7-17.

*Sociología Educativa*

# CAPÍTULO III

## RELACIÓN ENTRE SOCIOLOGÍA Y EDUCACIÓN

Como dijimos en el capítulo anterior, la enseñanza de la sociología en colegios y universidades va extendiéndose rápidamente. Las instituciones que preparan maestros también están sintiendo la influencia de esta importante disciplina. Hoy más que nunca se reconoce la importancia que tiene la sociología en los programas educativos que siguen los futuros maestros. Estos conocimientos de sociología los adquiere el futuro maestro mediante los cursos de sociología educativa y de fundamentos sociales de la educación.

En este capítulo discutiremos la relación que existe entre sociología y educación. Primero presentaremos la historia y el desarrollo de la sociología educativa. Discutiremos enfoques o tendencias más significativas en la sociología educativa y presentaremos ejemplos que ilustran la aplicación de algunos principios sociológicos en la educación. Presentaremos el enfoque más reciente, el de la sociología de la educación o la escuela sociológica. Este parece ser el enfoque que más perspectivas y posibilidades tiene para el futuro. Luego presentaremos una serie de puntos relacionados con el futuro de la sociología educativa como una disciplina indispensable en la preparación de maestros. Mencionaremos algunas de las áreas donde hace falta mayor investigación sociológica. Finalmente, discutiremos el campo de los fundamentos sociales de la educación, el cual va ganando mayor importancia cada día.

### ORIGEN DE LA SOCIOLOGÍA EDUCATIVA

La sociología es una ciencia joven. Más reciente aún es la influencia que ha tenido la sociología en la educación. Es en el siglo XX cuando la sociología empieza a ejercer verdadera influencia en ésta. Antes del siglo XX, el estudio de la educación era influido mayormente por la biología y la psicología. Estas disciplinas daban énfasis principal al desarrollo máximo del invididuo, a la atención de las diferencias individuales y a la provisión del mejor ambiente y de las condiciones necesarias en que el aprendizaje podría llevarse a cabo, asegurando así el dominio de las materias del currículo escolar.

En el 1899, John Dewey escribe su obra *La escuela y la sociedad* y hace hincapié en el hecho de que la escuela para ser efectiva tiene que ser una institución social íntimamente relacionada con la sociedad. La publicación de la obra de Dewey, *Democracia y Educación*, en 1916, ayudó a dar mayor impulso al enfoque social de la educación. Siguen a John Dewey otros educadores que se preocupan también por la relación entre la escuela y la sociedad. Empezamos entonces, en los comienzos del siglo xx, a darnos cuenta de que la educación tiene que ir más allá de velar por el desarrollo individual y el dominio de las asignaturas del programa escolar. Los educadores se preocupan entonces por la influencia de las fuerzas sociales en la educación: el ambiente, el grupo social en que se mueve el niño, la comunidad, la sociedad en general; en otras palabras: reconocen el hecho de que la educación debe orientarse y estudiarse en su contexto social. Nos dimos cuenta entonces de que si nuestra responsabilidad era preparar niños y jóvenes para servir a una sociedad, teníamos que buscar la ayuda de otras disciplinas, además de la biología y la psicología, para cumplir con nuestra responsabilidad. La más importante de esas disciplinas complementarias es la sociología.

No queremos en forma alguna implicar que la biología y la psicología no tienen importancia para la educación. La han tenido en el pasado, la siguen teniendo en el presente y probablemente la seguirán teniendo en el futuro. La psicología educativa, por ejemplo, mantiene un lugar prominente en el currículo de los colegios y universidades que preparan maestros. La psicología social de la educación también va ganando importancia.

Queda entonces definitivamente sentado el hecho de que los educadores estaban pensando en la sociología como la disciplina adicional que hacía falta para comprender mejor el proceso educativo. Es afortunado el hecho de que aparece un número de sociólogos interesados en aplicar los principios de la sociología a la educación. De un lado, tenemos a los educadores que se preocuparon por las fuerzas sociales que afectan la educación, por la función social de la educación, por la falta de énfasis social en los programas educativos y por el hecho de que la escuela no se desarrollaba a la luz de los cambios sociales. De otro lado, los sociólogos veían en la escuela un medio eficaz para la aplicación de la sociología. Así quedó reconocida en los comienzos del siglo xx la relación entre la sociología y la educación. De esta manera surge en América la sociología educativa con el interés y la aportación de sociólogos y educadores.

Según Brookover,[1] la persona que más influyó en el desarrollo de la sociología educativa fue el francés Emile Durkheim, el cual fue el primero en señalar la necesidad de estudiar la educación desde el punto de vista sociológico. En sus conferencias y escritos, Durkheim recalcaba el hecho de que él veía la educación como un sociólogo y que la consideraba como un proceso fundamentalmente social. Para Durkheim la educación guardaba más relación con la sociología que con cualquiera otra disciplina. Concebía la educación como un proceso dinámico, que debería cambiar de acuerdo con las necesidades de los educandos. Otra contribución de Durkheim fue que delineó las áreas en el campo de la educación, donde hacía falta verdadera investigación sociológica.[2] Es interesante notar que él señala las mismas áreas de investigación que todavía estamos señalando hoy — la relación entre la educación y el cambio social, estudios comparados de los sistemas

---

1. Wilbur B. Brookover y David Gottlieb. *A Sociology of Education*. Segunda edición. New York: American Book Co., 1964, p. 3.
2. Emile Durkheim. *Education and Sociology*. New York: Free Press, 1956.

educativos y la escuela como sistema social, entre otras. Esto quiere decir que hemos progresado poco en cuanto a la investigación en sociología educativa.

## DESARROLLO DE LA SOCIOLOGÍA EDUCATIVA

El siglo xx ha sido —como ha quedado demostrado— el siglo de la sociología educativa. Ha sido también el siglo de desarrollo y progreso en esta disciplina, aunque no podemos afirmar que este progreso haya sido continuo. Ha habido épocas en que se le ha dado bastante énfasis y épocas en que ese énfasis se ha debilitado.

Como ya hemos dicho, los sociólogos y los educadores contribuyeron a dar vida a la sociología educativa. En el 1923 estos dos grupos de profesionales fundaron una sociedad nacional que habría de dedicarse al estudio de la sociología educativa. Esta sociedad publicó algunos anuarios, pero la publicación de los mismos fue luego descontinuada. En 1928 se fundó la *Revista de Sociología Educativa (Journal of Educational Sociology)*, la que se convirtió en el órgano inicial del grupo. Para esa fecha desapareció la sociedad nacional. Desde la desaparición de esta agrupación, los sociólogos interesados en la educación han formado parte de la Sección de Sociología Educativa de la Asociación Americana de Sociología.

El progreso de la sociología educativa fue notable en los primeros treinta o treinta y cinco años del siglo actual. Se inician y se desarrollan cursos de sociología educativa en un gran número de colegios y universidades, se escriben libros de texto, se crea la sociedad nacional y se publica una revista. Luego vino una época de relativo estancamiento que se extiende por unos diez o quince años. Afortunadamente de 1950 al presente la sociología educativa ha tenido un gran desarrollo.

Varias razones ayudan a explicar el estancamiento en los años pasados. En primer lugar, los escritos de carácter sociológico-educativo habían sido más bien polémicos que científicos. Los trabajos de investigación no habían empleado técnicas completamente científicas ni las personas a cargo de los mismos tenían preparación sociológica adecuada. Además, habían ignorado áreas importante de investigación. Por estas razones muchos sociólogos no se habían interesado en el estudio de la educación.

Del 1950 hasta el presente se nota un cambio favorable al desarrollo de la sociología de la educación. Para ese año la sociología había alcanzado un lugar de prestigio en los colegios y universidades. Las técnicas de investigación sociológica se habían refinado considerablemente. Como consecuencia los sociólogos se sienten más seguros de su posición e invaden otros campos de estudio. Uno de esos campos que les atraen es la educación. En la década del 1950 —quizás motivados por los logros espaciales de Rusia— empezó a sentirse un renovado deseo del pueblo americano por desarrollar un sistema educativo de calidad. Comienzan a asignarse fondos y donativos en grandes cantidades destinados a la investigación pedagógica y esto contribuye a facilitar la colaboración entre sociólogos y educadores.

En la misma década se realizaron estudios sobre muchos aspectos de la sociología que atañen a la educación, como clase social, movilidad social, socialización y la organización de la comunidad. También se estudiaron los objetivos de la escuela, de los alumnos y de la profesión del magisterio.

Aparecen en esta década excelentes libros de texto en sociología educativa, como los de Brookover,[3] Dahlke[4] y Havighurst.[5]

Los estudios hechos por personas de reconocida competencia demuestran que desde el comienzo han existido diferencias en la definición del concepto sociología educativa, en el contenido de unos textos y otros, en los cursos de sociología educativa dictados en las universidades y en los objetivos que perseguía la enseñanza de esta materia en las diferentes instituciones. Esta situación da lugar a que surjan distintas tendencias o enfoques en la sociología educativa. Veamos este aspecto más detalladamente.

### TENDENCIAS EN LA SOCIOLOGÍA EDUCATIVA

Como hemos dicho antes, la sociología empezó a interesarse en el estudio del proceso educativo desde los comienzos de este siglo. Los sociólogos y educadores se unieron en un esfuerzo por aplicar los principios sociológicos a la educación en general y a la escuela en particular.

1) Para algunos sociólogos, la sociología educativa era el medio de lograr el progreso social, de remediar los males sociales. Para este grupo, la educación era la institución que tenía que velar por el mejoramiento de la sociedad. Se concebía la escuela como el medio principal para dirigir el cambio social. Lester F. Ward fue el principal exponente de esta tendencia.

2) Para otros, la sociología educativa era una filosofía social de la educación. Tocaba a esta disciplina determinar los objetivos de la educación a la luz de las necesidades de la sociedad y ayudar a formular un currículo o tono con esos objetivos.

3) Un número considerable de sociólogos entendía la sociología educativa como la aplicación de la sociología a la solución de los problemas educativos. Para ellos, la sociología educativa no podía ser una ciencia pura, sino la aplicación de los conocimientos de sociología a la educación. Este enfoque de la sociología aplicada está activo todavía y tiene sus seguidores. Este es el enfoque que da a los cursos de sociología educativa un número de colegios y universidades que prepara maestros.

4) Otros sociólogos concebían la sociología educativa como el estudio del proceso de socialización del niño. A este grupo le interesaba especialmente la influencia de los grupos sociales —familia, escuela y comunidad— en el desarrollo del individuo.

5) Otros veían la sociología educativa como una disciplina esencial que todo maestro en proceso de formación debía conocer. Este era el enfoque que sustentaba E. George Payne de la Universidad de Nueva York. Francis J. Brown, discípulo de Payne, también defendió la existencia de este requisito. Se incluían en este enfoque de la sociología educativa todos aquellos aspectos de la educación que podían analizarse sociológicamente, al igual que todos aquellos aspectos de la sociología que tenían relación con

---

3. Brookover. *Op. cit.*, Primera edición, 1955.
4. H. Otto Dahlke. *Values in Culture and Classroom*. New York: Harper and Bros., 1958.
5. Robert J. Havighurst y Bernice L. Neugarten. *Society and Education*. Boston: Allyn and Bacon, 1957.

la educación. Los defensores de este enfoque sostenían que todos los futuros maestros debían tomar cursos de sociología educativa.

6) Constituía para otros el corazón de la sociología educativa el estudio de la comunidad. Este enfoque daba énfasis al análisis de la función de la educación en la comunidad y muy especialmente a la relación que existe entre la escuela y las demás instituciones de la comunidad.

7) Otro grupo de sociólogos estaba interesado en el análisis de la interacción social, las funciones sociales dentro de la sociedad de la escuela y la relación entre el personal escolar y otros grupos de la comunidad. El principal exponente de este enfoque fue Willard Waller, en su obra clásica Sociology of Teaching, en la que hace un análisis de la función social que desempeña el maestro en su relación con el estudiante y la comunidad.

En resumen, la gran diversidad de tendencias o de enfoques en la sociología educativa implica que antes que una sola definición del concepto se han expuesto y se exponen varias. La definición varía de acuerdo con el punto de vista de la persona que la ofrece. El contenido de la sociología educativa varía igualmente de acuerdo con el enfoque. Cada una de estas tendencias cuentan con el endoso de un gran número de prominentes sociólogos y educadores. Debemos añadir que algunos de ellos defienden y sustentan más de un enfoque; sin embargo, en todos se advierte el empeño de aplicar los principios de la sociología a la educación.

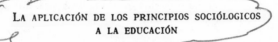

## LA APLICACIÓN DE LOS PRINCIPIOS SOCIÓLOGICOS A LA EDUCACIÓN

Desde los comienzos se advierte claramente el interés de los sociólogos y educadores en aplicar ciertos datos y principios de sociología a la administración de las escuelas y al estudio del proceso de enseñanza. Un número de actividades escolares refleja la contribución de la sociología a las áreas de desarrollo del niño, del proceso de aprendizaje, de la comunidad y del cambio social.

Examinemos cada una de estas aplicaciones de la sociología a la educación.

### Desarrollo del niño

Al estudiar el desarrollo del niño no podemos dejar de mencionar la importancia que tiene el grupo social. El grupo social es indispensable para el desarrollo de la personalidad del niño, porque la personalidad no se desarrolla en el aislamiento. Esta se desarrolla por la continua interacción con otros miembros del grupo social, como la familia, los compañeros de juego, la escuela y la comunidad.

### Proceso de aprendizaje

La sociología nos ha hecho conscientes de las diferencias entre unos individuos y otros y del efecto que esas diferencias ejercen en el proceso

---

6. Willard Waller. *Sociology of Teaching*. New York: John Wiley and Sons, Inc., 1932.

de aprendizaje. Las diferencias en los ambientes socioculturales producen diferentes intereses, valores y motivaciones entre unos niños y otros.

La naturaleza humana es variable. Esta variabilidad de la naturaleza humana nos lleva a desarrollar programas educativos que reconozcan estas diferencias. Cada vez que se operan cambios en nuestros modos de vida, se producen diferencias en el interés y la motivación que afectan el aprendizaje de los niños. Otro ejemplo del efecto de las diferencias socioculturales ha quedado demostrado con las pruebas de inteligencia. Allison Davis [7] nos dice que existe evidencia de que las pruebas de inteligencia discriminan contra los niños de las diferentes clases sociales y orígenes étnicos y nacionales.

## Comunidad

El estudio científico de la comunidad es indispensable para el desarrollo de cualquier programa educativo. La organización de la escuela, su programa docente y las proyecciones futuras de la educación no pueden lograrse a plenitud sin un conocimiento de la comunidad. El maestro o administrador escolar que no tenga en cuenta el factor comunidad en su trabajo, está expuesto al fracaso. Las comunidades crecen y cambian y se complica de este modo la función que se espera que la escuela realice. Los educadores tienen que estar conscientes de estos cambios en las comunidades y de cómo ellos afectan la función de la escuela.

## Cambio social

La sociología ha venido a ayudar al educador a entender el fenómeno del cambio social. Las sociedades dinámicas, como la nuestra, están en continuo proceso de cambio. La transformación de una sociedad agrícola y rural a una sociedad industrial y urbana produce grandes cambios sociales que se reflejan en la educación. Hay mayor demanda por tipos diversos de escuelas con programas diversos de estudio. Todo el mundo espera el máximo de la escuela. Como consecuencia del cambio surgen problemas y muchos esperan que la escuela tenga la solución para esos problemas.

El educador tiene que entender que es imposible detener las poderosas fuerzas del cambio social. El cambio sigue su curso y afecta la institución de la educación. El currículo recibe el fuerte impacto del cambio. Las verdades que enseñamos hoy no lo son necesariamente mañana. El maestro tiene que educar para un mundo en constante cambio.

### LA ESCUELA SOCIOLÓGICA

Recientemente, un grupo de sociólogos, no conforme con las tendencias anteriores e interesado principalmente en hacer de la sociología educativa

---

7. Allison Davis. «Education for the Conservation of Human Resources.» En *Progressive Education*, XXVII, mayo de 1950, páginas 221-224.

una ciencia con personalidad propia, ha empezado a ver la escuela y los patrones de conducta asociados con ella como el campo de investigación o, mejor dicho, como el lugar adecuado para el análisis sociológico. Esta es una nueva tendencia a la que se da el nombre de sociología de la educación o la escuela sociológica en la sociología educativa. Quizás el que más crédito merece en el desarrollo de este enfoque es Wilbur Brookover,[8] de la Universidad del Estado de Michigan.

Aunque un gran número de los sociólogos que tienen interés en la educación y de los educadores interesados en la sociología no se ha afiliado a la escuela sociológica, todo parece indicar que éste es un campo de grandes posibilidades y perspectivas, a juzgar por la aceptación que está teniendo de parte de la Asociación Americana de Sociología y por los logros y desarrollos que va alcanzando.

La escuela sociológica viene a ser la más reciente de las tendencias en la sociología educativa. Los seguidores de esta escuela se llaman sociólogos de la educación. Su interés no es aplicar en la educación lo que ya se sabe de la sociología general, sino hacer una sociología de la educación mediante el análisis científico de esta institución, utilizando los métodos y las técnicas de investigación sociológica. De esta manera ganan tanto los sociólogos que amplían su campo de estudio como los educadores que se benefician de los conocimientos sociológicos sobre la educación.

La educación ofrece al sociólogo un campo de investigación y estudio al igual que lo ofrece la familia, la comunidad, la industria o la religión. La sociología es una ciencia de carácter general, pero tiende a subdividirse en áreas de especialización. Los sociólogos modernos tienden a especializarse en campos como la sociología rural, la sociología urbana, la sociología de la religión, de la familia, de la industria y de la educación. La sociología de la educación es un campo especializado dentro de la sociología: es de tanta importancia, de tanto prestigio y valor como los demás campos especializados.

El sociólogo de la educación es principalmente un sociólogo cuyo campo de interés es la escuela. Para él, la escuela es un sistema social que puede analizarse sociológicamente. En este sistema social hay personas, grupos, procesos, patrones de conducta, relaciones e interacciones, al igual que las hay en cualquier otro sistema social, como el de la familia, por ejemplo. La sociología de la educación es el análisis científico de las relaciones humanas en la escuela y entre la escuela y los otros sistemas sociales.

Se justifica, por varias razones, que el sociólogo dedique su tiempo y esfuerzo al estudio de la educación. La educación es una de las actividades principales, y tal vez la principal de nuestra sociedad, a juzgar por la cantidad de dinero que se invierte en ofrecer sus diversos servicios, por el gran número de personas envueltas —niños, jóvenes y adultos— y por la relación entre este servicio y otros importantes servicios sociales. La escuela es la principal agencia para la transmisión de la cultura. Es una subcultura dentro de la cultura de la sociedad. En ella pasa el niño la mayor parte de su

---

8. Wilbur B. Brookover. «Sociology of Education: A Definition.» En _American Sociological Review_, XIV, 1949, páginas 407-415.

tiempo. Surge inevitablemente un número considerable de patrones de conducta propios de esta unidad social, que pueden ser analizados sociológicamente. No cabe duda de que las aportaciones de la sociología de la educación son de gran utilidad a los maestros y administradores escolares para realizar mejor sus respectivas funciones.

La calificación de este enfoque como sociología de la educación no se originó con Brookover. Antes que él, Robert C. Angell[9] usó el término en 1928 y defendió el punto de vista de que la sociología educativa era una rama de la ciencia pura de la sociología; la escuela, una fuente de análisis sociológico. En 1935, E. B. Reuter[10] defendió el mismo punto presentado por Angell un número de años antes. Ni Angel ni Reuter fueron más allá de expresar sus ideas sobre lo que era y debía incluir la sociología de la educación. No es hasta que Brookover[11] escribe su libro que el campo de la sociología de la educación toma verdadera forma y empieza a conocer y a ganar prestigio entre sociólogos y educadores. El libro de Brookover es el primero que recoge el verdadero significado de la sociología de la educación. Luego, otras destacadas figuras escriben libros de texto con este enfoque.

En 1964 y 1975 Brookover amplía su libro original para incluir las últimas investigaciones de la sociología de la educación. El desarrollo de este campo ha sido tan amplio en los años que transcurren entre la primera y la tercera ediciones, que este último es, en efecto, un libro nuevo.

A pesar de que la controversia entre la sociología educativa y la sociología de la educación en torno al uso de un término común ha sido larga, la misma no se ha resuelto en definitiva. La mayoría de los textos consultados emplea el término sociología de la educación. Sin embargo, algunos autores, entre ellos Hansen y Gerstl[12] y Nelson y Besag,[13] continúan usando los dos términos indistintamente. El autor de un libro reciente[14] prefiere usar el término sociología educativa.

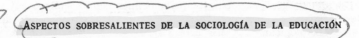

ASPECTOS SOBRESALIENTES DE LA SOCIOLOGÍA DE LA EDUCACIÓN

Debido a que el enfoque de la sociología de la educación es reciente, no hay todavía completo acuerdo en cuanto al contenido que puede incluirse. Analicemos algunos de los textos principales para determinar el contenido de los mismos.

9. Robert C. Angell. «Science, Sociology, and Education.» En *Journal of Educational Sociology*, I, 1928, páginas 405-413.

10. E. B. Reuter. «The Problem of Educational Sociology.» En *Journal of Educational Sociology*, IX, 1935, páginas 15-22.

11. Brookover. *Loc. cit.*

12. Donald H. Hansen y Joel E. Gerstl. *On Education-Sociological Perspectives*. New York: Wiley and Sons. Inc., 1967, pp. 21-24.

13. Jack L. Nelson y Frank P. Besag. *Sociological Perspectives in Education: Models for Analysis*. New York: Pitman Publishing Company, 1970, Capítulo 2.

14. Donald R. Thomas. *The Schools Next Time: Explorations in Educational Sociology*. New York: MacGraw-Hill Book Company, 1973.

## Aspectos sobresalientes según Brookover

En el libro antes citado, Brookover presenta un bosquejo del contenido de la sociología de la educación, que incluye los siguientes temas: 1) la relación entre la educación y el orden social; 2) la escuela como sistema social y 3) la escuela y la comunidad. Examinemos brevemente cada uno de estos tres aspectos.

1) *La educación y el orden social.* Tenemos, evidencia de que se han desarrollado ciertas teorías acerca de la relación del sistema educativo con otros aspectos de la sociedad Se incluyen bajo este tema: 1) la función de la educación en la cultura; 2) la relación del sistema educativo con el proceso de control social y el sistema de poder; 3) la función del sistema educativo en los procesos de cambio social y cultural, o en el mantenimiento del status quo; 4) la relación de la educación con el sistema de clases sociales o de status y 5) el funcionamiento del sistema educativo formal en las relaciones entre los grupos raciales, étnicos y de otro tipo.

2) *La escuela como sistema social.* El énfasis en este tema de la sociología de la educación descansa en el análisis de la estructura social dentro de la escuela. Las pautas culturales dentro del grupo social de la escuela son diferentes de las pautas de otros sistemas sociales. Los estudios de la interacción social en la escuela incluyen dos tipos de análisis sociológico: 1) la naturaleza de la cultura de la escuela y cómo esta difiere de la cultura fuera de la escuela, y 2) las pautas de interacción social o la estructura de la sociedad de la escuela. Este aspecto incluye el estudio de las posiciones sociales en la escuela y las relaciones entre los actores en estas posiciones, la estratificación social y las pautas informales de interacción en los grupos de amistad. Incluye también el estudio del impacto de la escuela sobre la conducta y personalidad de sus participantes. Bajo este tema se estudia la influencia que ejerce la escuela en la conducta y personalidad de los alumnos, maestros, administradores y demás personal. Como estas personas pasan gran parte de su tiempo en la escuela participando en actividades relacionadas con la función educativa, es indudable que sienten el impacto de esta en sus valores, actitudes y conducta. Este viene a ser, en parte, el estudio de la psicología social de la educación.

Otros temas de análisis sociológico en este aspecto son los siguientes: 1) los papeles sociales de los estudiantes y los mestros; 2) la personalidad del maestro; 3) la función de la escuela y la socialización de los estudiantes y 4) el efecto del clima social del salón de clases en la conducta de los niños y el proceso de aprendizaje en particular. El proceso de aprendizaje es visto desde el contexto social del salón de clases, al igual que desde el punto de vista de las fuerzas que actúan sobre el estudiante fuera del ámbito de la escuela.

3) *La escuela y la comunidad.* Aquí se analizan las pautas de interacción entre la escuela y otros grupos sociales de la comunidad. Este aspecto puede incluir: 1) la delineación de la comunidad y cómo afecta la organización escolar; 2) el estudio del proceso educativo en la comunidad, según ocurre en los sistemas sociales no escolares; 3) la relación entre la escuela y la comunidad y 4) los factores demográficos y ecológicos de la comunidad en relación con la organización escolar.

Además de Brookover, otros sociólogos han señalado los aspectos sobresalientes, que a su juicio, deben estudiarse en la sociología de la educación.

## Aspectos sobresalientes según Neal Gross [15]

Para Neal Gross, la sociología de la educación debe abarcar estas cuatro áreas: 1) la estructura social y el funcionamiento de la escuela; 2) el salón de clases como sistema social; 3) el ambiente externo de la escuela y 4) la educación como ocupación y carrera. Examinemos brevemente cada una de estas áreas.

1) *La estructura social y el funcionamiento de la escuela.* Un área de preocupación para Gross es cómo la estructura social y cultural de la escuela afecta su funcionamiento. Incluye el estudio de la escuela como una agencia socializadora, y más específicamente, cómo las diferencias en estructura social entre la escuela elemental y la secundaria afectan el proceso de socialización. Gross se preocupa por la forma en que, factores como la organización de la escuela, el procedimiento de trabajo, el sexo del personal docente, el ambiente social de la escuela, los objetivos educativos y el tamaño de la comunidad, afectan el trabajo escolar y la función de la escuela como agencia socializadora.

2) *El salón de clases como sistema social.* La sociología de la educación concede importancia a las relaciones entre maestro y discípulo y cómo estas afectan la vida en la escuela, especialmente el proceso de enseñanza-aprendizaje. Igualmente importante es cómo este proceso puede ser afectado por un clima social caracterizado por relaciones democráticas o autoritarias. Los estudios de motivación para el aprendizaje y de productividad en este proceso deben tomar en cuenta tanto la organización formal de la escuela como la organización informal del salón de clases —las cliques y otros grupos informales de amistad.

3) *El ambiente externo de la escuela.* Este punto es el que Brookover llama "relación entre la educación y el orden social". Pertenecen a este tema: el impacto de las clases sociales en la educación, relaciones entre escuela y comunidad, los grupos de presión, el sistema de poder y las relaciones con otros sistemas sociales.

4) *La educación como ocupación o carrera.* Un área importante en la sociología educativa es el estudio de la sociología de la profesión del magisterio. Pueden incluirse en esta área los siguientes temas: factores que influyen en la decisión de hacerse maestro, origen social de este grupo profesional, socialización en la profesión, estudios de la carrera profesional del maestro, patrones de movilidad social, organizaciones magisteriales, satisfacción en el trabajo y razones para permanecer en él o abandonarlo.

Gross termina su exposición de temas señalando la necesidad de realizar investigaciones que aumenten el caudal de conocimientos en el campo de la sociología de la educación. Este es un campo muy rico para la investigación del cual se conoce relativamente poco.

---

15. Neal Gross. «The Sociology of Education.» En Robert K. Merton y otros (ed.). *Sociology Today: Problems and Prospects.* New York: Basic Books, Inc., 1959, páginas 128-152.

## Aspectos sobresalientes según Burton R. Clark [16]

El profesor Burton R. Clark señala cuatro aspectos como los más importantes en el estudio de la sociología de la educación. Veamos el contenido que él presenta.

1) *Educación y sociedad.* Bajo este tema se incluyen la relación de la educación con el sistema económico, la estratificación social, la cultura y la integración social, como resultado de los problemas motivados por las relaciones sociales entre los diferentes grupos en la sociedad.

2) *La institución educativa.* En este aspecto Clark destaca el control de la educación: la centralización y la descentralización. También coloca en lugar sobresaliente el estudio del magisterio como una ocupación.

3) *La organización educativa.* Aquí presenta la institución escolar como una organización formal: la estructura de organización, los papeles educativos, la autoridad. Se estudian también las relaciones informales.

4) *Los subsistemas educativos.* Incluye el estudio de las subculturas estudiantiles en la escuela secundaria y en el colegio. Por subculturas estudiantiles se entienden los grupos o subgrupos en la sociedad estudiantil que surgen debido a intereses y motivaciones comunes. Esta última área incluye, además, el estudio del salón de clases como un sistema social.

## Aspectos sobresalientes según Robert J. Havighurst [17]

Otro coloso de la sociología de la educación, Havighurst, divide esta disciplina en los siguientes aspectos principales:

1) *La escuela y la estructura social.* Estudia principalmente la estructura de clases sociales, como esta se refleja en la escuela y cómo se provee para la movilidad social.

2) *La escuela como sistema social.* Se examina el sistema social de la escuela, la relación con otros sistemas y su función como agencia socializadora para niños y jóvenes.

3) *La escuela y la comunidad.* Aquí se estudia la escuela en el contexto de la comunidad local, con énfasis en la comunidad metropolitana.

4) *La escuela y la sociedad que la circunda.* Incluye el estudio de los principales problemas de la sociedad —población, delincuencia juvenil y las relaciones entre los diferentes grupos sociales— cómo estos se reflejan en la escuela y qué puede hacer esta institución para ayudar a resolverlos.

5) *El maestro.* Bajo este tema se incluye el estudio de la profesión del magisterio y los papeles sociales del maestro en la escuela y la comunidad.

Se nota en estas cuatro autoridades la tendencia a coincidir en cuanto a los aspectos sobresalientes de la sociología de la educación. Aunque sus listas incluyen temas muy diversos, todos conceden importancia al estudio

---

16. Burton R. Clark. «Sociology of Education.» En Robert E. L. Faris (ed.). *Handbook of Modern Sociology.* Chicago: Rand McNally, 1964, páginas 734-769.

17. Robert J. Havighurst y Bernice L. Neugarten. *Society and Education.* Cuarta edición. Boston: Allyn and Bacon, 1975.

del orden social externo, al igual que al orden interno de la escuela. Este último se conoce con el nombre de sistema social de la escuela. Se estudian las relaciones humanas dentro de ese sistema social, y se ve la tendencia a incluir la sociología de la profesión del magisterio como un importante tema de estudio.

### NUEVOS ASPECTOS EN LA SOCIOLOGÍA DE LA EDUCACIÓN

Un examen de la literatura nueva demuestra que todavía se está dando énfasis a los temas señalados por Brookover, Gross, Clark y Havighurst, aunque se añaden otros aspectos. Un ejemplo es el libro de Cave y Chesler,[18] de reciente publicación. Estos autores dedican alrededor de dos terceras partes de su libro a temas tradicionales, como el contexto sociocultural de la educación, la educación como fuerza socializadora, la educación como un reflejo de la estructura social y el problema de diferencias y conflictos en la escuela. Una tercera parte de su libro lo dedican a un tema nuevo en los libros de sociología de la educación, que es el de los problemas del cambio y las innovaciones educativas. Aquí destacan la necesidad de hacer un re-examen de la institución educativa para buscar formas de contrarrestar los fracasos, la injusticia y la desigualdad.

Otros libros recientes también discuten el tema del cambio educativo y las innovaciones. Entre ellos señalamos al distinguido sociólogo Ronald G. Corwin, en su libro Education in Crisis.[19] Después de discutir los más recientes problemas de la educación, Corwin dedica un extenso capítulo a las estrategias para producir una reforma educativa. En un libro anterior,[20] también usado corrientemente como texto en cursos de sociología de la educación, no destacaba ese tema. Daba más importancia a los temas tra-dicionales de la sociología educativa.

La doctora Boocock[21] en un libro de 1972, también incluye el tema del cambio. Discute el mismo desde la perspectiva de la necesidad de mejora-miento del sistema educativo. Las escuelas, según ella, no están haciendo bien el trabajo que les toca realizar.

Otros libros recientes, que no tienen por título Sociología de la educación, aunque son esencialmente sociológicos, también incluyen el tema del cambio educativo y las innovaciones. Entre esos libros mencionaremos los de Brem-beck,[22] Sarason,[23] Adams[24] y Miller y Woock.[25]

18. William M. Cave y Mark A. Chesler. Sociology of Education. An Anthology of Issues and Problems. New York: Macmillan Publishing Co., Inc., 1974.

19. Ronald G. Corwin. Education in Crisis: A Sociological Analysis of Schools and Universities in Transition. New York: John Wiley and Sons, Inc., 1974.

20. Ronald G. Corwin. A Sociology of Education. New York: Appleton-Century-Crofts, 1965.

21. Sarane S. Boocock. An Introduction to the Sociology of Learning. New York: Houghton Mifflin Co., 1972.

22. Cole S. Brembeck. Social Foundations of Education. Environmental Influences in Teaching and Learning. Segunda edición. New York: John Wiley and Sons, Inc., 1971.

23. Seymour B. Sarason. The Culture of the School and the Problem of Change. Boston: Allyn and Bacon, 1972.

24. Don Adams y Gerald M. Reagan. Schooling and Social Change in Modern America. New York: David McKay Company, Inc., 1972.

25. Harry L. Miller y Roger R. Woock. Social Foundations of Urban Education. Segunda edición. New York: Holt, Rinehart and Winston, Inc., 1973.

## EL FUTURO DE LA SOCIOLOGÍA EDUCATIVA [26]

La sociología ha tenido en su relación con la educación épocas de estancamiento y épocas de progreso. El mayor progreso lo ha alcanzado desde el 1950 hasta nuestros días. El presente es el momento de mayor efervescencia en la sociología educativa. A juzgar por el desarrollo que está teniendo, estamos casi seguros de que el progreso alcanzado no podrá detenerse, y que, por el contrario, la sociología educativa tendrá mayores logros en el futuro.

La sociología educativa del pasado era muy ambiciosa en el contenido. Incluir bajo sociología educativa todo aquel contenido que ejercía algún énfasis social y que se creía que el futuro maestro debería conocer, era una falla. Esto daba lugar a que existieran diferencias entre los sociólogos en cuanto al contenido de la sociología educativa.

Se vislumbra para el futuro una definición clara del campo de la sociología educativa que vendrá a ayudar a fijar los límites de la sociología y de la pedagogía puras. Todos aquellos elementos propios de la pedagogía —objetivos educativos, currículo, métodos de enseñanza, evaluación— que corrientemente se incluían en la sociología educativa tradicional están desapareciendo de la sociología y pasando a los cursos de currículo y métodos, práctica docente o fundamentos de la educación. La sociología educativa retendrá aquel contenido estrictamente sociológico y descartará aquel que pueda atenderse mejor en los cursos de pedagogía.

Los cursos de sociología educativa en los colegios que preparan maestros han estado antes a cargo lo mismo de especialistas en sociología que en pedagogía; están hoy día dirigidos, y lo estarán mayormente en el futuro, por un personal especialmente adiestrado en sociología. Se unirán más sociólogos a las facultades de pedagogía para enseñar estos cursos y más profesores de sociología general compartirán responsabilidades con los colegios de pedagogía en la enseñanza de la sociología educativa. Se espera que de esta forma los maestros del futuro salgan con una mayor y mejor preparación en sociología. Esta preparación la c' tendrán en los cursos de sociología educativa o en los cursos de fundamentos sociales de la educación, de los cuales hablaremos más adelante.

En cuanto a los diferentes enfoques o tendencias representadas en la sociología educativa, la escuela sociológica o la sociología de la educación posiblemente sea la principal tendencia del futuro. Más y más sociólogos se unirán a esta escuela, lo que quiere decir que el estudio del sistema social de la escuela recibirá mayor atención en el futuro. Las obras recientes de Bell,[27] Kneller[28] y Morris[29] ilustran el énfasis que está tomando esta

26. El autor discute este tema en un artículo publicado en *Pedagogía*, XII, número 1, enero-junio de 1964, páginas 19-26.

27. Robert C. Bell (ed.). *The Sociology of Education: A Sourcebook.* Homewood Illinois: The Dorsey Press, Inc., 1968.

28. George F. Kneller (ed.). *Foundations of Education* New York: John Wiley and Sons. Inc., 1963, Capítulo 13.

29. Van Cleeve Morris y otros. *Becoming an Educator.* Boston: Houghton Mifflin Co., 1963, Capítulo 4.

tendencia. Es interesante señalar que, a tenor con esta nueva tendencia, la revista de sociología educativa, Journal of Educational Sociology, ha dejado de publicarse y en su lugar ha aparecido la revista Sociología de la Educación (Sociology of Education), bajo los auspicios de la Asociación Americana de Sociología

El estudio de la sociología de la educación no se limitará a los aspectos sobresalientes ya estudiados. Se abarcarán estos temas, pero posiblemente se incluyan otros como los siguientes: el concepto sociopsicológico del proceso de aprendizaje en el salón de clases, los estudios comparados de los sistemas educativos desde el punto de vista sociológico y el proceso de socialización envuelto en la formación de maestros y administradores escolares. Este último aspecto contribuirá a un mayor conocimiento de la sociología de la profesión del magisterio. Posiblemente también reciba más atención el análisis sociológico de la burocracia educativa y la organización del sistema escolar: su relación con el desempeño de los roles profesionales y la efectividad en el cumplimiento de los mismos. Otra área que posiblemente reciba mayor atención en el futuro es aquella relacionada con el cambio y las innovaciones educativas.

Como puede verse por los temas antes mencionados, la sociología de la educación está utilizando los conocimientos de psicología social. Se ha utilizado la contribución de la psicología social en el estudio de las relaciones humanas en la escuela y la interacción entre maestros, estudiantes y comunidad y la influencia de este proceso en el desarrollo de la personalidad. Ya han empezado a ofrecerse cursos avanzados y seminarios de psicología social para educadores. En los Estados Unidos se trabaja en la redacción de libros sobre la psicología social de la educación. A manera de ejemplo queremos mencionar tres importantes libros en el campo de la psicología social de la educación: el de Charters y Gage,[30] el de Backman y Secord [31] y el de Johnson.[32] Creemos que en el futuro habrá mayor integración de la sociología y la psicología social de la educación, y que los cursos de fundamentos sociales darán más énfasis a estas que a otras disciplinas.

Se espera también que en el futuro los sistemas educativos, que hoy apenas si ocupan al sociólogo, reconozcan la utilidad de la sociología y empleen a este especialista, bien como consultor o como investigador. El sociólogo podrá ser de máxima ayuda en el estudio del medio social en el que se proyecta la educación, en el estudio de las relaciones en la escuela y en la determinación de las proyecciones futuras. No cabe duda de que los conocimientos que provee la sociología podrán asegurar un mejor funcionamiento de la educación en la democracia.

---

30. W. W. Charters, Jr. y N. L. Gage. *Readings in the Social Psychology of Education* Boston: Allyn and Bacon, 1963.

31. Carl W. Backman y Paul F. Secord. *A Social Psychological View of Education.* New York: Harcourt, Brace and World, 1968.

32. David W. Johnson. *The Social Psychology of Education.* New York: Holt, Rinehart and Winston, Inc., 1970.

### ÁREAS PARA FUTURA INVESTIGACIÓN

En una disciplina joven como la sociología educativa falta mucho por investigar. Se vislumbra una era de mayor actividad de investigación en años venideros. Los sociólogos y educadores relacionados con las escuelas que preparan maestros se encargarán de este trabajo, pero crecerá considerablemente el número de sociólogos interesados en la investigación sociológica relacionada con la educación en otras dependencias universitarias.

Hay tres excelentes publicaciones que recogen la investigación reciente en la sociología de la educación y sugieren innumerables posibilidades para futuras investigaciones. Nos referimos a la obra que preparó Brim[33] para la Sociedad Americana de Sociología, al trabajo de Neal Gross,[34] a un artículo que escriben Brookover y Gottlieb,[35] al estudio de Snyder[36] y a una reciente publicación de la Sociedad Nacional para el Estudio de la Educación (National Society for the Study of Education).[37]

No es tarea fácil señalar las áreas donde falta investigación, cuando se trata de una disciplina que se encuentra en pleno desarrollo. Lo que señalemos como una necesidad de investigación hoy, puede estar satisfecha mañana. Surgirán, sin embargo, nuevos interrogantes que motivarán al investigador.

En el momento en que escribimos, hace falta mayor investigación en muchas áreas de la sociología de la educación, entre las que se encuentran las siguientes:

1. **Análisis longitudinal del proceso de socialización en instituciones educativas.** Incluye la formulación de hipótesis en torno a los cambios en los valores, actitudes y pautas de conducta de los estudiantes según éstos pasan de un nivel educativo a otro, asisten a diversas escuelas y se exponen a diferentes influencias.

2. **Educación comparada.** Sería interesante realizar estudios en diferentes sectores de un mismo país o que envolvieran otros países, para comparar cómo las diferencias en trasfondo cultural, en organización escolar, en filosofías educativas o en ideologías de gobierno pueden producir variación en la enseñanza y en el aprendizaje.

3. **Factores sociopsicológicos en el proceso de aprendizaje, especialmente en lo concerniente al tipo de clima social y su influencia en el apren-

---

33. Orville G. Brim, Jr. *Sociology and the Field of Education*. New York: Rusell Sage Foundation, 1958.

34. Gross. *Loc. cit.*

35. Wilbur B. Brookover y David Gottlieb. «Sociology of Education.» En *Review of Educational Research*, XXX, febrero de 1961, páginas 36-43.

36. Eldon E. Snyder. *Sociology of Education. A Description of the Field.* Citado en Lawrence W. Drabick, *Interpreting Education: A Sociological Approach*. New York: Appleton-Century-Crofts, 1971, pp. 27-31.

37. National Society for the Study of Education. *Uses of the Sociology of Education.* The Seventy-third Yearbook of the N.S.S.E., Part II, Chicago: The University of Chicago Press, 1974.

dizaje, las fuerzas que motivan el aprendizaje, las diferencias entre los alumnos que provienen de los diferentes grupos de una sociedad y cómo estos pueden afectar el aprendizaje, y el papel que desemepñan los compañeros, los padres y los maestros en este proceso.

**4.** Influencias de clase social en la motivación y el aprovechamiento académico, especialmente el estudio de las diferencias entre los miembros de una misma clase social.

**5.** El proceso de socialización en los profesionales de la educación, cómo adquieren los papeles que tienen que desempeñar y cómo incorporan destrezas, motivaciones y actitudes como parte de su personalidad.

**6.** Educación compensatoria para los desventajados —comparación con grupos de características similares que no han sido favorecidos por programas especiales.

**7.** Investigaciones de carácter interdisciplinario que ayuden a entender la conducta humana en los sistemas escolares.

**8.** La educación en el nivel universitario: juventud, cambio social, desasosiego estudiantil, administración universitaria, el profesorado.

### LOS FUNDAMENTOS SOCIALES DE LA EDUCACIÓN

Como dijimos anteriormente, los futuros maestros están recibiendo los conocimientos sociológicos en cursos de sociología educativa o como parte de los fundamentos sociales de la educación. Estos cursos —los de fundamentos sociales de la educación— se están haciendo populares porque ofrecen la oportunidad de integrar en una sola asignatura los conocimientos de las diferentes ciencias sociales que mejor pueden ayudar a entender el proceso educativo y su relación con otros aspectos de la sociedad. Como puede verse, los fundamentos sociales de la educación no se limitan al estudio de la sociología. Incluyen también el estudio de otras disciplinas de las ciencias sociales que guardan relación con la educación.

### El campo de los fundamentos sociales de la educación

Los fundamentos sociales de la educación se nutren de las ciencias sociales. Constituyen estos fundamentos aquellas indagaciones, investigaciones o estudios de las ciencias sociales que tienen que ver con el proceso de enseñanza y el funcionamiento de la escuela. Incluyen una serie de cursos o programas que reúnen las investigaciones o asuntos de las ciencias sociales y ayudan a entender mejor todos los aspectos sociales del proceso educativo. Stalcup [38] define los fundamentos sociales como un área de estudio que analiza todos los conceptos y teorías arraigadas en la cultura que dan significación y dirección al proceso enseñanza-aprendizaje.

Estas son solamente algunas maneras de definir los fundamentos sociales de la educación. Existen otras definiciones. Un examen de los catá-

---

38. Robert J. Stalcup. *Sociology and Education.* Columbus: Ohio, Charles E. Merrill Publishing Co., 1968, página 79.

logos de universidades y colegios norteamericanos revela que se concede gran diversidad de títulos y nombres a los cursos de fundamentos sociales. Existen también innumerables textos con contenido y enfoques diferentes.

Veamos algunos ejemplos del contenido de los fundamentos sociales de la educación. Cuando el sociólogo investiga el cambio social, el control social y la estratificación con relación a la escuela, está estudiando los fundamentos sociales de la educación. Del mismo modo, cuando estudiamos la delincuencia juvenil, el desempleo, los problemas de la juventud y de la familia moderna, así como las dificultades que se nos presentan para retener a los estudiantes en la escuela, proveyéndoles experiencias significativas y reteniendo buenos maestros, estamos estudiando los fundamentos sociales de la educación. Tratamos esa misma materia cuando nuestros temas de estudio son la relación de la educación con la cultura, los problemas de las minorías raciales, los grupos de presión en la educación o las finanzas y su efecto en la calidad de los programas educativos. En esta forma estamos utilizando la contribución de la antropología, la ciencia política y la economía a la educación.

Como podemos ver, hay muchos aspectos de las ciencias sociales que están íntimamente relacionados con la educación y, al estudiarlos en su trasfondo educativo, se ayuda a entender mejor esta institución. Los fundamentos sociales sirven al educador al hacer decisiones importantes y al determinar las prácticas educativas. Asimismo ayudan al futuro maestro a entender mejor la sociedad en la cual va a servir como profesional, con el fin de hacer la educación lo más efectiva posible.

No se están aprovechando igualmente las influencias de todas las ciencias sociales. Se están utilizando más la sociología, la psicología social y la antropología para entender la educación; se están utilizando menos la economía, la ciencia política y la historia. Todas, sin embargo, guardan relación con la educación y pueden ser de provecho al educador.

Se están ideando nuevas formas de presentar los fundamentos de la educación. En vez de cursos separados en fundamentos sociológicos, filosóficos o psicológicos, se están ofreciendo cursos integrados, de carácter interdisciplinario. Esta integración indica que los científicos sociales como equipo pueden ser ayuda valiosa en el estudio de la educación.

En la preparación de maestros se nota una nueva tendencia en cuanto a los cursos de los fundamentos de la educación. Se están integrando los mismos con los cursos que estudian el currículo y la metodología de la enseñanza. También se están llevando los fundamentos de la educación a la práctica docente que hacen los candidatos al magisterio. Los profesores que dictan los cursos de los fundamentos de la educación trabajan en unión a sus compañeros de currículo y enseñanza para hacer los fundamentos más prácticos y de mayor significación al futuro maestro.

## Necesidad de estudiar los fundamentos sociales de la educación

La educación es un proceso social y envuelve interacción con diferentes personas en situaciones diversas. Prácticamente todo lo que aprendemos es resultado del proceso de interacción social, no solamente en la escuela, sino también en la familia, en la iglesia, en los grupos de amistad y en la comunidad en general. No se educa en el aislamiento. Se comienza el proceso educativo cuando el niño inicia la interacción con otros y se continúa a través de toda la vida.

La sociedad concede máxima importancia a la educación. Asigna fondos, establece escuelas, contrata maestros y se ocupa de un sinnúmero de actividades docentes. Miles de niños, jóvenes y adultos están en cada momento del día y de la noche envueltos en algún tipo de tarea educativa. Se buscan medios para aumentar el tiempo que esas mismas personas están sometidas a la influencia de la escuela o de otras agencias educativas.

La escuela, como principal institución de enseñanza fue creada por la sociedad para realizar ciertas funciones que no se podían atender de otra forma. El aula, sin embargo, no puede realizar su función independiente del conjunto de instituciones sociales. La educación es una gran empresa, en la cual participa toda la sociedad.

El salón de clases es una sociedad que persigue un propósito determinado: la educación de los que lo componen. Es un mundo compuesto de personalidades en interacción, que desempeñan diferentes roles y forman diversos grupos y cliques. Este clima de relaciones sociales en la escuela afecta el proceso de aprendizaje. Explicamos este proceso en términos sociopsicológicos, y no en términos individuales ni biológicos. De ahí que los obstáculos del aprendizaje pueden eliminarse enriqueciendo el clima social en que éste ocurre. El buen maestro crea el mejor ambiente de trabajo posible y despierta el interés del niño para aprender no sólo lo que desea sino también lo que debe aprender.

La escuela es una institución social con un estilo cultural propio. Existen muchos elementos en común entre todas nuestras aulas, pero también existen diferencias entre unas escuelas y otras. Se pueden apreciar diferencias entre la escuela elemental y la secundaria. La escuela es una organización social, con códigos de conducta, normas y una red de relaciones sociales que son la base para la interacción humana dentro del área escolar. La forma en que se lleve a cabo esa influencia recíproca puede afectar negativa o positivamente los propósitos de la institución.

La educación persigue un objetivo social, la socialización del niño, que es el proceso de enseñarle la cultura y las pautas de conducta que se esperan de él. A través de sus aulas, cada sociedad persigue unos objetivos que van dirigidos a la formación del tipo de hombre que ella necesita. La institución escolar prepara al individuo para tomar parte activa en la sociedad.

Toda actividad humana se desarrolla en un escenario social. La educación es una de esas actividades influidas por el escenario en el cual ocurre. Para desempeñar su función efectivamente, el educador debe poseer un conocimiento claro de las fuerzas sociales que moldean el proceso educativo.

El estudiante y su escuela no pueden verse independientemente del contexto sociocultural. Son muchos los fenómenos sociales, como la explosión del conocimiento, la tecnología, el urbanismo, los movimientos poblacionales, el tiempo libre, la industrialización y los problemas sociales y económicos, que afectan el proceso de la enseñanza. Lo que ocurre fuera de la escuela afecta lo que ocurre dentro de ella.

Por todas estas razones se justifica el estudio de los fundamentos sociales de la educación. Es imperativo estudiar la forma en que la educación se enfrenta a los retos de una sociedad cambiante.

### RESUMEN

La sociología educativa es una disciplina joven. Los sociólogos y educadores contribuyeron a su desarrollo en los comienzos del siglo xx. En los años del siglo xx que han transcurrido, la sociología educativa ha alcanzado un marcado desarrollo y ha ganado un sitio prominente en las escuelas que preparan maestros. Ha surgido un número de competentes profesionales en este campo y se han escrito buenos libros. Aumentan cada día los trabajos de investigación en sociología educativa.

Desde el comienzo se han concretado diferentes interpretaciones y tendencias en la sociología educativa. Como consecuencia de estas diferencias, se incluyó en los libros y cursos de sociología educativa mucho contenido que solamente concernía a la pedagogía. Afortunadamente, los campos de la pedagogía y la sociología educativa se han ido deslindando y la tendencia reciente es la de dejar la enseñanza de los cursos de esta disciplina enteramente en manos de personal adiestrado en sociología. En otras palabras: la sociología educativa se ha hecho más sociológica. Ha dejado de ser únicamente sociología aplicada a la educación. La sociología educativa se ha convertido principalmente en sociología de la educación y se ocupa del análisis sociológico de la escuela como sistema social.

Como se indica en el capítulo, no hay completo acuerdo en cuanto al contenido de la sociología de la educación. Sin embargo, el análisis de un número de textos revela que los siguientes aspectos se repiten en estos libros: (1) la educación y el orden social; (2) las relaciones humanas en la escuela; (3) el impacto de la escuela en la conducta y personalidad de los participantes y (4) la escuela y la comunidad. Últimamente se ha incluido entre los temas el estudio del problema del cambio y las innovaciones pedagógicas.

El desarrollo de la sociología de la educación ha sido muy significativo en los últimos años, pero aún quedan muchas áreas donde hace falta mayor investigación. Entre esas áreas están las siguientes: el concepto sociopsicológico del aprendizaje en el salón de clases, los estudios comparados de los sistemas educativos y la sociología de la profesión del magisterio. Se augura un gran progreso futuro, tanto en el campo de la enseñanza como en el de la investigación. Se espera que este desarrollo redunde en grandes beneficios para la sociología y la educación.

El futuro maestro no solo toma cursos de sociología de la educación. También adquiere los conocimientos de esta disciplina y de otras relacionadas con la pedagogía a través del estudio de lo que se conoce como los fundamentos sociales de la educación. Estos utilizan todos aquellos hallazgos de las ciencias sociales que son imprescindibles para el estudio científico de la educación. Tanto los científicos sociales como los educadores se benefician de esta acción combinada.

## LECTURAS

Adams, Don y Gerald M. Reagan. *Schooling and Social Change in Modern America*. New York: David McKay Company, Inc., 1972.

Angell, Robert C. *Science, Sociology and Education*. En *Journal of Educational Sociology*, I, 1928, páginas 406-413.

Banks, Aline. *The Sociology of Education*. New York: Schocken Books, 1968, Capítulo I.

Bell, Robert R. y Hoger R. Stub (ed.). *The Sociology of Education. A Sourcebook*. Edición revisada. Illinois: The Dorsey Press, Inc., 1968, páginas 1-2.

Biersted, Robert y otros. *Sociology and Contemporary Education*. New York: Random House, 1964.

Boocock, Sarane S. *An Introduction to the Sociology of Learning*. New York: Houghton Mifflin Co., 1972.

Brembeck, Cole S. *Social Foundations of Education: Environmental Influences in Teaching and Learning*. Segunda edición. New York: John Wiley and Sons, Inc., 1971.

Brim, Orville G. *Sociology and the Field of Education*. New York: Russell Sage Foundation, 1958, Capítulos 1 y 9.

Brookover, Wilbur B. *Sociology Contributes to Analyisis and Understanding of the Educative Process*. En *Educational Leadership*, XIII, núm. 8, mayo de 1956, páginas 484-489.

Brookover, Wilbur B. y David Gottlieb. *Sociology of Education*. En *Review of Educational Research*, XXXI, febrero de 1961, páginas 36-46.

Brookover, Wilbur B. y Edsel L. Erickson. *Sociology of Education*. Illinois. The Dorsey Press, 1975, Capítulo 1.

Brookover, Wilbur B. y Edsel L. Erickson. *Society, Schools and Learning*. Boston: Allyn and Bacon, Inc., 1969.

Brown, Francis J. *Educational Sociology*. Segunda edición. New York: Prentice-Hall, Inc., 1954, Capítulo 3.

Cáceres, José A. *La sociología en la educación*. En *Pedagogia*, VII, número 1, junio de 1959, páginas 21-36.

Cáceres, José A. *El futuro de la sociología educativa*. En *Pedagogía*. XII, número 1, enero-junio de 1964, páginas 19-26.

Cave, William M. y Mark A. Chesler. *Sociology of Education: An Anthology of Issues and Problems*. New York: Macmillan Publishing Co., Inc., 1974.

Charters, W. W., Jr. y N. L. Gage. *Readings in the Social Psycology of Education*. Boston: Allyn and Bacon, 1963.

Chilcott, John H., Norman C. Greenberg y Herbert B. Wilson (ed.). *Readings in the Socio-cultural Foundations of Education*. Belmont, Calif.: Wadsworth Publishings Co., Inc., 1968, Capítulos 1.

Cole, William E. y Roy L. Cox. *Social Foundations of Education*. New York: American Book Co., 1968, Capítulo 1.

Clark, Burton R. *Educating the Expert Society*. San Francisco: Chandler Publishing Co., 1962, páginas 1-10.

Cordasco, Francisco, Maurie Hillson y Henry A. Bullock (ed.). *The School in the Social Order: A Sociological Introduction to Educational Understanding*. Scanton, Pennsylvania: International Textbook Company, 1970.

Corwin, Ronald G. *A Sociology of Education*. New York: Appleton-Century-Crofts, 1965, Capítulo 3.

Corwin, Ronald G. *Education in Crisis: A Sociological Analysis of Schools and Universities in Transition*. New York: John Wiley and Sons, Inc., 1974.

Dahlke, Otto H. *Values in Culture and Classroom*. New York: Basic Books, 1959.

Drabick, Lawrence W. *Interpreting Education: A Sociological Approach.* New York: Appleton-Century-Crofts, 1971, Parte I.

Durkheim, Emile. *Education and Sociology.* New York: Free Press, 1956.

Gross, Neal. *Some Contributions of Sociology to the Field of Education.* En *Harvard Educational Review,* XXIX, número 4, Fall, 1959, páginas 275-287.

Hansen, Donald A. y Joe E. Gerstl. *On Education-Sociological Perspectives.* New York: John Wiley and Sons. Inc., 1967, Capítulo 1.

Havighurt, Robert J. y Bernice L. Neugarten. *Society and Education.* Cuarta edición. Boston: Allyn and Bacon, 1975.

Hansen, Donald A. y Joe E. Gerstl. *On Education-Sociological Perspective.* New

Jensen, Gale Edw. *Educational Sociology.* New York: The Center for Applied Research in Education, Inc., 1965, Capítulo 1.

Johnson, David E. *The Social Psychology of Education.* New York: Holt, Rinehart and Winston, Inc., 1970.

Hunt, Maurice P. *Foundations of Education: Social and Cultural Perspectives.* New York: Holt, Rinehart and Winston, 1975. Prólogo.

Kneller, George F. (ed.). *Foundations of Education.* New York: John Wiley and Sons, Inc., 1963, páginas 404-430.

Meltzer, Bernard N. y otros. *Education in Society: Readings.* New York: Thomas Y. Crowell Co., 1958, páginas 3-23.

Mercer, Blaine E. y Edwin R. Carr. *Education and the Social Order.* New York: Rinehart and Co., Inc., 1957, Capítulos 1 y 15.

Merton, Robert K. y otros (ed.). *Sociology Today: Problems and Prospects.* New York: Basic Books, Inc., 1959, Capítulo 5.

Miller, Harry L. y Roger R. Woock. *Social Foundations of Urban Education.* Segunda edición. New York: Holt, Rinehart and Winston, Inc., 1973.

Morris, Van Cleve y otros. *Becoming an Educator.* Boston: Houghton Mifflin Co., 1963, páginas 87-119.

Musgrave, P. W. *The Sociology of Education.* Segunda edición. New York: Harper and Row Publishers, Inc., 1972.

National Society for the Study of Education. *Uses of the Sociology of Education.* The Seventy-third Yearbook of the N.S.S.E., Part II. Chicago: The University of Chicago Press, 1974.

Nelson, Jack L. y Frank P. Besag. *Sociological Perspectives in Education: Models for Analysis.* New York: Pitman Publishing Corp., 1970, Capítulos 1 y 2.

Nieves Aponte, Miguel. *Los fundamentos sociales de la educación.* En *Pedagogía,* Vol. XX, número 2, julio-diciembre de 1972, páginas 15-28.

Pavalko, Ronald M. *Sociology of Education: A Book of Readings.* Itasca, Ill.: F. E. Peacock Publishers, Inc., 1968, Capítulo 1.

Prichard, Keith W. y Thomas H. Buxton. *Concepts and Theories in Sociology of Education.* Lincoln, Nebraska: Professional Educators Publications, Inc., 1973.

Reuter, E. B. *The Problems of Educational Sociology.* En *Journal of Educational Sociology,* IX, 1935, páginas 15-22.

Robbins, Florence Greenhoe. *Educational Sociology.* New York: Henry Holt and Co., 1953, Capítulo 1.

Rugg, Harold y William Withers. *Social Foundations of Education.* New York: Prentice-Hall Inc., 1955, páginas V-VIII y Capítulo 2.

Sarason, Seymour B. *The Culture of the School and the Problem of Change.* Boston: Allyn and Bacon, 1972.

Sexton, Patricia Cayo. *Readings on the School in Society.* New Jersey: Prentice-Hall, Inc., 1968.

Sieber, Sam D. y David E. Wilder (ed.). *The School in Society: Studies in the Sociology of Education.* New York: The Free Press, 1973.

Stanley, William O. y otros. *Social Foundations of Education.* New York: The Dryden Press, Inc., 1956, páginas 1-6.

Swift, D. F. *The Sociology of Education: Introductory Analytical Perspectives.* London: Routledge and Kegan Paul, 1969.

Thomas, Donald R. *The Schools Next Time: Explorations in Educational Sociology.* New York: McGraw-Hill Book Co., 1973, Capítulo 1.

Waller, Willard. *Sociology of Teaching.* New York: John Wiley and Sons, Inc., 1932. (Nueva edición, 1965.)

# PARTE II

## Cultura y Educación

Dedicaremos la segunda parte de nuestro trabajo al estudio de la cultura y de sus implicaciones educativas y sociales en Puerto Rico. En una exposición sobre sociología y educación no puede faltar una discusión sobre la cultura. La cultura es un elemento indispensable de toda sociedad humana; la educación, según nosotros la concebimos, es igualmente un elemento indispensable de nuestra sociedad.

Existe una estrecha relación entre los términos. No puede organizarse un programa educativo que no tenga en cuenta la cultura. La educación tiene que servir a la cultura. Tiene que reflejar el punto de vista de la cultura.

Hay un detalle adicional que no queremos dejar de mencionar. El hombre no nace con cultura. Empieza a aprenderla desde el momento de nacer. Ese proceso de aprender la cultura es un proceso educativo. He aquí la importancia de estudiar la relación entre la educación y la cultura.

Esta parte constará de tres capítulos. El capítulo cuarto incluirá una presentación general del término cultura desde el punto de vista sociológico, con la idea de relacionar al lector con este concepto.

El capítulo quinto tratará de la relación entre la cultura y la educación. Se estudiará el proceso educativo y las agencias educativas, dando énfasis especial a la escuela como transmisora de cultura y a la forma en que el cambio social afecta la educación.

El capítulo sexto tratará del tema de la educación y el cambio social. Estudiaremos los aspectos de cambio —las tendencias poblacionales, la interdependencia de pueblos y naciones, la ciencia y la tecnología, el trabajo, el ocio, los medios de transportación y comunicación, la familia, el conocimiento y la organización. También se estudian las implicaciones educativas de estos cambios.

# CAPÍTULO IV

## LA NATURALEZA DE LA CULTURA

El hombre nace y vive en dos tipos de ambiente. Uno es el ambiente natural, compuesto por los factores del mundo físico —tierra, agua, aire, plantas y animales. El hombre comparte este ambiente con los animales inferiores. El segundo tipo de ambiente es exclusivo del hombre. En ese ambiente es donde él únicamente nace. Ese es un ambiente propio del hombre. Comprende todas aquellas cosas hechas por él —ciencia, religión, costumbres, instituciones, herramientas y armas. Este tipo de ambiente es el que los científicos sociales conocen con el nombre de cultura.

Las diversas secciones de este capítulo analizarán la naturaleza de la cultura. Primero presentaremos la definición del término cultura, en sus dos acepciones, la popular y la científica. Luego estudiaremos las formas en que se presenta la cultura en sus aspectos material e inmaterial, las funciones de la cultura y sus características. También presentaremos la universalidad y la variabilidad de la cultura y las explicaciones para estos fenómenos. Finalmente estudiaremos los procesos de difusión y cambio cultural, las teorías de cambio y la relación entre cultura y educación.

### DEFINICIÓN DEL TÉRMINO CULTURA

Hay dos formas de definir el concepto cultura. Una es la forma como la define el vulgo y la otra como la define el científico social. Veamos estas dos definiciones.

### El concepto popular

El término cultura es uno muy corrientemente usado en la conversación popular. El vulgo generalmente se refiere a Fulano como persona culta. ¿Qué implica la frase "persona culta"? Cuando el hombre de la calle dice que Fulano es una persona culta, puede referirse a uno de los siguientes dos atributos o a los dos: una persona culta es aquella que sabe muchas cosas, que ha adquirido muchos conocimientos, o una persona que exhibe cierto grado de refinamiento de maneras que la distinguen del común de las personas. Para el vulgo, es culta la persona que ha asistido a la universidad; se expresa bien, ha viajado mucho, habla diferentes idiomas, gusta de la música clásica, o se comporta en forma cortés, fina, cumplida y delicada.

*El concepto científico*

El estudioso de la ciencia social no define el término cultura de igual modo que el vulgo. Para el científico social la persona culta no es aquella que posee solamente muchos conocimientos y es refinada. Estos atributos son parte de la cultura, pero no son lo único que define el término. Para el científico social también forman parte de la cultura actividades como el barrer el piso, preparar la comida y fregar los platos. Para los propósitos de las ciencias sociales, estas actividades son tan importantes como los conocimientos y los refinamientos, porque el científico social, al definir cultura, está pensando en todas aquellas actividades que describen la forma de vida de una sociedad, su modo de vivir. El grupo organizado de personas que comparte ese modo de vivir se llama sociedad. Definida la cultura en esta forma, no existen personas o sociedades incultas o sin cultura; todos somos cultos, porque poseemos una cultura, por sencilla que sea.

¿Qué incluye una definición científica de cultura? Se da el nombre de cultura al conjunto de patrones de conducta característicos de una sociedad determinada. Es la configuración de la conducta aprendida y de los resultados de la conducta, como diría Linton.[1] Los elementos que componen la cultura, se aprenden, se trasmiten. La cultura incluye todos aquellos logros humanos —arte, moral, ley gobierno, conocimientos, creencias, costumbres, lenguaje, industria, *folkways*, *mores*, instituciones, ideas, sentimientos, valores, actitudes, herramientas, armas, artefactos, máquinas y objetos. Es esencial para la supervivencia de la sociedad.

La cultura es la suma total de todas las formas en que vive el hombre, transmitidas de generación a generación por medio del aprendizaje. La cultura de un pueblo es su herencia social. Incluye todas las actividades humanas que el hombre ha aprendido a realizar: ideas, instituciones y artefactos. La cultura es un producto de la sociedad: se adquiere en la sociedad a través de la interacción social y es una guía para la conducta en interacción futura. En esto estriba la íntima relación que existe entre cultura y sociedad y cultura y personalidad. La cultura es un elemento importantísimo en el desarrollo de la personalidad. El individuo aprende la cultura de la sociedad y adquiere una personalidad que le ayuda a ajustarse a las demandas de esa sociedad.

En resumen, la cultura es: 1) un todo complejo —la configuración— que incluye todas las formas en que el hombre vive; 2) es producto de la interacción social; 3) satisface las necesidades del hombre; 4) es común a casi todas las personas de la sociedad; 5) es aprendida de las demás personas; 6) es un determinante básico de la personalidad y 7) depende de la sociedad para su existencia y no de un individuo o grupo en particular.

En su libro, Merrill y Eldredge[2] presentan una de las mejores colecciones de definiciones del término cultura. El análisis de esas definiciones indica la riqueza del término y sus muchas acepciones. Recomendamos el

---

1. Ralph Linton. *Cultura y personalidad.* Primera edición en español. México: Fondo de Cultura Económica, 1945, página 52.
2. Francis E. Merrill y H. Wentworth Eldredge. *Society and Culture: An Introduction to Sociology.* Englewood Cliffs: Prentice-Hall, Inc., 1957, páginas 117-125.

estudio de esas definiciones, las interpretaciones que de ellas hacen Merrill y Eldredge y las conclusiones que presentan.

## FORMAS DE LA CULTURA

La observación de la conducta humana nos revela que la cultura se presenta en dos formas o dos niveles, a los cuales llamamos cultura material y cultura inmaterial.

### Cultura material

Aquellos aspectos de la cultura que son tangibles, concretos y que se experimentan a través de los sentidos se llaman cultura material. Esos son los productos físicos de la conducta humana. Se incluyen entre los elementos materiales los siguientes artefactos, objetos, automóviles, casas, libros y escritorios —todos hechos y producidos por el hombre. El examen de un catálogo de una casa de pedidos revela miles de elementos de cultura material.

### Cultura inmaterial

Los elementos culturales intangibles, abstractos y que no pueden experimentarse por medio de los sentidos componen la cultura inmaterial. Algunos ejemplos de elementos inmateriales son los valores, las costumbres, las tradiciones, el lenguaje, la moral, las leyes y el gobierno.

Los folkways y los mores son también cultura inmaterial. Los folkways son los usos corrientes en la cultura, las prácticas que surgen espontáneamente, irracionalmente e inconscientemente y que se espera que todos en la sociedad los pongan en práctica. Ejemplos de folkways son las reglas en el comer, las formas de saludar y los detalles en el vestir. En nuestra sociedad hacemos tres comidas al día, una de ellas al mediodía. La ropa se lava los lunes, la casa se limpia los sábados y nos ponemos las mejores ropas los domingos. Estos son ejemplos de folkways.

Los mores representan la conducta obligatoria, la que tiene que desarrollarse si queremos conservar nuestro puesto en la sociedad. Los mores exigen que los individuos se comporten de acuerdo con las normas morales de la sociedad. Los mores envuelven cosas más importantes que la conducta en la mesa, las formas de saludar y los detalles en el vestir. Nuestros mores imponen la monogamia, el respeto a la propiedad privada y la fidelidad de la esposa.

Sería conveniente añadir que los folkways y los mores no son fijos. Estos pueden cambiar, y de hecho cambian a través del tiempo. En el pasado, la mujer que fumaba públicamente estaba violando los mores. Hoy día los folkways permiten a la mujer fumar en público sin desaprobación alguna.

La cultura inmaterial es también producto del hombre. Los folkways,

*Funciones de la Cultura*

los mores, los valores, las costumbres y las tradiciones son creaciones sociales: surgen de la interacción social.

No debemos ver los elementos materiales de la cultura independientemente de los inmateriales. Existe una relación muy íntima entre unos y otros. Los elementos materiales existen primero en la mente del hombre en forma inmaterial y luego se desarrollan en su forma material. Estos a veces no llegan a desarrollarse en productos físicos. El edificio que ahora se levanta existió en la mente del hombre antes aún de hacerse planos y dibujos. Son las ideas y los conceptos sobre la religión los que dan lugar a que el hombre construya templos, imágenes u otros objetos religiosos que son manifestaciones materiales de la cultura.

Ambas formas de cultura, la material y la inmaterial, son indispensables para lograr el conocimiento completo de un pueblo. Los elementos materiales tomados aisladamente no nos dan una visión completa. Tampoco la dan los elementos inmateriales vistos separadamente. Son los valores, las actitudes, las normas y las ideas las que dan lugar a la cultura material. El conocimiento de un pueblo hay que buscarlo entonces en el análisis de sus manifestaciones culturales, tanto materiales como inmateriales.

## FUNCIONES DE LA CULTURA

La cultura desempeña importantes funciones para el individuo y para su grupo. Consideremos algunas de estas funciones.

### La satisfacción de necesidades

Cuando el niño nace, encuentra una cultura ya establecida. El grupo ha establecido una serie de instituciones sociales y ha delineado las respuestas a sus necesidades. Corresponde al recién nacido empezar a aprender estas contestaciones que los demás han dado, y así va asimilando lentamente la cultura. Al principio satisface sus necesidades de la misma manera en que el grupo las satisface; luego, según va creciendo, puede hacer algunas alteraciones a esa forma de vida. Así aprende los hábitos de alimentación y de eliminación y la satisfacción del hambre, la sed y el sueño. También aprende a ser modesto, a vestir y a observar ciertas reglas de higiene.

### Su efecto de unidad en la vida social

La existencia de unos modos de vida que comparten en común los miembros de una sociedad proveen unidad y sentido de pertenencia e identificación a los individuos. Es esta unidad la que permite a los individuos vivir y trabajar juntos con el mínimo de confusión y conflicto. No sería posible llevar a cabo una vida social normal si no existieran en la cultura esos elementos comunes que llamamos folkways, mores, leyes e instituciones. Ese modo de vida en común es lo que distingue a una culturas de otras. Nos damos cuenta de esos elementos comunes cuando visitamos un país extranjero y vemos a la gente actuar en formas distintas a las nuestras. Entonces nos sentimos confundidos y tenemos duda en cuanto a cómo proceder.

El individuo aprende tan bien esas formas comunes de actuar que las acepta tácitamente. La mayor parte de las veces no las cuestiona ni las razona. Por eso se confunde cuando se enfrenta con una situación desconocida, tal como la de un incendio o un desastre. En igual forma el individuo se siente confundido cuando se le presentan situaciones en que estén envueltos sus valores más preciados; nos referimos a las creencias religiosas y las costumbres morales. No posee una serie de patrones comunes para actuar en estos casos; tiene que tomar una decisión por sí solo, y el resultado no es siempre el mejor.

### La presentación de un patrón para el desarrollo de la personalidad

No podemos dejar de mencionar como función de la cultura su influencia en el desarrollo de la personalidad humana. La cultura adapta la persona a su sitio en la sociedad. La persona encuentra su sitio y su función en la sociedad, según lo determina la cultura. Los diversos tipos de cultura producen diversos tipos de personalidad. Las oportunidades de la cultura tienen su efecto en el desarrollo personal. Las limitaciones de la cultura tienen igualmente su efecto sobre el individuo, y éste no puede sobrepasar los límites de aquélla. Esto no debe entenderse como que el individuo no puede lograr inventos de entre los elementos existentes o aun hacer cambios en la cultura. La cultura existente es el punto de partida, pero el hombre no tiene sus manos atadas a esa cultura.

Al nacer, el niño es dúctil, flexible y adaptable, y como consecuencia puede desarrollarse en muchas direcciones, dependiendo de las influencias de la cultura. Cada sociedad acepta ciertos patrones de cultura como norma y dirige la socialización del inviduo de acuerdo con esas normas. Esas normas son creadas por el grupo; el grupo es el portador de la cultura.

La personalidad es el resultado del proceso de interacción social en un ambiente cultural determinado. En la familia se aprueba la conducta del niño que se ajusta a las normas establecidas y se desaprueba la que se desvía de la norma. De esta manera, el niño va adquiriendo su personalidad, o mejor dicho, el tipo básico de personalidad, según Linton.[3] El tipo básico de personalidad es aquella configuración que comparten la mayoría de los miembros de una sociedad como resultado de las primeras experiencias que tienen en común. Así se explica el que haya un tipo básico de personalidad en las diferentes sociedades.

### LAS CARACTERÍSTICAS DE LA CULTURA

La cultura posee una serie de características sobresalientes. Analicemos algunas de esas características.

---

3. Linton. *Cultura y personalidad, Op. cit.,* páginas 154-159.

## La cultura es aprendida

El niño no nace con cultura: esta no es instintiva; ni innata y no se trasmite biológicamente. El niño empieza a aprender la cultura desde el momento de nacer, en contacto con otros seres humanos. Aprende de sus semejantes, por medio de la interacción social, todos aquellos modos de comportamiento comunes a la sociedad.

El niño aprende gran parte de la cultura en los primeros años de vida. Un niño norteamericano nacido en los Estados Unidos y llevado al nacer a vivir a China, entre chinos, en el ambiente característico de los chinos, aprenderá la cultura en la cual es criado y no la cultura norteamericana de sus padres. Si más tarde, cuando joven, se traslada a los Estados Unidos, será un extraño en la cultura norteamericana y no se acostumbrará a ella.

## La cultura es transmitida

La cultura se transmite de generación en generación. El hombre aprende la cultura y la transmite a los más jóvenes. Esta capacidad de transmitir la cultura no la tienen los animales inferiores. La posesión de un lenguaje facilita la transimisión de la cultura. Es el instrumento principal para la transmisión cultural. Los elementos culturales se transmiten de unos a otros por medio de la imitación y la instrucción.

La familia es el grupo primario que inicia el proceso de la transmisión de la cultura. En este proceso la escuela ejerce una función importantísima. Es la agencia reconocida legalmente para la transmisión formal de una gran parte de los elementos de la cultura.

## La cultura es social

La cultura no es solamente aprendida y transmitida; también es social. Lo es porque la cultura es compartida por el grupo. El grupo, por medio de la presión social, tiende a mantenerla relativamente uniforme. Todos aquellos hábitos compartidos por el grupo social se conocen como su cultura. Decimos que un elemento de cultura es compartido cuando este es común a dos o más miembros del grupo social. Un elemento cultural que sea peculiar a un solo individuo en la sociedad no forma parte de la cultura de esa sociedad. Los elementos culturales tienen que compartirse con otros miembros del grupo. No quiere decir esto que todos los elementos culturales han de ser compartidos por toda la sociedad. Eso no es posible. Hay elementos que comparten los hombres y no las mujeres ni los niños. Teniendo en cuenta el grado en que los elementos se comparten y la manera en que participan de ellos unas personas y otras dentro de una cultura determinada, Linton[4] clasifica los elementos culturales en universales, especialidades, alternativas y peculiaridades individuales.

_____

4. Ralph Linton. *El estudio del hombre.* Segunda edición en español. México: Fondo de Cultura Económica, 1959, Capítulo 16.

Se llama elementos universales todos aquellos elementos, costumbres, reacciones emotivas y hábitos que comparten todos los miembros adultos de una sociedad. El lenguaje, por ejemplo, es un elemento universal. También son elementos universales las formas de vestir y de construir las casas. Las especialidades solo las comparten ciertos grupos o clases de la sociedad. Son especialidades las áreas de conocimiento que sólo comparten los médicos y los ingenieros o los miembros de cualquier otro grupo de ocupaciones, al igual que funcionarios que realizan tareas especializadas. Las alternativas las comparten solamente ciertos individuos o grupos de individuos que sustentan ciertas ideas determinadas. Existen técnicas que solo conocen los hombres y técnicas que solo conocen las mujeres. Las alternativas envuelven diversas reacciones a una misma situación; son las variadas técnicas que se emplean para realizar un objetivo. Para transportarnos de un sitio a otro podemos utilizar un número de alternativas: el automóvil, tren, avión o barco.

Además de las universales, las especialidades y las alternativas, también existen peculiaridades individuales. Se incluyen entre estas peculiaridades individuales el temor anormal que una persona puede tener al fuego, a la altitud o a la velocidad excesiva. Todos los individuos tienen peculiaridades como las que hemos señalado. Las peculiaridades individuales no se consideran parte de la cultura porque no se comparten con los demás miembros de la sociedad. Al no compartirse, estas peculiaridades individuales desaparecen con la muerte de la persona.

## 4) La cultura es ideal

Los hábitos comunes a los grupos que componen la cultura son patrones ideales de conducta a los cuales los miembros deben adaptarse. La cultura existe en la mente de los hombres en forma de ideas y maneras propias de actuar; en otras palabras: existe en forma de normas sociales o patrones ideales, no necesariamente patrones reales o verdaderos. Los patrones reales o verdaderos, en contraposición a los patrones ideales, pueden expresarse estadísticamente. Los patrones reales son desviaciones de los patrones ideales. Por eso muchas veces nos horrorizamos cuando obtenemos cierta información de los grupos en cuanto a sus patrones reales, porque éstos se desvían de los patrones ideales que tradicionalmente han gobernado nuestra vida. El ideal de la paz, por ejemplo, es generalmente compartido por la gran mayoría de los habitantes de la Tierra; sin embargo, el panorama real en el campo internacional nos revela un cuadro de incertidumbre en cuanto a la vivencia de ese ideal.

La cultura consta de las ideas aceptadas tradicionalmente por el grupo; la conducta de los individuos debe estar de acuerdo con ese patrón ya establecido. Nos valemos de todos los medios posibles para enseñar a los más jóvenes los patrones ideales de la cultura y esperamos que ellos se comporten de acuerdo con ese ideal.

## 5) La cultura produce satisfacción

Como hemos dicho anteriormente, la cultura satisface las necesidades biológicas y socioculturales de los individuos en el grupo. El hambre y la sed son necesidades biológicas; tener amigos, contar con la aprobación del grupo y establecer relaciones con los compañeros de juego son necesidades socioculturales. La satisfacción de ambos tipos de necesidades es imprescindible para llevar a cabo una vida normal.

Los elementos de la cultura solamente justifican su existencia por la satisfacción que producen a los individuos. No se justifica que los elementos culturales perduren si éstos no satisfacen las necesidades de los seres humanos.

## La cultura es dinámica

La cultura cambia y se adapta a las fuerzas externas. Los cambios en el ambiente producen cambios en las formas de la gente alimentarse, vestirse, y ganarse la vida. La cultura tiene que ajustarse a estas necesidades del ambiente geográfico para poder subsistir. Esto no debe entenderse en forma alguna como que el ambiente geográfico determina la cultura, pero reconocemos que influye en la cultura. El hombre no se halla limitado por la geografía para hacer cambios en su ambiente. Muchos de los factores naturales que antes creíamos que eran absolutos están siendo vencidos por el hombre.

La cultura debe adaptarse también a las necesidades biológicas y psicológicas del organismo. Según cambian las condiciones de vida, las formas tradicionales desaparecen porque dejan de producir satisfacción; surgen nuevas necesidades y deben hacerse nuevos ajustes.

La cultura tiene también que adaptarse a sí misma, porque sus diferentes partes están en continuo cambio. La familia, por ejemplo, tiene que ajustarse a los nuevos cambios. Toda cultura está en continuo estado de cambio. En las culturas estáticas el cambio es lento, pero en las dinámicas, como la nuestra, el ritmo de cambio es acelerado.

## La cultura es acumulativa

La cultura no consta solo de elementos nuevos. También consta de elementos viejos. La mayor parte de los elementos culturales —armas, herramientas, lenguaje, creencias, supersticiones, costumbres y religión— son el resultado de siglos de acumulación. Estos elementos se han conservado por tradición y por utilidad. Las personas viejas los han pasado a los más jóvenes. No todos los elementos que se han acumulado se mantienen inalterados. Muchos se alteran por las fuerzas del cambio. Es de esperar que cuanto mayor sea la acumulación cultural mayor será el cambio.

## La cultura es integrada

Las partes de la cultura tienden a formar un todo consistente e integrado. Una cultura es más que la suma de sus partes. Para propósitos de análisis, la cultura puede subdividirse en rasgos, complejos y patrones. Estos tienden a formar un todo, una configuración.

El rasgo es la unidad más pequeña en que puede dividirse la cultura. Una palabra, una costumbre o un objeto son ejemplos de rasgos culturales. Un número de rasgos relacionados constituye un complejo. Los complejos culturales forman los patrones. La boda es un complejo cultural que consta de muchos rasgos. La boda es, a su vez, parte del patrón cultural que llamamos matrimonio y vida familiar.

La integración de la cultura implica el ajuste entre los diversos elementos culturales. Con la integración se reducen a un mínimo los conflictos y las inconsistencias, que son siempre inevitables en la cultura. La integración se logra mejor en las sociedades simples. En las sociedades complejas, debido al constante cambio y a la gran acumulación cultural, la integración es menos evidente. Los valores, las normas, las creencias, las ideologías y los símbolos producen integración, unidad y consistencia en la cultura. En términos generales, todas las culturas tienden a la organización y a la integración.

No queremos terminar esta parte de nuestro trabajo sin antes recomendar el estudio de un artículo de Murdock [5] en el que se discuten las características de la cultura. Este artículo nos ha sido de ayuda al desarrollar este tema.

## LA UNIVERSALIDAD Y VARIABILIDAD DE LA CULTURA

Todas las culturas tienen muchos elementos en común y también tienen diversas formas de satisfacer las necesidades. Analicemos primero los elementos universales en la cultura.

### La universalidad

Hay varias razones que explican la universalidad de los elementos en la cultura. Los hombres, dondequiera que se encuentren, pertenecen a la misma especie y tienen las mismas necesidades psicológicas y biológicas. Las sociedades humanas se han enfrentado independientemente con situaciones análogas y las han resuelto más o menos de igual manera, dando así lugar a que surja un número de patrones comunes entre los pueblos del mundo.

¿Cuáles son algunos de esos elementos comunes a las culturas? Todas las culturas tienen sistema económico, organización política, gobierno, estructura social, organización familiar, religión, educación, lenguaje, trabajo, recreación y códigos de moral.

La orientación de la persona en la vida social es también un elemento común a todas las culturas. En todas las culturas, lo mismo en las más avanzadas y complejas que en las más simples y sencillas, el hombre orienta su vida como miembro del grupo social a que pertenece y no como individuo aislado. La opinión pública —el qué dirán— es importante para el hombre lo mismo en una tribu primitiva que en una sociedad compleja.

---

5. George P. Murdock. «The Cross-Cultural Survey.» En *American Sociological Review*, V, junio de 1940, páginas 361-370.

El hombre orienta su vida por esas poderosas normas y códigos de conducta que él mismo ha ayudado a crear.

Sería conveniente aclarar que estos elementos comunes no siempren aparecen independientes. Algunos se encuentran entrelazados. Existe, por ejemplo, una íntima relación entre la religión y las demás formas de control social. En algunas culturas existe igualmente una relación entre la educación y el trabajo, la recreación y el trabajo y la familia y la educación.

## 2) La variabilidad

Al pensar en otras culturas, el hombre corriente piensa por lo general en pueblos completamente diferentes a nosotros. A través de diversos medios como la educación, los libros y el cine, hemos adquirido ese concepto de que los demás pueblos son diferentes y raros. Los programas escolares han ayudado a crear ese concepto y han recalcado ese punto. Corrientemente escuchamos afirmaciones como éstas repetidas en la escuela día tras día: los holandeses usan zapatos de madera, los japoneses se quitan los zapatos antes de entrar a la casa y la mujer hindú usa un sari. Nos parece que ha existido la tendencia a exagerar estas diferencias, cuando en realidad abundan tanto las semejanzas entre unos pueblos y otros.

Ya hemos dicho que existen muchos elementos comunes en las culturas. El contenido de estos elementos varía entre unas culturas y otras. Las necesidades humanas son las mismas para el hombre, pero el ambiente varía, y varían también las formas de satisfacer esas necesidades.

¿Cuáles son algunos ejemplos de variabilidad cultural? Nuestra familia es monógama: se casa un hombre con una mujer. En la mayor parte de las culturas, la monogamia es también la forma de organización familiar más frecuente. Hay culturas, sin embargo, en las que existen otras formas: la poliginia, por ejemplo, que es el matrimonio de un hombre con más de una mujer, o la poliandria, el matrimonio de una mujer con más de un hombre. Hay culturas que permiten también el matrimonio de grupo. En algunas culturas, como la nuestra, el matrimonio se realiza ante un magistrado o un religioso debidamente autorizado. En algunas culturas primitivas no se celebra ceremonia alguna; solo basta el acuerdo mutuo del hombre y de la mujer de vivir juntos maritalmente.

Existen otras diferencias entre los seres humanos. Mencionemos por ejemplo, las diversas formas de proporcionarse abrigo, de fabricar la casa, de contar la descendencia, de obtener prestigio, de ganar poder, de divertirse, de adorar a los dioses, de preparar los alimentos y de interpretar los sueños. Algunas culturas tienen ceremonias para iniciar al joven en el mundo de los adultos. Estas ceremonias pueden ser muy variadas, como darle una paliza, quitarle la ropa y sentarlo en un hormiguero o exponerlo al bosque por cierto período de tiempo para que él mismo se defienda de las fieras y se procure sus propios alimentos.

Los esquimales, por ejemplo, permiten al visitante convertirse en esposo del ama de la casa durante su visita. Los ancianos esquimales que ya no pueden valerse y que constituyen una carga económica son abandonados por la familia cuando ésta se muda.

El sexo, el nacimiento y la muerte son cosas muy naturales y corrientes en Samoa;[6] el niño entra en contacto con ellas desde bien temprano. En nuestra cultura, sin embargo, mantenemos a los niños y a los adolescentes ignorantes del sexo, el nacimiento y la muerte.

Podríamos seguir enumerando infinidad de ejemplos de variabilidad entre las culturas. No lo hacemos porque sabemos que una ojeada a un texto de antropología general bastará al estudiante para acumular ejemplos sin límite.

No queremos dejar al estudiante con la impresión de que solamente existen variaciones entre una cultura y otra. También existen diferencias en una misma cultura y entre las personas que forman los distintos grupos en una cultura. Basta que caminemos por los distintos sectores de una comunidad para darnos cuenta de las muchas y distintas maneras en que viven las personas. La vida de la gente alrededor de la plaza, de la alcaldía, de la corte, del teatro y de la oficina de correos es muy distinta a la vida en otros sectores menos privilegiados de la comunidad, como el arrabal, por ejemplo. La edad, el sexo, la clase social, la ocupación, la educación, la religión y la raza producen una gran variedad de modos de comportamiento en nuestra compleja sociedad.

¿Cómo nos explicamos la variabilidad cultural? Una explicación puede constituirla la de las diferencias de ambiente geográfico. Las condiciones geográficas permiten a unos pueblos realizar ciertas actividades y a otros pueblos realizar otras. Los esquimales, por ejemplo, han adaptado su cultura a las condiciones del Ártico.

El desarrollo tecnológico también tiene que ver con la variabilidad cultural. El desarrollo de la tecnología tiene un efecto muy marcado en la cultura de un pueblo, como puede verse en el efecto de la Revolución Industrial en la cultura de América y Europa. La Revolución Industrial trajo no solo una gran cantidad de elementos materiales, sino también una gran diversidad de modos de comportamiento, alterando así las formas tradicionales.

Finalmente, un factor que ayuda a explicar el fenómeno de la variabilidad es la historia. Un simple acontecimiento histórico puede tener un efecto muy significativo en el desarrollo futuro de la sociedad. La ocupación de Puerto Rico por los norteamericanos en el 1898 ha producido efectos significativos en nuestra cultura.

En resumen, el ambiente geográfico, el desarrollo tecnológico y las experiencias históricas ayudan a explicar las diferencias en cultura. Todo esto va unido a la gran capacidad del hombre para adaptarse a su medio y para hacer cambios en él, en un empeño por satisfacer sus necesidades de múltiples maneras. Como ser inteligente y dinámico, el hombre crea una gran variedad de elementos y de instituciones. Lo importante es ver hasta qué punto esas instituciones que él ha creado le sirven para satisfacer sus necesidades en su cultura particular y para proveerle felicidad. Esa es la forma más importante de juzgar la efectividad de una cultura.

---

6. Margaret Mead. *Coming of Age in Samoa.* New York: The New American Library, A. Mentor Book, 1949.

## La difusión cultural

Los elementos culturales se propagan de una cultura a otra por medio del proceso de difusión cultural. La difusión es la transferencia de elementos de cultura de una sociedad a otra. Ayuda a explicar la gran cantidad de cambios que ocurren dentro de la sociedad. Por medio de la difusión, un invento hecho y aceptado en un lugar puede transmitirse y extenderse a todas las sociedades humanas. De no haber sido por la difusión nuestro progreso hubiera sido más lento.

Por compleja que sea una cultura, no logra desarrollar todos sus elementos culturales. Depende de otras culturas para la adquisición de la mayor parte de los elementos culturales. Linton [7] dice que un pueblo desarrolla no más de la décima parte de su cultura. El resto de los elementos los adquiere de otras culturas mediante la difusión. Esta es la razón de que la difusión sea un tema de estudio tan importante en la sociología.

### La propagación de elementos culturales

¿Cómo se propaga un nuevo elemento cultural? Algunos elementos se propagan rápidamente, pero, por lo general, uno nuevo se propaga poco a poco. Puede que el elemento se propague primero entre los individuos más jóvenes y luego entre los mayores. Esta forma de propagación de un nuevo elemento cultural se llama propagación selectiva. El nuevo elemento que se propaga selectivamente escoge las personas o grupos donde se va a propagar primero. Si gusta y demuestra ser de provecho y utilidad, se propaga luego a otros grupos y finalmente a toda o casi toda la sociedad.

El innovador es la persona que inicia o introduce el nuevo elemento cultural. Lo aprendemos del innovador y lo pasamos a otros. El innovador gana cierto prestigio con la introducción del elemento cultural. Relacionamos la importancia del nuevo elemento con el prestigio del innovador o el de las primeras personas que adoptan el elemento. Por eso invitamos a los clientes más distinguidos a endosar un nuevo elemento, como, por ejemplo, una nueva marca de cigarrillos. En los anuncios del nuevo elemento por lo general se presenta a las estrellas del cine, a peloteros distinguidos o a otras personas de elevada posición social. Los primeros que aparecen haciendo uso del elemento son personas de alto nivel social o personas que todos admiramos. Esta práctica es común a todas las culturas que quieren introducir nuevos elementos.

### Principios de difusión cultural

El proceso de difusión cultural puede entenderse mejor por medio de algunos principios generales. A continuación aparecen algunos de estos principios.

---

7. Linton. *El estudio del hombre. Op cit.*, página 317.

*a)* *La difusión puede ser el resultado de contactos accidentales no planificados entre dos culturas y también puede ser el resultado de la propaganda o el anuncio, de la coacción por parte del gobierno y de la conquista.* El pueblo puede voluntariamente o hasta inconscientemente adoptar un nuevo elemento cultural mediante contactos. El gobierno también puede ejercer presión para que se adopte un nuevo elemento que le ayude a lograr sus propósitos. Este caso es corriente en los sistemas totalitarios. La difusión puede llevarse a cabo también por medio de la conquista de un pueblo por otro.

*b)* *La aceptación de los nuevos elementos por razón de la necesidad o por su compatibilidad con otros elementos existentes.* Es muy importante el uso que se dé al nuevo elemento. No hay necesidad de adoptar un elemento si no se tiene uso para él. Los nuevos elementos, para que se propaguen rápidamente, no deben ser muy diferentes de los elementos existentes; deben guardar relación con los elementos viejos y con las normas del grupo. Basándonos en este principio, podemos afirmar que es más fácil adoptar el uso de cadenitas en las piernas de las mujeres que argollas en la nariz.

Las nuevas ideas son rechazadas al principio por la sociedad si se apartan de las creencias establecidas. Copérnico fue originalmente perseguido por la Iglesia al exponer su teoría del Sol como centro del universo, ya que se retaba el concepto tradicional de la Tierra como centro.

*c)* *La actitud que se tenga ante la cultura que introduce el nuevo elemento estimula o desanima la aceptación del mismo.* Adoptamos un elemento cultural más rápidamente si tenemos un concepto alto del país de origen de ese nuevo elemento. Por esta razón adoptamos las modas de París y el corte inglés. Los indios de San Blas, de Panamá, rechazan el catolicismo; sin embargo, adoptan el protestantismo porque lo relacionan con los Estados Unidos, y ellos admiran a los norteamericanos.

*d)* *Mayor facilidad para difundir la forma antes que el significado o la función de un elemento.* Muchas veces adoptamos un nuevo elemento porque nos gusta o nos parece bueno, sin tener uso para él. Este es el caso del hombre primitivo que adopta como adorno el reloj despertador del hombre civilizado. Él adopta la forma del nuevo elemento pero no su función. Un elemento cultural puede tener diferentes significados en las diferentes culturas.

*e)* *La difusión nace del contacto de las culturas.* La cultura no se propaga únicamente por contacto directo. También se propaga por contacto indirecto. Ambos tipos de contacto han influido en la propagación de la cultura norteamericana en Puerto Rico.

No queremos terminar esta parte de nuestra exposición sin dejar de recomendar muy especialmente la lectura del libro de Linton[8] en el que este antropólogo ilustra cómo nuestra cultura se ha enriquecido con las aportaciones de otras culturas a través del proceso de difusión cultural. El analiza las actividades que un hombre lleva a cabo durante todo un día, destacando el lugar de origen de cada uno de los elementos de cultura con que viene en contacto. Como vivimos en una época de grandes transformaciones, llegamos a pensar que hemos creado la mayor parte de nues-

---

8. *Ibíd.*, páginas 318-319.

tros elementos culturales. Al detenernos a analizar las actividades diarias
de un hombre común, como hace Linton nos damos cuenta de que estamos
equivocados y reconocemos una vez más la importancia del proceso de difusión cultural.

## EL CAMBIO CULTURAL

La cultura es dinámica; cambia para satisfacer las necesidades de los
individuos en el grupo. Todas las culturas están en estado de cambio, aunque sabemos que unas evolucionan más rápidamente que otras. El cambio
es más acelerado en las sociedades industriales, urbanas y comerciales y
más lento en las sociedades agrarias, aisladas y rurales. Como la sociedad
puertorriqueña se va haciendo más industrial y más urbana, el cambio en
Puerto Rico es mayor en el presente de lo que fue a comienzos de siglo y
aun en el 1940.

El cambio cultural es un cambio en los conocimientos, actitudes y hábitos de los individuos que componen la sociedad. El cambio envuelve modificación de los elementos de la cultura y de nuestros modos de comportamiento. También implica la sustitución de unos elementos culturales por
otros.

Puede originarse en la misma sociedad como resultado de los inventos
y los descubrimientos. También puede venir a través de la difusión.

### Principios del cambio cultural

El proceso de cambio cultural no sigue una serie de principios fijos. Sin
embargo, los siguientes principios nos pueden ayudar a entender mejor el
cambio.

a) *Algunos aspectos de la cultura cambian más fácilmente que otros.* Los
elementos materiales cambian más rápidamente que los elementos inmateriales de la cultura. Aceptamos rápidamente un invento o un nuevo artefacto
que demuestre ser útil y descartamos el elemento viejo. No cambiamos con
igual facilidad nuestra religión ni nuestro concepto de la moral. Estas cosas
nos tocan tan de cerca que no nos es fácil aceptar su cambio.

b) *El cambio es mayor en épocas de crisis y de desorganización social que
en períodos de estabilidad.* Un ejemplo de este principio lo encontramos
en los cambios producidos en la segunda guerra mundial. Ese fue un período de grandes cambios en todos los órdenes de la vida: cambios en los
empleos de la mujer, cambios en nuestros modos tradicionales de comportamiento y cambios en nuestras relaciones con otros pueblos. Debido a la
situación bélica fue necesario producir algunos que no se hubiesen hecho
en tiempos normales. En épocas de estabilidad social, sin embargo, el cambio
es lento.

c) *Existen ciertos factores que estimulan o aceleran el cambio.* Algunos
de estos factores son los inventos, los descubrimientos, las guerras, la educación, los medios de comunicación y transportación, las generaciones jóvenes, el comercio, los viajes y el contacto directo o indirecto de un pueblo

con otro. Nuestra insatisfacción con el presente también nos puede llevar a idear cambios.

*d) Existen ciertos factores que resisten el cambio o se oponen a él.* Algunos de estos factores negativos son las generaciones viejas, la inercia cultural, los intereses creados y el aislamiento geográfico.

Los viejos tienden a oponerse a los nuevos elementos. Su oposición a los bailes modernos es cosa evidente. Por inercia cultural se implica la satisfación con las cosas tal y como éstas existen, el estancamiento cultural y el miedo al cambio. Rechazamos aquellos nuevos elementos que se apartan demasiado de nuestros patrones tradicionales y corrientes. Los intereses creados, lo mismo en lo económico que en lo personal, también perpetúan al *status quo*. Por los intereses creados se objeta el cambio; existe el temor por parte del individuo de que su posición sufra o se perjudique. El aislamiento geográfico tampoco favorece el cambio cultural. El cambio tarda en llegar a lugares distantes, apartados y de poco contacto con el mundo exterior. Las ciudades son más propensas al cambio que las zonas rurales.

*e) Los cambios en un aspecto de la cultura casi invariablemente producen cambios en otros aspectos.* Los cambios en nuestros medios de transportación, como la introducción del automóvil, por ejemplo, producen cambios en otros órdenes de la vida: en el romance, en el problema de estacionamiento y en los accidentes. El trabajo de la mujer fuera de la casa puede ser un medio de ayuda económica para la familia, puede fortalecer la posición social de la mujer, pero puede también crear una serie de problemas.

El fenómeno de cambio sigue un ritmo desigual o desparejo. El cambio no es uniforme. Algunos aspectos de la cultura cambian más rápidamente que otros y se crea cierto desajuste, dando lugar a lo que Ogburn [9] llama lastre o rezago cultural. El rezago cultural es el grado mediante el cual ciertas partes de la cultura cambian mientras otras partes relacionadas no cambian a ese mismo ritmo y quedan, por tanto, atrasadas. Un ejemplo de rezago cultural es el cambio en nuestros elementos materiales y el consiguiente retraso en el cambio en nuestros valores y actitudes.

Veamos otros ejemplos de rezago cultural. A pesar del adelanto en la educación y la ciencia, todavía hay muchos que creen en las supersticiones y estas siguen influyendo en sus vidas. A pesar de tener mejores carreteras, mejores automóviles y más policías que en otros tiempos, los accidentes automovilísticos no se reducen en la misma forma en que mejoran las condiciones antes mencionadas. Mientras unos elementos de la cultura cambian, otros elementos relacionados quedan rezagados.

Hay ambientes que estimulan el cambio y ambientes que lo limitan o impiden. Los ambientes democráticos por lo general estimulan el cambio; los ambientes autoritarios, lo impiden. Un ambiente de conformismo destruye la iniciativa individual; un ambiente de libertad estimula el cambio.

El grado de complejidad de la comunidad también ayuda o impide el cambio. El cambio es más rápido en las comunidades urbanas que en las comunidades rurales, ya que las primeras son más complejas que las se-

---

9. William F. Ogburn. *Social Change.* New York: B. W. Huebsch, Inc., 1922, páginas 220-221.

gundas. Los rápidos medios de transportación en las comunidades urbanas
ayudan a propagar el cambio.

+ ) *Los cambios culturales tienen que ver no solo con la adición de nuevos
elementos, sino también con la modificación y reorganización de otros.* La
introducción de algunos elementos nuevos en una cultura es cosa sencilla
cuando la sociedad siente verdadera necesidad del elemento y con gusto lo
acepta. Otras veces la introducción de algunos elementos puede crear desajustes y conflictos. Existen unos elementos viejos que van a ser desplazados
y unas personas o grupos que los introdujeron que han de perder prestigio.
Este es el caso de la invención del hacha de hierro. Cuando inventamos el
hacha de hierro empieza a desaparecer el hacha de piedra. Los que inventa-
ron el hacha de piedra pierden prestigio en comparación con el que ganan
los que inventan el hacha de hierro. Igualmente ocurre con la escoba cuando
se introduce el aspirador de polvo. Aunque un poco más tarde, el nuevo elemento también se incorpora en la cultura si demuestra ser superior al viejo.
El viejo elemento puede desaparecer a la larga o puede que se quede como
una alternativa; luego puede pasar a ser una peculiaridad individual y finalmente desaparecer.

## TEORÍAS DE CAMBIO CULTURAL

Hemos explicado el proceso de cambio utilizando una serie de principios
generales que hemos tomado de diversas fuentes, entre ellas las obras de
Brown,[10] Linton[11] y Biesanz.[12] Hay, sin embargo, otras maneras de explicar
los cambios culturales. Un examen de los libros de sociología, historia y filosofía revela que estos nos hablan de distintas teorías del cambio cultural.

### Un solo factor; factores múltiples

Hay quienes explican los cambios como si estos fueran producidos por
un solo factor. Nos hablan de los factores tecnológicos, económicos, geográficos e ideológicos como explicaciones para los cambios. Ellos reconocen
que pueden haber otros factores que contribuyen al cambio, pero que uno
de esos factores principales ha sido el decisivo. Así hablan del determinismo
económico y del determinismo geográfico, como si todos los cambios tuvieran
una base económica o fueran causados por razones geográficas.

La mayoría de los investigadores sostienen que no puede explicarse el
cambio como resultado de un solo factor, y que por el contrario, múltiples
factores relacionados ayudan a producirlo. Todos están de acuerdo en que
el cambio es un fenómeno universal en todas las sociedades humanas, aunque
el mismo se produzca a diferentes ritmos.

---

10. Francis J. Brown *Educational Sociology. Segunda edición.* New York: Prentice-
Hall. Inc., 1954, Capítulo 4
11. Linton. *Op. cit.*
12. John Biesanz y Marvis Biesanz. *La sociedad moderna· Introducción a la sociología* México: Editorial Letras, S. A., 1958, Capítulo 4

## Teoría de los ciclos

Una de las teorías de cambio que más frecuentemetne se cita es la que lo concibe como una serie de ciclos. La frase "la historia se repite" ilustra el concepto de los ciclos, que es el período de tiempo en que ocurre una serie de acontecimientos hasta llegar a un punto a partir del cual se repiten en el mismo orden. No todos los que sustentan esta teoría están de acuerdo en cuanto a la forma en que ocurren los ciclos. Algunos creen que los ciclos son idénticos, mientras que otros creen lo contrario. Los que sostienen esta última posición aducen que los cambios en unos aspectos de la cultura dependen del grado de cambio en otros y de este modo se producen diferencias en los ciclos y en las manifestaciones del cambio en los diversos grupos sociales.

Hay varias versiones sobre la teoría de los ciclos, cada una sustentada por personas de reconocida competencia. Una de las más conocidas por los sociólogos es la expuesta por F. Stuart Chapin, en su libro *Cultural Change*, en 1928. De acuerdo con Chapin, las partes de la cultura, las instituciones sociales, por ejemplo, pasan por un ciclo de crecimiento, apogeo y decadencia. Si los ciclos de las partes principales, el gobierno y la familia, coinciden o están sincronizados, la cultura total estará en estado de integración; si no coinciden está en desorganización. Si todas las partes pasan por un período de plenitud, la civilización florecerá en su totalidad, pero si pasan por un período decadente, la civilización también decaerá.

## Otras teorías

Esta teoría cíclica del cambio es opuesta a teorías anteriores que sustentaban otros sociólogos. Spencer, por ejemplo, que dejó sentir en sus escritos la influencia de los biólogos, hablaba de que el cambio era evolutivo. Para Spencer, cambio social y evolución social son sinónimos. El cambio, según él, es uniforme, gradual y progresivo. En todos los lugares y en todos los tiempos el cambio pasa por la misma etapa de desarrollo. Todos los cambios conducen al progreso y al mejoramiento de la sociedad.

Esta teoría fue sustentada por algunos sociólogos, pero no fue aceptada por Lester Ward, quien expone su propia teoría. Él no estuvo de acuerdo con la teoría del progreso inevitable de que hablaba Spencer y expone que el cambio puede ser planificado inteligentemente por el hombre para lograr sus propósitos. El hombre debe primero determinar los objetivos que quiere lograr y luego dirigir el cambio para conseguir esas metas. En este proceso de planificación del cambio, la educación juega un papel importantísimo. La educación es una agencia importante para la formulación de esos objetivos y provee al hombre las herramientas para lograrlos. Vista de este modo, la educación tiene una amplia función social. No cabe duda que los escritos de Ward han influido en las teorías pedagógicas del siglo xx.

En resumen, nadie tiene la palabra final sobre el origen del cambio social. Hace falta mucha más investigación, pero verdadera investigación científica que incluya no solo el origen del cambio, sino el peso relativo de las condiciones que lo producen y el modo en que los diferentes factores que lo causan interactúan entre sí. De una cosa podemos estar seguros: que el cambio surge como consecuencia de un número de factores, algunos que el hombre puede controlar y otros que están fuera de su control. También sabemos que no importa la teoría de cambio que sustentemos, éste es variable o desparejo. Los cambios en los diferentes aspectos de la cultura no se producen al mismo ritmo. Los cambios en el orden material son más rápidos que en el inmaterial. La sociedad humana no cambia al mismo ritmo, ni tampoco los diversos grupos de la misma sociedad.

## VII  CULTURA Y EDUCACIÓN

Como hemos visto en este capítulo, por *cultura* se entiende un grupo organizado de patrones de conducta aprendidos que caracteriza a los miembros de una sociedad en particular. Para poder sobrevivir, toda sociedad necesita que los miembros que la componen compartan los patrones de conducta comunes, al igual que aquellos patrones particulares de los diversos grupos sociales. Es necesario que no solamente los miembros viejos practiquen esos modos de comportamiento, sino que también los jóvenes los aprendan y los ejecuten. Solo así se conserva la integración de la cultura.

Si la cultura es conducta aprendida, esto implica, que todas las sociedades tienen que desarrollar unos medios de enseñar la conducta a sus miembros. Aquí vemos la íntima relación que existe entre la educación y la cultura. El programa educativo de una sociedad consiste principalmente en enseñar y aprender la cultura. Este proceso educativo se conoce con el nombre de socialización. La educación no se lleva a cabo en la escuela únicamente. La vida social misma, con todas sus múltiples interacciones humanas, sirve como agencia educativa. Otras agencias también participan en esta tarea, tanto activa como pasivamente.

### Educación informal y formal

Existen métodos informales y formales para transmitir o enseñar la cultura. La educación informal es un proceso social continuo. Se lleva a cabo en todo momento y por todas las personas de la sociedad que han adquirido ciertos patrones de conducta que deben enseñar a los que no los poseen. Para propósitos de la transmisión informal de la cultura, todos somos maestros y aprendices. No se necesita la designación de una persona con funciones educativas específicas. Tampoco se requiere un lugar en particular o un horario específico para realizar esa función educativa. Es un proceso continuo de enseñanza y aprendizaje.

La educación formal se lleva a cabo en lugares específicos, formalmente organizados como instituciones educativas —escuelas— y por personas que han recibido un adiestramiento especial para la instrucción —los maestros. La educación formal o escolar es organizada, planeada y sigue, por lo general, un horario regular de trabajo. Los estudiantes son sometidos a pruebas para ver cuánto han aprendido. A veces tienen que repetir todo el proceso o parte del mismo, cuando el aprendizaje no ha sido satisfactorio. Las escuelas no solamente enseñan los patrones de conducta comunes a todos, sino también aquellos que son particulares a ciertos grupos que desempeñan papeles especiales.

Como hemos demostrado, existe una estrecha relación entre la educación y la cultura. Por tratarse de una relación tan importante, dedicaremos el próximo capítulo al estudio más detallado de este asunto.

### RESUMEN

En este capítulo presentamos dos formas de definir el término cultura: el punto de vista popular y el científico. Al definir cultura, el vulgo está pensando principalmente en los conocimientos que el hombre adquiere y en los refinamientos que desarrolla. El científico va más allá; define la cultura como el modo de vivir de una sociedad, transmitido de generación a generación por medio del aprendizaje. Ese modo de vivir incluye dos tipos de elementos: los materiales e inmateriales. Los elementos materiales son concretos y tangibles. Las herramientas, las máquinas, los objetos y los artefactos que los hombres han fabricado son elementos materiales. Las costumbres, la religión, la ley, la moral, el gobierno, los valores y las actitudes son ejemplos de elementos inmateriales. Existe una íntima relación entre los elementos materiales y los inmateriales.

La cultura ejerce ciertas funciones básicas para el individuo: 1) facilita la satisfacción de necesidades; 2) proporciona unidad a la vida social, y 3) provee el trasfondo para el desarrollo de la personalidad humana.

Se presentan y se discuten en el capítulo una serie de características de la cultura: 1) es aprendida; 2) es transmitida; 3) es social; 4) es ideal; 5) produce satisfacción; 6) es dinámica; 7) es acumulativa y 8) es integrada.

Todas las culturas tienen muchos elementos en común y también tienen diversas formas de satisfacer sus necesidades. Esta es la base para la discusión que se presenta en el capítulo sobre los fenómenos de universalidad y variabilidad en la cultura.

Se incluye una explicación detallada de los procesos de difusión y cambio cultural. Se discuten algunos principios generales que gobiernan estos procesos. El cambio cultural se puede deber a los inventos y los descubrimientos; sin embargo, la mayor parte de los cambios culturales se deben a la difusión cultural. Todas las culturas toman elementos culturales de otras y los adaptan a su situación. Ninguna cultura se crea a sí misma totalmente. El proceso de difusión se puede describir mejor a través de una serie de principios generales, entre los que están los siguientes: 1) La difusión pude ser el resultado de contactos accidentales no planificados entre dos culturas y también puede ser el resultado de la propaganda o el anuncio, de la coacción por parte del gobierno y de la conquista. 2) Se aceptan más fácilmente los nuevos elementos si llenan una necesidad y si son compatibles con otros elementos existentes en la cultura. 3) La actitud que se tenga ante la cultura que introduce el nuevo elemento estimula o desanima la aceptación del mismo. 4) Es más fácil difundir la forma que el significado o función de un elemento. 5) La difusión nace del contacto entre las culturas.

Los nuevos elementos se difunden y se producen cambios en la cultura.

Entre los principios que gobiernan el cambio están los siguientes: 1) Algunos aspectos de cultura cambian más fácilmente que otros. 2) El cambio es mayor en épocas de crisis y de desorganización social que en períodos de estabilidad. 3) Existen ciertos factores que estimulan o aceleran los cambios. 4) Existen ciertos factores que resisten o se oponen al cambio. 5) Los cambios en un aspecto de la cultura casi invariablemente producen cambios en otros aspectos. 6) El fenómeno de cambio sigue un ritmo desigual o desparejo. 7) Hay ambientes que estimulan el cambio y ambientes que lo limitan o impiden. 8) Los cambios culturales tienen que ver no sólo con la adición de nuevos elementos, sino también con la modificación y reorganización de otros.

A través de los años han surgido diferentes teorías sobre el origen del cambio social. No es corriente hoy día explicar el cambio como el producto de un solo factor. Por el contrario, múltiples elementos relacionados ayudan a producirlo. Una de las teorías de cambio que más frecuentemente se cita es la de los ciclos. No hay una sola versión sobre ésta. La visión cíclica de los cambios es opuesta a las teorías anteriores sustentadas por otros sociólogos, como Spencer y Ward. A pesar de que reconocemos la importancia del cambio, nadie tiene la última palabra aún sobre el origen del mismo. Hace falta mayor investigación científica sobre este asunto.

Por último, presentamos la relación entre la cultura y la educación, la cual es obvia si definimos la educación como el proceso social de enseñar y aprender la cultura de una sociedad. Existen métodos formales e informales para aprender la cultura, factor imprescindible para la supervivencia de la sociedad humana.

## LECTURAS

Barnouw, Victor. *Culture and Personality*. Homewood, Illinois: The Dorsey Press, Inc., 1963.

Bell, Earl H. *Social Foundations of Behavior*. New York: Harper and Bros., 1961, Capítulos 3, 4, 5 y 7.

Benedict, Ruth. *El hombre y la cultura*. Tercera edición en español. Buenos Aires: Editorial Sudamericana, 1953, Capítulo 2.

Biesanz, John y Biesanz, Marvis. *La sociología moderna: Introducción a la sociología*. México: Editorial Letras, S. A., 1958, Capítulos 3, 4 y 5.

Brown, Francis J. *Educational Sociology*. Segunda edición. New York: Prentice-Hall, Inc., 1954, Capítulo 4.

Brunner, Edmund de S. y Wilbur C. Hallenbeck. *American Society: Urban and Rural Patterns*. New York: Harper and Bros., 1955, Capítulo 2.

Cuber, John F. *Sociology: A Synopsis of Principles*. New York: D. Appleton-Century Co., Inc., 1947, Capítulos 3, 4, 6 y 7.

Green, Arnold W. *An Analysis of Life in Modern Society*. Tercera edición. New York: McGraw-Hill Book Co., 1960, Capítulos 5 y 6.

Kallenbach, W. Warren y Harold M. Hodges, Jr. (ed.). *Education and Society*. Columbus: Charles E. Merrill Books, Inc., 1963, Capítulo 2.

Koening, Samuel. *Sociology, An Introduction to the Science of Society*. New York: Barnes and Noble, Inc., 1957, Capítulo 5.

Landis, Paul H. *Introductory Sociology*. New York: The Ronald Press Co., 1958, Capítulos 1-7.

Linton, Ralph. *Cultura y personalidad*. Primera edición en español. México: Fondo de Cultura Económica, 1945, Capítulo 2.

Linton, Ralph. *El estudio del hombre.* Segunda edición es español. México: Fondo de Cultura Económica, 1959, Capítulos 16 y 19.

Mead, Margaret. *Coming of Age in Samoa.* New York: The New American Library, A. Mentor Book, 1949.

Meltzer, Bernard N. y otros. *Education in Society: Readings.* New York: Thomas Y. Crowell, Co., 1958, páginas 28-40; 53-58.

Mercer, Blaine S. y Edwin R. Carr. *Education and the Social Order.* New York: Rinehart and Co., Inc., 1957, Capítulo 2.

Merrill, Francis E. y H. Wentworth Eldredge. *Society and Culture. An Introduction to Sociology.* New Jersey: Prentice-Hall, Inc., 1957, Capítulo 6.

Murdock, George P. *The Cross-Cultural Survey.* En *American Journal of Sociology.* Vol. V, junio de 1940, 361-370.

Ogburn, William F. y Meyer F. Nimkoff. *Sociología.* Traducción de la segunda edición americana. Madrid: Aguilar, 1959, Capítulo 3.

Stanley, William O. y otros. *Social Foundations of Education.* New York: The Dryden Press, Inc., 1956, páginas 27-39.

# CAPÍTULO V

## RELACIÓN ENTRE LA CULTURA Y LA EDUCACIÓN

En el capítulo anterior dijimos que el hombre no nace con cultura. Consciente de la importancia que tiene el que el ser humano adquiera la cultura, la sociedad desarrolla medios para enseñar la misma. El proceso de aprender la cultura es un proceso educativo. Así se explica la relación que existe entre la educación y la cultura. El proceso educativo de una sociedad consiste principalmente en enseñar y aprender la cultura. Este proceso se conoce con el nombre de socialización. La educación no se lleva a cabo en la escuela solamente; muchas otras instituciones participan en esta actividad.

Dedicaremos este capítulo a la discusión de la relación entre la educación y la cultura. Empezaremos con el análisis del término educación, sus funciones principales y el papel que desempeñan las distintas agencias educativas. Daremos especial atención a la escuela, partiendo desde su origen hasta llegar a su designación como la principal institución a la cual hemos encomendado la educación formal de los niños y los jóvenes. Estudiaremos su función en la trasmisión cultural, la relación entre la escuela y la cultura y su influencia en el quehacer diario del maestro. El capítulo terminará con una discusión sobre la importancia de conocer lo que se llama "la cultura de la escuela" —el complejo de creencias, valores, tradiciones y modos de comportamiento propios de esta institución social— y la influencia del cambio social en la educación.

### EL CONCEPTO EDUCACIÓN

El término cultura fue discutido en el capítulo anterior. Nos corresponde ahora presentar el concepto educación. Discutiremos la definición del término y las funciones de la educación en la sociedad.

### Definición

Al igual que el término cultura, el vocablo educación tiene distintos significados para el vulgo. Todo el mundo habla de educación y todos parecen saber lo que el término significa. Algunas personas relacionan la educación con el comportamiento. Tener educación para ellas es saberse comportar correctamente en determinadas ocasiones. Otran creen que educación es sinónimo de escuela. Ir a la escuela es tener educación, o poseer cultura escolar es ser educado.

Es un hecho que el término ha sido definido de varias maneras en distintas épocas. Para algunos, educación es el adiestramiento en las destrezas fundamentales; para otros, es la adquisición de destrezas vocacionales; y para unos terceros, es el desarrollo de los valores éticos.

El sociólogo de la educación, al definir el término educación hace uso del concepto científico de cultura que hemos presentado en el capítulo anterior —la cultura es el conjunto de patrones de conducta aprendidos, característicos de una sociedad determinada. La educación es, en su sentido amplio, el proceso social por medio del cual la sociedad trasmite a sus nuevos miembros los patrones de conducta que le sirven de guía en sus actuaciones diarias. La educación envuelve el desarrollo de nuevos patrones de conducta —habilidades, creencias y actitudes— por los niños y los jóvenes, y cambio en los patrones ya establecidos por los grupos de mayor edad. En resumen, es un proceso social que constituye en enseñar y aprender los patrones de conducta que se esperan de los miembros de una sociedad.

Para poder sobrevivir, la sociedad necesita que los miembros que la componen compartan unas maneras comunes de hacer las cosas, al igual que otras maneras particulares de algunos grupos especiales. Es a través de la educación que se trasmiten y se comparten esos modos de conducta comunes y particulares. Toda sociedad trasmite su cultura a las nuevas generaciones. La trasmisión de cultura puede hacerse de una manera informal, por medio de la relación continuo con niños y jóvenes. También la trasmisión cultural puede asignarse a personas especiales, que vienen a ser los maestros, encargándose éstos de la enseñanza formal.

Es en virtud de la educación que la sociedad conserva cierto grado de estabilidad, al enseñar a los nuevos miembros los modos de conducta aceptados culturalmente. Es inevitable que en ese proceso de trasmisión se produzcan algunos cambios en la cultura. A pesar del cambio, siempre hay un núcleo fundamental de creencias, hábitos y valores que la sociedad espera que los niños y los jóvenes adquieran. Ese núcleo fundamental incluye nuestras ideas sobre la familia, el gobierno, la religión, la economía y las relaciones interpersonales.

*La educación como socialización.* Vista en sentido amplio, la educación es sinónimo de socialización, que es el proceso mediante el cual el niño aprende la cultura de la sociedad. Socialización es el proceso por medio del cual el niño recién nacido se convierte en un miembro de su sociedad. Se inicia con el nacimiento del ser humano, cuando comienza a tener relaciones sociales con otros miembros de la sociedad y se extiende por toda su vida. La educación es un proceso continuo. Es el proceso que prepara al niño para desempeñar su puesto en la sociedad.

En el proceso de socialización, todas las personas asumen la responsabilidad de educar al niño —de enseñarle los patrones de conducta esperados. Todos los miembros de la sociedad son modelos para el niño, todos son maestros, en cierto sentido. Todos enseñan los hábitos de alimentación y de vestir, el lenguaje y otros aspectos comunes de la conducta. El aprendizaje de estas pautas comunes dependerá de su continua asociación a todas las horas del día y de la noche con los miembros de la sociedad, que son los maestros. Por medio de la aprobación o desaprobación de parte de estas personas es que se van fijando las expectativas comunes en el niño. Es de esperarse que en este proceso, los miembros de la familia, los que están más próximos al niño, sean los que asuman una responsabilidad mayor en la socialización. La escuela, como agencia educativa formal de las sociedades complejas, comparte tanto la enseñanza de las pautas culturales comunes como de las pautas especiales o diferenciadas.

En resumen, para convertirse en un ser social, el niño tiene que adquirir la cultura de la sociedad, que envuelve tanto los elementos comunes como los especializados. Es mediante la interacción social que se adquiere la cultura. El proceso de adquisición de la cultura es uno de tipo educativo. Aquí se ve claramente la relación que existe entre la educación y la cultura.

La definición presentada demuestra que la educación es de naturaleza social. Se lleva a cabo en un ambiente social y se espera que el resultado de esa educación se ponga en práctica en la vida social. El niño no se educa en el aislamiento. Se educa al relacionarse con otras personas. La educación que recibe estará orientada por las pautas que la sociedad adulta se ha trazado. Estas pautas se perpetúan a través de la educación.

La educación aspira a preparar a la persona para participar activamente en la vida de la sociedad. Tiene a su cargo el desarrollo del niño en el grupo social. El niño aprende a comportarse en distintas situaciones de la vida. La sociedad ha desarrollado pautas comunes y pautas especiales de comportamiento y se vale de todos los medios posibles para conseguir que el niño adquiera esas normas de conducta. En ese proceso de educación el niño aprende hábitos, destrezas, creencias, costumbres y actitudes. Esto es parte de la cultura de la sociedad; es la cultura que se espera que él aprenda para que luego la utilice en las distintas situaciones a las que se va a enfrentar. En sus relaciones sociales, el niño aprenderá la conducta que se espera de él. Por lo general, él aprende esa conducta correctamente. Aprende a comportarse como niño o como niña, según sea el caso, aprende el lenguaje que se habla a su alrededor, normas de moral y, entre otros, hábitos de alimentación, de eliminación y de limpieza.

## Funciones

Se han hecho innumerables listas que destacan las funciones de la educación. Esas listas generalmente responden a las maneras de pensar de las personas que las han formulado. La sociología de la educación no puede permanecer ciega a las realidades sociales al formular las funciones del proceso educativo. Tiene que tomar en cuenta los grandes cambios que han ocurrido y están ocurriendo en la sociedad moderna en todos los órdenes de la vida y la forma en que estos cambios han alterado nuestros patrones tradicionales de conducta.

Desde el punto de vista de la sociología educativa, la educación persigue tres funciones generales, a saber: 1) la asimilación de la tradición o la trasmisión de la cultura; 2) el desarrollo de nuevos patrones sociales y 3) el papel creador o constructivo de la educación.

En nuestra formulación de las funciones de la educación nos han sido de gran ayuda las ideas que presenta Brown [1] en su libro Educational Sociology.

1) *La asimilación de la tradición.* Esta es la primera función de la educación. En párrafos anteriores hemos señalado la importancia de la asimilación de la tradición o la trasmisión de la cultura. Como ya hemos dicho, la cultura se trasmite por métodos formales e informales. Muchas agencias contribuyen a realizar esta función educativa: la familia, la escuela, la iglesia y otros recursos de la comunidad.

La trasmisión de la cultura es una tarea compleja que corrientemente conduce a controversias difíciles de resolver. ¿Qué valores vamos a trasmitir a nuestros educandos —los de la escuela o los de la familia; los de los niños y jóvenes o los de los adultos, los de la comunidad local o los de la nación, los del presente o los del futuro? Estos son algunos asuntos controvertibles en la educación moderna.

No cabe duda que la trasmisión de la cultura es una tarea difícil. En su forma más extrema puede conducir al totalitarismo, ya que se coartaría la iniciativa y la libertad individual. La falta de algún tipo de esfuerzo dirigido a controlar de alguna forma la trasmisión de la cultura puede conducir a la anarquía y a la desorganización social. Permitir que el control de las agencias para la trasmisión de la cultura caiga en manos de un solo grupo es igualmente perjudicial.

2) *El desarrollo de nuevos patrones sociales.* La segunda función tiene que ver con el desarrollo de los nuevos patrones sociales que ayuden a la persona a ajustarse a este mundo de cambios. Son tantos los cambios sociales —el desarrollo rápido de la tecnología, la creciente interdepencia de las pueblos, los movimientos poblacionales, entre otros, que la educación no puede limitarse a la trasmisión de la cultura del pasado y de las tradiciones. El progreso de los pueblos no solo depende de la trasmisión de la vieja cultura, sino también de la modificación de la herencia cultural. Se hace necesario preparar a la persona para adaptarse a la vida de cambios. Las agencias educativas tienen que encarar esta importante responsabilidad.

3) *El papel creador o constructivo de la educación.* Conjuntamente con el desarrollo de los nuevos patrones sociales, para lograr un ajuste a los cambios se señala otra función educativa —la tercera— la que podría llamarse la función creadora o constructiva de la educación. Existe la necesidad de hacer al hombre receptivo a los cambios que están ocurriendo y los que se sucederán en el futuro. Esto requiere una persona flexible, que pueda hacer cambios en conformidad con los que ya se han efectuado. En este sentido es que la educación cumple con su función creadora o constructiva, desarrollando personalidades de mente liberal que puedan estimular y producir cambios que produzcan a un mayor grado de progreso.

Puede darse la impresión de que estas tres funciones educativas son contradictorias, y argüirse que la agencia que trata de asimilar la tradición no puede a la vez velar por el desarrollo de nuevos patrones sociales y el aspecto creador y constructivo de la educación. Esto no es correcto; las funciones son más bien complementarias que contradictorias. Serían inconsistentes estas funciones si una institución educativa aceptara solamente

---

1. Francis J. Brown. *Educational Sociology.* Segunda edición. New York: Prentice-Hall, Inc., 1954, Capítulo 8.

una función y excluyera las otras dos. De ser así estaría faltando a su responsabilidad para con la sociedad.

El gran reto de las agencias educativas es conservar un balance entre las tres funciones. Esto incluye el retener lo suficiente de nuestra herencia cultural para asegurar estabilidad social, el continuo ajuste a los nuevos patrones sociales que son producto del cambio, y continuar alentando mayores transformaciones en todos aquellos campos donde estas sean necesarias para asegurar un mejor mundo a la humanidad. Sólo de esta manera es que puede cumplirse con las tres funciones educativas.

## LAS AGENCIAS EDUCATIVAS

La educación no es desarrollada por una agencia determinada; por el contrario, son muchas las agencias que participan en el proceso educativo. La sociedad ha creado un número de ellas para cumplir esta importante misión. Estas agencias están llamadas a velar por el logro de las tres funciones educativas ya descritas. El logro de las tres funciones es responsabilidad de todas las agencias.

Podríamos clasificar las agencias educativas en dos tipos: formales e informales, dependiendo del grado en que fueron creadas más o menos deliberadamente con el fin de educar. A continuación aparecen algunas de las agencias formales e informales y los medios de que se valen para realizar sus funciones.

### Las agencias formales

La escuela, la iglesia, las bibliotecas y los museos son agencias educativas formales. Veamos la manera en que cada una de estas agencias ejerce su función.

*) La escuela.* Esta es la más importante de las agencias educativas formales en nuestra sociedad. Dada su reconocida importancia se asignan grandes cantidades de dinero para que la escuela pueda realizar su función en bien de los niños, los jóvenes y los adultos. A la escuela le hemos asignado la responsabilidad de la educación formal, especialmente en lo que respecta a la trasmisión de las destrezas fundamentales de la lectura, la escritura y la aritmética. Estas destrezas son imprescindibles para futuros y mayores aprendizajes que el individuo necesita para funcionar efectivamente en la sociedad moderna.

La escuela no puede limitarse a promover el desarrollo intelectual del educando. Tiene que velar por su desarrollo integral, que envuelve no solo los aspectos intelectuales sino también los aspectos sociales, físicos y emocionales. La escuela ejerce una importante función de socialización. El maestro es un agente socializador; además, en la escuela el niño se relaciona con otros niños fuera de su familia, con muchos de los cuales establece relaciones de trabajo y de amistad.

*La iglesia.* Las instituciones religiosas ejercen su función educativa a través de los servicios religiosos, de la instrucción religiosa, de sus fiestas, de su música y de sus muchas actividades. Hoy día muchas sectas religiosas han establecido escuelas y colegios, donde ofrecen instrucción académica, vocacional y religiosa, además de valer por el desarrollo moral de los alumnos.

Todos los pueblos del mundo tienen algún tipo de actividad religiosa. La religión da sentido a la vida del hombre, provee una base para su conducta y le ayuda a controlar sus actos.

3 *Las bibliotecas.* En las bibliotecas encontramos libros, revistas, periódicos, mapas, documentos, discos, fotografías y varias colecciones que ejercen una importante función educativa, tanto en los niños, como en los jóvenes y adultos. Las bibliotecas celebran horas de cuentos y ofrecen conferencias, foros y discusiones sobre diversos temas. De este modo la biblioteca es más que una distribuidora de libros; es un agente en el desarrollo del aprecio e interés por los buenos libros.

Las bibliotecas suplementan y complementan la educación escolar. La hace accesible a los que no pueden asistir a la escuela en horas y períodos regulares. Reconociendo la importancia de esta agencia, se hacen esfuerzos por extender este servicio no sólo a todas las escuelas, sino también a otros centros educativos y a las comunidades rurales y urbanas.

4 *Los museos.* Los museos son más escasos que las bibliotecas, pero son igualmente instructivos. Los museos educan por medio de sus colecciones y exhibiciones de cuadros, pinturas, reliquias, armas y otros objetos de valor relacionados con las artes y las ciencias. Al igual que las bibliotecas, los museos también celebran conferencias, foros y discusiones de grupo.

## Las agencias informales

Entre las agencias educativas informales están las siguientes: la familia, la comunidad, el grupo de juego, las agencias que proveen para el uso del tiempo libre y las agencias de interacción pasiva, como la prensa, el cine, la radio y la televisión.

*La familia.* La familia es la agencia con la mayor responsabilidad en la socialización del niño. Su labor educativa empieza cuando nace el niño. En los primeros cinco o seis años de vida del niño, antes de este ir a la escuela, la familia asume la mayor responsabilidad en la socialización. La escuela recibe un niño que ha sentido la influencia de la familia; ha aprendido los valores (a veces en conflicto con los de la escuela) y ha comenzado a formar su personalidad al estilo de la familia. En la familia, el niño aprende el lenguaje de los padres, los hábitos de alimentación y de limpieza, las actitudes, los prejuicios y un concepto de la disciplina. La familia no deja de continuar ejerciendo su influencia una vez el niño ha empezado a asistir a la escuela.

La familia es una institución social universal. Ejerce más funciones sociales que ninguna otra institución, entre ellas las funciones económica, recreativa, religiosa, educativa y protectora. Debido a los cambios que están ocurriendo en las sociedades complejas, la familia de hoy comparte con otros instituciones muchas de sus funciones. Sin embargo, no puede compartir como otras agencias, funciones tan importantes como las de proveer afecto, compañerismo y seguridad emocional.

*La comunidad.* A pesar de la existencia de la escuela como institución principal, la comunidad desempeña muchas de las funciones educativas. El niño pasa por lo general, tres veces más tiempo fuera de la escuela que dentro de ella. Las relaciones sociales y las experiencias del niño aumentan a medida que tiene contactos con las actividades y funciones de las diversas instituciones, grupos y facilidades de la comunidad.

La influencia educativa de la comunidad no se limita a la escuela, la iglesia, o la familia. La comunidad educa de muchas otras formas. También educan el trabajo, las organizaciones cívicas y políticas, las fiestas patronales o populares, la naturaleza —plantas y animales—, la calle, los anuncios, las exhibiciones en las vitrinas de las tiendas, las excursiones y los paseos por la comunidad. Educan también todas las personas que prestan servicios a la comunidad: los policías, los agricultores, los obreros, los comerciantes, los dependientes de tienda y los diversos grupos profesionales.

3) *Los grupos de juego.* Estos son grupos de gran importancia en la educación de niños y jóvenes, debido principalmente a la relación de intimidad que se establece entre sus miembros. En el juego, el niño aprende a desenvolverse en grupos fuera de su familia y a participar con otros compañeros de su misma edad.

En el grupo de juego, el niño aprende la cultura de su sociedad. Adquiere mucha información que no recibe en la familia. Este grupo también sirve la importante función de ayudar a cultivar el sentido de independencia del niño, tan necesario para el desarrollo de su personalidad.

4) *Las agencias que proveen para el uso del tiempo libre.* Aquí pueden incluirse numerosas agencias, tanto comerciales como no comerciales. Entre estas agencias que atienden las necesidades relativas al uso del tiempo libre están los parques, los salones de baile, canchas y otras facilidades de juego, campamentos, fuentes de soda, cafeterías, viajes, paseos y diversas clases de clubs, incluyendo los clubs atléticos. Hay otras agencias, como el cine, la radio y los salones de lectura, que también proveen para el uso del tiempo libre, pero estas las discutimos más adelante, como agencias de interacción pasiva. Además de ofrecer oportunidades recreativas, este grupo de agencias satisface las necesidades de relaciones sociales de los jóvenes.

5) *Las agencias de interacción pasiva.* Estas se diferencian de las agencias del apartado anterior en que aquellas facilitan la interacción entre los participantes, mientras que en las agencias de interacción pasiva falta esa relación recíproca. Sin embargo, estas últimas también ejercen su influencia en la conducta de la persona. En este grupo de agencias educativas incluimos la prensa, el cine, la radio y la televisión. Estas agencias no ejercen únicamente su función educativa a través de la recreación; también ofrecen información, presentan diversos puntos de vista y desarrollan actitudes y valores.

El cine, la radio y la televisión como medios de comunicación han progresado aceleradamente en los últimos años. Nos ayudan estos medios de comunicación en masa a presenciar y participar de acontecimientos que de otra forma nos parecerían distantes y conoceríamos tardíamente. Contribuyen también el cine, la radio y la televisión a la comprensión entre los pueblos del mundo. Por otro lado, no podemos dejar de mencionar el uso negativo que se puede dar a estos medios y los efectos contraproducentes que puedan tener como consecuencia.

No queremos en forma alguna dar la impresión de que hemos enumerado todas las agencias educativas. Quedan muchas más por enumerar: la tienda el banco, el taller, la finca, la industria, entre otras. Todas las agencias, en mayor o menor grado, transmiten la cultura, educan al ser humano y ejercen influencia en su conducta. El conocimiento de la cultura es tan amplio que se necesita de muchas agencias educativas, y no únicamente de la escuela para lograr la educación total de la persona. Cada una de estas agencias sirve un propósito principal. Cada una de ellas crea, pero también a veces destruye actitudes, valores y hábitos.

No existe completo acuerdo en cuanto a la forma de clasificar las agencias educativas en formales e informales. Hay quienes sostienen que la única agencia formal es la escuela y que las demás son informales. Otros afirman que aun la escuela que es tan formal, también educa informalmente. En opinión de estos, después de todo, el proceso educativo consiste de una relación entre maestro y discípulo —no necesariamente formal en todo momento— una gran parte del aprendizaje escolar ocurre en las relaciones informales entre el maestro y el discípulo. En cambio, algunos dicen que la relación entre maestro y discípulo nunca puede ser informal, ya que el maestro es el que controla esa relación. Continúan diciendo que hasta aquellas actividades menos formales, como el juego a la hora del recreo y la participación de los estudiantes en actividades extracurriculares, son controladas por los maestros y los administradores y son evaluados en términos de objetivos educativos esbozados por los adultos. Como el niño pasa más tiempo fuera de la escuela que dentro de ella, no podemos negar entonces que la influencia de estas innumerables agencias es realmente significativa para la educación.

## LA ESCUELA COMO TRANSMÍSORA DE CULTURA

La escuela es la principal agencia educativa formal en los pueblos civilizados. Esta ha sido reconocida legal y oficialmente como la institución a la cual corresponde principalmente la educación formal de niños y jóvenes. La escuela se ha ocupado también últimamente de la educación de los adultos.

En esta sección consideraremos la gran responsabilidad que tiene la escuela en la transmisión de la cultura. Estudiemos primero el origen de la escuela.

### El origen de la escuela

La escuela, como nosotros la concebimos hoy día, surgió por una necesidad de la comunidad de transmitir la cultura necesaria para la existencia del grupo. Para el estudiante de sociología educativa tiene especial interés el origen de esta importante agencia.

*La transmisión informal de la cultura.* La escuela, como institución educativa formal y organizada, es de reciente creación. Todavía hoy día muchos pueblos simples no necesitan una escuela como nosotros la concebimos. El hombre primitivo tampoco necesitó una escuela porque era muy poco el contenido de la cultura que había que transmitir y este podía transmitirse incidentalmente, por imitación o por tanteo. La familia, el trabajo, la recreación y el proceso mismo de crecimiento eran las agencias educativas del hombre primitivo. El hijo acompañaba a su padre al trabajo y la hija compartía los quehaceres del hogar con la madre. De esta manera el hijo aprendía el oficio del padre y la hija aprendía el trabajo que ella, como mujer, tenía que hacer. Podemos afirmar que la familia primitiva fue, en cierto sentido, la primera escuela. La familia se mantenía pequeña, el grupo social era pequeño también y la cultura era simple, permitiendo a la familia realizar su función con efectividad.

A medida que el grupo social creció, aumentaron también las necesidades. Hubo la necesidad de enseñar a los niños ciertas destrezas y conocimientos, que no solo eran útiles para su supervivencia, sino para la del grupo también. Así surgieron los guerreros y los cazadores, que enseñaban sus destrezas especiales a sus hijos y a los hijos de los vecinos. También hubo mujeres de excepcional destreza que enseñaban a las niñas las tareas propias de su sexo. Se cree, sin embargo, que el esfuerzo más sistemático de la época para enseñar a los jóvenes la cultura del grupo fue el de la enseñanza de las creencias y prácticas religiosas. La religión era una institución muy poderosa para estos pueblos. Controlaba toda la vida de la gente. La tradición religiosa tenía que conservarse y además trasmitirse; pero solo ciertas personas (el sacerdote, el curandero o mago) poseían esos secretos poderosos.

Otro medio de impartir a los más jóvenes los secretos de la vida adulta eran las ceremonias de iniciación. Estas eran generalmente ceremonias solemnes, bien elaboradas, que tenían como propósito impartir los conocimientos que no se hubieran adquirido a través de la educación de las agencias informales. Estas ceremonias pretendían enseñar al joven sus obligaciones y deberes como miembro del grupo. Las ceremonias ofrecían generalmente oportunidades para probar la fuerza, el valor y el carácter del iniciado y para hacerlo consciente de la autoridad del grupo a que pertenecía.

Para un mayor conocimiento de la educación informal del niño en una cultura simple, se recomienda consultar el libro de Margaret Mead,[2] Coming of Age in Samoa.

Hemos visto cómo a medida que hay necesidad de enseñar unas tareas y funciones específicas a los miembros de la sociedad, el proceso educativo se va haciendo más consciente y ordenado. Ya no se puede depender de la trasmisión informal solamente. No ha surgido todavía una agencia educativa en especial, pero hay personas con ciertas habilidades y destrezas que ejercen las funciones del maestro.

*La transmisión formal de la cultura.* A medida que se va haciendo más compleja la sociedad y va aumentando la acumulación cultural se hace necesario el establecimiento de una institución para la educación formal. Esta necesidad se hace sentir más con el surgimiento del alfabeto, la escritura, el desarrollo general del lenguaje, de la lectura y el origen de los números. Así es que surge la escuela con el propósito de impartir formalmente estos conocimientos. La iglesia y la familia solas no podían atender adecuadamente esta responsabilidad. Estos conocimientos no podían quedarse solamente entre unos pocos; hubo la necesidad de llevarlos a un mayor número de personas, y así se va extendiendo la escuela. Esa nueva institución debía

---

2. Margaret Mead. *Comming of Age in Samoa.* New York: The New American Library, A. Mentor Book, 1949.

*Porque y como surge la escuela y el maestro*

ser regida por una persona competente y bien preparada. Surgió la figura del maestro.

Como puede verse, la escuela y el maestro surgen por una necesidad de la comunidad de transmitir una cultura que es esencial para la existencia del grupo. El maestro y la escuela surgen para atender mejor las responsabilidades que no podían descargar eficazmente otras instituciones sociales. La escuela es desde sus comienzos una institución de la comunidad local.

Tanto en Estados Unidos como en Puerto Rico las primeras escuelas fueron establecidas por la iglesia, que determinaba su currículo. Se enseñaba a los que iban a seguir carreras religiosas y a los hijos de las familias acomodadas. Los hijos de las clases pobres no sentían tanta necesidad por la educación ya que veían remoto su mejoramiento por medio de la misma. Los padres tenían interés en ocupar a sus hijos en los trabajos de la casa o en la finca, y por lo tanto, no los enviaban a la escuela, o si lo hacían era solamente por corto tiempo.

Hoy día, sin embargo, las leyes existentes regulan estrictamente el empleo de menores y no permiten su explotación. Las tareas que desempeñaban estos las realizan hoy día la máquina. Estas condiciones ayudan a que el niño continúe en la escuela. El padre tiene fe en la educación y aspira a un mejor futuro para sus hijos. Esto requiere no solo la asistencia a la escuela elemental sino también hace surgir la aspiración a ingreso en la escuela secundaria y el colegio. Así se adquieren los conocimientos generales y los conocimientos especiales que necesitan los jóvenes para desempeñarse en los distintos oficios o profesiones.

El hacer la escuela accesible a todos y ofrecer una preparación superior al nivel elemental es cosa relativamente reciente. Después de grandes esfuerzos, hoy día contamos con un sistema de instrucción pública, no sectaria. La enseñanza es gratuita en la escuela elemental y secundaria. Existen amplias facilidades para la enseñanza vocacional y universitaria. Se garantiza el derecho de los grupos religiosos y de otros grupos particulares a establecer escuelas, si así lo desean.

## LA RELACIÓN ENTRE LA ESCUELA Y LA CULTURA

Como ya hemos dicho, la escuela es la principal agencia encargada de la educación formal de los niños, los jóvenes y los adultos. Es necesario tener presente el hecho de que la escuela no funciona independientemente de las demás instituciones sociales. La escuela es parte de esa madeja de instituciones sociales de la comunidad, y hay que ver su función en términos de su relación con los demás aspectos de la cultura; ésta se refleja en la escuela.

Un análisis de la escuela nos lleva a ver la relación que existe entre esta institución y la cultura. Examinemos los tres aspectos siguientes para determinar esa relación: 1) los objetivos o propósitos que persigue; 2) el currículo o el contenido y 3) los métodos de enseñanza y de control en el salón de clases. Analicemos cada uno de estos puntos separadamente.

## Los objetivos

A la función de la educación de adaptar el individuo a la sociedad corresponde la tarea de transmitir al niño la cultura de esa sociedad. En este proceso de transmitir la cultura la escuela juega un papel muy importante. Es necesario que el maestro entienda el concepto cultura, pues sólo así podrá comprender los propósitos de la escuela. La escuela es un medio de preparar a los niños para la sociedad y ponerlos en contacto con la cultura. Los jóvenes deben aprender ese modo de vivir de la sociedad que llamamos cultura. Se incluyen aquí las costumbres, las tradiciones, las ideas, los valores, las actitudes y todos aquellos elementos que los niños y los jóvenes deben aprender, si es que la sociedad va a perdurar.

Como señalamos anteriormente, el concepto cultura ayuda al maestro a comprender los objetivos de la educación escolar. Los propósitos de la escuela, quién asiste a ella, qué y cómo se enseña, cómo se controlan las escuelas, están influidos por los sentimientos y valores de la cultura. El sistema cultural moldea la escuela.

La escuela refleja el punto de vista de la cultura. Si el sistema tiene interés en que todas las personas de edad escolar asistan a la escuela y reciban la mejor educación, se proveerán las escuelas y los maestros necesarios para cumplir esa responsabilidad. Por el contrario, si el sistema no tiene interés en la educación universal, no se harán esfuerzos por proporcionar una educación para todos. Si el interés del sistema es que las masas se queden ignorantes, tampoco se establecerán suficientes escuelas para todos.

Al explicar el objetivo de la escuela en términos de la transmisión de la cultura tenemos que hacer hincapié en el hecho de que la escuela es una institución social, una entre otras muchas instituciones que educan al hombre. La escuela forma parte de un complejo tejido social en el que las fuerzas políticas, sociales y económicas que la controlan ejercen una influencia poderosa. Ningún sistema educativo puede formar nuevas generaciones sin tener en cuenta esas poderosas fuerzas sociales que actúan fuera de la escuela.

La escuela expresa la filosofía de la sociedad a la cual sirve. Esa filosofía puede ser la de un grupo dominante que la ha impuesto al resto de la sociedad o puede ser una que se haya aceptado generalmente sin coacción o adoctrinación. Esta filosofía puede ser explícita, como es el caso de una sociedad altamente centralizada, donde un ministro de Educación dicta lo que se va a enseñar; o puede ser implícita, como en el caso de los Estados Unidos, donde por consentimiento común se ha acordado que la función de la escuela es transmitir los valores y las tradiciones de la democracia. En cualquier sistema, la escuela desarrolla y perpetúa el punto de vista económico, político y social de esa sociedad. Los valores que la escuela trate de inculcar tendrán que responder a los valores existentes en el conjunto de instituciones sociales que operan fuera de la escuela.

De acuerdo con este punto de vista, la escuela no puede funcionar separadamente de las realidades sociales. Sería muy difícil para una escuela enseñar libertad de expresión allí donde esta no existe, enseñar tolerancia racial donde existen prejuicios o enseñar el aprecio por la libertad donde no existe libertad.

La escuela no puede funcionar divorciada de la realidad social que la circunda. No puede ser mera observadora de la situación que la rodea; tiene que tomar parte activa en la vida de la sociedad porque la escuela pertenece a la sociedad.

En un sistema autoritario, la escuela simplemente refleja las ideas dominantes impuestas a la sociedad. En ese sistema le corresponderá a la escuela perpetuar el orden imperante, sin hacer modificaciones en él, sin hacer críticas. En los sistemas democráticos, por el contrario, el objetivo de la escuela es mucho más abarcador. Este incluye no solo la transmisión de la cultura, sino también la modificación de la misma, la incorporación de nuevos elementos y la creación de un ambiente propicio al cambio. El punto de vista de la sociedad democrática no tiene que aceptarse ciegamente y sin críticas. Se estimula, en cambio, la crítica, el análisis y el examen de los puntos de vista de la sociedad; todo esto compatible con los ideales democráticos. No se espera, sin embargo, que la escuela socave o destruya ese ideal; debe, por el contrario, mantenerlo y estimularlo.

## El currículo

Las materias que se enseñan, las actividades que se llevan a cabo, la forma en que se desarrolla el aprendizaje y cómo se evalúa, constituyen el currículo de la escuela. El currículo, al igual que los objetivos educativos, también se toma de la cultura. El currículo consistirá en aquellas ideas, destrezas, conocimietnos y habilidades más significativos de la cultura, comunes a los miembros de la sociedad. Constituirán el currículo aquellos conocimientos e ideales que sirvan para transmitir mejor los valores y las ideas contenidas en los elementos universales de la cultura. El currículo no solo incluye los elementos universales de la cultura. También forma parte de este la trasmisión de las distintas soluciones posibles y las especialidades, que son parte de la preparación que recibirán las personas para desempeñar una gran variedad de papeles en la sociedad. El maestro educa cuando selecciona elementos de la cultura y los usa para influir en el desarrollo de la personalidad del niño. El fin de la educación es preparar al niño para la cultura. El currículo es quizá el medio más importante que utiliza la escuela para ayudar a realizar este propósito.

No queremos dejar de mencionar el hecho de que el currículo no es fijo ni estático. Para que la escuela pueda cumplir eficazmente su propósito, el currículo tendrá que cambiar inevitablemente según cambia la cultura. En la escuela puertorriqueña del presente, a la enseñanza vocacional se le ha otorgado más importancia que en el pasado. Los cambios en nuestro orden económico lo justifican. No se ha reducido, sin embargo el énfasis en la preparación académica. Por el contrario, nos preocupamos grandemente por mejorar la calidad de este tipo de educación.

## Los métodos

Tanto los métodos de enseñanza como los métodos de control en el salón de clases se toman de la cultura. Una sociedad democrática fomentará las prácticas democráticas en la escuela. Una que no es democrática no podrá fomentar estas prácticas. Si una sociedad le da importancia a la coerción y al castigo, una escuela que prepare niños para esa sociedad también usará la coerción y el castigo en el salón de clases. Por el contrario, una sociedad que usa la persuasión y la razón, también usará la persuasión y la razón como métodos en sus escuelas.

La escuela no puede desarrollarse independientemente del patrón cultural del cual es parte integrante. Las prácticas del salón de clases serán reflejo de las prácticas de vida fuera de la escuela. Las sociedades autoritarias impondrán métodos autoritarios de control. Las democráticas impondrán métodos democráticos. Las escuelas democráticas dan énfasis a un clima social caracterizado por relaciones humanas democráticas, la cordialidad entre maestros y discípulos, el reconocimiento de las ideas y los valores de los demás y el énfasis en el ajuste social y emocional del niño. En un clima social autoritario, por el contrario, el maestro ejerce el control completo de la situación, limitando la libertad del estudiante. No habrá tampoco esa relación amistosa entre alumno y maestro. El énfasis se pondrá más bien en el desarrollo intelectual del niño, en menoscabo de su ajuste social y emocional.

### LA INFLUENCIA DE LA CULTURA EN LAS PRÁCTICAS EDUCATIVAS

El quehacer diario del maestro requiere que este tenga un conocimiento claro de la cultura. Examinemos algunos aspectos relacionados con la cultura que influyen en su labor pedagógica.

### El conocimiento del medio cultural

Es muy importante que el maestro conozca el medio cultural de donde vienen los discípulos. Así podrá adaptar la enseñanza a las necesidades de los niños y realizar una labor educativa más eficaz.

Es requisito indispensable del buen maestro conocer el medio cultural donde trabaja. El maestro que trabaja en el campo debe conocer la cultura rural y el maestro de la zona urbana debe conocer la cultura de las zonas urbanas. Se están haciendo esfuerzos para dar a los maestros en su preparación ese conocimiento de la comunidad que necesitan para realizar un trabajo efectivo. Las experiencias de laboratorio y de práctica docente están poniendo a los futuros maestros en contacto directo con diversos tipos de comunidades.

Se están haciendo esfuerzos también para que los maestros en servicio activo adquieran conocimientos de la comunidad de donde vienen sus discípulos. Se celebran seminarios y talleres con ese propósito. Asimismo se estimula a los maestros a matricularse en cursos universitarios que tienen por objeto el ayudarles a conocer mejor las comunidades donde trabajan y a hacer uso de ese conocimiento para dirigir la educación de los niños.

En la ciudad de Nueva York y en otras comunidades norteamericanas con gran concentración de puertorriqueños también se ofrece a los maestros conocimiento de la cultura de la Isla. Los maestros de la ciudad de Nueva

York que trabajan con niños puertorriqueños han asistido a cursos y talleres de verano en la Universidad de Puerto Rico. Estas experiencias los han puesto en contacto directo con la cultura puertorriqueña, con el fin de que puedan entender mejor a los niños boricuas que asisten a las escuelas de la gran urbe.

También ha existido un programa de intercambio entre los sistemas escolares de Estados Unidos, donde hay gran concentración de niños puertorriqueños, y nuestro Departamento de Instrucción. Este programa persigue el propósito de ofrecer a unos maestros el conocimiento de la cultura puertorriqueña y a otros, el de la cultura norteamericana. Durante los últimos años se ha notado la tendencia de los sistemas educativos norteamericanos a contratar un mayor número de profesores puertorriqueños para enseñar a los hijos de los migrantes boricuas.

## El estilo cultural de la escuela

Todas las escuelas tienen unas funciones sociales que desempeñar, entre ellas, la socialización del niño, la trasmisión de la cultura y la selección y clasificación de los estudiantes para ocupar puestos en la sociedad. No todas las escuelas realizan estas funciones de igual manera: hay variaciones en la forma de socializar a los estudiantes, en los valores que se transmiten y en las bases para la selección y clasificación de los alumnos. La forma en que la escuela ejecuta estas funciones depende de su estilo cultural, término que utiliza Brembeck,[3] en un libro reciente. El estilo cultural es el estilo particular que toma una escuela, dependiendo del tipo de vida que se lleva a cabo en la comunidad a la cual sirve. Ese estilo está presente en todas las actividades que se llevan a cabo en la escuela.

Veamos brevemente el estilo cultural de la escuela en cuatro tipos de comunidades: una comunidad rural aislada, un pueblo pequeño, una urbanización privada y un arrabal urbano.

*1. El estilo cultural de la escuela en una comunidad rural aislada.* La escuela de este tipo de comunidad sirve, por lo general a niños de la misma condición social y económica. En este sentido podemos decir que sirve a una población escolar homogénea. La matrícula procede del vecindario o de sus inmediaciones. Es una escuela más dada a perpetuar la tradición que a promover el cambio. Está integrada a la vida comunal. El niño se socializa en la cultura de la comunidad y adquiere los valores de la misma. La comunidad y la escuela no crean grandes ansiedades en el niño, ya que no hay fuertes presiones para que él sobresalga en la escuela y en la sociedad. El grupo social espera que el niño adquiera un mínimo de conocimientos indispensables para su vida en la comunidad. El niño rural abandona la escuela a edad temprana y se integra a la comunidad para vivir en la misma forma en que su padre lo ha hecho por tantos años. También puede darse el caso que emigre a la zona urbana, para lo cual lleva poca preparación.

*2. El estilo cultural de la escuela de un pueblo pequeño.* En el pueblo pequeño se juntan en la escuela los niños de diversos orígenes sociales y

---

3. Cole S. Brembeck. *Social Foundations of Education: Environmental Influences in Teaching and Learning.* Segunda edición. New York: John Wiley and Sons, Inc., 1971.

económicos. En este sentido esta escuela es más heterogénea que la anterior. A pesar de esa heterogeneidad, se establecen relaciones de convivencia amistosa entre los estudiantes. El maestro, por lo general, vive en la comunidad, conoce a los familiares de los discípulos y establece con ellos relaciones profesionales y personales. En el pueblo pequeño el niño se socializa en los valores de la mayoría de los miembros de la comunidad. El pueblo pequeño es por lo general conservador y así es también su escuela. No ejerce grandes presiones académicas en el niño, aunque se preocupa por su aprovechamiento académico mientras éste permanece en la escuela. El período de estudio de este grupo poblacional se hace más largo cada día.

*El estilo cultural de la escuela en una urbanización privada en la zona metropolitana.* Esta es la comunidad típica de la clase media. Refleja los valores y normas de esta clase social. La educación se ve como un vehículo de movilidad social, por eso el ingreso a colegio y universidad es la aspiración de la mayoría de los padres y de los estudiantes. Debido al énfasis que se concede a la educación, la escuela ofrece oportunidades para la competencia académica. Se presiona a los estudiantes para que sobresalgan académicamente. Al niño se le socializa en los valores de la comunidad, siendo el cambio social y la preparación para el futuro los valores más importantes.

Al maestro se le ve como profesional, tanto en sus relaciones con los padres como con los alumnos.

*El estilo cultural de la escuela en un arrabal urbano.* La escuela del arrabal urbano es diferente de los demás tipos de escuelas que hemos descrito. Es quizás la peor de las escuelas, si tenemos en cuenta la vida de la comunidad y la organización de la escuela. Tiene por lo general los maestros peor preparados y facilidades educativas pobres. Está localizada en un área en desventaja social y cultural, caracterizada por el hacinamiento, la pobreza, las enfermedades y una serie de problemas sociales. Esta escuela encuentra dificultades en su labor debido a la ausencia de una tradición académica en el hogar y a la falta de interés de los padres en las actividades escolares.

La escuela del arrabal tiene que enseñar al niño hábitos, normas y modales, muchas veces contrarios a los que se practican en su casa. Enseña una nueva forma de vida, que es la vida de la clase media. Recompensa a aquellos estudiantes que adquieren los modos de comportamiento de la clase media. De este modo, la escuela del arrabal se convierte en un agente de cambio social.

Hemos presentado una breve descripción de cuatro ambientes sociales en que opera la escuela. Hemos asignado a la escuela el cumplimiento de unas funciones sociales que debe atender en las diferentes circunstancias. Hemos visto que el estilo cultural que caracteriza la escuela afecta el cumplimiento de estas funciones.

De los cuatro casos presentados, el arrabal urbano y la comunidad rural aislada presentan las mayores dificultades para el maestro en el desempeño de sus funciones profesionales. La urbanización privada es la que más oportunidades brinda al maestro de lograr sus propósitos, ya que hay mayor motivación académica e interés, tanto de los padres como de los alumnos.

Sin embargo, el maestro está más expuesto a presiones que en otro tipo de escuelas y el reto a su autoridad puede ser mayor.

## El reconocimiento de las diferencias culturales

La escuela ofrece un laboratorio excelente para el estudio de las diferencias culturales entre los niños que asisten a ella. La observación de los hábitos de limpieza y vestimenta de los niños, sus creencias, su vocabulario y su habilidad para relacionarse con otros niños revelan las diferencias culturales entre unos y otros. Los niños exhiben estas diferencias cuando vienen a la escuela. Han vivido un número de años en la familia y han participado en los grupos de juego en los que han adquirido elementos cuturales, de los cuales no es tan fácil desprenderse. A pesar de los años de educación y del mejoramiento de las condiciones de vida, muchos llegamos a adultos con ciertos elementos de cultura adquiridos en los primeros años que no nos es fácil cambiar, a pesar del deseo y la necesidad de variarlas que a veces sentimos.

El estudio de un grupo de alumnos de una escuela pública promedio revelará un sinnúmero de diferencias culturales entre unos y otros. Estas diferencias culturales pueden incluir las siguientes, entre otras: el ingreso de la familia, la educación del padre, la educación de la madre, la existencia de libros y revistas en la casa, la clase de libros y revistas, los instrumentos musicales, la radio o televisión, la clase de programas que escuchan, las diferencias en religión y en ideas políticas y en los idiomas que se hablan en la familia.

Otro aspecto esencial en las diferencias culturales es la clase de vecindario en que vive el niño. El niño puede vivir en un arrabal, en una comunidad de clase media o en una comunidad de clase alta; o puede vivir en un edificio de apartamientos o en una casa individual. La familia puede haber vivido en la comunidad por largo tiempo o puede haberse mudado recientemente. Todos estos son detalles muy significativos que se reflejan no solo en el trabajo que realiza el niño en la escuela, sino también en su ajuste, en su participación en las actividades escolares, en sus relaciones con los demás niños y en sus actitudes sociales. El maestro no puede ignorar estas diferencias culturales. Se hace más necesario entonces que el maestro tenga un buen conocimiento de la comunidad y de los niños.

Muchas veces el maestro llega a conclusiones sobre sus discípulos sin tener en cuenta estas diferencias culturales. Se da el caso en que se señala a un niño como de inteligencia inferior a otros, de acuerdo con el resultado de una prueba de inteligencia, sin tener en cuenta otros factores. Este ha sido un asunto muy discutido en los últimos años. Se ha encontrado que las pruebas de inteligencia discriminan contra los niños de las clases bajas.[4] Hay niños que "fracasan" en el examen no porque sean torpes, sino debido al vocabulario del examen o a las experiencias que se presentan en el mismo. Los exámenes de inteligencia dados a los soldados en la Primera Guerra Mundial nos ayudan a explicar estos resultados. El análisis de las pruebas

---

4. Allison Davis. «Education for the Conservation of Human Resources.» En *Progressive Education*, XXVII, 1950, páginas 221-224.

reveló que los soldados negros no obtuvieron calificaciones inferiores en comparación con los soldados blancos por el hecho de aquellos ser negros, sino por las diferencias en cultura a que habían sido expuestos. Los soldados negros de tres estados del Norte —Nueva York, Illinois y Ohio— obtuvieron promedios más altos que los soldados blancos procedentes de tres estados del sur —Mississippi, Kentucky y Arkansas.[5] Las variantes culturales en educación, salud, condición social y económica y oportunidades recreativas entre negros y blancos explicaban estas diferencias. Estas pruebas fueron más bien pruebas de cultura que de inteligencia.

Algo parecido ha ocurrido con la mujer. En el pasado se le negaron muchas oportunidades, inclusive la oportunidad de obtener una educación superior. La razón que generalmente se aducía era la inferioridad del sexo femenino. Actualmente hemos podido comprobar la falacia de esta teoría. Los prejuicios del hombre hacia la mujer impedían a esta el aprovechamiento de las oportunidades de que él disfrutaba.

## La motivación para aprender

Lo que la persona aprende, cómo lo aprende y por qué lo aprende —su interés y motivación— dependen mayormente de las influencias culturales a que esté expuesta; su familia, sus compañeros, su club y su "ganga". Si estos grupos reconocen y aprecian el trabajo que la escuela trata de realizar, el niño tendrá una mejor actitud hacia la escuela y un mayor interés en ella. Lo contrario ocurrirá si estos grupos son antagónicos o neutrales.

El niño recibe de la cultura el estímulo para aprender. Cuando el grupo no ve bien que los varones obtengan una calificación de "A", estos tratarán de no obtenerla o de esconderla si la obtienen. Sin e.nbargo, cuando el grupo aprueba y premia el esfuerzo, el niño se esforzará por lograr el máximo.

La clase de estímulo que recibe de la cultura es lo que puede hacerlo triunfar o fracasar. El interés que demuestren los padres, no solo en el trabajo escolar de sus hijos, sino también en las actividades escolares, puede ser decisivo en el éxito o fracaso que el estudiante tenga en la escuela.

Esta es la razón por la cual el maestro debe tener presente la influencia de la cultura al hacer juicios sobre el trabajo del estudiante. El estudiante no deja de aprender necesariamente porque tenga una inteligencia inferior. Esto puede ser cierto unas veces, pero otras no. Muchas veces el aprendizaje depende del estímulo que le ofrece la cultura.

## El desarrollo de la personalidad

Todos reconocemos la influencia que ejerce la cultura en el desarrollo de la personalidad. No es la fuerza suprema, pero actúa recíprocamente con los factores biológicos para desarrollar al ser humano. El niño que

---

5. Ruth Benedict y Gene Weltfish. *The Races of Mankind*. Public Affairs Pamphlet No. 85. New York: Public Affairs Committee, 1946.

asiste a la escuela está expuesto no solo a las influencias fuera de la escuela, sino también a las influencias en el salón de clases. Como dijimos anteriormente, el ambiente escolar es un reflejo del ambiente fuera de la escuela. En otras palabras: las sociedades democráticas tendrán por lo general escuelas democráticas y las sociedades autoritarias tendrán escuelas autoritarias. El maestro, formado por esa cultura y empleado generalmente para pasar y perpetuar esa cultura, creará en la escuela un ambiente lo más parecido posible al ambiente externo.

Este ambiente externo tiene su efecto en el desarrollo de la personalidad del niño. La escuela, y en especial el ambiente del salón de clases, ejerce una influencia muy significativa. El clima social del salón de clases será influido principalmente por el maestro, que es el adulto que dirige, por lo general, las actividades en ese pequeño mundo social. Un clima en el salón de clases caracterizado por la cooperación, la cordialidad, el afecto, la comprensión, o, por otro lado, el conflicto, la tirantez y el odio, puede tener efectos muy significativos en el desarrollo de la personalidad de los educandos.

## La cultura de la escuela

Al discutir la relación entre la cultura y la educación no queremos dejar de mencionar la cultura de la escuela, tema del cual están hablando mucho hoy los sociólogos de la educación. Al hablar de la cultura de la escuela, nos referimos a ese modo de vivir propio de la escuela que surge como consecuencia de la relación que se establece en esta, como resultado de los esfuerzos que realizan los maestros y los discípulos para lograr los objetivos de la educación. Es de esperar que, como consecuencia de la interacción entre los componentes de una unidad social específica, en este caso la escuela, surja un modo de vivir, una cultura que regule la interacción entre los componentes y su conducta en el mundo social de la escuela. En el caso de esta surgen normas, valores, sentimientos y tradiciones propios de esta unidad social; en otras palabras: urge una cultura de la escuela. Esta cultura gobernará las relaciones sociales que se establecen no solo entre los estudiantes, sino también entre los estudiantes y los maestros, entre los maestros y sus compañeros, entre los maestros y sus supervisores y entre todo el personal, tanto docente como no docente, envuelto en la actividad educativa.

La escuela no es otra cosa que una sociedad que persigue unos propósitos específicos. Todos —los maestros, los discípulos y la comunidad— son conscientes de la función que se espera que la escuela realice. "A la escuela se viene a aprender", dicen corrientemente los maestros a sus discípulos, implicando que el fin primordial de la escuela es impartir una educación formal. Una población definida —niños o adolescentes— utiliza los servicios de la escuela. La escuela tiene una organización definida y tiene relaciones con otras unidades sociales, como, por ejemplo, la familia y el grupo de juego.

De la escuela surge inevitablemente una cultura cuando se separan los niños de los adultos por un número determinado de horas al día, con propósitos específicos, y se someten a la influencia de la escuela. Surge entonces toda una serie de patrones de conducta propios de la escuela: hábitos de vestir y hablar, ritos, tradiciones, ceremonias, *folkways* y *mores* escolares. Para un estudio detallado de la cultura de la escuela recomendamos el examen de los libros de Brookover y Gottlieb,[6] Waller[7] y Gordon.[8]

El tema de la cultura de la escuela será tratado a fondo más adelante, en otro capítulo de este trabajo, cuando se discuta el efecto de la escuela en el desarrollo de la personalidad de los niños.

## LA EDUCACIÓN Y EL CAMBIO SOCIAL

Un detalle muy importante que afecta la educación moderna es que la cultura está en continuo cambio. El cambio es mayor en las sociedades complejas y dinámicas como la nuestra. Notamos cambios en la economía, en la producción y la distribución, áreas de empleo, población, en la posición de la mujer y de los niños, en nuestras relaciones con los pueblos del mundo y en nuestros valores. Como las distintas partes de la cultura están íntimamente relacionadas, estos cambios tienen su efecto en la educación y en la escuela. Como dijimos en el capítulo anterior, hay una serie de factores que producen cambios: los inventos, los descubrimientos, la difusión, los contactos, los viajes y las guerras.

La transformación de una sociedad agrícola a una industrial, como en el caso de Puerto Rico, produce grandes cambios sociales que se reflejan en la educación. Se cuestionan los valores tradicionales, aumenta la competencia entre los grupos sociales y se reduce la cooperación. Los grupos primarios o de mayor intimidad se debilitan y aumentan la delincuencia y el conflicto entre padres e hijos. La familia pierde muchas de las funciones tradicionales, que viene luego a asumir la escuela.

El educador necesita entender que cuando las fuerzas que contrarrestan el cambio son menores que las fuerzas que lo estimulan se acelera el ritmo de cambio. Eso es lo que está ocurriendo hoy día. Es imposible detener esas poderosas fuerzas de cambio; el educador tiene que prepararse para éste.

Como la escuela está íntimamente relacionada con la cultura, el fenómeno de cambio social que se está operando afecta todos sus aspectos: el currículo, los objetivos, la filosofía, la administración escolar, la supervisión, los métodos de enseñanza y de evaluación, el programa de orientación y los demás servicios al estudiante. Por ser el cambio social un tema de tanta importancia para la educación, lo trataremos detalladamente en el próximo capítulo.

## RESUMEN

En este capítulo hemos presentado la relación que existe entre la educación y la cultura. La educación es el proceso mediante el cual la sociedad trasmite a sus nuevos miembros los patrones de conducta que le sirven de

---

6. Wilbur B. Brookover y David Gottlieb. *A Sociology of Education*. Segunda edición. New York: American Book Co., 1964.
7. Willard Waller. *Sociology of Teaching*. New York: John Wiley and Sons, Inc., Science editions, 1965.
8. C. Wayne Gordon. *The Social System of the High School*. Glencoe: Free Press, 1957.

guía en sus actuaciones diarias. En este sentido, la educación es sinónimo de socialización. Aquí se ve claramente la relación que existe entre la educación y la cultura.

A través del tiempo se han hecho innumerables listas de las funciones de la educación. En este trabajo hemos defendido que la educación debe perseguir tres funciones básicas, a saber: 1) la asimilación de la tradición; 2) el desarrollo de nuevos patrones sociales y 3) el papel creador o constructivo de la educación. Todas las agencias educativas deben aspirar, junto con la escuela, al logro de estas funciones.

Muchas otras instituciones, además de la escuela, desempeñan funciones educativas. Hemos clasificado las agencias en formales e informales, dependiendo del grado en que fueron creadas más o menos deliberadamente con el fin de educar. Entre esas agencias hemos colocado en lugar sobresaliente a la escuela, por la función que ejerce en la educación formal. Analizamos una serie de aspectos de la escuela para ilustrar la relación que existe entre esta institución y la cultura. Entre estos aspectos estudiamos: 1) los objetivos; 2) el currículo y 3) los métodos. Examinamos también algunos aspectos del quehacer diario del maestro, que requieren que este tenga un conocimiento claro de la cultura: 1) la importancia de comprender el medio cultural; 2) el estilo cultural de la escuela; 3) el conocimiento de las diferencias culturales; 4) la motivación para aprender y 5) el desarrollo de la personalidad de los educandos.

Se recalca en este capítulo que la educación en cualquier lugar está influida por la cultura. El sistema cultural da forma a la escuela. Quien asiste a la escuela y con qué motivos, qué se enseña y cómo se enseña, cómo se controlan las escuelas, estará determinado por los sentimientos, ideas y prácticas de la cultura.

Se trata ligeramente en el capítulo el tema de la cultura de la escuela, ese modo de vivir peculiar a la escuela que surge como consecuencia de la interacción social entre las personas envueltas en la tarea educativa. La cultura de la escuela afecta todo lo que ocurre en ella.

El capítulo termina con la presentación del tema del cambio social y la educación. Las variaciones en la cultura producen cambios en la escuela: en el currículo, los métodos de enseñanza y el control de los estudiantes, entre otros asuntos. De hecho, casi todos los aspectos de la escuela son afectados por los cambios. La escuela a su vez puede contribuir a la transformación de la sociedad. Trataremos este tema más detalladamente en el próximo capítulo.

## LECTURAS

Bartky, John A. *Social Issues in Public Education*. Boston: Houghton Mifflin Co., 1963, Capítulos 8 y 14.

Bell, Robert B. *The Sociology of Education: A Sourcebook*, Illinois: The Dorsey Press, Inc., 1962, Parte I.

Benedict, Ruth y Gene Weltfish. *The Races of Mankind*. Public Affairs Pamphlet núm. 85. New York: Public Affairs Committee, 1946.

Biesanz, John y Marvis Biesanz. *Modern Society: An Introduction to Social Science*. Segunda edición. New Jersey: Prentice-Hall, Inc., 1959, Capítulo 13.

Boocock, Sarane S. *An Introduction to the Sociology of Learning*. New York: Houghton Mifflin Co., 1972.

Brameld, Theodore. *The Remaking of a Culture: Life and Education in Puerto Rico*. New York: Harper and Brothers Publishers, 1959, Parte V.

Brembeck, Cole S. *Social Foundations of Education: Environmental Influences in Teaching and Learning*. Segunda edición. New York: John Wiley and Sons, 1971, Capítulo 11.

Brookover, Wilbur B. y Edsel L. Erickson. *Society, Schools and Learning*. Boston: Allyn and Bacon, Inc., 1969, Capítulo 2.

Brookover, Wilbur B. y David Gottlieb. *A Sociology of Education*. Segunda edición. New York: American Book Co., 1964, Capíulos 3 y 4.

Brown, Francis J. *Educational Sociology*. Segunda edición. New York: Prentice-Hall, Inc., 1954, Capitulos 8, 15, 16 y 17 y páginas 283-288; 337-340.

Cáceres, José A. *La sociología en la educación*. En *Pedagogía*, VII, núm. 1, junio de 1959, páginas 21-34.

Clark, Burton R. *Educating the Expert Society*. San Francisco: Chandler Publishing Co., 1962, Capítulos 1 y 2.

Cole, William A. y Roy L. Cox. *Social Foundations of Education*. New York: American Book Co., 1968, Capítulo 3.

Conant, James B. *Slums and Suburbs*. New York: McGraw-Hill Book Co., Inc., 1961.

Cox, Philip W. L. y Blaine E. Mercer. *Education in Democracy: Social Foundations of Education*. New York: McGraw-Hill Book Co., Inc., 1961, Capítulos 7, 9, 16 y 17.

Davis, Allison. *Education for the Conservation of Human Resources*. En *Progressive Education*, XXVII, 1950, 221-224.

Durkheim, Emile. *Education and Sociology*. New York: Free Press, 1956.

Fischer, Louis y Donald R. Thomas. *Social Foundations of Educational Decisions*. Belmont, California: Wadsworth Publishing Co., 1965, Capítulo 2.

Gordon, C. Wayne. *The Social System of the High School*. Glencoe: Free Press, 1957.

Goslin, David A. *The School in Contemporary Society*. Chicago: Scott, Foresman and Co., 1965, Capítulo 1.

Grambs, Jean D. *Schools, Scholars and Society*. New Jersey: Prentice-Hall, Inc., 1965, Capítulos 2, 3 y 4.

Gross, Carl H.: Stanley P. Wronski y John W. Hanson. *School and Society: Readings in the Social and Philosophical Foundations of Education*. Boston: D. C. Health and Co., 1962, Capítulo 2.

Hodkinson, Harold L. *Education in Social and Cultural Perspectives*. New Jersey: Prentice-Hall, Inc., 1962, Capítulo 4.

Hunt, Maurice P. *Foundations of Education: Social and Cultural Perspectives*. New York: Holt, Rinehart and Winston, 1975, Capítulos 1 y 3.

Kneller, George F. (ed.). *Foundations of Education*. New York: John Wiley and Sons, 1963, Capítulo 10.

Mannheim, Karl. *Diagnóstico de nuestro tiempo*. Segunda edición en español. México: Fondo de Cultura Económica, 1946, Capítulos 4 y 5.

Mead, Margaret. *Coming of Age in Samoa*. New York: The New American Library, A Mentor Book, 1949.

Mead, Margaret. *The School in American Culture*. Cambridge, Mass.: Harvard University Press, 1951.

Mellado, Ramón A. *Culture and Education in Puerto Rico*. San Juan: Asociación de Maestros de Puerto Rico, 1948.

Meltzer, Bernard N. y otros. *Education in Society: Readings*. New York: Thomas Y. Crowell Co., 1958, páginas 27-28; 40-53; 59-67, Parte III.

Mercer, Blaine E. y Edwin R. Carr. *Education and the Social Order*. New York: Rinehart and Co., 1957, páginas 20-28.

Robbins, Florence G. *Educational Sociology*. New York: Henry Holt and Co., 1953, Capítulo XI.

Spindler, George D. *Education and Culture: Anthropological Approaches*. New York: The Dryden Press, Inc., 1956, páginas 13-17; 37-48; 53-63; 63-69.

Waller, Willard. *Sociology of Teaching*. New York: John Wiley and Sons, Inc., Science editions, 1965.

Westby-Gibson, Dorothy. *Social Perspectives on Education: The Society, the Students, the School*. New York: John Wiley and Sons, Inc., 1965, Capítulo 3.

# CAPÍTULO VI

## CAMBIO SOCIAL Y EDUCACIÓN

La principal característica del mundo moderno es el cambio. Vivimos en una época de grandes transformaciones que afectan nuestra estructura social y nuestros modos de comportamiento. Nos preocupa el vivir a tono con los cambios recientes y criticamos al que no se ajusta a este mundo moderno en constante evolución.

El niño que nace hoy se enfrenta a un mundo que es muy diferente de aquel en que nacieron sus padres. El niño que va a la escuela hoy día se enfrenta a un mundo académico distinto al mundo en que se educó su maestro. Este no puede educar como si estuviera en la escuela de sus días de estudiante. Tampoco puede limitarse a educar para el presente; tiene que educar para un mundo en cambio, para el presente y para el futuro. Por lo tanto educar a los niños de hoy día es un verdadero reto para el maestro.

Basta con echar una mirada a nuestro alrededor para darnos cuenta de las muchas manifestaciones de cambio. Los que han vivido más que nosotros pueden apreciar las modificaciones fácilmente. Nosotros estamos también en una buena posición para contemplar los muchos cambios que nos están afectando.

En este capítulo estudiaremos los cambios sociales que más nos afectan: 1) las tendencias poblacionales; 2) la interdependencia de pueblos y naciones; 3) la ciencia y la tecnología; 4) el trabajo; 5) el ocio; 6) los medios de transportación y comunicación; 7) la familia; 8) el conocimiento; 9) las organizaciones. Luego veremos la forma en que cada uno de estos cambios afecta la educación. Estudiaremos el papel de la educación frente al cambio, el currículo y las innovaciones pedagógicas. Terminaremos el capítulo explicando el papel que juega la escuela como agencia educativa ante los cambios sociales.

### ASPECTOS DE CAMBIO

A continuación discutiremos algunos de los principales cambios sociales, los factores que han ayudado a producir los mismos y la forma en que afectan nuestras vidas. Todos estos cambios producen impacto en la educación. Las implicaciones educativas de estos cambios se tratarán una vez hayamos hecho esta presentación.

*Las tendencias poblacionales*

Uno de los problemas más serios que ha enfrentado el mundo después de la Segunda Guerra Mundial ha sido el crecimiento de la población. Veamos este aspecto más detalladamente.

*El crecimiento poblacional.* Las tasas de mortalidad han declinado en todo el mundo, aun en los países subdesarrollados, gracias al empleo de la medicina moderna y del control del ambiente por el hombre. La tasa de natalidad, por otro lado, sigue aumentando, y se produce lo que se conoce como la explosión poblacional.

Tardó miles de años para que la población del mundo llegara a un billón de habitantes. El segundo billón se alcanzó en 100 años y el tercer billón en 35 años. Esa era la población mundial en 1960. De seguir ese mismo ritmo de aumento, llegaríamos a los cuatro billones en 1975, y posiblemente a más de seis billones para el año 2000. El ritmo actual de crecimiento de la población mundial es de alrededor de 2 por ciento anual. La forma en que sigue creciendo la población mundial causa preocupación a mucha gente. Nos preocupa el que la población pueda aumentar más que los medios de subsistencia. Algunos expertos, creyendo que este peligro es inminente, sugieren medidas de control de natalidad a nivel mundial. Otros opinan que los científicos tendrán que proveer los medios para que los alimentos aumenten al mismo ritmo que crece la población.

La población de los Estados Unidos de Norteamérica también sigue en continuo aumento, especialmente después de la Segunda Guerra Mundial. Los norteamericanos, que creían que su crecimiento poblacional se había estabilizado para el 1940 y que después de ese año permanecía constante, se sorprendieron con los resultados del censo federal de 1950. De ese año a esa fecha, el aumento ha sido continuo. Según los datos del censo, los 151 millones de habitantes registrados en el censo de 1950 ascendieron a casi 180 millones en 1960. La mayor parte del aumento ocurrió en los centros urbanos. La población rural permaneció casi estacionaria. Desde 1960, la población norteamericana ha estado aumentando sustancialmente cada año. Ya para el 1973 se acercaba a los 209 millones. La baja tasa de mortalidad y la alta natalidad, unida a la creciente inmigración, han ayudado a explicar este aumento.

En Puerto Rico, el problema poblacional es uno de los más difíciles que confrontamos, pues no contamos con recursos disponibles para satisfacer las necesidades de nuestra creciente población. De un millón de habitantes a principios de este siglo, la población aumentó a 1,869,000 personas en 1940; 2,211,000 en 1950, y 2,349,544 en 1960. Como indican esas cifras, se ha producido un aumento en la población, pero la proporción de aumento de un censo al otro va disminuyendo. El censo de 1960 demostró un aumento de solo el 6.3 por ciento sobre el 1950. La reducción en el ritmo de crecimiento durante el período de 1941-60 se debió a la emigración neta de 600,000 puertorriqueños.

Aparentemente el problema poblacional de Puerto Rico se iba resolviendo para el 1960, al registrarse esa baja proporción de aumento. Desde 1960 hasta el presente, y como resultado de la reducción en la emigración, se han vuelto a registrar aumentos considerables en nuestra población. A partir de 1964, sin embargo, la situación empezó a variar considerablemente. Según informes del Departamento de Salud de Puerto Rico, la población alcanzaba a 2,599,331 el primero de abril de 1964, lo que significa que de 1960 a 1964, el aumento era de 249,787 habitantes, o sea, un promedio de 60,000 al año. Nuestra población ha continuado aumentando a un ritmo acelerado. La población de Puerto Rico, según el censo de 1970, ascendió a 2,712,033 habitantes, o sea unos 362,489 más que los registrados en 1960. Ya para el 1973 la población había llegado a los 2,900,000 habitantes. En 1974 había sobrepasado los tres millones de personas.

*La movilidad de la población.* Una de las características del mundo moderno en la movilidad de la población. Mejores carreteras, más y mejores automóviles, la expansión de la transportación aérea, las mejores oportunidades de empleo fuera de la comunidad local y el disfrute general de los períodos de vacaciones son algunos de los factores que ayudan a explicar la movilidad. El mayor movimiento poblacional es hacia los centros urbanos, especialmente hacia las áreas metropolitanas. La reducción de la agricultura lleva al hombre a las ciudades, donde hay empleo para él y para su mujer. Esta tendencia se nota en el mundo entero. La población de los centros urbanos también se mantiene en constante movimiento. Abandonan el centro de la ciudad y se mudan a las zonas suburbanas o suburbios. La emigración de la población, que se mantiene en constante aumento, es otra forma de explicar la movilidad. Específicamente deseamos mencionar el movimiento interno de los negros norteamericanos del Sur hacia los centros industriales del Norte y la emigración de los puertorriqueños hacia Nueva York y otras ciudades norteñas. El movimiento de ambos grupos es significativo y tiene su efecto en la vida de las ciudades.

*La urbanización.* La tendencia poblacional más significativa es el movimiento hacia los centros urbanos. Esto lo podemos ver claramente en los países y áreas geográficas que conocemos mejor: Estados Unidos, América Latina y Puerto Rico. El mundo entero se va urbanizando a pasos agigantados. Ya en 1960, el 70 por ciento de la población norteamericana vivía en lugares urbanos, la mayoría en áreas metropolitanas. Más de la mitad de la población de la América Latina vive en ciudades.

Los datos de los últimos censos indican que la población puertorriqueña que habita en zonas urbanas crece rápidamente. Más de la mitad de los municipios de Puerto Rico perdió población en el censo de 1960. Ninguno de estos municipios está cercano a la zona metropolitana de San Juan. Por el contrario, los municipios que más población ganaron fueron precisamente los más próximos a esta zona. Algunos, como San Juan y Bayamón, tuvieron aumentos de 100 y 50 por ciento, respectivamente, sobre el censo anterior. Esta misma tendencia se notó en el censo de 1970, aumentando aún más la población urbana.

La economía industrial, la decadencia de la agricultura, las mejores condiciones de vida, la movilidad de la población ayudada por los rápidos medios de comunicación y transportación, las facilidades educativas, culturales y recreativos, son algunos de los factores que explican el crecimiento urbano. La vida en la zona urbana sigue complicándose y cada día leemos en la prensa de los esfuerzos que se hacen o se planifican para seguir el ritmo de desarrollo de la ciudad y la metrópoli.

Hay dos dimensiones del desarrollo urbano que deseamos comentar: el crecimiento del suburbio y el arrabal. El primero, ayudado por la transportación y las mejores oportunidades de empleo y de educación, ha recibido grandes sectores de la clase media, que han fabricado o comprado allí sus hogares. Esta clase social habita nuestras modernas urbanizaciones privadas. Ha emigrado al suburbio huyendo de los problemas de la ciudad, muchas veces en busca de un mejor ambiente donde criar a su familia. Con la salida de los más preparados y los de mayores aspiraciones, la ciudad se deteriora y se hace más difícil la vida para los que quedan atrás en el arrabal. Esta es un área de privación cultural, de condiciones sociales, económicas y educativas pobres, que proveen por lo general efectos negativos en la crianza y socialización del niño.

El avance tecnológico es responsable, en parte, por la transformación de una sociedad rural a una urbana. Los modernos medios de transportación y comunicación han facilitado la movilidad de la población hacia los centros urbanos y la utilización de todos los adelantos a su alcance. Esa misma tecnología ayuda a reducir las diferencias entre los segmentos urbanos y rurales. El teléfono, la radio, la. televisión y el automóvil facilitan los contactos y aumentan las semejanzas entre la sociedad urbana y la rural, produciendo cierto grado de uniformidad en la cultura. Los mismos elementos de cultura —el programa televisado, la novela radial y la escuela del aire— llegan a los diferentes grupos de la sociedad, tanto ricos como pobres, urbanos como rurales. La tecnología ejerce de este modo su función de nivelador social.

Generalmente creemos que con el crecimiento de las ciudades se resolverán todos los problemas que aquejan la población. Si examinamos el crecimiento urbano de los últimos años encontramos que este no ha sido el resultado en todos los casos. No todo es positivo en los centros urbanos. La ciudad ofrece muchas oportunidades para el desarrollo humano, pero también ofrece limitaciones. Las mayores oportunidades educativas, la riqueza de facilidades y los ingresos más altos son puntos positivos. El hacinamiento, los problemas sociales, en especial la delincuencia juvenil y la adicción a drogas, la contaminación del aire y del agua, los ruidos, las dificultades de los medios de transportación, la impersonalidad y el individualismo son algunos puntos negativos.

## La interdependencia de pueblos y naciones

Somos parte de una comunidad mundial y vivimos en un mundo interdependiente —dependemos de los demás pueblos y ellos dependen de nosotros. Necesitamos de los demás pueblos del mundo y ellos necesitan de nosotros. Sin sus recursos, muchas de nuestras fábricas tendrían que cerrar; sin sus mercados, muchos de nuestros hombres estarían sin empleo. No es posible hoy día vivir en el aislamiento. Política y económicamente estamos ligados al resto del mundo. Somos parte de una comunidad mundial. Los cuatro billones de habitantes del globo son nuestros vecinos.

Los medios modernos de comunicación y transportación nos acercan más a nuestros vecinos internacionales. El mundo se ha achicado considerablemente. En todos los rincones del planeta se conocen los acontecimientos nuevos minutos después de ocurridos. Esos mismos acontecimientos, no importa dónde suceden, nos afectan directa o indirectamente. Tomemos como ejemplo, la guerra de Vietnam. Todos sentimos sus efectos a todas horas del día.

Los alimentos que consumimos, la ropa que usamos, la máquina que utilizamos, los libros y las revistas que leemos son ejemplos de nuestra interdependencia con el mundo exterior. De ahí que se justifique un mayor énfasis en el estudio de la cultura de los otros pueblos. La paz mundial podrá lograrse en la medida en que conozcamos el resto del mundo, apreciemos sus esfuerzos y establezcamos relaciones amistosas con ellos. Ese conocimiento es una necesidad práctica hoy y lo será aún mayor mañana. Es inevitable que encontremos diferencias y semejanzas entre los hombres del mundo. Tenemos que aceptar y respetar esas diferencias. Debemos, sin embargo, recalcar las semejanzas antes que las diferencias, pues existe un mayor número de elementos comunes que diferentes entre nuestros hermanos del orbe.

Hacemos hincapié en el hecho de que es necesario vivir en paz con el resto del mundo; sin embargo, a cada momento se presentan nuevas dificultades que afectan las relaciones internacionales. Se fabrican armas más y más mortíferas. En consecuencia, el mar ha dejado de ser una defensa natural y las nuevas armas amenazan nuestra seguridad constantemente. He aquí la responsabilidad de los grandes estadistas, los organismos internacionales y la humanidad en lo que respecta al mantenimiento de unas relaciones amistosas.

## La ciencia y la tecnología

Casi todos los cambios sociales que palpamos hoy día son, en una forma u otra, el resultado de la tecnología. Esta ha llegado a alcanzar tal grado de aceptación y uso, que es difícil pensar en un aspecto de la actividad humana en el cual no se haya dejado sentir el impacto de la máquina.

Vivimos en un mundo dominado por la ciencia y la tecnología. Las usamos no solo en el hogar, la escuela, la oficina, la tienda y el banco, sino en todas las fases de la vida diaria. Uno de los cambios más significativos es la forma en que hemos ido acumulando un mayor número de elementos de la cultura material, expresado en objetos, máquinas, herramientas y armas, tanto para la guerra como para la paz. La conquista del espacio y en especial uno de sus triunfos recientes —llegar a la Luna y explorar su superficie, mientras los terrícolas presenciábamos el hecho— es ejemplo vivo del desarrollo que hemos logrado en la ciencia y la tecnología. Su impacto se siente, además, en toda nuestra vida económica —la agricultura, la industria y el comercio. La automatización y el computador han transformado el comercio y la industria, y se dejan sentir en todas las fases de la sociedad. Tanto la fábrica como la finca, al aplicar la máquina, reducen el número de trabajadores, creando de este modo otros problemas. Se establecen nuevas industrias que ofrecen oportunidades de empleo a miles de hombres y mujeres. Las tareas que tomaban largo tiempo pueden realizarse en cuestión de horas y minutos. Podemos pensar, por ejemplo, en la computadora electrónica y señalar la rapidez y a la vez la exactitud con que trabaja para una línea aérea. En cuestión de segundos reserva asientos, cancela reservaciones e informa el número de asientos que hay disponibles en un vuelo, economizando tiempo y trabajo a la compañía y a los pasajeros.

Debido a la relación que existe entre las diferentes partes de la cultura, la tecnología no afecta solamente nuestra vida económica y política. Influye también nuestra vida social y cultural, nuestras actividades y la manera de comportarnos. La producción en masa, los medios de comunicación y las grandes concentraciones urbanas tienden a uniformar la cultura. Por otro lado se nos ofrece una diversidad de recursos y materiales. Tenemos mayores oportunidades en la selección de empleos y compañeros de trabajo. Podemos unirnos a diversas organizaciones, visitar diferentes lugares y disfrutar de los variados medios de recreación. La tecnología afecta el trabajo, la producción, la recreación, los medios de transportación y comunicación, la familia, la salud y la política doméstica y extranjera. En consecuencia, no puede dejar de afectar nuestro sistema educativo.

## El trabajo

La ciencia y la tecnología han dominado el mundo del trabajo, tanto industrial como agrícola. La sociedad se va industrializando a pasos agigantados y se necesita cada día mayor número de obreros diestros y profesionales para desempeñarse en el nuevo orden industrial. La preparación de los recursos humanos guarda relación con el tipo de empleo que éstos pueden conseguir y retener. El que más preparación tiene alcanza un empleo mejor, más seguro y mejor remunerado y el que menos preparación tiene se expone a perderlo con más facilidad. Debido a lo complicado del mundo presente, se requiere una mejor preparación para desempeñar los trabajos disponibles. Se reducen cada día los empleos que requieren poco o ningún adiestramiento y aumentan los que requieren mayor preparación. Es conocida por todos la congestión en nuestras escuelas, especialmente en el nivel secundario y universitario. En este último nivel debido a la limitación de facilidades, estamos negando oportunidades de admisión a un grupo bastante considerable que los solicita. Esto puede crear un serio problema para el desarrollo económico futuro que necesita de hombres y mujeres preparados.

## El ocio

El hombre moderno tiene más tiempo libre que el hombre de otros períodos. Se han reducido las horas de trabajo a la semana y el número de semanas al año en que tiene que trabajar. Miles de personas, sin embargo, aceptan un segundo empleo en las horas libres de su actividad principal, derrotando de este modo los propósitos de una semana de trabajo más corta. También el hombre tiene derecho a vacaciones con paga, además de días feriados que puede dedicar a la recreación y a otras actividades de ocio. Las mejores condiciones de vida de que disfruta le permiten retirarse más joven que en otros tiempos, lo que quiere decir que dedica menos años de su vida al trabajo. El hombre tendrá que prepararse para este tiempo libre. No bastará con los sitios de recreación pública y comercializada. Estamos pensando en una recreación más práctica y dinámica, que envuelva su mente y sus manos. En la preparación del ser humano para este tipo de recreación, el sistema educativo jugará un papel muy importante.

## Los medios de transportación y comunicación

Se han extendido considerablemente las facilidades de transportación, aunque no han crecido igualmente en eficiencia. Nos preocupan seriamente los problemas de la transportación urbana. En todas las grandes áreas urbanas del mundo se hacen planes para mejorar la transportación.

La buena comunicación es igualmente imprescindible en un mundo interdependiente y en un sistema industrial. Los medios de comunicación en masa llegan a más personas. La televisión, por ejemplo, ha tenido un desarrollo sorprendente. Sin embargo, todavía no hemos tenido tiempo de explorar todas sus posibilidades educativas.

Deseamos referirnos a un medio de transportación en particular —el automóvil. Los adelantos en el vehículo han sido notables. Sin embargo, aumentan las muertes como resultado de los accidentes de tránsito. Este es un problema que preocupa a las autoridades, ya que en nuestra isla las muertes anuales ocasionadas por accidentes automovilísticos ascienden a 600.

## La familia

La familia, más que ninguna otra institución social, ha sentido los efectos del cambio social. La mujer, tradicionalmente de la casa, ha salido a trabajar a la fábrica. Se aumenta el ingreso de la familia, pero se crean problemas en relación con el cuidado de los niños.

Con la industrialización y la vida urbana, la familia se limita a la unidad nuclear, o sea el marido, la mujer, los niños y los hijos solteros. Se debilitan, pues, los lazos entre los parientes que viven a mayor distancia.

La familia deja de ser una unidad de producción. Ya no se hacen muchos de los productos que antes se hacían en el hogar. Ahora se compran en la tienda. Se consumen, sin embargo, una gran variedad de artículos producidos fuera. Los artefactos del hogar han aumentado considerablemente. La nevera, el congelador, la tostadora, la lavadora, la estufa eléctrica, las unidades de aire acondicionado, el tocadiscos y el televisor, son cosas comunes en los hogares de la clase media. La electricidad ha invadido todas las actividades del hogar moderno.

Otro detalle, que no queremos dejar de mencionar, es la escasez del servicio doméstico. La sirvienta ya es cosa del pasado. Ha ido a ocupar puestos en la actividad industrial, mejor remunerados y donde ella siente que vale como un ser humano. Como resultado de esta situación, más mujeres tendrán que asumir responsabilidades económicas fuera del hogar, además de sus responsabilidades como esposas y madres en el seno familiar. Esto exige el que tanto los hijos como los esposos compartan con ellas las tareas domésticas. Estas tareas se facilitan gracias al empleo de los artefactos modernos en la casa.

La familia, al igual que otras instituciones y aspectos de la sociedad, ha sentido los efectos positivos y negativos del cambio social. Por un lado, se respetan como personalidades los individuos que componen la familia, se les reconocen mayores derechos y se les ofrecen grandes oportunidades. Por otro lado, aumentan los problemas que en una u otra forma tienen su origen en las transformaciones por que atraviesa la familia. Nos referimos específicamente al divorcio, la delincuencia juvenil, la adición a drogas, la competencia entre el marido y la mujer y la relación menos íntima con los parientes.

## El conocimiento

En el campo del saber ha ocurrido lo que se llama una explosión. El cúmulo de conocimientos se duplica de cada 8 a 11 años y el ritmo de aumento se va acelerando. Del 1900 para acá se han producido más conocimientos que en todos los siglos anteriores.

Muchos de los conocimientos de ayer son obsoletos hoy. No todos los libros de ayer sirven para educar en el mundo de cambios de hoy. Muchas veces los cursos que se toman en el primer año de universidad han cambiado cuando el estudiante se gradúa en el cuarto año. Por lo tanto, nadie que no siga estudiando podrá considerarse una persona verdaderamente educada.

Los conocimientos en el campo de las ciencias y las matemáticas son los que más han cambiado y los que más siguen cambiando. Específicamente la explosión del saber se puede apreciar mejor en la exploración del espacio. Cada día aparecen investigaciones nuevas. A diario se escriben cientos de artículos científicos que presentan nuevas perspectivas a los problemas de la ciencia. La comisión que prepara el currículo de biología moderna para las escuelas secundarias de los Estados Unidos ha dicho que para el 1985 todos sus conocimientos del presente estarán pasados de moda. Los educadores tendrán que tener esto en cuenta.

Es un hecho conocido por todos que el lanzamiento del primer Sputnik ruso en 1957 fue lo que precipitó la tremenda preocupación de los educadores por mejorar los programas de ciencias y matemáticas. En los años que van de 1957 para acá, hemos sido testigos de grandes desarrollos en estos campos y de los esfuerzos que se han hecho por preparar mejores programas académicos, enriquecer los laboratorios y mejorar la preparación de los maestros. Afortunadamente otros campos del saber han recibido este impulso, aunque no necesariamente a ese mismo ritmo.

## La organización

Hubo una época en la historia del desarrollo del hombre en que el único grupo organizado que él conocía era la familia. No le hacían falta otros grupos organizados. La comunidad era pequeña; el hombre limitaba casi todas las actividades a la comunidad local, la que le ofrecía la satisfacción de sus necesidades y le proporcionaba seguridad. La vida económica dependía

principalmente de la agricultura. El agricultor era un empleado independiente. En el mundo de hoy, caracterizado por el crecimiento poblacional,
la urbanización, la revolución tecnológica y otros cambios socioeconómicos,
han surgido muchos otros grupos organizados. Los diversos intereses individuales y sociales dan lugar a la formación de grupos. Estos a su vez se
convierten en grupos de presión.

El hombre moderno ha dejado de funcionar como individuo, funciona
como miembro de una variedad de grupos. Algunos son grupos pequeños;
otros, sin embargo, están compuestos por miles y miles de socios, distri-
buidos por la nación y por el mundo. El hombre se une a los grupos de
la comunidad para luchar por la solución de un problema. Su voz, como
individuo solo, no se oye. Se afilia a la unión obrera, a las organizaciones
profesionales, a la cooperativa, a las organizaciones industriales y comerciales y a los grupos recreativos, en busca de seguridad, protección e identificación. También hay grupos políticos y religiosos y otros cuyas actividades
son de carácter cívico. Estas organizaciones ejercen influencia en la formulación de la política pública. A medida que crecen y se desarrollan estas
organizaciones, las relaciones entre el hombre y la administración o entre
él y la estructura jerárquica se hacen burocráticas, más impersonales y formales. En el caso de las organizaciones de trabajo, se establecen normas y
procedimientos de permanencia, sueldo, ascensos, licencias, pensiones y des-
pidos. El hombre impulsado por el fenómeno de cambio social, ha ayudado
a formar esa estructura que hoy le domina.

### Otros aspectos de cambio

Los cambios que hemos presentado no son los únicos que se manifiestan en nuestra sociedad. Hay muchos más. Se han operado cambios en la
religión y en el campo de la salud, entre otros muchos.

El cambio social ha dejado sentir su impacto en la religión en diversas
formas. El desarrollo científico en especial ha retado muchos de nuestros
conceptos religiosos tradicionales. El hombre sigue, sin embargo, amparado
en sus convicciones religiosas, las que utiliza para buscar soluciones a sus
problemas más íntimos.

El mejoramiento de las condiciones económicas en general, el desarrollo
de la ciencia y la tecnología y su aplicación a la medicina, la expansión de
los servicios de salud pública y de hospital y el aumento en las facilidades
educativas, ayudan a explicar los cambios ocurridos en la salud.

### Implicaciones educativas del cambio social

El fenómeno de cambio social ha afectado casi todos los aspectos de
nuestra vida. Es difícil pensar en un aspecto que no haya sentido el impacto del cambio. Más y mayores cambios nos esperan en el futuro.

No cabe duda que todos estos cambios han afectado el sistema educativo. La escuela tiene que ajustarse a este mundo de cambio, pero antes
que nada tiene que asumir un liderato vigoroso para ayudar a proveer las
condiciones necesarias para la vida en ese mundo.

Analicemos brevemente las implicaciones educativas de los cambios que acabamos de presentar.

### Las tendencias poblacionales

Hemos dividido este tema en tres aspectos: el crecimiento poblacional, la movilidad de la población y el desarrollo de la urbanización.

*El crecimiento poblacional.* Nos preocupan grandemente las grandes cantidades de estudiantes que solicitarán ingreso en nuestras escuelas, a juzgar por la forma tan acelerada en que está creciendo nuestra población. Esto requerirá aumento en los presupuestos educativos para más facilidades, maestros y equipo. Tendremos que idearnos nuevas formas para una utilización más efectiva del personal docente y del equipo a nuestra disposición. No podemos perder de vista nuestra responsabilidad en la educación de los adultos, en adición a los niños y los jóvenes. Este sector de la población requiere maestros especialmente adiestrados y un currículo diferente para satisfacer sus necesidades.

A medida que se exige un mayor grado de educación para desempeñarse en nuestro mundo cambiante, habrá que ofrecer facilidades a nivel de escuela secundaria y de colegio. La diversidad de facilidades, que se necesitan para atender a estos estudiantes con intereses y necesidades variadas, conlleva grandes erogaciones de dinero para las cuales hay que planear con bastante anticipación.

Hay un último punto que deseamos recalcar. El estudiante, en especial el nivel de escuela secundaria en adelante, debe estar consciente del problema que enfrentamos debido a la explosión poblacional en Puerto Rico, en Estados Unidos y en el mundo entero.

*La movilidad de la población.* La movilidad de la población crea serios problemas educativos. Tendremos que estar preparados para recibir una gran cantidad de estudiantes nuevos al comienzo de cada año académico y en el transcurso del mismo. Esta situación requerirá mayor flexibilidad en los programas y las prácticas educativas. Llegan a la escuela estudiantes con diferentes niveles de preparación, muchos de ellos con deficiencias, que no se deben a su inteligencia, pero sí a la situación cambiante a que están expuestos. Emigran lo mismo los pobres que los ricos. Nos preocupa mayormente el grupo de limitaciones económicas, pues éste es el que trae, por lo general, mayor lastre educativo y el que tiene más dificultades para ajustarse al ambiente de la nueva escuela.

*La urbanización* Las grandes concentraciones de población en los centros urbanos crean serios problemas educativos. Para resolverlos se requieren nuevos programas, personal especializado y un buen programa de orientación, además de los recursos económicos necesarios.

Como señalamos anteriormente, hay dos sectores de esta población urbana que nos preocupan especialmente: el arrabal y el suburbio de clase media. El primero presenta problemas más serios desde el punto de vista educativo. Los estudiantes del arrabal urbano realizan, por lo general, peor trabajo académico, en parte motivado por los problemas inherentes al ambiente y por el poco estímulo intelectual que reciben. Afortunadamente se está realizando algunos proyectos especiales con estos niños, empezando con la educación preescolar y llegando hasta la escuela superior y el colegio. Se trata de aumentar sus conocimientos haciendo uso de los recursos de la ciudad, se busca el talento y se trata de ofrecerle programas más estimulantes. Se llevan a cabo proyectos que combinan el estudio y el trabajo y se desarrollan actividades de enseñanza remediativa. Estos nuevos desarrollos tienen como propósitos el fortalecimiento en los estudiantes del concepto que tienen de ellos mismos, el triunfo académico, la elevación de aspiraciones y la permanencia en la escuela por más **tiempo.**

El suburbio de clase media presenta otro tipo de problema. Las innovaciones y los experimentos se han estado llevando a cabo por más tiempo en estas escuelas que en las del arrabal. Los estudiantes del suburbio tienen mayor motivación académica y realizan mejor trabajo. La mayoría aspira a ingresar a colegio. El problema principal en la escuela de la urbanización privada es la perpetuación de los estratos sociales y económicos y las pocas oportunidades que ofrece al estudiante para relacionarse con otros de diferente nivel social. En los Estados Unidos, especialmente en el Sur, el problema es aún mayor, porque la escuela del suburbio perpetúa la segregación racial. La mala calidad de las escuelas del centro de la ciudad lleva a las familias blancas de clase media a emigrar al suburbio, en busca de un mejor ambiente para sus hijos. Muchas veces la mala calidad de la escuela se interpreta como consecuencia del alto por ciento de niños negros matriculados en la misma. Con la salida de los niños blancos de clase media, se empobrecen las condiciones de la escuela de la ciudad y el niño negro recibe una educación peor.

## La interdependencia de pueblos y naciones

Debido a la necesidad de mantener relaciones internacionales que conduzcan al entendimiento, hoy más que nunca se hace necesario incluir e intensificar en los programas educativos el estudio de los demás pueblos del mundo. Estos deben estudiarsse en todos los niveles escolares, empezando en la escuela elemental. Debe, por supuesto, tenerse en cuenta el nivel de madurez de los estudiantes al estructurar esa parte del currículo. Este contenido puede incluirse como parte de los cursos existentes de ciencias sociales; puede ofrecerse en cursos separados, de carácter electivo, o puede presentarse a través de todas las asignaturas, cada vez que surja la oportunidad. Además de este estudio formal, se pueden llevar a cabo otras actividades, como por ejemplo, el intercambio educativo con otras naciones. Esto envuelve el intercambio de profesores, estudiantes y otro personal que pueda beneficiarse de estos programas. El intercambio sería en adición a los viajes que puedan llevarse a cabo con el propósito de enriquecer la educación internacional de los alumnos.

No perdamos de vista el valor de la educación en el logro del entendimiento internacional. El estudio de las relaciones internacionales debe poner énfasis en el análisis objetivo y en la interpretación crítica de los asuntos controvertibles. Debemos recordar las palabras de la UNESCO (Organización Educativa, Científica y Cultural de las Naciones Unidas) en su Constitución: "Como las guerras empiezan en las mentes de los hombres, es en las mentes de los hombres que debemos construir las defensas para la paz". Estas palabras son un reto no solamente para nuestras escuelas y colegios, sino para todas las agencias, gubernamentales y no gubernamentales, que tienen responsabilidad en el desarrollo de actitudes hacia los demás pueblos. Son un reto para todos los habitantes del mundo.

En el campo de la educación internacional, la preparación de los maestros es deficiente. Esto implica que deben reexaminarse los programas de adiestramiento para asegurarnos que el maestro adquiere los conocimientos y desarrolla las actitudes necesarias para llevar a cabo la instrucción en el aspecto de relaciones internacionales. Igualmente, parte del adiestramiento en servicio del maestro puede utilizarse para estos fines.

Es un hecho triste, pero real, que el estudio del mundo no occidental apenas si ha llegado a los colegios y universidades que preparan maestros. No olvidemos que más de la mitad de los habitantes del globo viven en Asia y que, con excepción de los Estados Unidos, todos los países más poblados del mundo —China, India, Japón, Indonesia y Paquistán— están en Asia. Rusia, otro de los países altamente poblados, tiene millones de personas de origen asiático. Es necesario que el maestro adquiera la debida preparación en cuanto a los asuntos controvertibles en el mundo de hoy, desarrolle aprecio y respeto por los demás países y aplique el buen deseo y la buena voluntad en las relaciones humanas. Solo así podrá contagiar a sus alumnos en el desarrollo de actitudes objetivas.

## La ciencia y la tecnología

Los educadores, en su empeño por mejorar el proceso de enseñanza-aprendizaje, están aplicando la tecnología ventajosamente. Las máquinas de enseñar, el computador, la televisión, el cine, la grabadora, los laboratorios electrónicos, los diversos tipos de proyectores, los discos, el altoparlante y otros modernos recursos audiovisuales, se están usando con todo éxito. Algunos de estos recursos facilitan la enseñanza a grandes grupos de estudiantes; otros van dirigidos a la instrucción individual. Se usa también la tecnología educativa para preparar los horarios de estudiantes y maestros, mantener récords y recoger datos necesarios para tomar decisiones.

La tecnología nos ha hecho cuestionar los viejos métodos de enseñanza y nos ha puesto a pensar sobre la mejor utilización de la labor del maestro como figura clave en la tarea educativa. Ha facilitado el que el buen maestro pueda llegar a la vez a grandes números de estudiantes diseminados en diversas aulas en el mismo recinto y fuera de él. La tecnología ha servido también para interesar mejor a los estudiantes de diferentes capacidades, ayudando de este modo a lograr un aprendizaje más efectivo.

Agradecemos también a la revolución científica el desarrollo de un nuevo método de ver el mundo y de verse el hombre mismo —el método científico. Su impacto, aunque un poco tarde, se ha empezado a sentir en el currículo. Aunque el método científico pueda aplicarse a todas las asignaturas, donde más se está utilizando es en la enseñanza de las ciencias naturales.

## El trabajo

Usando como base los cambios ocurridos en el mundo del trabajo, tenemos que hacer los esfuerzos necesarios para que un mayor número de nuestros jóvenes permanezca en las escuelas y universidades por más tiempo. Al desertor escolar le espera un futuro económico muy incierto. Una alta proporción de empleos podrán ser desempeñados por personas con preparación de escuela superior o colegio. Los rápidos cambios en el trabajo nos obligarán a planificar mayores facilidades educativas que envuelvan el establecimiento de más escuelas vocacionales, institutos tecnológicos, colegios regionales, que preparen para carreras cortas, y centros universitarios para carreras largas. Es necesario que los jóvenes adquieran las destrezas y los conocimientos que los preparen para desempeñar las tareas ocupacionales de una sociedad dominada por la tecnología. Se necesitan más ingenieros, técnicos y científicos. Esto conllevaría igualmente la provisión de ayudas económicas al estudiante necesitado, especialmente al que proviene de los grupos socioeconómicos inferiores.

Los desarrollos en el mundo del trabajo nos obligan a reexaminar el currículo para ponerlo a tono con las realidades presentes y futuras. Se hace necesario eliminar de los programas educativos el material obsoleto. Se justifica igualmente mejorar los materiales de enseñanza, las bibliotecas, los laboratorios de ciencia y los talleres de los cursos vocacionales y técnicos.

Un detalle adicional es el que los cambios en el trabajo nos mantendrán en constante actividad de estudio. Debido a las rápidas transformaciones en el mundo moderno, el hombre promedio puede cambiar de empleo dos o tres veces en el curso de su vida. Esto quiere decir que tendrá que readiestrarse como adulto para nuevas posiciones. Esta necesidad de readiestramiento puede deberse al desplazamiento por la máquina, a la mayor complejidad de la tecnología o al deseo natural del hombre de nuevas experiencias.

Por último, no queremos dejar de mencionar el impulso que debe recibir el programa de orientación vocacional como consecuencia de los cambios en el campo del trabajo. Este programa debe ayudar al estudiante a conocerse mejor para que pueda encontrar un lugar apropiado en el mundo del trabajo.

## El ocio

Dado el hecho de que se ha reducido la semana de trabajo, el hombre tiene más tiempo de ocio, que debe usar para su propio beneficio. Desde hace mucho tiempo, el uso del tiempo libre ha sido un objetivo cardinal de la educación. Debemos distinguir entre aquellas actividades escolares que solo sirven para divertir y aquellas que ofrecen oportunidades de educación para el ocio. Hay la necesidad de exponer al estudiante a muchas actividades, como atletismo, drama, arte, música, literatura y artes industriales, para que él seleccione aquellas que puede cultivar en sus horas de ocio. Es un hecho que la escuela ha descuidado estas áreas. También deben estimularse la participación en actividades estudiantiles que sirven a la vez de educación para el ocio, que el estudiante puede continuar practicando como adulto. Hay la necesidad de que se piense en actividades de ocio donde el educando no sea un mero espectador, como sucede con la televisión. Es necesario, por lo tanto, desarrollar en él las actitudes deseables hacia el ocio para que lo utilice efectivamente. El estudiante debe adquirir conocimientos y destreza en todas estas actividades en las que puede participar en su tiempo libre en el futuro.

## Los medios de transportación y comunicación

Los modernos medios de transportación facilitan la educación porque hacen más accesibles las oportunidades educativas. Hoy día contamos con bibliotecas, salones de clases, salas de exhibición y teatros rodantes. Se facilita el traslado del equipo y de los materiales. Estos medios rodantes estimulan a los estudiantes a hacer mayor uso y por tiempo más prolongado de las facilidades y las oportunidades. Las facilidades de transportación permiten al niño de la zona rural continuar sus estudios en la zona urbana y trasladarse a centros de enseñanza superior, mientras permanece bajo la tutela de su familia.

Deseamos hacer referencia a la responsabilidad de la escuela ante el desarrollo de los medios de transportación, en particular —el automóvil. Ante el crecido número de accidentes automovilísticos, recae sobre la escuela la tarea de educar para la seguridad personal y social. Esto supone incluir en el currículo clases sobre el arte de conducir.

La educación se ha beneficiado con el adelanto en los medios de comunicación en masa —prensa, radio, cine y televisión. Tenemos, sin embargo, que continuar evaluando críticamene el empleo de esos recursos, especialmente la televisión, ya que mientras unos señalan los efectos positivos, otros enumeran los negativos. La discusión debe estar basada en evidencia, y no en opiniones. La televisión educativa sin embargo, se sigue extendiendo a mayor número de sistemas escolares. No necesariamente sustituye al maestro, sino que complementa su labor y hace llegar la educación a mayor número de estudiantes. A la vez que se atiende esta gran masa de alumnos, es necesario proveer tiempo al maestro para planificar y trabajar con grupos pequeños o con los alumnos individuales. Esto requiere nuevas formas de organización y de utilización del personal docente.

## La familia

A pesar del cambio en funciones de la familia, esta sigue siendo la principal influencia educativa para los niños. Traen a la escuela todos los aprendizajes adquiridos en el hogar, incluyendo las actitudes hacia el maestro y la institución escolar. El maestro tiene que trabajar con pleno conocimiento de esta situación.

Los cambios en la familia moderna tienen sus efectos en la educación. El niño permanece por más tiempo en la escuela, ya que no se le emplea en la finca o en la fábrica como en el pasado. Mientras evitamos que asuma responsabilidades vocacionales y económicas esperamos que ejerza mayor responsabilidad social. Esperamos que alcance madurez social. Esperamos que alcance madurez social más temprano, especialmente en las actividades recreativas y aquellas que envuelven el sexo opuesto. Esto crea otros problemas. No podemos evitar entonces que contraiga matrimonio más temprano. ¿Estará preparado para hacerlo? ¿Estará lo suficientemente maduro para permanecer unido a la misma persona por el resto de su vida? Estas son algunas preguntas que nos debemos hacer.

Debido a que se han reducido las horas de trabajo, el padre está más tiempo en la casa. Tiene mayor oportunidad para ejercer su autoridad y desempeñarse como verdadera figura masculina. A pesar de esto, los padres no tienen tanto control de la conducta de sus hijos como en el pasado. La movilidad, las mejores condiciones económicas, las responsabilidades sociales a temprana edad y el automóvil adicional, facilitan la libertad del hijo y reducen el control del padre sobre la conducta del hijo.

La familia puede, sin embargo, continuar siendo importante agencia educativa tanto antes que el niño vaya a la escuela, como después. Es necesario que la familia como grupo comparta más actividades en unión a sus miembros. Estas actividades pueden incluir aquellas de carácter educativo en que la familia se envuelve en el estudio de asuntos en los campos de la música, el arte, la literatura o la ciencia. Puede igualmente envolverse en actividades recreativas o cívicas.

Por último, la escuela tiene una responsabilidad en la preparación para la vida familiar. Ante los problemas sociales que acosan a la familia, hay necesidad de fortalecerla. En este aspecto, los programas educativos tienen una función especial.

## El conocimiento

La explosión del conocimiento es quizás el aspecto de cambio que más impacto ejerce sobre la educación. Debido a la forma tan rápida en que aumenta el conocimiento, la responsabilidad de mantenernos educándonos es mayor cada día. Tenemos que desarrollar en los maestros esa actitud de continuo estudio para que ellos puedan inculcarla en sus alumnos. La formación del maestro de escuela elemental, al igual que el de escuela secundaria, tendrá que ser más amplia en las artes liberales, en la asignatura de la especialidad y en los aspectos profesionales, para poder satisfacer mejor y más efectivamente las constantes inquietudes de sus alumnos. Los maestros tendrán que preparar a los estudiantes para que acepten el conocimiento como uno que no es fijo y estático, sino que cambia y se enriquece. Por lo tanto, el área de la investigación que tradicionalmente ha sido reservada a los colegios y universidades tendrá que extenderse a otros niveles educativos.

El cambio en el conocimiento es tan grande que el educador tendrá que comprender que muy pocos de los mitos de nuestra cultura podrán enseñarse ahora como dogmas y verdades absolutas. Enseñar mitos y dogmas como verdades absolutas sería sellar la mente del educando para rechazar los diversos cambios que son inevitables en el futuro. He aquí el peligro de la adoctrinación. El maestro tendrá que educar para un mundo en proceso de cambio.

## Las organizaciones

Tiene que preocupar a los educadores el desarrollo que han tomado los grupos organizados. La escuela no puede dejar de oír estos grupos que quieren controlar la administración, el currículo y la forma de enseñar. No debemos olvidar que la escuela sirve a toda la sociedad, no a unos grupos especiales, que muchas veces pretenden imponer sus puntos de vista.

La educación reconoce que el hombre se mueve en un mundo de organizaciones. El maestro debe dar el ejemplo de cómo se puede funcionar en un mundo de organizaciones y aun así actuar como individuo independiente. Como dice Gardner,[1] el maestro debe proveer ese tipo de experiencias en la escuela donde el estudiante aprenda a pensar por sí solo, donde desarrolle la capacidad para formar sus propios juicios y donde sea capaz de servir efectivamente como miembro de un grupo, sin comprometer su integridad como individuo.

Hemos presentado el reto que imponen los cambios al sistema educativo, al maestro y al estudiante. El mundo moderno está cambiando a pasos agigantados. El cambio afecta todos los aspectos de nuestra vida. El educador debe tener esta situación en mente, pues no está enseñando para un mundo fijo, sino para una sociedad en constante transformación.

### EL PAPEL DE LA EDUCACIÓN

Hablamos mucho de educación y de cambio social, ¿pero entendemos lo que queremos decir por *educación* en esta época de grandes transformaciones?

## Un concepto de educación

La educación, según se concibe en este mundo dinámico, es un proceso que nunca termina, porque en cada momento que vivimos se nos presenta algo nuevo que aprender. La educación solo termina con la muerte de la persona. No se completa con la terminación satisfactoria de los cursos ni con la graduación. Lo que aprendimos al empezar, puede que no sirva al graduarnos. Lo que hemos aprendido para el momento de la graduación no nos sirve necesariamente mañana. Así es que hay que ver la educación, como preparación para el cambio.

Educación no es solo la instrucción que imparte el adulto al niño inmaduro. Todos somos aprendices y maestros. No hay edades para enseñar ni para aprender. En ese proceso social de interacción, tanto enseña el joven como el viejo. El niño de cinco años que enseña a su abuelo a manejar el televisor es un buen ejemplo de un joven maestro y un viejo aprendiz envueltos en una tarea educativa.

Este concepto de educación implica que esta debe continuarse a través

---

1. John W. Gardner. «The Impact of Change on Education.» En *National Education Association Journal*, XLVIII, nov°. de 1959, páginas 49-51.

de toda la vida, sin importar edades, sitios, ni tiempos específicos. El ama de casa aprende a usar el nuevo equipo. El niño aprende a usar un nuevo juguete o un artefacto del hogar, y también aprende a cuidarlo. Todo el mundo enseña y todo el mundo aprende. El que sabe algo, lo enseña al que no sabe. Lo importante es tener el deseo de aprender y de enseñar.

### El maestro como agente de cambio

A los fines de ayudar a sus discípulos a entender y a enfrentarse a las situaciones de cambio que están ocurriendo constantemente, el maestro debe servir como agente de cambio. Para desempeñar a cabalidad esa función, el maestro tiene que entender la dinámica social y las fuerzas que la producen. Tiene, antes que nada, que aceptar él mismo el cambio, si es que quiere trasmitirlo. Tiene que aprender a vivir en esta realidad en constante transformación. No podrá trasmitir el cambio si se resiste a las nuevas formas. Hay que creer en una cosa para poderla enseñar.

El maestro tiene que entender este nuevo concepto de educación —como una experiencia de toda la vida y como interrelación dinámica entre el maestro y el aprendiz. Tiene que reconocer que el cambio social es una de las principales características de este siglo y que ya no puede detenerse. Debe, por lo tanto, educar a sus discípulos para un mundo en transformación. Los conocimientos y las cosas no son permanentes. Las verdades de hoy no serán necesariamente verdades mañana. Tiene que enseñar a sus alumnos a inquirir, a pensar, a investigar y a no conformarse con lo que saben ni con lo que tienen.

El maestro tampoco debe perder de vista al alumno. Debe educarlo para conservar su individualidad dentro de este mundo de grandes organizaciones. Debe respetarlo y hacerlo sentirse seguro, pues este mundo de cambio si no es bien dirigido puede producir problemas y desajustes personales. El maestro debe tratar de aminorar la frustración, la inseguridad y la confusión dentro de este orden social que altera nuestros sistemas tradicionales de vida y nuestros valores.

### El cambio social y el currículo

El currículo, al igual que los métodos de enseñanza, los objetivos y la organización escolar, no puede ser estático; se transforma con los cambios en la cultura. Los grandes adelantos científicos de nuestro tiempo obligan a la escuela a dar más énfasis al estudio de las ciencias y las matemáticas. Se recalca el método científico en la enseñanza de estas disciplinas, llevando al estudiante a inquirir, investigar y experimentar, para llegar a sus propias conclusiones. En los Estados Unidos, comités nacionales han tomado la iniciativa en la preparación del nuevo contenido curricular en estas materias científicas. El nuevo currículo se ha puesto en práctica no solo en las escuelas norteamericanas, sino también en muchos otros lugares, incluyendo a Puerto Rico.

La tremenda interdependencia entre los pueblos del mundo y la necesidad de establecer relaciones armoniosas con ellos, hacen más necesarias no solo la enseñanza de las ciencias sociales, sino también la de los idiomas extranjeros.

Las ciencias sociales han dado más énfasis al estudio de los problemas sociales que nos agobian y a la preparación del educando para enfrentarse a esos problemas. Se ha dado más importancia a la participación activa del estudiante en la solución de estos problemas.

La intensificación de la educación vocacional y técnica se hace necesaria a medida que la economía se va industrializando. El creciente desarrollo de los medios de comunicación en masa hace a la escuela responsable de enseñar al niño a juzgar críticamente lo que ve y oye. El desarrollo de las destrezas de comunicación —expresarse con corrección y precisión tanto en forma oral como escrita— recibe ahora y siempre atención especial en el currículo. Se nota ahora y se hará más clara en el futuro la tendencia hacia la unificación del currículo y la interrelación de las materias, o lo que se conoce como el currículo interdisciplinario.

El currículo varía según la escuela va asumiendo las responsabilidades que originalmente correspondían a otras instituciones. Veamos cómo estas responsabilidades adicionales afectan el currículo. Muchas de las responsabilidades que antes concernían a la familia y al Estado están ahora transfiriéndose a la escuela. Por ello, la escuela está asumiendo mayor responsabilidad en la educación sexual y en los diversos aspectos de la preparación para la vida familiar, Asimismo se está ocupando de la educación para el trabajo, el ocio, la seguridad, la salud y las relaciones humanas; en una palabra, está ocupándose de la educación para la vida en general.

En resumen, el contenido del currículo de las escuelas elementales y secundarias ha variado considerablemente, no solo en lo referente a las ciencias naturales y las sociales, sino también en las demás disciplinas. Problemas que afectan las diversas materias, como aquellos relacionados con el ambiente, la ecología, las relaciones humanas, el ajuste de la personalidad. la educación del consumidor y muchos otros problemas sociales, están recibiendo mayor atención, no solo desde el punto de vista teórico, sino también desde el práctico. Los estudiantes y los maestros se están involucrando directamente en situaciones de vida relacionadas con estos importantes problemas.

En los Estados Unidos, como consecuencia de los problemas motivados por las diferencias sociales y culturales, se está dando mayor importancia a la educación bilingüe y bicultural. Asimismo se está atendiendo la educación para el pluralismo cultural. Se está preparando nuevo contenido curricular a tono con estos enfoques. Unido a estos cambios curriculares, se nota una tendencia por ayudar más de cerca al alumno, por individualizar la enseñanza, por dirigir más científicamente el proceso de aprendizaje, al igual que por evaluar más adecuadamente los logros del estudiante.

A nivel universitario, se observa la tendencia a ampliar los estudios interdisciplinarios, reduciendo de este modo la excesiva especialización en áreas separadas del conocimiento. También se nota la tendencia a hacer los estudios más prácticos y a envolver a los estudiantes en los problemas que afectan la comunidad. Como resultado del impacto de las fuerzas de cambio en el ámbito universitario, el profesor se convierte en un facilitador del aprendizaje antes que en un proveedor de información. La enseñanza se hace individualizada y mejora la relación entre el profesor y el estudiante.

## Las innovaciones educativas

No podemos hablar del cambio social y la educación sin hacer referencia a las innovaciones pedagógicas. Se han ideado nuevas formas de agrupar a los estudiantes. El salón de clases está siendo organizado en diferentes formas y el tamaño del grupo de los alumnos varía de acuerdo con la actitud a desarrollarse y el propósito de la misma. Pueden haber grupos, medianos y pequeños y alumnos reuniéndose individualmente. También se han ideado nuevas formas de asignar el personal docente. Se divide el tiempo del maestro de una manera diferente y se le asignan diversas responsabilidades. Esto permite la especialización del maestro y el que se desempeñe en aquellas tareas en que mejor se sienta y se encuentre más preparado. Las innovaciones facilitan la labor del educador, permiten su mejor utilización y lo relevan de ciertas tareas para que él pueda dedicar más tiempo a trabajar con los estudiantes en situaciones de aprendizaje. El estudiante, por su parte, se hace más responsable de su propio aprendizaje.

Debido a la importancia del tema de las innovaciones educativas, hemos preferido discutirlo a fondo separadamente. Hemos añadido una nueva sección al final de este libro, dedicada al tema.[2]

### LA POSICIÓN DE LA ESCUELA FRENTE AL CAMBIO SOCIAL

Hemos reconocido que las sociedades establecen escuelas principalmente para transmitir y perpetuar su cultura. Tenemos que aceptar, sin embargo, que la escuela no puede limitarse a la mera transmisión de la cultura. Esa fue su misión principal en el pasado. Todavía lo es en las sociedades simples, pero no puede seguir siéndolo en las sociedades dinámicas como la nuestra. La escuela moderna, a la vez que transmite esos elementos tradicionales que dan consistencia y estabilidad a la cultura, está atenta al cambio, y trata, hasta donde sea posible, de incorporar esos nuevos elementos que prometen ser de gran valor. En esta forma, la escuela sirve dos importantes funciones: conservar la cultura y promover el cambio.

La escuela debe guiar al estudiante en el análisis de la cultura para que este capte sus fallas e imperfecciones. Debe estimularlo no solo a hacer críticas, sino también a corregir fallar, o si es necesario, a modificar o hasta descartar esa cultura para la creación de un mundo mejor. La escuela del presente, especialmente en los países democráticos, no puede permanecer ciega ante las fallas de la cultura. Tiene una gran responsabilidad de mejorar las condiciones prevalecientes.

Hay una idea que no debemos olvidar. La escuela no realiza su misión sola e independiente de las demás instituciones sociales. Funciona conjuntamente son las demás instituciones de la comunidad. Sola no puede hacer todos los cambios, pero unida a las demás instituciones que también desean el cambio puede lograr mucho. Actuando independientemente de las demás agencias de la comunidad, no se logrará cambio alguno, porque éstas

2. Capítulos 18, 19, 20 y 21.

contrarrestarán negativamente la labor de la escuela. Las instituciones económicas y políticas que controlan la escuela impulsan muchas veces al cambio. La escuela debe aprovechar ese impulso de cambio. Con el apoyo de esas instituciones el cambio puede ser más efectivo, ya que este se producirá dentro del sistema social del cual la escuela forma parte y no fuera de él.

### RESUMEN

Vivimos en una época de grandes cambios sociales y la educación está recibiendo el impacto de los mismos. En este capítulo hemos discutido aquellos aspectos de cambio que mayor efecto tienen en la educación. Las siguientes son las principales manifestaciones de cambio que hemos incluido: 1) las tendencias poblacionales; 2) la interdependencia de los pueblos y naciones; 3) la ciencia y la tecnología; 4) el trabajo; 5) el ocio; 6) los medios de transportación y comunicación; 7) la familia; 8) el conocimiento y 9) las organizaciones. Después de presentar los puntos sobresalientes de estos aspectos de cambio, recalcando la forma en que afectan nuestra vida, discutimos las implicaciones educativas de cada uno de ellos. Aquí presentamos cómo estos cambios afectan el sistema educativo en general y la escuela en particuar, señalando la necesidad de que esta institución se ajuste a este mundo de grandes transformaciones sociales.

Luego discutimos más a fondo el papel de la educación en una época de cambios y señalamos la importancia del maestro como un agente de cambio. El educador tiene que entender el cambio, creer en él y ajustarse a él, si es que desea trasmitirlo a sus discípulos.

Recalcamos la importancia de examinar el currículo escolar, en un mundo de cambios rápidos. El currículo también se transforma con los cambios en la cultura. Señalamos los cambios ocurridos en los programas de ciencias y matemáticas, en los estudios sociales, en los idiomas extranjeros y en las destrezas de comunicación. Recalcamos la necesidad de intensificar los estudios vocacionales y técnicos. Señalamos también que el currículo se amplía a medida que la escuela asume mayores responsabilidades.

No puede estudiarse hoy día la educación en una época de cambios, sin examinar el campo de las innovaciones pedagógicas. Estas van dirigidas a hacer al estudiante más responsable de su propia educación, dejando así al maestro más tiempo libre para dedicar a otras actividades profesionales.

Finalmente, se discutió la posición de la escuela frente al cambio. La escuela por sí sola no puede producir cambios ni detenerlos. Esta es parte de una compleja madeja social y como tal está unida al resto de los elementos de la sociedad. Si esta quiere transformarse, permitirá y ayudará a las agencias educativas y a las demás agencias sociales a producir cambios. Las agencias educativas por sí solas no pueden efectuarlos. Estas necesitan la ayuda de las demás. Igualmente, la adaptación al cambio es tarea de todas las agencias sociales. Esto quiere decir que la escuela para ser efectiva no puede actuar independientemente del resto de la sociedad; la escuela tiene que trabajar en combinación con las demás instituciones. Por su cuenta no puede producir un nuevo orden social. Para llevar a cabo su función necesita el respaldo de todas las fuerzas sociales.

No podemos perder de vista el hecho de que las instituciones educativas no están sólo para promover el cambio social. También tienen que promover la estabilidad. Ambos son necesarios, el cambio y la estabilidad. Ahí estriba la importancia de la institución educativa: saber conseguir ese equilibrio entre los elementos nuevos y los viejos. Si tuviéramos que ajustarnos solamente a elementos nuevos se crearía una confusión; si todos los elementos fueran viejos habría un estancamiento.

## LECTURAS

Adams, Don y Gerald M. Reagan. *Schooling and Social Change in Modern America.* New York: David McKay Company, Inc., 1972, Capítulos 1 y 2.

Bell, Robert R. y Holger R. Stub. *The Sociology of Education: A Sourcebook.* Revised edition. Illinois: The Dorsey Press, 1968, Parte I, Capítulos 1 y 2.

Brookover, Wilbur R. y David Gottlieb. *A Sociology of Education.* Segunda edición. New York: American Book Co., 1964, Capítulos 4 y 6.

Cáceres, José A. *Tecnología, cambio socia y educación.* En *Pedagogía*, XV, números 1 y 2, enero-diciembre de 1967, páginas 95-110.

Cole, William E. y Roy L. Cox. *Social Foundations of Education.* New York: American Book Co., 1968, Capítulo 23.

Conant, James B. *Slums and Suburbs.* New York: McGraw-Hill Book Co., Inc., 1961.

Corwin, Ronald G. *A Sociology of Education.* New Jork: Appleton-Century-Crofts, 1965, Capítulo 5.

Corwin, Ronald G. *Education in Crisis: A Sociological Analysis of Schools and Universities in Transition.* New York: John Wiley and Sons, Inc., 1974, Capítulos 2 y 6.

De Grazia, Sebastián. *Of Time, Work and Leisure.* New York: Doubleday and Co., 1964.

Drabick, Lawrence E. *Interpreting Education: A Sociological Approach.* New York: Appleton-Century-Crofts, 1971, Capítulo 6.

*Educación.* Vols. 21-22, octubre de 1968. Novena ponencia. *La educación en Puerto Rico en el 1980,* páginas 153-187.

Gardner, John W. *The Impact of Change on Education.* En *National Education Association Journal,* XLVIII, nov*. de 1959, páginas 49-51.

Goslin, David A. *The School in Contemporary Society.* Chicago: Scott, Foresman and Co., 1965, Capítulos 3, 4 y 5.

Graham, Grace. *The Public School in the New Society.* New York: Harper and Row, Publishers, 1969, Capítulos 6-9.

Grambs, Jean D. *Schools, Scholars and Society.* New Jersey; Prentice-Hall, Inc., 1965, Capítulo 2.

Gross, Ronald y Judith Murphy. *The Revolution in the Schools.* New York: Harcourt, Brace and World, Inc., 1964.

Hansen, Donald A. y Joel E. Gerstl. *On Education: Sociological Perspectives.* New York: John Wiley and Sons, Inc., 1967, Capítulo 3.

Havighurst, Robert J. y Bernice L. Neugarten. *Society and Education.* Tercera edición. Boston: Allyn and Bacon, 1967, Capítulos 10, 12, 13 y 15.

Havighurst, Robert J. y otros. *Education and Society: A Book of Readings.* Boston: Allyn and Bacon, Inc., 1967, Parte IV.

Havighurst, Robert, J. *Education in Metropolitan Areas.* Boston: Allyn and Bacon, Inc., 1966.

Hodgkinson, Harold L. *Education, Interaction and Social Change.* New Jersey: Prentice-Hall, Inc., 1967, Capítulos 5, 6 y 9.

Hodgkinson, Harold L. *Education in Social and Cultural Perspectives.* New Jersey: Prentice-Hall, Inc., 1962, Capítulo 4.

Hunt, Maurice P. *Foundations of Education: Social and Cultural Perspectives.* New York: Holt, Rinehart and Winston, 1975, Epílogo.

Kvaraceus, William C. y otros. *Poverty, Education and Race Relations.* Boston: Allyn and Bacon, 1967.

Mead, Margaret. *A Redefinition of Education.* En *National Education Association Journal,* XLVIII, octubre de 1959, páginas 15-17.

Mellado, Ramón. *Cuadros de la vida puertorriqueña.* En *Pedagogía,* XVI, Número 2, julio-dic. de 1968, páginas 63-78.

Mellado, Ramón. *La educación y el cambio social en Puerto Rico.* En *Pedagogía,* IX, Números 1 y 2, enero-dic^. de 1961, páginas 15-32.

Miles B. Matthew (ed.). *Innovation in Education,* New York: Teachers College Press, 1964.

National Education Association. *Education in a Changing Society.* Washingston, D. C., 1964, Capítulos 2, 5, 6 y 7.

Nieves Falcón, Luis. *La dinámica del cambio y su aplicación a la educación.* En mimeógrafo, 5 páginas.

Sarason, Symour B. *The Culture of the School and the Problem of Change.* Boston: Allyn and Bacon, 1972.

Subcomité Asesor de Población. *Población.* Informe del Consejo Asesor del Gobernador para el desarrollo de programas gubernamentales, San Juan, P. R.: 15 de octubre de 1969.

Sumption, Merle e Ivonne Engstrom. *School-Community Relations: A New Approach.* New York: McGraw-Hill Book Co., 1966, Capítulo 9.

Taylor, Harold. *World Education for Teachers.* En *Phi Delta Kappan,* XLIX, Dic^. de 1967, páginas 178-180.

Westby-Gibson, Dorothy. *Social Perspectives on Education.* New York: John Wiley and Sons, Inc., 1965, Capítulos 2, 3, 5 y 16.

Whyte, William T. *The Organization Man.* New York: Simon and Schuster, 1956.

# PARTE III

# Cambio Social en Puerto Rico

El cambio social en Puerto Rico es el tema de los capítulos séptimo al noveno. Primero discutiremos las fuerzas que han producido los cambios sociales y luego veremos cómo el cambio se ha reflejado en los diversos aspectos de la sociedad puertorriqueña. El cambio en los aspectos económico y político se discute primero: la economía, la población, la política, la vivienda, la salud y el trabajo. Luego se presentan los cambios en los aspectos sociales y culturales: la familia, la estructura de clases, la religión, la vida en las ciudades y la cultura. Finalmente, se consideran los cambios en el aspecto educativo. Es de suma importancia para el educador puertorriqueño entender el proceso de cambio social y cómo el mismo ha afectado no solamente la educación, sino también nuestros modos tradicionales de comportamiento y nuestro sistema de valores.

# CAPÍTULO VII

## EL CAMBIO SOCIAL EN PUERTO RICO: ASPECTOS ECONÓMICO Y POLÍTICO

En este capítulo y en los dos próximos estudiaremos el fenómeno de cambio social en Puerto Rico. Nuestra sociedad puertorriqueña está pasando por una época de rápida transformación social.

Varias fuerzas han ayudado a producir los cambios sociales en este país. Entre éstas podemos mencionar las siguientes: el rápido desarrollo de los medios de comunicación y transportación que facilitan los contactos con el mundo exterior, las relaciones con los Estados Unidos, los movimientos poblacionales, la transformación económica, la tecnología, la educación, la planificación, el proceso de transculturación por que ha pasado Puerto Rico, y sobre todo, el deseo e interés del pueblo de hacer frente a los problemas en una forma distinta. Como consecuencia de estas fuerzas se han producido cambios en casi todos los órdenes de la vida puertorriqueña.

En este capítulo discutiremos el cambio social en los aspectos económico y político de nuestra sociedad: la economía, población, política, vivienda, salud y trabajo. Podría escribirse un libro no sólo sobre el cambio social en Puerto Rico, sino sobre cada uno de los aspectos de cambio que estamos presenciando aquí. La discusión que desarrollaremos sobre estos aspectos es breve. Nos hemos limitado a destacar aquellos elementos de cambio que a nuestro juicio son sobresalientes.

Entremos ahora en el estudio del tema que nos preocupa, empezando con la discusión sobre los cambios ocurridos en la economía.

### LA ECONOMÍA

La transformación de la economía de Puerto Rico desde el descubrimiento hasta el presente ha sido sorprendente. Hasta el 1940, la economía de nuestro país evolucionó precariamente. En ese año se iniciaron esfuerzos por parte del gobierno encaminados a mejorar la condición económica del pueblo. Como resultado de estos esfuerzos, la economía de Puerto Rico tuvo un desarrollo ascendente hasta el año fiscal 1972-1973. En ese año, empezaron a afectuarnos la recesión y la inflación.

### Antecedentes históricos

Para facilitar la discusión sobre los cambios económicos operados en Puerto Rico dividiremos su historia en dos partes: el período anterior a 1940 y el posterior.

*El período anterior a 1940.*—La condición económica de los puertorriqueños fue precaria durante los cuatro siglos de dominación española. Dependían casi enteramente de la poca tierra que cultivaban usando métodos primitivos. La producción agrícola se dedicaba al consumo doméstico. El gobierno español no estimulaba el establecimiento de industrias manufactureras.

A fines del siglo XX la población de la Isla se acercaba al millón de habitantes. Casi se había triplicado en ese siglo. Este crecimiento poblacional trajo también algún desarrollo económico. Aumentó considerablemente la tierra cultivada, se dio mayor importancia a la siembra de caña de azúcar y de café, incrementándose así el comercio exterior. A pesar del relativo auge en la economía agrícola, la condición económica del pueblo seguía siendo crítica.

En 1898, Puerto Rico quedó bajo la soberanía de los Estados Unidos. Se estableció el comercio entre Estados Unidos y Puerto Rico, además de estar este comprendido en las leyes tarifarias americanas. Estas medidas, además de la afluencia del capital americano, hicieron progresar nuestra economía en forma ascendente. La caña de azúcar llegó a ser por primera vez el cultivo principal. La producción de tabaco aumentó también considerablemente.

A pesar de ese creciente desarrollo económico, la condición de la gran masa del pueblo puertorriqueño continuaba siendo deplorable al cerrarse la tercera década del siglo XX. Dos huracanes, una sequía y los efectos de la depresión mundial no dejaban progresar la economía al ritmo necesario. En consecuencia, la producción económica se redujo grandemente. Gran parte de los trabajadores quedó sin empleo. Gracias a la ayuda federal, para atender esta emergencia se desarrolló un programa de reconstrucción económica y se crearon nuevas fuentes de trabajo, dando así empleo a un gran número de nuestros hombres.

La población de la Isla, seguía aumentando a un ritmo mucho más acelerado que la producción. Había necesidad de crear fuentes de empleo, además de la agricultura, para atender más adecuadamente a la creciente población. De no estimularse la industria, un mayor número de jóvenes quedaría desempleado todos los años. Surgió entonces el Partido Popular Democrático, con un programa de reforma económica que hizo cambiar la situación favorablemente.

*El período posterior a 1940.*—En 1941, el Partido Popular inició su nuevo programa económico. Este se basó en una reforma agraria, en la diversificación agrícola, la industrialización y la búsqueda de nuevas fuentes de empleo. Como parte de la reforma agraria se aprobó la Ley de Tierras, que ponía en vigor la vieja Ley de los 500 acres. Los terrenos adquiridos por virtud de la aplicación de esta ley fueron divididos en pequeños fincas de familia operadas por su dueño, o convertidos en fincas de beneficio proporcional o en parcelas de subsistencia para los agregados. En 1945 se organizó la Compañía Agrícola de Puerto Rico con el fin de fomentar nuevas siembras.

En el propósito de buscar nuevas fuentes de empleo en la industria, se originaron en 1942 la Compañía de Fomento Industrial y el Banco Gubernamental de Fomento. Se instituyeron también las compañías de servicio público, como la Autoridad de las Fuentes Fluviales, de Acueductos y Alcantarillados, de Comunicaciones y Transportes. Estas compañías sentaron las bases para la expansión económica y mejoraron los servicios públicos.

La creación de la Junta de Planificación tuvo gran importancia en esta época. La junta vino a coordinar los trabajos de las nuevas empresas públicas, a dirigir los usos del capital y a regular la utilización de los terrenos urbanos.

Como resultado de estos esfuerzos bien dirigidos, que .comenzaron a producir buenos resultados a partir de 1942, la transformación económica de Puerto Rico fue sorprendente. El estímulo dado a la industria produjo resultados muy halagadores. La economía dejó de ser puramente agraria. Ha ido cobrando cada día características de economía industrial.

En 1949 se creó un programa de incentivos para fomentar y estimular el desarrollo industrial. Según Picó,[1] los incentivos que se adoptaron y que aún perduran son los siguientes: exención contributiva, construcción de edificios industriales para venta y arrendamiento a empresas privadas, adiestramiento de operarios, asistencia técnica y concesión de préstamos en condiciones favorables.

En 1952 Puerto Rico se pasó a ser un Estado Libre Asociado a los Estados Unidos con un gobierno autónomo. El plebiscito celebrado el 23 de julio de 1967 confirmó el deseo del pueblo puertorriqueño de continuar en unión permanente con Estados Unidos, a través del Estado Libre Asociado. Esta asociación ha fortalecido nuestro orden económico, ya que se han mantenido varias conveniencias para el inversionista, aparte de los incentivos antes mencionados. Entre estas ventajas, Picó señala las siguientes: libre movimiento de personas, mercancías (bienes producidos) y capital entre Puerto Rico y los Estados Unidos continentales; estabilidad monetaria libre de fluctuaciones de cambio, ya que nuestra moneda es el dólar. Además de esto, el inversionista norteamericano tiene la seguridad de que sus legítimos derechos de propiedad no sufrirán mengua en Puerto Rico.[2]

Como resultado de esta nueva estructura económica y política, Puerto Rico ha progresado notablemente. Se ha transformado de una sociedad predominantemente agrícola en una semiindustrial, con una economía en pleno crecimiento. Como se expresó en la Conferencia de la Educación,[3] celebrada en Puerto Rico en abril de 1968, nuestro ritmo de crecimiento económico ha sido sustancialmente mayor que el de otros países en proceso de desarrollo durante años recientes, a pesar de nuestros limitados recursos naturales y la alta densidad poblacional. También ha excedido al de un gran número de países altamente industrializados. El ritmo de crecimiento anual que Puerto Rico sostuvo en 1950-60 sólo fue superado por países como Alemania Occidental, Japón, Israel, Trinidad y Austria. De 1960 al 1964, solamente fue sobrepasado por Japón e Israel.

El progreso alcanzado por Puerto Rico puede apreciarse mejor si se observa el crecimiento de cuatro de los indicadores económicos más importantes —el producto bruto, la inversión interna fija, el ingreso per cápita y el comercio exterior.[4] De 1940 a 1966 el producto bruto estatal aumentó

1. Rafael Picó. *Nueva geografía de Puerto Rico*. Río Piedras: Editorial Universitaria. 1969, p. 367.
2. *Ibid.*, p. 368.
3. *Educación*, Vol. 21-22, octubre de 1968, pp. 7-8.
4. Picó, *Op. cit.*, p. 368.

1058 por ciento, o sea, de \$287 millones a \$3,038 millones. El producto bruto estatal fue de \$3,336 millones en 1967, \$3,701 millones en 1968 y \$4,093 millones en 1969.[5] El ingreso neto de Puerto Rico aumentó de \$225 millones en 1940 a \$2,775, millones en 1967. La inversión en bienes de capital que fue de sólo \$23 millones en 1940 y de \$111 millones en 1950, ha sobrepasado los \$1,000 millones en 1969. Según Picó, el ingreso neto per cápita ha aumentado de \$121 a \$955 entre 1940 y 1966, sobrepasando los \$1,000 para el 1967. El comercio exterior ha crecido a un ritmo ascendente en los últimos años. Las exportaciones, que ascendieron a \$92 millones en 1942, alcanzaron en 1966 a \$1,155 millones y en el 1967 a \$1,321 millones. La mayor parte del incremento en el comercio exterior ha provenido de los productos nuevos elaborados en las fábricas promovidas por el programa de industrialización. El crecimiento económico también se ha reflejado en el volumen de las importaciones, que en 1966 superaron los \$1,600 millones.

El ingreso per cápita aumentó en 1969 a \$1,258. Sin embargo, al examinarse los datos referentes a la distribución del ingreso económico, se evidencia desigualdad en la distribución de la riqueza, según un estudio realizado por el Departamento de Trabajo.[6]

## DISTRIBUCIÓN DE LAS FAMILIAS POR NIVELES DE INGRESO - 1963

| Nivel de ingreso | Núm. de familias | % |
|---|---|---|
| 0 - \$ 999 | 76,990 | 16.7 |
| \$1,000 - 1,999 | 120,780 | 26.2 |
| 2,000 - 2,999 | 97,730 | 21.2 |
| 3,000 - 3,999 | 51,170 | 11.1 |
| 4,000 - 4,999 | 35,040 | 7.6 |
| 5,000 - 7,499 | 43,790 | 9.5 |
| 7,500 y más | 35,500 | 7.7 |
| TOTAL | 461,000 | 100.0 |
| Ingreso promedio | \$3,273 | |

Según revelan estos datos, 197,770 familias, o sea el 42.9 % del total, recibirá ingresos inferiores a \$2,000. Esto refleja el crecido número de familias que vive en estado de pobreza.

A pesar de esta desigualdad, se ha producido mayor estabilidad económica, más facilidades de educación y de empleo y mejores oportunidades para el pueblo en general.

La transformación de la economía ha tenido su impacto en la agri-

---

5. Junta de Planificación. *Informe económico al Gobernador*, 1969, Apéndice Estadístico A. 2.
6. Estudio del Departamento del Trabajo. Informado en *Revista de Administración Pública*. Escuela de Administración Pública, Universidad de Puerto Rico, Vol. IV, Número 2, septiembre de 1971, p. 125.

cultura. En 1950 el ingreso neto derivado de la agricultura fue de $149 millones, mientras que la manufactura solo produjo $89 millones. El ingreso producido por la agricultura no ha aumentado al mismo ritmo que el de la manufactura. De hecho, el ingreso neto derivado de la agricultura ha ido bajando en los últimos años: $186 millones en 1967, $185 millones en 1968 y $175 millones en 1969. La manufactura, en estos mismos años, ha registrado aumentos de $702 millones en 1967, $794 en 1968 y $908 en 1969.

El ingreso neto generado en la agricultura en relación con el ingreso neto total, se ha reducido sustancialmente en Puerto Rico, de un 31 por ciento en 1940 a 5.2 por ciento en 1969. Para 1940 el ingreso neto de la agricultura era de 70.5 millones de dólares, o sea, casi una tercera parte (31.3 % del ingreso neto total), mientras que para 1969 representaba 175.5 millones de dólares, o sea, un 5.2 % del ingreso total.

Los sectores económicos que pagan buenos salarios, principalmente la manufactura, han sobrepasado en importancia a los sectores que pagan salarios bajos, tales como la agricultura, la industria de la aguja a domicilio y los servicios domésticos.

Como hemos visto, la economía de Puerto Rico ha dejado de ser puramente agraria. La agricultura no ha experimentado el ritmo de progreso de otros sectores económicos. El valor de la producción agrícola se ha mantenido en descenso continuo. Según la Junta de Planificación,[7] el valor de la producción agrícola en el año 1968-69 fue de $259 millones, diez millones menos que el año anterior. Esta merma se debe a la reducción en el valor bruto de las cosechas principales: la caña de azúcar, el café y el tabaco. El aumento observado en el valor bruto de las otras cosechas —frutos alimenticios y la producción avícola-ganadera (carnes y huevos)— no fue suficiente para contrarrestar la baja registrada.

*El turismo y la construcción como factores económicos.* El turismo ha venido desarrollándose en Puerto Rico desde fines de la década del 40, como un factor económico de importancia. El desarrollo del turismo descansa en el aprovechamiento de los recursos del ambiente geográfico, tales como la posición, la topografía, el clima y la vegetación natural.

En 1940 visitaron Puerto Rico unas 40,000 personas y en 1950, cerca de 65,000. El auge del turismo empezó durante la década de 1950. Un total de 723,000 personas visitaron la Isla en 1966 y 809,753 en 1967.[8] El número de visitantes ascendió en 1969 a 1,067,511, o sea 156,608 más que el año anterior. A pesar de este aumento, el avance del turismo en 1969 no fue tan rápido como en el año anterior. Varios factores pueden haber afectado, entre ellos, el pequeño aumento registrado en el número de habitaciones y el aumento en la tarifas de los hoteles. Del total de visitantes en el 1969, el 46.6 por ciento se alojó en hoteles y el 53.4 por ciento en pensiones y en casas de amigos y familiares.

Los expendios de los visitantes aumentaron de $6.8 millones en 1940 a $161.8 millones en 1967. Según la Junta de Planificación, el total de gastos de los visitantes ascendió a $228.5 millones, de los cuales $141.5 millones correspondieron a visitantes hoteleros y $79.8 millones a turistas que se alo-

---

7. Junta de Planificación, *Op. cit.*, p. 1.
8. No incluye a los que llegan en barcos de excursiones y los marinos y militares, según Picó, *Op. cit.*, p. 341.

jaron en pensiones y en casas de familiares y amigos y el remanente a militares y personas que visitaron la Isla en barcos turísticos.

En la actualidad el turismo constituye uno de los sectores más importantes de nuestra economía. Los $228.5 millones que entraron por concepto ae gastos de los turistas significó un $5.6 por ciento del producto bruto. El empleo en los hoteles durante el 1968-69 fue de 9,800, que representa un aumento de 17.9 por ciento sobre los 8,313 registrados durante el 1967-68. La nómina pagada por los hoteles también aumentó de $6,414,855 en 1967-68 a $7,312,680 en 1968, para un incremento relativo de 14 por ciento.[9]

La industria de la construcción, que tanto está contribuyendo al crecimiento de la economía de Puerto Rico, registró en 1969 obras por valor de $744 millones, que es la cifra más alta registrada por este sector económico. Este valor representa el 8 por ciento de aumento sobre el año anterior. El valor de la actividad de la construcción se debió en su mayor parte a la edificación de viviendas y apartamientos, tanto del sector público como del privado, y de otras obras públicas, como carreteras, puertos, aeropuertos, instalaciones eléctricas y abastos de agua.

Según la Junta de Planificación, la construcción de viviendas que se había reducido en 16.7 por ciento de 1966 a 1967, subió en 11.8 por ciento de 1967 a 1968 para luego bajar a 10.4 por ciento entre 1968 y 1969. El valor total de las viviendas públicas y privadas construidas ascendió en 1969 a $332.7 millones, 86 por ciento privadas y 14 por ciento públicas. En 1969 se construyeron unas 20,000 unidades de nuevas viviendas. De estas, unas 17,500, o sea el 87.5 por ciento, correspondieron al sector privado y el resto al sector público.

*La transformación económica y su efecto en el empleo.* Los cambios en la situación agrícola e industrial han tenido su efecto en el empleo en Puerto Rico. Durante el año 1969, las oportunidades de empleo aumentaron más que en años anteriores. El empleo total alcanzó un promedio de 722,000 personas, o sea un aumento neto de 21,000 oportunidades sobre el nivel registrado en 1968. Nos dice la Junta de Planificación, que con excepción del sector agrícola, todos los demás sectores de la economía, contribuyeron a generar mayores oportunidaes de trabajo. En los sectores no agrícolas, hubo un aumento de 28,000 empleos, mientras que en el sector agrícola se redujo aproximadamente 7,000 trabajadores.

A partir de 1963 se comenzó a observar una reducción en el número de personas empleadas en la agricultura. De 140,000 personas que empleaba en 1963, se redujo a 91,000 en 1968 y a 84,000 en 1969.

Como hemos visto, la agricultura no ha seguido el ritmo de aumento experimentado por la industria. Esta se ha convertido en el eje principal de la actividad económica. Generó en 1969 la cuarta parte del producto bruto interno o territorial. Su producto bruto alcanzó a $1,099 millones según la Junta de Planificación, en su informe económico de 1969. En el 1968-69 se promovieron un total de 385 fábricas en comparación con 340 el año anterior, 170 promovidas con capital local y 215 con capital externo. El 30 de junio de 1969 existían 1,785 fábricas. En 1969 las fábricas promovidas por Fomento Económico aportaron casi el 70 % del ingreso neto originado en la manufactura. El ingreso neto de estas fábricas alcanzó unos $669 mi-

---

9. *El Mundo*, 31 de diciembre de 1969, pp. 1A y 12A.

llones en 1969, en comparación con $3 millones en 1950. La mayor contribución fue en la industria de la ropa y productos relacionados, con casi la cuarta parte del total.

Según la Junta de Planificación, en el informe económico antes citado, el total de personas empleadas en las industrias promovidas por Fomento a junio de 1969 era de 106,977, cifra que representa un aumento de 5.6 por ciento sobre la cifra de 101,283 correspondiente a junio de 1968. Según la misma fuente, las fábricas no promovidas por Fomento originaron en 1968-69 un ingreso neto de $245.6 millones, cifra que supera la de 1967-68 en 25.2 millones. Por lo general, estas fábricas, entre las que se destacan las centrales azucareras, las licorerías y las fábricas de cerveza, tienen una base agrícola y subsisten tradicionalmente en Puerto Rico. Las fábricas no promovidas acusaron ese año (1969) una ocupación total promedio de 32,700 personas, casi la cuarta parte del empleo total promedio en toda la manufactura.

## Progreso alcanzado

Como consecuencia del crecimiento en el desarrollo económico, Puerto Rico ha experimentado un gran adelanto en el orden social. Se han podido atender más adecuadamente los servicios de salud y se ha reducido la tasa de mortalidad a 6.0 por cada mil habitantes. Esta tasa es más baja que la de los Estados Unidos. El promedio de vida ha aumentado a 71 años en 1974. La tasa de natalidad ha disminuido a 23.3 por cada mil habitantes, en 1973.

Se han hecho adelantos también en el campo de la educación. La mitad del presupuesto se dedica a salud y a educación. Este último renglón absorbe la tercera parte del presupuesto. Más del 90 por ciento de la población en edad de ir a la escuela elemental asiste a este tipo de escuela, y el 70 por ciento de la población de nivel secundario asiste a la escuela secundaria. El cuerpo docente sobrepasa los 26,000 maestros. La matrícula universitaria en 1973-74 asciende a 88,254 estudiantes; de esta, 50,439 asisten a la Universidad de Puerto Rico.

Todo esto refleja un mejoramiento considerable en las condiciones de vida del pueblo en general. Han aumentado las oportunidades de trabajo y los ingresos que se derivan de estas. Han mejorado la vivienda y las facilidades de salud. Las condiciones del obrero también han mejorado notablemente.

## Obtáculos para el progreso

No podemos pasar por alto el hecho de que, a pesar del progreso general que ha experimentado Puerto Rico, continúa la desigualdad en la distribución de la riqueza. Ya informamos que en 1963, el 42.9 % de las familias vivía en estado de pobreza extrema, con ingresos inferiores a $2,000.

La situación aquí expresada no ha mejorado notablemente, especialmente para el sector pobre. En 1967, según datos de la Junta de Planificación de Puerto Rico, el 64 % del total de familias tenía ingresos inferiores a $4,000, el 23 % recibía entre $4,000 y $5,500, y tan solo en 13 % sobrepasaba los $7,500. El número de familias ascendía a 550,000 en 1967.

El censo federal de 1970 revela la misma situación para las familias de Puerto Rico, como ilustra la tabla que se acompaña.

### DISTRIBUCIÓN DE LAS FAMILIAS POR NIVELES DE INGRESO - 1970

| Nivel de ingreso | Núm. de familias | % |
|---|---|---|
| Menos de $500 | 72,134 | 12.7 |
| $500 - $1,000 | 48,669 | 8.6 |
| 1,000 - 2,000 | 77,741 | 13.8 |
| 2,000 - 3,000 | 79,771 | 14.1 |
| 3,000 - 4,000 | 64,256 | 11.4 |
| 4,000 - 6,000 | 82,146 | 14.6 |
| 6,000 -10,000 | 81,853 | 14.5 |
| 10,000 o más | 58,181 | 10.3 |
| TOTAL | 564,751 | 100.0 |

De acuerdo con los datos del censo, el 60 % de las familias puertorriqueñas tiene ingresos inferiores a $4,000, quedando por debajo de lo que en Estados Unidos se considera nivel de pobreza.

Queremos citar las palabras de Don Luis Muñoz Marín, en Barranquitas, Puerto Rico, el 17 de julio de 1973, al referirse a la injusta distribución de los ingresos: "¿Es justo que haya familias que tengan que subsistir con $500 por los 365 días de cada año? ¿Es justo que se reconozca el derecho a disponer de millones, con mérito o sin mérito, pero seguramente sin tanto mérito, mientras que hay otros que viven en pobreza, sean las que fueren las capacidades con que la naturaleza quiso dotarlas?

*Condición económica durante los últimos años (1972-73 al 1974-75)*

La economía de Puerto Rico continuó su desarrollo ascendente por mucho años, hasta llegar el año fiscal 1972-73, en que en términos de ingreso neto empezó a bajar su ritmo de avance, aunque no abruptamente. Bajó abruptamente, sin embargo, el poder adquisitivo de ese ingreso, o sea el crecimiento real de la economía. La causa principal fue el rápido aumento de los precios, especialmente de los alimentos y los demás renglones de mercancías, que ha afectado a todo el mundo, incluyendo a Puerto Rico. Vemos, pues, que la situación económica precaria por que atraviesa el país es resultado del disloque económico que confronta el mundo entero.

La situación económica fue más difícil durante el año fiscal 1973-74. En su mensaje a la Asamblea Legislativa el 3 de marzo de 1975, el Gobernador Rafael Hernández Colón dice lo siguiente: "La situación difícil que les describí el año pasado, se ha complicado aún más por los efectos económicos y sociales de la recesión en la economía de los Estados Unidos, la peor desde los años de la depresión, y de la inflación al nivel internacional". El Gobernador da cuenta en su discurso de que el crecimiento económico del año anterior fue de solo 2.5 por ciento. (En el 1972-73 había sido de 10.8 por ciento.) También informa que el turismo ha bajado, que el desempleo ha subido a más de 14 por ciento, que se crearon solamente 18,000 empleos nuevos, 10,000 menos que la meta fijada, y que habrá una reducción en las obras públicas.

Creemos propio señalar un hecho que realmente vino a empeorar nuestras perspectivas económicas. Nos referimos al embargo que en 1973, impusieron los países árabes sobre sus exportaciones de petróleo. Los embarques de petróleo a los Estados Unidos se redujeron de un 10 a un 15 %. La Organización de Países Exportadores de Petróleo (OPEP) elevó considerablemente los precios del combustible. El petróleo crudo, que por años se vendió a $1.00 ó $2.00 por barril se elevó desde $10.00 hasta $15.00. Los altos precios del petróleo se han reflejado en precios aún más elevados para los productos derivados del petróleo. Venezuela, que es el país que suple la mayor parte del petróleo a Puerto Rico, también aumentó el precio del barril del combustible de $3.00 a $14.00.

La inflacción es, pues, el principal problema a que se enfrentan la mayor parte de los países del mundo. El impacto de esa inflación, por las condiciones de interdependencia en que vivimos, se refleja directamente en Puerto Rico. Los países se han enfrentado a ese problma de diferentes formas: implantando medidas de austeridad, aumentando los impuestos y limitando el consumo de bienes importados. Como resultado de esas fuerzas, se ha detenido el ritmo de la actividad económica y se han creado condiciones de recesión.

La inflación de los precios de los alimentos es lo que imprime mayor gravedad a la situación. Refiriéndose a este asunto, dice el Gobernador Rafael Hernández Colón lo siguiente: "En los primeros cuatro meses de este año fiscal 1974-75, los precios de los alimentos han sido un 27 % superiores a los del 1973 y estos un 16.8 % más altos que los del 1972. Es decir, hace dos años que los precios de los alimentos subieron un 43 %".[10] Esta situación implica que la familia está gastando en alimento una mayor proporción de su presupuesto y le queda mucho menos dinero para comprar automóviles, enseres eléctricos y otros bienes duraderos. La inflación se ha reflejado en una reducción en la compra de bebidas y cigarrillos. Se ha reducido el consumo de energía eléctrica debido al alto costo de la electricidad. Las altas tasas de interés han afectado la industria de la construcción. La recesión mundial también se ha hecho sentir en nuestra industria manufacturera, la que ha reducido sus ventas considerablemente.

La recesión económica, sigue diciendo el Goberandor en el mensaje antes citado, ha producido los siguientes resultados: menos empresas promovidas por Fomento, cierre de empresas existentes, baja en la producción, creación de menos empleos y aumento en el desempleo y subempleo. El impacto más grave de la situación imperante recae sobre las recaudaciones. Los ingresos del gobierno se ven seriamente afectados. Ya para el año 1973-74, la infla-

---

10. Discurso del Gobernador a los Miembros de la Asamblea Legislativa, en Los Filtros de Guaynabo, el 14 de diciembre de 1974. *El Mundo*, 16 de diciembre de 1974, p. 14B.

ción y la contracción económica habían producido una merma considerable en las recaudaciones del tesoro. La misma situación se reflejó en 1974-75, en mayor grado.

El Gobernador anuncio en su discurso que se prevé un déficit de $209 millones de dólares en el presupuesto que finaliza en junio de 1975. Ante esa situación ofreció las siguientes alternativas para conjurar la crisis: (1) aumentar los recursos; (2) reducir los gastos y (3) cortar el programa de las inversiones públicas y reprogramar algunas de estas.

No todo es negativo, de acuerdo con el Gobernador. Puerto Rico va a sentir los efectos positivos de una serie de factores que indudablemente habrán de estimular la economía y ayudarán a contener el nivel de vida. Entre estos factores positivos están los siguientes: (1) el programa de cupones de alimentos; (2) un aumento en los ingresos agrícolas; (3) la política fiscal de los Estados Unidos que empieza a mostrar su lado expansivo; (4) el alivio que se sentirá en el costo de la electricidad al promediarse el costo del petróleo; (5) los estabilizadores automáticos empiezan a funcionar y los ingresos por concepto del seguro de desempleo seguirán acelerándose; (6) la construcción de viviendas públicas continuará estimulando la economía y (7) las gestiones que se vienen realizando en el Congreso de los Estados Unidos para lograr que el gobierno de Puerto Rico pueda depender de fondos federales adicionales.[11]

LA POBLACIÓN

Uno de los aspectos más cambiantes en Puerto Rico es el de la población. Veamos algunos detalles significativos relacionados con los cambios poblacionales.

*El crecimiento poblacional hasta el 1940* [12]

No sabemos a ciencia cierta cuál era la población indígena de Puerto Rico al momento del descubrimiento. Posiblemente no excedió los 100,000 habitantes. Sabemos, sin embargo, que la cantidad de indios fue mermando año tras año, debido a varias razones. Para fines del siglo XVIII quedaban poco más de 2,000 indios en Puerto Rico. Los negros esclavos fueron sustituyendo a los indios, a medida que el número de estos disminuía.

En 1765 se realizó el primer censo oficial en Puerto Rico. La población total de la Isla para ese año era de 45,000 habitantes; 40,000 eran libres y el resto eran esclavos. Los datos relacionados con la población, que nos suplen los historiadores, antes del censo de 1765, indican que el crecimiento poblacional durante los dos primeros siglos del régimen español fue muy pequeño. La población empezó a crecer más rápidamente para fines del siglo XVIII.

No se sabe con seguridad cuántos censos se llevaron a cabo durante la dominación española, o mejor dicho, cuántos fueron estimados de población. Se tiene, sin embargo, información poblacional sobre un número de años.

11. *Ibid.*
12. José L. Vázquez. «El crecimiento poblacional de Puerto Rico - 1493 al presente.» En *Revista de Ciencias Sociales*, Vol. XII, Núm. 1, marzo de 1968, pp. 5-22.

De acuerdo con los datos disponibles, de 45,000 habitantes en 1765 la población aumentó a cerca de 800,000 en 1887, multiplicándose casi 18 veces. A pesar de ese aumento registrado, la tasa de crecimiento fue en descenso año tras año. Es significativo el hecho de que, en la década de 1765 a 1775 el promedio de crecimiento anual fue de 5.65 por ciento. Es igualmente significativo el dato del crecimiento de este aumento en cada período de los que se tiene conocimiento, hasta llegar a .91 por ciento en la década de 1877 a 1887. El descenso en la tasa de crecimiento entre 1765 y 1887 se debió a una reducción en la tasa de natalidad y en la inmigración.

Ya para el régimen americano, el censo de 1899, registra una población de 953,243 habitantes. A partir de 1910 la Isla forma parte del área del censo de los Estados Unidos, que se realiza cada 10 años. Según revelan los censos federales, el crecimiento poblacional no ha sido uniforme. La tasa anual de crecimiento fue en aumento en cada uno de los censos, hasta el 1940; de 1.5 por ciento en 1910 a 1.9 por ciento en 1940. La población creció a un ritmo acelerado de 1899 a 1940, impulsada por un descenso en la mortalidad y una baja leve en la natalidad. La migración no fue un factor significativo en esos años. De 1,118,012 habitantes registrados en 1910, la población alcanzó a 1,869,255 en 1940.

*Crecimiento poblacional después de 1940*

Como hemos dicho, el ritmo de aumento poblacional fue ascendente hasta 1940. En 1950, sin embargo, la tasa de aumento fue de 1.7 por ciento. En 1960 fue aún menor —.06 por ciento, cifra que constituyó la tasa más baja de crecimiento que hemos tenido.

No debe perderse de vista el efecto sobre la población que ha producido la emigración de puertorriqueños al exterior. El movimiento migratorio fue alto entre el 1945 y el 1960. Durante ese período de 15 años emigraron cerca de 565,000 puertorriqueños. Alrededor de uno de cada cuatro de los habitantes de Puerto Rico emigraron durante ese período. No cabe duda que la reducción registrada en el ritmo de crecimiento durante ese período se debió principalmente a la elevada emigración. El movimiento migratorio fue mayor en la década de 1950-1960. La tasa de emigración en esa década fue de 19.9 (casi 20) por cada 1,000 habitantes. Esto explica el bajo crecimiento poblacional, a pesar del aumento en el crecimiento biológico (natalidad menos mortalidad). Sin embargo, desde 1960 hasta el 1965, como resultado de la reducción en la emigración, se volvieron a registrar aumentos considerables en la población. Las condiciones económicas de la Isla mejoraron e hicieron posible que los puertorriqueños consiguieran en su tierra mejores oportunidades de empleo.

La baja tasa de mortalidad también ayuda a explicar el crecimiento poblacional. La tasa de mortalidad, que era 18 por mil habitantes en 1940, bajó a 10 en 1950, a 7 en 1960 y a 6 en 1968, según datos del Departamento de Salud de Puerto Rico. La reducción en la mortalidad se ha debido principalmente al progreso habido en el control de las enfermedades infecciosas y parasitarias y en la extraordinaria reducción en la mortalidad infantil. Como consecuencia de estos logros en el control de la mortalidad, la expectativa de vida de Puerto Rico ha aumentado considerablemente: de 30 años en los comienzos del siglo a 71 años en el 1974.

La emigración vuelve a aumentar de 1965 a 1968. Afortunadamente la tasa de natalidad empezó a bajar drásticamente en 1966 (29 por mil habitantes en 1966 y 26 en 1968.) Según la Junta de Planificación de Puerto Rico, en su *Informe económico al Gobernador* para el 1969, ambos hechos —la baja natalidad y al alta emigración— logran reducir el crecimiento poblacional hasta .97 por ciento en el año fiscal 1968. En 1969 el crecimiento poblacional registró un aumento, después de haberse mantenido a niveles bajos durante dos años consecutivos y a pesar de que la natalidad ha seguido bajando. Este incremento fue resultado del cambio del curso experimentado por la corriente migratoria, ocurriendo una inmigración que alcanzó ese año (1969) la cifra de 7,047 personas.[13]

## Información del censo de 1960

Como indican los censos federales, la población de Puerto Rico ha ido aumentando continuamente. Sin embargo, tenemos que señalar el hecho de que la proporción de aumento de un censo al otro va disminuyendo. El censo de 1940 demostró un aumento poblacional del 21 por ciento sobre el de 1930; el censo de 1950 reveló un aumento del 17 por ciento sobre el de 1940, mientras que el censo de 1960 demostró un aumento de solo el 6.3 por ciento sobre el de 1950. Desde 1960 hasta el presente, como resultado de la reducción en la emigración, se han vuelto a registrar aumentos en la población.

El censo de 1960 indica que unos cuarenta municipios perdieron población durante la década de 1950 al 1960 y que solo siete tuvieron un aumento de más de 20 por ciento en la misma década, siendo estos San Juan y los del área vecina. La población de Puerto Rico, según el censo de 1960, es de 2,349,544 habitantes; un aumento de 138,831, o sea, 6.3 por ciento sobre los 2,210,713 habitantes que había en 1950.

Los municipios que más crecieron en la década del 1950-60 fueron San Juan, Bayamón, Carolina, Guaynabo, Cataño, Toa Baja y Trujillo Alto, todos con 25 por ciento o más de aumento. Otros municipios relativamente cercanos a la zona metropolitana también tuvieron aumentos considerables de población. Estos municipios son Dorado, Loíza, Toa Alta, Aguas Buenas, Naranjito, Caguas, Cidra y Vega Alta.

Como hemos indicado, la zona metropolitana es el área de mayor concentración poblacional. Muchos factores han contribuido a que la población se concentre en este zona, entre ellos el interés del pueblo por mayores oportunidades de empleo y de educación y por mayores facilidades en general. Ha sido en el área metropolitana donde ha habido el mayor progreso industrial de los últimos años. Este crecimiento sin precedentes crea serios problemas de vivienda, educación, empleo y vigilancia.

Según el informe económico al Gobernador, que rindió la Junta de Planificación en 1969, de continuar las tendencias actuales se espera que la población urbana alcance un 53 por ciento en 1970 y un 62.2 por ciento en 1980. Esto implica que casi las dos terceras partes de la población de Puerto

---

13. Junta de Planificación. *Op. cit.*, pp. 156-157.

Rico estarán ubicadas en la zona urbana para el 1980. Debido a este crecimiento urbano tendremos que esperar mayores problemas asociados con la
vivienda, el transporte, la comunicación, la educación, la salud y los servicios
en general. El gobierno tendrá que asumir la responsabilidad ante estos
desarrollos, si no queremos que se intensifiquen los problemas sociales que
surgen como consecuencia del urbanismo.

*Información del censo de 1970*

Puerto Rico contó con una población de 2,712,033 habitantes, según los
resultados oficiales del Censo de Población para el 1970. Esto representa un
aumento de 362,489 habitantes, o sea, 15.4 por ciento sobre la población de
1960 que era de 2,349,544 personas. Se estima que la población haya alcanzado
los tres millones de personas para el 1974.

El censo revela que el crecimiento poblacional de Puerto Rico ha vuelto
a sus niveles altos, como en los censos anteriores al 1960. Como hemos dicho
antes, el ritmo de aumento entre 1950 y 1960 fue solo de 6.3 por ciento. Se
hace cada día más evidente la necesidad de dar más énfasis a la planificación
familiar.

¿A qué se debe que el crecimiento de la población haya vuelto a sus
niveles altos? Veamos cómo contesta esta pregunta el Dr. José L. Vázquez
Calzada.[14] Explica el conocido demógrafo, que se debe a una significativa
reducción en el balance neto emigratorio. Los datos del censo indican que
el balance de emigración para la década de 1960-70 experimentó un pequeño
aumento de alrededor de 260,000 personas, cifra muy inferior a la de la década anterior que fue de 430,000. Esta reducción en el balance neto emigratorio tal vez se deba, en parte, a una baja en la emigración de puertorriqueños a Estados Unidos. Otro factor importante en la reducción de este
balance, sigue diciendo el doctor Vázquez Calzada, ha sido la corriente de
inmigración a Puerto Rico de norteamericanos, cubanos y otros extranjeros.

Según los datos ofrecidos por el Negociado del Censo, tres de cada
cinco puertorriqueños residían en áreas urbanas en 1970, con un total de
1,136,542 personas residiendo en dichas áreas, o sea, un total de 58.1 por
ciento de la población.

La población del área metropolitana de San Juan creció 31.4 por ciento,
entre 1960 y 1970, esto es, de 647,949 a 851,247, a pesar de que San Juan en
sí registró un aumento de solo 11,584 habitantes. El crecimiento de la zona
metropolitana de San Juan se debió al aumento en los lugares adyacentes
que la integran. Ahora contamos con cuatro zonas metropolitanas. En adición a San Juan, Ponce y Mayagüez, ahora Caguas, por su tremendo crecimiento urbano, se ha convertido en área metropolitana, de acuerdo con el
Censo.

San Juan continúa siendo la primera ciudad y Ponce conserva el segundo
lugar, seguido por Bayamón, Carolina, Caguas, Mayagüez, Arecibo, Guaynabo,
Aguadilla y Toa Baja, en este orden. Es interesante señalar algunos cambios
entre 1960 y 1970 en cuanto a la población de los primeros diez municipios.
Carolina ocupa el cuarto lugar; ocupaba el octavo en 1960. Mayagüez ocupa

14. *El Mundo*, 20 de septiembre de 1970, p. 9A.

ahora el sexto lugar; era el tercero en 1960. Toa Baja, que en 1960 era un municipio de unos 19,698 habitantes ocupa ahora el décimo lugar. Humacao ha perdido su lugar entre los primeros diez municipios.

Los municipios que perdieron población son Las Marías, Maricao, Ciales, Utuado, Jayuya, San Sebastián, Adjuntas, Lares, Salinas, San Lorenzo y Arroyo. Los primeros cuatro municipios fueron los que más población perdieron, con por cientos que fluctúan entre 15 y 12. Con excepción de Salinas, Arroyo y San Lorenzo, todos los municipios que perdieron población están en la zona cafetalera.

La gran mayoría de los municipios aumentó su población en la década del 1960-70. Los que más crecieron fueron los más próximos a San Juan: Bayamón, Carolina, Caguas, Guaynabo, Trujillo Alto y Toa Baja. El único municipio fuera de esta zona que tuvo un aumento considerable de población fue Hormigueros.

*El problema poblacional*

Puerto Rico sigue confrontándose con el difícil y crítico problema del crecimiento poblacional, ya que los recursos disponibles son insuficientes para mantener en forma adecuada las necesidades del pueblo. En la actual tasa de natalidad de 26 por mil contra una mortalidad de 6, el crecimiento natural de la población es de 2 por ciento al año. A ese ritmo, la población es capaz de doblarse cada 35 años. Si esto sucediera, para principios del siglo XXI, nuestra población alcanzaría una cifra de alrededor de 5.6 millones, y una densidad poblacional de más de 1,600 personas por milla cuadrada.[15] Como dice el informe del subcomité de población, dada la casi certeza de que la tasa de mortalidad se mantendrá más o menos estacionaria y la incertidumbre de la dirección y magnitud de los movimientos migratorios futuros, únicamente una reducción en los niveles de natalidad podría con seguridad estabilizar la población de Puerto Rico. La cantidad de familias de bajos ingresos y poca educación complica el problema poblacional, ya que estos son los grupos que más se reproducen.

Continuaremos haciendo referencia al informe sometido al Gobernador por el subcomité de población para presentar la gravedad del problema y su efecto en los diferentes programas gubernamentales.

La población de Puerto Rico es muy joven. En 1968, según datos del Departamento de Salud, el 39.1 % de la población tienen menos de 15 años. Puerto Rico tiene, además, una proporción alta de mujeres en las edades reproductivas. Según el informe del subcomité de población, antes mencionado, alrededor del 47 por ciento de su población femenina está entre los 15 y los 49 años, es decir, dentro del llamado período reproductivo de la mujer. Es de esperarse, por lo tanto, un aumento en los nacimientos.

En términos de ingreso, Puerto Rico es extremadamente pobre, comparado con Estados Unidos. A pesar del ritmo de crecimiento experimentado en la Isla, el ingreso per cápita sigue siendo bajo. Desde 1955, el ingreso per cápita promedio ha aumentado $1,536 en los Estados Unidos, $1,037 en

---

15. Informe al Consejo del Gobernador, Subcomité asesor de Población. En *Población*, 15 de octubre de 1969, p. 8.

Mississippi y solo $700 en Puerto Rico. Para 1968, el ingreso per cápita en estos tres lugares era el siguiente: Estados Unidos, $3,412; Mississippi, $2,057, y Puerto Rico, $1,143.

El ingreso personal bajo y la mala distribución del ingreso familiar, complican el problema poblacional. Mientras en Estados Unidos solo el 13 por ciento de las familias tenían un ingreso anual de $3,000 o menos en 1967, en Puerto Rico 51 por ciento de las familias caía dentro de esa categoría. La pobreza agrava nuestro problema poblacional debido a la elevada tasa de nacimientos entre las familias más necesitadas. Los bajos ingresos y la alta fecundidad corren en pareja.

Además de la condición de pobreza que caracteriza la Isla debido a su problema poblacional, se señala también la magnitud del desempleo. El desarrollo económico no ha logrado bajar sustancialmente la tasa de desempleo. La Junta de Planificación, en su informe económico al Gobernador, señala que el desempleo en Puerto Rico resultó ser en 1969 menor que el registrado el año anterior. Aproximadamente unas 86,000 personas estaban desempleadas en 1969; es decir, buscaban trabajo. Este total de desempleados es 10,000 menos que el año anterior. El desempleo alcanzó el 10.7 por ciento en 1969 en comparación con 12.2 por ciento durante el año anterior. De las 86,000 personas que estaban desempleadas, 67,000 eran varones. La incidencia de desempleo es mayor entre las personas jóvenes, entre los 16 y 24 años de edad. De acuerdo con el informe al consejo asesor del Gobernador, el número de personas deseosas y capacitadas para trabajar asciende a 252,000. Quiere decir que en Puerto Rico más del 25 % de la fuerza obrera potencial está desempleada en el sentido corriente y ordinario de la palabra.[16]

La elevada población continuará creando problemas de vivienda. Se calculan en 175,000 las unidades de vivienda inadecuada, cuyos ocupantes carecen de medios suficientes para financiar la compra de una casa. A un costo promedio de $15,000 por unidad, este total de 175,000 viviendas equivale a una inversión de $2,625,000,000. Los desembolsos del gobierno estatal para la construcción de viviendas públicas durante el año fiscal (1969) son de alrededor de $39,000,000, suma que equivale a tan solo uno y medio por ciento de la deficiencia actual en viviendas.[17]

En el campo de la salud nos confrontamos con graves problemas para ofrecer servicios adecuados a toda la población, si tenemos en cuenta la complejidad de los servicios a ofrecerse.

Los esfuerzos del gobierno en materia de educación se diluyen debido a la matrícula excesiva en nuestras escuelas. Esto da lugar al fracaso del proceso educativo y al abandono tempranero de las aulas por parte de los alumnos. Se ha dicho que para suplir los servicios educativos adecuados para toda la población de edad escolar será necesario aumentar los gastos del gobierno en educación primaria y secundaria de $150,000,000 en 1969 a $557,000,000 en 1978. Aun cuando llegáramos a tener fondos tan cuantiosos para este propósito, todavía estaríamos gastando por estudiante mucho menos del promedio que Estados Unidos gasta ahora por alumno.

---

16. *Ibid.*, p. 14.
17. *Ibid.*, p. 18.

*El control de la natalidad*

En Puerto Rico son muy numerosas las familias que carecen de ingresos suficientes paar proveerles adecuadamente a sus hijos educación, atención médica, vivienda, alimentación y ropa. El gobierno tampoco puede asumir completa responsabilidad por estos servicios. El Estado recibirá muy pocos ingresos de este enorme segmento poblacional que vive en la pobreza. Por otro lado, tendrá que ofrecer mayores servicios públicos a este grupo tan numeroso. Aun cuando nuestro desarrollo económico siguiese a un ritmo acelerado proveyendo mayores ingresos y empleos, y nuestra emigración neta se mantuviera en estado favorable, no podríamos estar seguros de que estos factores resolverían nuestro problema poblacional. Existen deficiencias en todos los programas del Gobierno. La corrección de estas deficiencias en un término de diez años requerirá desembolsos casi el doble del nivel actual. Es necesario, por lo tanto, establecer un programa riguroso de planificación familiar.

Los primeros pasos para el establecimiento de un programa de planificación familiar fueron iniciados en Puerto Rico en 1925, bajo la dirección del Dr. José A. Lanauze Rolón. Esta "liga de control de la natalidad", como así se llamaba, tuvo un vida muy corta, debido a los ataques de la Iglesia Católica. En 1932 se instalaron las primeras clínicas para el control de la natalidad, que duraron poco tiempo. En 1935 se establecieron nuevas clínicas en San Juan y en el resto de la Isla. Por falta de fondos tuvieron que cerrar en 1936. Ese mismo año se fundó una asociación interesada en el control de la natalidad, y se establecieron 23 clínicas. En 1937 se aprobó nuestra llamada ley neomaltusiana, que puso el control de la natalidad en manos del gobierno insular. Para 1939 se ofrecían servicios anticonceptivos en las unidades de salud pública. El programa anticonceptivo por parte del gobierno, nunca fue de la altura esperada, quizás por temor a la oposición de la Iglesia Católica. Como dice Cofresí,[18] "esta actitud timorata de parte de nuestro gobierno respecto al control de la natalidad ha inducido otra vez a los ciudadanos particulares a intervenir activamente en la lucha anticonceptiva". En 1946 se creó la Asociación de Estudios Poblacionales, que hacía propaganda a favor del control de la natalidad. Esta Asociación fue el núcleo para la formación de la Asociación Puertorriqueña Pro Bienestar de la Familia, en 1954.

*La Asociación Puertorriqueña Pro Bienestar de la Familia.* Esta es una asociación privada de carácter no pecuniario. Se mantiene muy activa en los programas de orientación para el control de la natalidad y lleva a cabo un programa directo para atacar el problema poblacional de Puerto Rico.

Desde 1956 hasta 1965, la Asociación se sostuvo económicamente con la aportación generosa de un millonario norteamericano. En el 1966 empezó a recibir fondos de la Oficina de Oportunidades Económicas de los Estados Unidos. A la vez se sostenía con fondos de la propia Asociación. Actualmente percibe fondos del gobierno de Puerto Rico y del gobierno federal. Trabaja

---

18. Emilio Cofresí. «El control de la natalidad en Puerto Rico.» En *Revista de Ciencias Sociales,* Vol. XIII, Núm. 3, sept. de 1969, pp. 379-385.

en coordinación con el programa de planificación familiar que auspicia nuestro gobierno.

La Asociación ha tenido grandes logros desde su fundación. En un momento en particular, ofrecía servicios en 60 municipios de la Isla. Sobrepasan de 200,000 los puertorriqueños que han recibido los servicios de planificación familiar de la Asociación.

*Programa gubernamental - 1969-72.* Tanto el gobierno local como el federal están demostrando mucho interés en el control de la natalidad. Gracias a la ayuda federal, están operando tres programas de planificación familiar en Puerto Rico. El gobierno federal ha asumido la posición de que la planificación de la familia debe formar parte integrante de los servicios de salud que el gobierno presta a madres y niños.

Como ya hemos dicho, 60 municipios de la Isla reciben orientación y servicio directo en la planificación de la familia de parte de la Asociación Puertorriqueña Pro Bienestar de la Familia. En adición a los servicios prestados por esta Asociación, en Puerto Rico funcionan otros dos programas de planificación familiar. Uno funciona en el Distrito Noroeste de Salud de Puerto Rico, que comprende 16 municipios. La Isla ha sido divida en cinco zonas de salud, y en una de ellas, la del Noroeste, se proporciona información adecuada sobre los métodos anticonceptivos. Este programa funciona desde 1965. El propósito del gobierno es extender ese servicio a otras zonas.

También funciona otro programa de planificación familiar, desde septiembre de 1969, en el municipio de San Juan. Se utilizan las facilidades del gobierno municipal. El programa se inició en los barrios de la Capital designados dentro del Proyecto Ciudad Modelo. Desde noviembre de 1969, el programa se extendió al resto de la población de la Capital, y se usaron las facilidades del Departamento de Salud, además, de las municipales.

Además de estos programas, el Departamento de Servicios Sociales de Puerto Rico recibió de la Legislatura una asignación de $600,000 para llevar a cabo actividades de planificación familiar entre los clientes del Departamento, que incluyen a más de 50,000 mujeres.

Según el Informe al Consejo Asesor del Gobernador,[19] los servicios de planificación de la familia alcanzaron en 1969 a cerca de 50,000 mujeres médicamente indigentes, de las cuales 33,000 recibieron los servicios de la Asociación Puertorriqueña Pro Bienestar de la Familia y 17,000 los del programa del Distrito Noroeste de Salud. Al finalizar este año, el número de mujeres atendidas puede llegar a 75,000. El total de mujeres fecundas, médicamente indigentes, se estima en 200,000.

En su mensaje del 14 de enero de 1970, a la Sexta Asamblea Legislativa, el ex Gobernador Luis A. Ferré dijo: "Llegamos ahora a lo que quizás sea el mayor obstáculo a la realización de la Gran Tarea que nos hemos propuesto. Me refiero a nuestro crecimiento poblacional... Nuestra responsabilidad ante ese serio problema... es clara. Tenemos el indeclinable deber de auspiciar un vigoroso y amplio programa de planificación familiar. Hay que proveer a nuestras familias toda la orientación social y religiosa y los conocimientos y servicios médicos necesarios para que, voluntariamente y en paz con su conciencia y sus convicciones religiosas, planifiquen su familia. Recomiendo

---

19. Informe al Consejo Asesor. *Op. cit.*, pp. 25-26.

que se extienda a toda la Isla de Puerto Rico un programa formal de orientación y servicio de planificación voluntaria."

Como hemos visto, el Gobierno se ha comprometido a implementar un programa de planificación familiar en todo Puerto Rico. Es necesario reducir el actual crecimiento poblacional, si queremos resolver nuestros problemas básicos. Para implementar el programa, el Gobernador incluyó en el proyecto de presupuesto una asignación de $600,000 al Departamento de Servicios Sociales y otra suma igual al Departamento de Salud.

El Subcomité de Población, en su informe al Consejo Asesor del Gobernador, reconoce que el proveer servicios para la planificación familiar a aquellos que carecen de recursos y de educación es responsabilidad del gobierno. El subcomité traza planes para un programa completo de planificación familiar que cubra toda la Isla. Recomienda que el Departamento de Salud provea estos servicios en cada uno de los Centros de Salud, unidades de salud y hospitales en cada municipio. El subcomité recomienda que la orientación y los servicios se suministren con arreglo a los dictados de la conciencia de los ciudadanos y, en el caso de los ciudadanos que profesan una fe, en consulta con los ministros de ella. El comité repudia cualquier programa de acción que implique la coacción expresa o implícita para inducir al puertorriqueño a controlar la natalidad en aras de principios económicos abstractos. Dice específicamente el informe: "Rechazamos toda clase de imposición, de la índole que sea, como un atentado a la libertad del individuo. La única consideración acreedora al respeto de todos es el bienestar de la familia puertorriqueña y su derecho al disfrute pleno de los logros de la civilización contemporánea".[20]

*Programa gubernamental - 1973-75.* En 1973, el gobierno se reafirmó en que es indispensable vigorizar la planificación familiar para comenzar a darle solución real al problema de desempleo y a otros problemas fundamentales de Puerto Rico. En 1974 se creó en el Departamento de Salud una Secretaría Auxiliar a cargo de planificación familiar. Todos los programas de planificación familiar han sido consolidados en esta agencia. Los esfuerzos de esta Secretaría Auxiliar están dirigidos a reducir la tasa de nacimientos, sobre una base voluntaria. Actualmente, en todos los municipios de la Isla se ofrece orientación sobre planificación familiar. Esta orientación va dirigida especialmente a las mujeres de niveles económicos bajos. En 25 centros a través de la Isla se ofrecen los servicios de esterilización, que es el método preferido para el control de la natalidad en Puerto Rico, según el Secretario Auxiliar de este programa.[21] El Secretario revela que el programa está teniendo oposición no solo de la iglesia, sino también de grupos independentistas, que lo describen como genocidio contra las clases pobres. Según el Secretario Auxiliar, los grupos izquierdistas se expresan violentamente en contra de la planificación familiar, "alegando que esta es solo un complot de las clases acomodadas por tratar de recortar las clases más pobres y así eliminar la fuerza de presión más grande que hay en una sociedad para instituir cambios sociales".[22]

Hoy día, al vernos azotados por problemas económicos agobiantes, es-

20. *Ibid.,* pp. 23-24.
21. *The San Juan Star,* 22 de enero de 1975, p. 14.
22. *El Mundo,* 29 de mayo de 1975, p. 7A.

tamos más conscientes de la necesidad de haber contado con un programa enérgico de control de la natalidad y de planificación familiar, desde el momento en que se inició el programa industrial de Puerto Rico. Así lo informó recientemente el Administrador de Fomento Económico, cuando dijo que "la experiencia ha enseñado que perdimos de vista un punto importante cuando echamos a girar la rueda de Fomento". Continuó diciendo que "no nos ocupamos desde el principio de aplicar políticas y programas encaminados a reducir nuestro rápido crecimiento poblacional".[23] El Administrador de Fomento Económico considera que el problema de la planificación familiar y la necesidad de trazar una política poblacional es asunto de primera prioridad para Puerto Rico y que debemos asignar recursos suficientes para atenderlo.

*Posición de la Iglesia Católica.* En una declaración del Episcopado Católico de Puerto Rico sobre el control de la natalidad y la planificación de la familia, de 1970, la Iglesia expresa su preocupación por que el problema poblacional de Puerto Rico haya alcanzado dimensiones tan alarmantes, y afirma que "estamos dispuestos a colaborar en cualquier intento de solución que esté de acuerdo con las doctrinas de la Iglesia". Más adelante en la Declaración, los Obispos se comprometen a dar su apoyo a una campaña intensiva de educación e instrucción de los esposos para que sepan, libremente, ejercer el derecho a una paternidad responsable.

Los Obispos hacen suyas las expresiones del Subcomité de Población del Comité Asesor del Gobernador en el sentido de que se instruya a los matrimonios para que utilicen libremente la orientación y los servicios que le ofrezca el Estado, con arreglo a los dictados de sus conciencias, de tal manera que nadie se vea obligado a actuar contra sus convicciones morales. Por último, recalcan los Obispos que como es el Estado el que tiene la función de velar por el bien común, el programa de planificación familiar debe estar manejado directamente por el Estado.

## La migración

No se puede hablar de la población de Puerto Rico sin dejar de mencionar la migración de puertorriqueños y la entrada de extranjeros. La emigración o salida de puertorriqueños al exterior no es un fenómeno nuevo. Empezó con la invasión norteamericana a Puerto Rico. El éxodo hacia los Estados Unidos, especialmente hacia Nueva York, aumentó después de 1917, cuando se nos otorgó la ciudadanía americana. En la década del 20 la emigración fue altísima, alcanzando la cifra de 42,000 puertorriqueños. Se redujo en la próxima década debido a la depresión económica, pero aumentó nuevamente en la década del 40. La primera migración aerotransportada, como le llama Montserrat,[24] ocurrió en 1946. Antes de 1946, había entre 50,000 y 75,000 puertorriqueños en Nueva York. No existía allí todavía "el problema puertorriqueño". La existencia de métodos modernos de transportación a bajo costo, la abundancia de las oportunidades de empleo en los Estados

---

23. *El Mundo*, 15 de mayo de 1975, p. 3A.
24. Joseph Montserrat. «Puerto Rican Migration: The Impact on Future Relations.» En *Howard Law Journal*, Vol. 15, Fall, 1968, pp. 11-25.

Unidos, la ausencia de restricciones de inmigración debido a la ciudadanía americana y el deseo de mejorar económicamente del puertorriqueño, fueron los factores responsables del aumento extraordinario observado en la emigración una vez terminada la Segunda Guerra Mundial.

Emigraron alrededor de 135,000 puertorriqueños de 1945-49 y 430,000, entre 1950 y 1959. Los años de 1952 y 1953 fueron los de mayor emigración: 60,000 en 1952 y 70,000 en 1953. Las oportunidades de empleo para los puertorriqueños en los Estados Unidos eran buenas durante esos años en que se libraba el conflicto de Corea. La emigración empezó a bajar en el quinquenio de 1960-65. La emigración fue baja en 1960, y bajísima en 1961, cuando entraron a Puerto Rico más personas que las que salieron. El 1961, fue un año de flujo de extranjeros y de regreso de nuestros ciudadanos. La situación cambió de nuevo en 1962. En este año la salida de puertorriqueños al exterior fue de 12,000. Volvió a descender en el 1963: entraron más que los que abandonaron la Isla.

La migración de puertorriqueños hacia los Estados Unidos volvió a aumentar en 1964 y siguió aumentando hasta 1967. En ese año abandonaron la Isla alrededor de 27,000 puertorriqueños. La abundancia de empleos en los Estados Unidos y la demanda de trabajadores estimularon la salida de los boricuas. La emigración declinó de nuevo considerablemente en el 1968. En ese año hubo mayor inmigración a Puerto Rico que emigración al exterior. El promedio de emigración neta (diferencia entre los que salen y los que entran) para el período de 1960 al 1968 es de menos de 8,000 personas por año, comparado con un promedio anual de 43,000 durante la década del cincuenta.

Un estudio realizado por el Departamento del Trabajo de Puerto Rico [25] revela información de importancia que presenta las características de los emigrantes para el año 1965. Ese año emigraron un total de 66,000 personas, procedentes principalmente de la zona rural. El 59 por ciento fue de dicha zona y el 41 por ciento de la zona urbana. Predominaron los varones, o sea un 69.4 por ciento.

Como hemos dicho antes, los datos del Censo de 1970 indican que el balance de emigración para la década de 1960-70 experimentó un pequeño aumento de 260,000 personas, cifra inferior a la de la década de 1950-60.

La emigración que ha ocurrido en Puerto Rico es un movimiento predominantemente rural de los varones jóvenes en busca de mejores oportunidades. Según el referido informe, los emigrantes poseen tres caractrísticas: son mayormente varones, procedentes de la zona rural y de familias de bajos ingresos. La mayor parte de los emigrantes (63 por ciento) procede de familias de ingresos menores de $2,000. Se ha acentuado la salida de personas entre las edades de 14 a 24 años. Este fenómeno ocurre tanto entre los varones como entre las mujeres. Es conveniente señalar que la emigración se lleva no solo a los jóvenes, sino también a los mejor preparados.

De acuerdo con los cálculos de la División de Migración del Departamento del Trabajo, para junio de 1968 residían en los Estados Unidos un total de 1,200,00 puertorriqueños, o sea, que de cerca de cuatro millones de puertorriqueños, un 28 por ciento, casi una tercera parte de todos los puer-

---

25. *Migration.* Trabajo preparado por el Departamento del Trabajo. En mimeógrafo, sin fecha.

torriqueños, reside en los Estados Unidos. Una tercera parte de los puertorriqueños que residen en Estados Unidos nació allá y dos terceras partes nacieron en Puerto Rico. Para propósitos del trabajo que realiza con los puertorriqueños en Estados Unidos, la División de Migración divide la población puertorriqueña en tres grupos:

Grupo I — representa la primera generación de los puertorriqueños, o sea, los nacidos y criados en Puerto Rico que han emigrado a los Estados Unidos ya adultos.

Grupo II — identificado como la Generación del Puente, también nacieron en Puerto Rico, pero migraron hacia los Estados Unidos y terminaron su educación en Estados Unidos. Conocen la realidad de Puerto Rico y mucha de la realidad de los puertorriqueños en los Estados Unidos.

Grupo III — la segunda generación — representa en gran parte a los puertorriqueños nacidos en Estados Unidos, que aunque por muchas razones son puertorriqueños, desconocen lo que es ser puertorriqueño en Puerto Rico por no haber vivido acá, pero sí conocen lo que representa ser puertorriqueño en Estados Unidos.

No cabe duda que la División tiene que tomar en cuenta las características de estos tres grupos al desarrollar su programa de actividades. También tiene que considerar los cambios sociales que se están produciendo en los Estados Unidos. Nos referimos específicamente al problema racial, el que indudablemente presenta dificultades especiales a los miembros del Grupo III. Este grupo nunca ha vivido en Puerto Rico. Por lo tanto, no ha tenido la experiencia de vivir en una sociedad donde no existe el llamado "problema racial", en la forma en que existe en los Estados Unidos. Refiriéndose a este problema, continúa diciendo la publicación del Departamento del Trabajo antes mencionada, que los miembros del Grupo III solo conocen la realidad de valores humanos que existen en los arrabales urbanos en donde se ha criado y se está criando la mayoría de ellos. Debido a esto, muchos de estos jóvenes se identifican más con los valores del negro urbano de Estados Unidos y no entienden los valores de sus padres en cuanto al "problema de color". Esta realidad puede tener serias consecuencias para Puerto Rico.

*Efectos de la migración.* La migración, aunque voluntaria, es parte integrante del programa de desarrollo económico y social del Estado Libre Asociado de Puerto Rico. Lo es porque la emigración ha producido ciertos cambios favorables que se reflejan en la situación poblacional. Ha ayudado a mantener el índice poblacional más o menos estable, con los correspondientes efectos en el empleo y el desempleo, la educación, la vivienda, la salud y otros aspectos del desarrollo de los programas del gobierno. Lo emigrantes también han aumentado sus ingresos.

Según Vázquez Calzada,[26] la emigración no es ni puede ser solución para el problema del desbalance entre la población y los recursos. Puerto Rico ha estado preparando a su gente, pagando los costos de crianza, educación y entrenamiento para que se vayan a producir a otra parte. Estamos per-

---

26. José C. Vázquez Calzada. «La emigración puertorriqueña, ¿solución o problema?» En *Revista de Ciencias Sociales*, Vol. VII, dic°. de 1963, pp. 323-332.

diendo gente joven, bien preparada. Desde el punto de vista económico, la emigración es una solución muy costosa.

Visto desde otro ángulo, la emigración también crea problemas sociales al migrante puertorriqueño. Además del discrimen social y económico, se crean otros males. La emigración representa un rompimiento con las costumbres, los valores y las normas culturales. En muchos casos trae la desorganización de la vida familiar. Como dice Vázquez Calzada, la emigración casi siempre resulta en un relajamiento de los controles sociales, que los grupos como la familia, la iglesia y el vecindario imponen al individuo. Por esta razón, el crimen y la delincuencia tienden a ser considerables entre los recién llegados.

*La inmigración.* La inmigración, que se había mantenido baja por muchos años, aumentó considerablemente a partir del 1964. Al finalizar el año fiscal 1963-64 la inmigración alcanzó la cifra de 51,000 personas, manteniéndose más o menos estable por los próximos años. La inmigración durante el año 1966 fue levemente inferior a la del año anterior. Durante ese año entraron a Puerto Rico unas 49,600 personas, registrándose una baja en la entrada de puertorriqueños y un aumento de extranjeros y norteamericanos. De acuerdo con un estudio del Departamento del Trabajo,[27] en 1966 vinieron a residir a Puerto Rico unas 35,800 personas nacidas en Puerto Rico o nacidas en el exterior de padres puertorriqueños. Entraron unos 5,400 americanos en comparación con 3,700 que entraron el año anterior. Llegaron 3,200 cubanos. Se observó una baja en la entrada de dominicanos: 600 en total, casi la mitad de los que llegaron el año anterior. Se observó, sin embargo, un aumento notable en la entrada de otros extranjeros: españoles, chilenos, etc. Llegaron un total de 4,630 extranjeros en 1966, contra 1,600 el año anterior.

La composición de los diferentes grupos nacionales que entran a Puerto Rico varía de unos años a otros. En 1968, por ejemplo, la entrada de cubanos se mantuvo estable, aumentó considerablemente el número de dominicanos (1,600) y se redujo sustancialmente el grupo de otros extranjeros.

Con relación a la inmigración durante el 1965-66, dice el Departamento del Trabajo en el estudio antes citado, que esta se concentra en las personas mayores de 25 años y entre los niños menores de 5 años (61.4 por ciento). Si la inmigración consiste mayormente de personas jóvenes en edades productivas, estas dos corrientes tienen repercusiones en la estructura por edad y sexo de la población de Puerto Rico.

Durante los años fiscales de 1971-72 al 1973-74 hemos tenido una inmigración neta de 106,000 personas. La inmigración neta y nuestra alta tasa de natalidad contribuyen a aumentar la fuerza trabajadora a razón de 26,000 personas anualmente. En los últimos años, el crecimiento de la fuerza trabajadora ha hecho aumentar nuestra tasa de desempleos. Se nota la tendencia cada día mayor de los puertorriqueños e hijos de puertorriqueños a regresar a Puerto Rico. También se nota la tendencia de extranjeros a entrar a Puerto Rico, no necesariamente siempre por medios legales. Refiriéndose a este asunto, dice el Gobernador en su Mensaje a la Asamblea Legislativa, el 3 de marzo de 1975: "La entrada ilegal de extranjeros está aumentando. La misma es un elemento que agrava nuestro problema poblacional. Para com-

---

27. *Migración.* En *Op. cit.*

batir este problema con mayor efectividad someteré un proyecto de ley encaminado a aumentar las penalidades por el empleo de extranjeros que hayan entrado ilegalmente al país".

De acuerdo con un informe del Comisionado Regional del Servicio de Inmigración y Naturalización, un total de 6,205 extranjeros ilegales fueron arrestados en el distrito de San Juan (incluye a las Islas Vírgenes) durante el 1974, y estimó que "por cada uno que arrestamos, sería razonable decir que tres o cuatro se nos escapan".[28]

*La migración interna.* La migración interna, que hasta no hace mucho tiempo se limitaba al movimiento poblacional del centro a la costa, en busca de mayores oportunidades de empleo en la industria azucarera, ha tomado otros giros. Se ha intensificado el movimiento hacia las ciudades, especialmente hacia la zona metropolitana y los pueblos cercanos a esta. En las décadas anteriores se movieron grandes números de personas pobres, creando arrabales en la ciudad, con los consiguientes problemas sociales. En la última década, el movimiento de grupos más acomodados ha sido continuo, dando lugar al patrón de las modernas urbanizaciones. Esta población ha alterado su estilo de vida y sus perspectivas en la ciudad, cambiando sus formas tradicionales por el estilo urbano.

El problema que se crea con estos movimientos poblacionales urbanos es uno de falta de integración social. Predomina en estos conglomerados una sola clase social, ya sea de clase baja, media o alta. Esta falta de integración se palpa en las diversas áreas de interacción social en la ciudad: religiosas, políticas, educativas o culturales y comunales.

## LA POLÍTICA

En los cinco siglos que han transcurrido desde el descubrimiento de Puerto Rico, se ha efectuado una serie de cambios en su orden político que merecen ser examinados

### Los cambios en el orden político

Estudiaremos ligeramente la evolución política de Puerto Rico desde dos períodos de su historia: del descubrimiento al 1898 y desde este año hasta el presente.

*El período anterior al 1898.* Cristóbal Colón descubrió la Isla en 1493 y tomó posesión de ella en nombre de España. Por cerca de cuatro siglos Puerto Rico fue colonia de España. Durante estos, los puertorriqueños lucharon tenazmente por lograr un mayor grado de gobierno autónomo dentro del imperio español.

El siglo xx fue el siglo de mayor desarrollo político de Puerto Rico bajo el régimen español. Se formaron grupos con ideas y tendencias políticas definidas: los liberales, los conservadores y los separatistas. Estos grupos originaron la formación de los primeros partidos políticos. Puerto

---

28. *El Mundo,* 3 de marzo de 1975, pp. 1A y 13A.

Rico empezó a participar en la política nacional a través de Ramón Power, su primer representante ante las Cortes españolas.

Otro acontecimiento de importancia en el siglo XIX lo constituye el hecho de que Puerto Rico adquirió *status* de provincia española y por ello quedó en igualdad de condiciones con las demás provincias. En el 1812 se consagró este *status* en la constitución española, pero se perdió poco tiempo después. Se adquirió de nuevo y se volvió a perder por estar la Isla a merced de los cambios políticos ocurridos en la Madre Patria.

El movimiento liberal en Puerto Rico había tomado ya grandes proporciones y los puertorriqueños seguían demandando mayores libertades y derechos. Decepcionados con las promesas incumplidas de parte de España, los separatistas se rebelaron, produciéndose lo que se llamó el Grito de Lares de 1868.

Al Grito de Lares siguieron otros desarrollos políticos importantes. Se nos concedió nuevamente la representación en las Cortes y el 22 de marzo de 1873 se nos concedió la abolición de la esclavitud. Luego se estableció la representación política que se había perdido años antes y se prometieron leyes especiales para las provincias de Ultramar. Finalmente, en 1897 se nos concedió la Carta Autonómica. Esta dio a Puerto Rico un gobierno liberal y otorgó a los puertorriqueños el control de su gobierno. Un año después, las tropas norteamericanas desembarcaron en Puerto Rico durante la Guerra Hispano Americana. Como resultado de esta guerra, España cedió Puerto Rico a los Estados Unidos.

*El período posterior a 1898.* De 1898 al 1900 Puerto Rico tuvo un gobierno militar. La primera Acta Orgánica, la Ley Foraker, estableció el primer gobierno civil en Puerto Rico. El gobierno estaba casi completamente en manos de los norteamericanos y los puertorriqueños no eran ciudadanos de los Estados Unidos. Los puertorriqueños seguían demandando derechos. Finalmente, en 1917, bajo la Ley Jones, se les otorgó la ciudadanía americana, pero no se les concedió el control completo de su gobierno. El gobernador, dos miembros de su gabinete —el Comisionado de Instrucción y el Auditor— y los jueces del Tribunal Supremo seguían siendo nombrados por el presidente de los Estados Unidos.

Los puertorriqueños seguían insistiendo en su derecho a una mayor libertad política, pero no hubo cambio alguno hasta el 1947. Un año antes, en 1946, el Presidente Truman nombró a Jesús T. Piñero gobernador de Puerto Rico. Piñero fue el primer gobernador puertorriqueño. En 1947, el Congreso enmendó la Ley Jones, haciendo electivo el puesto de gobernador. Se disponía igualmente para el nombramiento por el gobernador de todos los funcionarios, menos el auditor y los jueces del Tribunal Supremo. El 2 de enero de 1949 Luis Muñoz Marín tomó posesión como el primer gobernador electo por el pueblo de Puerto Rico.

En 1950 ocurrió un hecho de trascendental importancia política y la Isla ganó completa autonomía local. Se aprobó una ley del Congreso federal autorizando a Puerto Rico a adoptar su propia constitución. La constitución fue redactada por una convención constituyente, aprobada por los puertorriqueños mediante referéndum, ratificada por el Congreso de los Estados Unidos y finalmente aprobada por el presidente de ese país. Así surgió el Estado Libre Asociado de Puerto Rico, una comunidad de ciudadanos libres, asociados por consentimiento mutuo y ciudadanía a los Estados Unidos. El

Estado Libre Asociado de Puerto Rico tiene ahora por su constitución autonomía completa en lo concerniente a los asuntos estatales. La Constitución del Estado Libre Asociado fue proclamada por el Gobernador Muñoz Marín el 25 de julio de 1952.

Al amparo de la Constitución, Puerto Rico tuvo plena autonomía local. Adquirió los derechos y responsabilidades de un estado de la Unión; sin embargo, el representante puertorriqueño en el Congreso Federal, el comisionado residente en Washington, no tiene voto. Los puertorriqueños tampoco votan por el presidente y el vicepresidente de los Estados Unidos. Los puertorriqueños no pagan, por supuesto, impuestos federales.

Una vez lograda la Constitución, Puerto Rico continúa desarrollándose plenamente en sus aspectos sociales y económicos. En las elecciones de 1952, al igual que en todas las que siguieron hasta 1964, el Partido Popular Democrático y su candidato a gobernador ganaron por más de 60 por ciento de los votos. Una razón para el triunfo fue la popularidad y los buenos efectos producidos por las reformas sociales y económicas que el Partido Popular fue poniendo en práctica desde su primer triunfo en 1940. Pero a pesar de los logros en el orden social y económico, quedan otras lagunas por llenar. Nos referimos especialmente a los problemas asociados con el *status* político.

*El plebiscito.*[29] El 25 de julio de 1962, el Presidente John F. Kennedy, en su respuesta a una carta del Gobernador Luis Muñoz Marín, afirmó la necesidad de consultar al pueblo de Puerto Rico sobre su preferencia en relación con la fórmula de su *status* político. Como resultado de este intercambio, el Gobernador del Estado Libre Asociado presentó ante la Asamblea Legislativa un proyecto de ley ordenando la celebración de un referéndum.

Ante el Congreso de los Estados Unidos se presentaron proyectos con el propósito de establecer una comisión para estudiar el convenio entre los Estados Unidos y Puerto Rico. La Ley 88-271, 78 Est. 17, aprobada el 20 de febrero de 1964, estableció la Comisión de los Estados Unidos y Puerto Rico en relación con el *status* de Puerto Rico para "estudiar todos los factores significativos en las relaciones presentes y futuras entre los Estados Unidos y Puerto Rico". Esta ley invitaba al Gobierno del Estado Libre Asociado a participar en el trabajo de la Comisión. El 13 de abril de 1964 nuestra Asamblea Legislativa aprobó la Ley N.º 9, en la cual se comprometía a participar en la Comisión. Ambas leyes disponían el nombramiento de un grupo ampliamente representativo de los Estados Unidos y Puerto Rico, tomando en consideración los diferentes puntos de vista sobre el *status* político.

La primera reunión de la Comisión se celebró el 9 de junio de 1964 en la Casa Blanca. En febrero y marzo de 1965 se celebraron reuniones en San Juan y Washington, D.C. La Comisión decidió celebrar vistas públicas en relación con tres aspectos: legales-constitucionales, socio-culturales y económicos. Las vistas se celebraron en San Juan durante la segunda mitad del año 1965. Se celebraron reuniones adicionales en 1966. En febrero de ese año, se presentó en Washington un análisis de los factores económicos.

---

29. Vea *Lecturas básicas sobre historia de Puerto Rico*, Departamento de Instrucción Pública, 1967, pp. 126-135.

En las reuniones del 3 y 4 de mayo de 1966, el representante del Partido Independentista Puertorriqueño anunció que su partido abandonaría su participación en la Comisión. De ahí en adelante, los ideales independentistas en la Comisión estuvieron defendidos por una nueva organización recién formada, Fondos para la República.

Ocurrieron otros incidentes importantes antes de la Comisión terminar los trabajos. El presidente del Partido Estadista Republicano no suscribió el documento final, y anunció la abstención de su partido en el plebiscito. Esto dio lugar a la formación del movimiento Estadistas Unidos, bajo la dirección del señor Luis A. Ferré, que concurrió a la consulta plebiscitaria en defensa de la estadidad.

La Comisión recomendó la creación de comités *ad hoc*, organizados por el presidente y el gobernador, con el propósito de considerar aspectos de transcisión hacia la Estadidad o la Independencia, o para llevar a cabo el desarrollo del Estado Libre Asociado, según fuese la preferencia expresada por el Pueblo de Puerto Rico.

La Asamblea Legislativa de Puerto Rico aprobó la Ley número 1 el 23 de diciembre de 1966, en la que dispuso la celebración de un plebiscito para efectuarse el 23 de julio de 1967. En ese plebiscito el pueblo de Puerto Rico expresaría su preferencia entre Estado Libre Asociado, Estadidad e Independencia. El plebiscito se celebró en la fecha fijada, con los resultados siguientes: [30]

|  | Total de votos | Por ciento |
|---|---|---|
| Votos a favor del Estado Libre Asociado | 425,132 | 60.41 |
| Votos a favor de la Estadidad | 274,312 | 38.98 |
| Votos a favor de la Independencia | 4,248 | .60 |
| Papeletas anuladas | 3,601 | .01 |
| Total de votos emitidos | 707,293 | 100.00 |

Los resultados del plebiscito indican que en lo que a futruo *status* político se refiere, la mayoría de los puertorriqueños desean un Estado Libre Asociado, plenamente desarrollado.

*Los Comités "ad hoc"*. La Sección 45 de la Ley de Plebiscito disponía, además, que la fórmula que obtuviese más del 50 por ciento de los votos emitidos saldría triunfante y llevaría a cabo la realización y desarrollo de dicha fórmula. El gobernador debería informar el resultado del plebiscito al presidente y solicitar la constitución conjunta de los comités *ad hoc* o grupos asesores. Al salir triunfante el Estado Libre Asociado, el gobernador Roberto Sánchez Vilella lo informó así al Presidente Lyndon B. Jhonson, y propuso la creación de los comités *ad hoc* para estudiar medidas con respecto al desarrollo del Estado Libre Asociado.

El Presidente Johnson, en respuesta a Sánchez Vilella, lo instruyó para que nombrase los miembros puertorriqueños del comité. A su vez, él nom-

---

30. El Partido Estadista Republicano y el Partido Independentista Puertorriqueño no concurrieron al plebiscito.

braría los que debían representar a los Estados Unidos. Los comités *ad hoc* no se nombraron durante la incumbencia de Sánchez Vilella como gobernador. El nombramiento de los miembros del comité se complicó al finalizar el período de gobernación de Sánchez Vilella porque salió triunfante el Partido Nuevo Progresista, que cree en la Estadidad para Puerto Rico. El Partido Popular Democrático exigió del nuevo gobernador, don Luis A. Ferré, que cumpliera con el mandato plebiscitario, nombrando al comité creyentes en el Estado Libre Asociado. Después de largos períodos de espera, salpicados de debates y discusiones, el asunto se llevó ante el Tribunal Supremo. El Tribunal decidió que el gobernador tiene poderes para escoger los comités *ad hoc*, sin consultar con el Partido Popular, defensor del Estado Libre Asociado. Por mayoría, el Tribunal Supremo decidió que el gobernador debe escoger miembros que sean creyentes del Estado Libre Asociado. Por fin se organizó el primer comité en abril de 1970, con miembros puertorriqueños y norteamericanos. Este comité consideró la conveniencia de otorgar a los puertorriqueños el voto presidencial. La formación de este comité no gozó de la simpatía del Partido Popular Democrático, por creer que Ferré llevaba a Puerto Rico por el camino de la Estadidad, contrario a los resultados del plebiscito de 1967. Sin embargo, los populares favorecen el nombramiento de otros comités para estudiar diversos asuntos relacionados con el perfeccionamiento del Estado Libre Asociado. En 1971, el Comité recomendó la celebración de un referéndum sobre el voto presidencial. Ese comité desapareció en el 1972, con la derrota en las urnas del Partido Nuevo Progresista.

El Partido Popular Democrático, que ganó las elecciones, adoptó nuevamente la posición de que el plebiscito de 1967 requería que se brindaran al pueblo todas las medidas conducentes a un máximo de gobierno propio, y no un solo asunto aislado.

Por gestiones del Estado Libre Asociado ante el Gobierno del ExPresidente Richard Nixon, se constituyó el segundo Comité Ad Hoc en septiembre de 1973. Este comité está compuesto por siete puertorriqueños y siete norteamericanos. Son co-presidentes Luis Muñoz Marín y Marlow W. Cook.

La carta constitutiva del Comité Ad Hoc, dispone lo siguiente: "para hacer eficaces los deseos del pueblo de Puerto Rico, libremente expresados en el plebiscito de 1967, este Comité Ad Hoc tendrá la tarea de desarrollar al máximo el gobierno propio y la autodeterminación, dentro del marco del Estado Libre Asociado — la común defensa, el mercado común, la moneda común y el vínculo indisoluble de la ciudadanía de los Estados Unidos".

Se dice, además, en la carta constitutiva que no se efectuará cambio alguno de las relaciones — recomendado por el Comité, conjuntamente con las recomendaciones del primer Comité Ad Hoc — a menos que sea previamente aprobado por el pueblo de Puerto Rico.

Después de varias reuniones conjuntas, y de oír las opiniones de líderes locales, los dos grupos decidieron separarse por algún tiempo. El propósito era dar la oportunidad a los puertorriqueños de preparar el anteproyecto de un nuevo estatuto de relaciones federales. Ya este comité realizó su encomienda y el informe se publicó en la prensa local en febrero de 1975, bajo el título *Anteproyecto del Pacto de Unión Permanente entre Puerto Rico y los Estados Unidos*. Ahora procede la celebración de reuniones conjuntas por el comité para discutir y considerar el anteproyecto. El nuevo pacto, de aprobarse por el Comité, requerirá la aprobación por el Congreso de Estados Unidos y por el electorado del Estado Libre Asociado, en referéndum especial convocado al efecto por la Asamblea Legislativa de Puerto Rico.

*Elecciones generales de 1964 y 1968.* Las elecciones de 1964 marcaron el final de una era en la historia política de Puerto Rico. En ese año, Luis Muñoz Marín fundador y líder del Partido Popular Democrático y primer gobernador electo, decidió no postularse para un quinto término en la gobernación. Se nominó para gobernador a Roberto Sánchez Vilella, Secretario de Estado en el Gabinete de Muñoz Marín y por largos años su íntimo colaborador. Los resultados de las elecciones de 1964 fueron los siguientes:

| Partido | Votos |
|---|---|
| Partido Popular Democrático | 487,267 |
| Partido Estadista Republicano | 284,639 |
| Partido Acción Cristiana * | 26,864 |
| Partido Independentista Puertorriqueño | 22,195 |

Roberto Sánchez Vilella salió electo gobernador. El Partido Popular Democrático obtuvo más votos que en las elecciones de 1960; el Partido Acción Cristiana y el Partido Independentista Puertorriqueño obtuvieron menos. Sánchez Vilella pasó a desempeñar la gobernación y Muñoz Marín se convirtió en Senador por acumulación.

Debido a problemas personales, a diferencias con el liderato del Partido Popular Democrático y a su "Nuevo Estilo" de gobernar, el Partido no postuló de nuevo a Sánchez Vilella para la gobernación. En el 1968, el Partido Popular Democrático nominó al Senador Luis Negrón López. Descontento con esta actuación, Sánchez Vilella abandonó el Partido Popular Democrático y adquirió los derechos de un nuevo partido, el Partido del Pueblo, el que lo postuló para la gobernación. Esta acción trajo división en el Partido Popular, que meses más tarde se reflejó en los resultados de las elecciones.

Complacido con los resultados de su agrupación en el plebiscito, el señor Ferré fundó un nuevo partido político —el Partido Nuevo Progresista. Este partido lo nominó para la gobernación y logró ganar las elecciones de 1968, aunque por un escaso margen. Terminaron así 28 años de gobierno del Partido Popular Democrático.

Los resultados de las elecciones de 1968 fueron los siguientes:

| Partido | Votos |
|---|---|
| Partido Nuevo Progresista | 390,623 |
| Partido Popular Democrático | 367,903 |
| Partido del Pueblo | 87,844 |
| Partido Independentista Puertorriqueño | 24,717 |
| Estadista Republicano | 4,057 |

---

* El Partido Acción Cristiana se formó con la participación activa de dos obispos católicos, opuestos a Luis Muñoz Marín.

Del total de 918,829 votos para el cargo de gobernador de Puerto Rico, los candidatos obtuvieron los porcentajes siguientes:

| Candidato | Por ciento |
|---|---|
| Luis A. Ferré | 43.62 |
| Luis Negrón López | 40.70 |
| Roberto Sánchez Vilella | 11.68 |
| Antonio J. González | 3.50 |
| Ramiro L. Colón | 0.48 |

El señor Ferré se convirtió en el nuevo gobernador electo. Su partido ganó una mayoría para la Cámara de Representantes y trece de los veintiocho asientos del Senado. El Partido Popular triunfó en el Senado y obtuvo la mayoría de los municipios.

El señor Ferré tomó posesión de su cargo el 2 de enero de 1969 y anunció su programa de "La Nueva Vida" para todos los puertorriqueños. "La Nueva Vida" vino a sustituir el "Propósito de Puerto Rico" del Partido Popular Democrático. En 1970, Ferré habla de "La Gran Tarea", en que aboga por un mundo mejor en el mañana para la juventud de hoy.

En términos de *status* político para Puerto Rico, ¿qué significó el triunfo del Partido Nuevo Progresista? Un voto a favor del Partido Nuevo no era un voto por la Estadidad, según decía Ferré, pero era de conocimiento de todos que él había sido y es tradicionalmente un estadista. Como tal funcionó en muchas ocasiones. Es posible que su actitud política ayude a explicar la derrota de su partido en las elecciones de 1972.

*Elecciones generales de 1972.* A continuación aparece el informe oficial sobre el resultado de las elecciones generales efectuadas en Puerto Rico el día 7 de noviembre de 1972, preparado por la Junta Estatal de Elecciones.

## INFORME OFICIAL SOBRE EL RESULTADO DE LAS ELECCIONES GENERALES EFECTUADAS EN PUERTO RICO EL DÍA 7 DE NOVIEMBRE DE 1972

### TOTAL DE ELECTORES INSCRITOS
1,555,504

| | |
|---|---|
| Votaron | 1,308,950 |
| No votaron | 246,554 |
| Por ciento votó | 84.14 % |
| Por ciento no votó | 15.86 % |

### RESUMEN DE VOTOS EMITIDOS

| | |
|---|---|
| Votos integros | 1,190,719 |
| Votos mixtos | 109,165 |
| Papeletas nulas | 9,066 |

## VOTOS ÍNTEGROS POR PARTIDOS POLÍTICOS

Partido Nuevo Progresista . . . . . . . . . . . 524,039
Partido Popular Democrático . . . . . . . . . . 609,670
Partido del Pueblo . . . . . . . . . . . . . 2,910
Partido Independentista Puertorriqueño . . . . . . . 52,070
Partido Auténtico Soberanista . . . . . . . . . 422
Partido Unión Puertorriqueña . . . . . . . . . 1,608

1,190,719

## VOTOS PARA CANDIDATOS A GOBERNADOR
(En el mismo orden de los partidos políticos)

Luis A. Ferré . . . . . . . . . . . . . . . 563,609
Rafael Hernández Colón . . . . . . . . . . . 658,856
Alfredo Nazario . . . . . . . . . . . . . 4,007
Noel Colón Martínez . . . . . . . . . . . . 69,654
Jorge Luis Landing . . . . . . . . . . . . 467
Antonio J. González . . . . . . . . . . . . 3,291

1,299,884

## POR CIENTO OBTENIDO POR VOTOS ÍNTEGROS PARA LOS PARTIDOS QUE CONCURRIERON A LAS ELECCIONES GENERALES DE 1972 Y PARA LOS CANDIDATOS A GOBERNADOR DE PUERTO RICO

*Porcentaje y Votos Íntegros por Partidos*

| | | |
|---|---|---|
| Partido Nuevo Progresista . . | 524,039 | 44.01 % |
| Partido Popular Democrático | 609,670 | 51.20 % |
| Partido del Pueblo . . . . | 2,910 | 0.24 del 1 % |
| Partido Independentista Puertorriqueño . . . . . | 52,070 | 4.37 % |
| Partido Auténtico Soberanista | 422 | —— |
| Partido Unión Puertorriqueña | 1,608 | 0.13.5 del 1 % |

*Porcentaje y voto total obtenido por los candidatos para el cargo de Gobernador de Puerto Rico*

| | | |
|---|---|---|
| Luis A. Ferré | 563,609 | 43.35 % —— P.N.P. |
| Rafael Hernández Colón | 658,856 | 50.69 % —— P.P.D. |
| Alfredo Nazario | 4,007 | 00.30.8 del 1 % —— Pueblo |
| Noel Colón Martínez | 69,654 | 5.35 % —— P.I.P. |
| Jorge Luis Landing | 467 | —— P.A.S. |
| Antonio J. González | 3,291 | 0.17.6 del 1 % —— P.U.P. |

Como hemos visto, el Partido Popular Democrático ganó las elecciones de 1972 y Rafael Hernández Colón se convirtió en Gobernador del Estado Libre Asociado. Tomó posesión de su cargo el 2 de enero de 1973 cuando se reafirmó en su propósito de crear un "Nuevo Puerto Rico". El pueblo endosó plenamente el desarrollo del Estado Libre Asociado a un máximo de gobierno propio, dentro de nuestra asociación permanente con los Estados Unidos de América.

Las elecciones no resuelven el problma del *status* político de Puerto Rico. El Partido Nuevo Progresista, que reclama la Estadidad, es un partido políticamente fuerte. Los independentistas propulsan la independencia. El Partido Popular Democrático, que es mayoría, sigue defendiendo el Estado Libre Asociado, pero un Estado Libre Asociado fortalecido que elimina completamente cualquier vestigio de colonialismo que pueda quedar en la actual estructura política.

## LA VIVIENDA

Con la elevación del nivel social y económico de nuestra población han mejorado las condiciones de la vivienda. Ha habido en los últimos años un gran auge en la construcción de viviendas, tanto públicas como privadas. Gracias a la ayuda estatal y federal, se han podido levantar edificaciones para los grupos de ingresos bajos. Los grupos de clase media han contado con recursos económicos y mayores facilidades de préstamos y han podido construir viviendas modernas, especialmente en urbanizaciones en las afueras de la ciudad.

La construcción de viviendas representó en 1969 la obra de mayor magnitud dentro de la actividad de construcción. Cerca de 45 por ciento del total de las obras realizadas correspondió a los proyectos de viviendas privadas y públicas. En 1969 se contruyeron unas 20,000 unidades de nuevas viviendas. De estas, unas 17,500, o sea, el 87.5 por ciento correspondió al sector privado y el remanente al sector público. En otras palabras, el gobierno construyó alrededor de unas 2,500 viviendas.[31] El auge desplegado por la industria de la construcción ha situado a Puerto Rico entre los países con la más alta proporción de viviendas construidas por cada mil habitantes. En 1969 se construyeron aquí 7.2 viviendas por cada 1,000 habitantes, proporción que fue únicamente superada por Suecia con 13.4, Israel con 10.4 y Francia con 9.4.[32]

A pesar de este desarrollo, no se han resuelto todavía los problemas de vivienda en Puerto Rico, especialmente en las zonas urbanas, donde el crecimiento poblacional ha sido tan significativo que escasea la vivienda. Grandes números se acomodan en viviendas inadecuadas y deficientes en los lugares urbanos, especialmente en los arrabales. Se hacen esfuerzos por eliminar los arrabales o, de ser posible, por rehabilitarlos.

Gracias al interés del gobierno, las comunidades y las viviendas rurales también han mejorado. A pesar del alto ritmo en la construcción de viviendas, todavía quedan miles de unidades residenciales deficientes e inadecua-

---

31. Junta de Planificación. *Op. cit.*, p. 227.
32. *Ibid.*

das en la zona rural. Esto se debe a que residen aquí una proporción alta de familias de ingresos bajos, a quienes les es imposible adquirir las viviendas que construye la empresa privada.

Los esfuerzos del gobierno van dirigidos a facilitar el que cada familia puertorriqueña, si así lo prefiere, tenga la oportunidad de ser dueña de una vivienda en un ambiente adecuado, que constituya su hogar. Veamos los desarrollos alcanzados en este importante aspecto humano.

## La vivienda rural

La vivienda en la zona rural ha mejorado considerablemente. Se ha reducido grandemente la construcción de madera; ha aumentado la de hormigón armado y de bloques de cemento. En virtud de los programas gubernamentales llevados a cabo en la zona rural, se han reinstalado más de 80,000 familias en comunidades rurales y fincas de tipo familiar.[33]

El programa en la zona rural está a cargo de la Administración de Programas Sociales, entidad que se encarga de la distribución de las fincas individuales con el objeto de mejorar la vivienda. Según Picó, se han establecido unas 11,667 de esas fincas. El agricultor recibe adiestramiento en la operación de la finca.

Otras familias que no cualifican para una finca se establecen en comunidades rurales, cerca de las carreteras, donde se les puede ofrecer una serie de servicios mínimos, necesarios para la vida en comunidad: escuelas, luz eléctrica, agua, facilidades de recreo y centros religiosos. Mediante este programa se habían establecido, el 30 de junio de 1969, unas 391 comunidades rurales donde se han reintegrado más de 73,178 familias. Se le provee al obrero de una parcela de terreno, donde fabrica su casa, bajo el programa de ayuda mutua y esfuerzo propio. Este es un sistema de acción comunal en el que las familias unen sus esfuerzos para la construcción de la vivienda. El gobierno les ofrece asesoramiento, ayuda técnica y un préstamo por el valor de los materiales de construcción. La ayuda conjunta de los vecinos hace posible construir las viviendas a un costo que fluctúa entre $475 y $575. La familia paga dicha suma en plazos mensuales de $3.00 sin interés.

Un aspecto muy importante de las nuevas comunidades rurales es la creación de un ambiente propicio a la discusión de los problemas que afectan la vida de la gente y su colaboración en la solución de los mismos. Por la acción combinada de la comunidad y del gobierno se han reparado calles y se han construido escuelas y centros de recreo. Este tipo de actividad no solo desarrolla responsabilidad en el ciudadano, sino que también mejora la convivencia y el sentimiento de comunidad.

Esta técnica de la construcción de casas mediante la ayuda mutua no se limita a la zona rural. En algunas zonas urbanas de la Isla también se han construido casas por ayuda mutua. La ley número 35 de 1969 amplió el ámbito de acción de la Administración de Programas Sociales, al conceder título de propiedad por la cantidad de un dólar a aquellas familias que han disfrutado de parcelas en usufructo.

---

33. Picó. *Nueva geografía de Puerto Rico*, p. 257.

## La vivienda urbana

En Puerto Rico, como consecuencia del crecimiento poblacional y del cambio de una economía agrícola a una industrial, hemos tenido, en los últimos años, un gran movimiento de familias rurales hacia los centros urbanos. Esto ha traído como consecuencia el crecimiento desordenado de las ciudades y la escasez de recursos para proveer los servicios que necesita esta creciente población. Las familias que abandonan la zona rural en busca de mayores oportunidades económicas, por sus características de bajos ingresos, baja escolaridad, falta de destrezas ocupacionales y familias numerosas, no podrán satisfacer por sí mismas esas necesidades de vivienda y representan la clientela potencial de los programas de vivienda pública.

El problema de la vivienda urbana es uno de los más graves. Existen en Puerto Rico más de 100,000 unidades de viviendas urbanas cuyas condiciones permiten que se les clasifique como inadecuadas. Cerca del 85 por ciento de las viviendas urbanas inadecuadas están localizadas en arrabales caracterizados por el hacinamiento de personas, la insalubridad, la miseria y otros grandes problemas sociales. Estas familias tienen ingresos bajos, lo que no les permite resolver el problema de la vivienda sin ayuda gubernamental. La Corporación de Renovación Urbana y Vivienda es la agencia encargada de velar por el mejoramiento de las condiciones de la vivienda urbana. Esta Corporación, creada por la Ley número 88 de 1957, según fue enmendada, desarrolla los siguientes programas gubernamentales de vivienda en la zona urbana: 1) vivienda en urbanizaciones públicas; 2) renovación urbana a través de eliminación de arrabales; 3) rehabilitación en su sitio en áreas urbanas decadentes; 4) viviendas a bajo costo; 5) desarrollo y mejoras de solares con servicios esenciales; 6) adquisición de terrenos para el realojamiento de familias residentes en áreas inundables; 7) desarrollo de facilidades comerciales y vecinales en urbanizaciones públicas y 8) construcción de viviendas a bajo costo. Estos programas se financian total o parcialmente de asignaciones del Fondo General del Estado Libre Asociado, aportaciones del gobierno de los Estados Unidos, préstamos y de otros recursos.

*La renovación urbana.* Según una publicación de la Corporación de Renovación Urbana y Vivienda (CRUV), renovación urbana es el esfuerzo conjunto de una comunidad para erradicar arrabales y evitar el deterioro y la decadencia de las áreas urbanas estables.[34] El programa de renovación urbana contribuye al mejoramiento de nuestros centros urbanos, proveyendo una vivienda adecuada para las familias de bajos ingresos.

El programa de renovación urbana se originó formalmente en Puerto Rico en 1938, con la aprobación de la ley que creó las Autoridades Municipales sobre Hogares y la de Puerto Rico. Se aprobó esta ley con el fin de aprovechar los beneficios de la Ley Federal de Viviendas de Estados Unidos de 1937. En 1947 se legisló en Puerto Rico para permitir la construcción de proyectos de vivienda pública en terrenos donde se habían eliminado arrabales. La Ley Federal de Viviendas fue enmendada en fechas posteriores, para facilitar aún más los proyectos de renovación urbana y beneficiar a familias desplazadas.

---

34. CRUV. *Programa de Renovación Urbana,* 1964. En mimeógrafo.

En 1957 se legisló en Puerto Rico para consolidar las Autoridades sobre Hogares en la Corporación de Renovación Urbana y Vivienda de Puerto Rico y se creó también la Administración de Renovación Urbana y Vivienda de Puerto Rico para bregar con la planificación a largo plazo. Es a la Corporación de Renovación Urbana y Vivienda a quien corresponde la ejecución del programa de renovación urbana. La Corporación no trabaja sola. Colaboran con ella en este programa todas aquellas agencias responsables de algún servicio público y la comunidad misma. La CRUV es el agente planificador, coordinador y administrador del esfuerzo de las diferentes agencias estatales, municipales y entidades de la empresa privada. La Corporación había construido a junio de 1967 unas 54,095 unidades de vivienda, el 60 por ciento de estas en la zona metropolitana de San Juan.[35]

Un plan de renovación urbana envuelve el problema de deterioro de un área urbana específica. Comúnmente se tiende a identificar el programa de renovación urbana con la eliminación total de áreas de arrabales. Sin embargo, solamente se elimina un área cuando los objetivos del programa no pueden ser alcanzados rehabilitando dicha área. Mediante el desarrollo de proyectos de rehabilitación, se mantienen en el mismo lugar de ubicación el mayor número posible de estructuras y de familias. Una publicación de la CRUV [36] explica de este modo la forma en que funciona la rehabilitación de viviendas en el mismo lugar: "se establece un plan de mejoramiento, se proveen las facilidades comunales y servicios públicos necesarios, se relotifican y deslindan solares, se ofrece a los interesados facilidades de financiamiento y asesoramiento técnico para la rehabilitación o reconstrucción de propiedades y se le proporciona a cada dueño la oportunidad de adquirir el predio de terreno en donde enclava su vivienda".

El programa de vivienda del gobierno va dirigido al logro de un ambiente urbano que propicie el desarrollo óptimo de sus residentes, una vivienda propia para cada familia y la rehabilitación de toda zona que pueda mejorarse. La CRUV está interesada en mejorar las viviendas en el menor tiempo posible. Con este propósito emplea los planes de realojamiento en el mismo sitio como la reconstrucción en madera o zinc. La reconstrucción de la vivienda deteriorada en el lugar original, tiene ciertas ventajas. Deja a la gente en el lugar de residencia habitual y se aminora así el problema de reajuste que estas familias tendrían al mudarse a otras comunidades.

*Aspecto educativo de la renovación urbana.* El objetivo principal de la CRUV no es únicamente construir viviendas, sino que también da énfasis al aspecto educativo y social. Para cumplir con esto se llevan a cabo actividades en las que residentes de los proyectos de la CRUV participan en colaboración con los funcionarios de la Corporación y las propias organizaciones de las urbanizaciones públicas.

Entre las actividades está un programa de recreación, en coordinación con la Administración de Parques y Recreos Públicos. Hay, además, un plan de rehabilitación de adictos a drogas. Asimismo se han organizado bandas de acero. En colaboración con el Departamento de Instrucción se han organizado proyectos de adiestramiento para jóvenes entre los 16 y 22 años, que están fuera de la escuela o desempleados. También se han orga-

---

35. Picó. *Nueva geografía de Puerto Rico,* p. 257.
36. CRUV. *Programa de Renovación Urbana,* p. 2. En mimeógrafo.

nizado algunos kindergartens. Hay programas de salud mental, organizados con la colaboración del Departamento de Salud.

## La vivienda mediante el esfuerzo privado

Además del gobierno, la empresa privada participa activamente en la solución del problema de vivienda en Puerto Rico. Se han construido miles de viviendas bajo el sistema de seguro hipotecario de la Administración Federal sobre Hogares (FHA). Este tipo de casas es para la clase media. Resultaría muy costosa para personas de bajos ingresos. Hay agencias, como la Administración de Veteranos, la Junta de Retiro para Maestros y otras, que también ofrecen facilidades de préstamos para construir viviendas.

El valor total de las viviendas públicas y privadas construidas en 1969 ascendió a $332.7 millones, 86 por ciento privadas y 14 por ciento públicas. Unos $203 millones del valor de la construcción de viviendas privadas correspondieron a urbanizaciones y $35.5 millones a edificios de apartamientos y condominios residenciales. Como dijimos anteriormente, del total de 20,000 unidades de nuevas viviendas en 1969, unas 17,500 correspondieron al sector privado. Cerca del 65 por ciento del total de proyectos de viviendas en urbanizaciones se realizaron en el área metropolitana de San Juan.

## Desarrollos recientes

Los diversos programas y actividades que se desarrollan en el campo de la vivienda se hallan ahora integrados en el Departamento de la Vivienda. La ley 97 del 10 de junio de 1972 creó ese Departamento. Esa ley entró en vigor el 2 de enero de 1973.

La mencionada ley transfiere al Departamento de la Vivienda las funciones, poderes y deberes de la Administración de Programas Sociales y, además, le adscribe la Corporación de Renovación Urbana y Vivienda y el Banco de la Vivienda. El nuevo Departamento asume responsabilidad en la planificación de todos los esfuerzos del sector público dirigidos a la provisión de viviendas y el desarrollo comunal.

El Departamento está consciente de la gravedad del problema de la vivienda en Puerto Rico. Por tal razón, ha desarrollado un programa acelerado con el fin de atacar el problema y proveer a las familias necesitadas un hogar adecuado e higiénico en comunidades con facilidades modernas en el mejor ambiente posible.

De acuerdo con un informe del Secretario de la Vivienda,[37] en el 1973-74 se distribuyeron 13,000 parcelas y solares a través de la Isla. La meta para el año fiscal 1974-75 es de 23,000.

En enero de 1973, el presidente de los Estados Unidos ordenó la congelación de los fondos federales destinados para proyectos de vivienda. Como consecuencia, se paralizaron varios proyectos que recibían subsidio federal. Fue necesario entonces que la Legislatura de Puerto Rico aprobara una ley creando un programa de vivienda con subsidio estatal. Este programa se

37  El Vocero de Puerto Rico, 24 de julio de 1974, p. 17.

conoce como la Ley 10, del 5 de julio de 1973. Mediante este programa se subsidian los intereses en hipotecas a familias de ingresos bajos y moderados. El nuevo programa, bajo la Ley 10, autoriza la construcción de 13,500 unidades de vivienda durante el próximo año y medio, a partir de la aprobación de la ley. Los proyectos de construcción consisten de unidades duplex e individuales. En el área metropolitana de San Juan, por el alto costo de los terrenos, se construyen condominios.

Los problemas de vivienda rural siguen siendo atendidos por el Departamento de la Vivienda a través de la Administración de Programas Sociales. Aún quedan 61,000 familias en la zona rural que no disponen de viviendas adecuadas. Para satisfacer la totalidad de estas necesidades, se ha desarrollado un programa de seis años, a partir del año fiscal 1974-75. Se proveen solares gratuitamente a la mitad de esas familias. A la otra mitad, en adición al solar, se le asiste mediante el programa de ayuda mutua y esfuerzo propio. Este programa recibió el premio como el mejor programa de vivienda rural del mundo. Adjudicó el premio la Asociación Mundial de Vivienda Rural, un organismo no gubernamental afiliado a las Naciones Unidas.

*Palabras finales*

A pesar de todo el esfuerzo realizado tanto por el sector público como por el privado, queda mucho por hacer y el problema de la vivienda sigue siendo de gran preocupación. Así lo reconoce el Gobernador, en su mensaje a la Séptima Asamblea Legislativa, en su segunda sesión ordinaria, en 1974, cuando dice: "La vivienda adecuada es una necesidad fundamental de toda familia y un derecho básico de todo puertorriqueño. Nuestros programas están dirigidos a la implementación acelerada de este concepto. Utilizamos diferentes medios para ayudar a las 193,000 familias que todavía no han podido convertir en realidad ese derecho".

De acuerdo con la Junta de Planificación,[38] en 1969 había en Puerto Rico unas 51,350 viviendas urbanas deficientes y 109,000 inadecuadas. Aunque proporcionalmente, las viviendas urbanas inadecuadas y deficientes han venido disminuyendo, de 56.9 por ciento en 1960 a 40.7 por ciento en 1969, en números absolutos estos muestran una leve tendencia ascendente. En 1960 existían unas 146,656 viviendas urbanas deficientes e inadecuadas. En el 1969, se estiman en 160,350.

Hay una serie de factores que contribuyen a que el número de viviendas inadecuadas y deficientes haya disminuido en proporción, pero no así de volumen. Entre esos factores podemos mencionar los siguientes: 1) el crecimiento poblacional; 2) la construcción clandestina; 3) el deterioro de las viviendas existentes; 4) el continuo aumento de los precios de las viviendas; 5) la falta de recursos económicos que tienen las familias y 6) la movilidad de la población.

LA SALUD

La salud de nuestro pueblo ha mejorado considerablemente. A juzgar por el análisis de una serie de datos relativos a la tasa de mortalidad, la

---

38. Junta de Planificación. *Op. cit.*, pp. 229-231.

esperanza de vida, defunciones en niños menores de un año, causas de muerte, etc. etc. Puerto Rico es hoy día uno de los países más saludables de América. Su condición de salud compara favorablemente con la que prevalece en las comunidades más desarrolladas del mundo.

La conservación de la salud de nuestro pueblo es uno de los aspectos de la vida de la comunidad que mayor atención reciba. La salud recibe alrededor del 15 por ciento del presupuesto de gastos del gobierno del Estado Libre Asociado.

El mejoramiento de las condiciones económicas en general, y como consecuencia el mejoramiento de la dieta, la expansión de los servicios de salud pública y de hospital, el aumento en las facilidades educativas, el progreso de la medicina y el aumento en el número de médicos, ayudan a explicar los cambios ocurridos en la salud de nuestro pueblo. Finalmente, mencionaremos otros aspectos colaterales que han producido cambios en la salud del pueblo puertorriqueño: la casi desaparición de curanderos, el programa de Medicare, el cual brinda beneficios de seguro y hospitalización para los ancianos, y la reducción notable en los partos atendidos por comadronas, de 6,857 en 1966-67 a 3,088 en 1967-68.[39]

*Estudio de las estadísticas vitales* [40]

Comencemos haciendo un análisis de las enfermedades y su lugar entre las causas de muerte en Puerto Rico durante los últimos años. Las enfermedades que al principio de la década del 1940 eran las más temidas por su mayor incidencia (diarrea y tuberculosis) han quedado considerablemente rezagadas a través de los años. La tasa de muertes por diarrea y tuberculosis, que era 285.9 y 230.9 por 100,000 habitantes respectivamente en 1943, se redujo a 11.8 y 15.3 en 1968. Esto implica que la medicina ha avanzado lo suficiente para reducir el peligro de la diarrea y la tuberculosis como causas de muerte. La malaria ha dejado de ser causa mortal desde 1955, la disentería desde 1966 y la difteria desde 1964. Por otro lado, las enfermedades del corazón, acrecentadas en parte por la tensión de la vida moderna, hacen estragos cada vez mayores y ocupan el primer lugar como causa de muerte desde hace muchos años. El cáncer ocupa el segundo lugar.

Las principales causas de muerte y las tasas de mortalidad, para el año 1968, fueron las siguientes: enfermedades del corazón, 146.2; cáncer, 87.7; lesiones vasculares que afectan el sistema nervioso central, 55.8; accidentes, 37.4; neumonías (excepto neumonía del recién nacido), 29.1; ciertas enfermedades de la primera infancia, 23.8; cirrosis hepática, 19.9, y arterioesclerosis generalizada, 17.0. Vemos que el cáncer y las enfermedades coronarias ocupan los primeros lugares. Este patrón es característico de todo país en desarrollo, en donde van rápidamente predominando las enfermedades degenerativas, al quedar bajo control las enfermedades de tipo contagioso.

En 1968 hubo un aumento sobre el año anterior en las defunciones causadas por las siguientes enfermedades: corazón, cáncer, lesiones vasculares, cirrosis hepática y neumonías. Aumentaron también en 1968 los accidentes

39. Departamento de Salud. *Informe anual*, 1967-68, p. 54.
40. Departamento de Salud. *Informe anual de estadísticas vitales*, 1968.

de tránsito. De un total de 1,025 muertes por accidentes, 530, o sea, el 51.7 por ciento se debieron a los accidentes de tránsito. La arteriosclerosis continúa su tendencia ascendente, desplazando a la tuberculosis. Desde 1967 la tuberculosis dejó de ser una de las primeras diez causas de muerte en P·ierto Rico.

Durante el año 1968 ocurrieron en Puerto Rico un total de 17,188 muertes, lo cual representa una tasa de 6.3 muertes por cada 1,000 habitantes. La tasa de mortalidad ha venido declinando considerablemente desde 1943, cuando era 14.7 muertes por 1,000 habitantes. Diez años más tarde, en 1953, la tasa de mortalidad había bajado a 8.2, luego a 6.8 en 1963 y, finalmente, a 6.3 para el año 1968.

Otro detalle que también demuestra la condición de la salud de nuestro pueblo es el cambio en la tasa de mortalidad infantil. Observemos la reducción en la tasa de mortalidad en niños menores de un año: 1943 — 95.3 muertes por cada 1,000 niños nacidos vivos; 1953 — 63.3; 1963 — 44.8; 1966 — 37.6; 1967 — 32.8 y 1968 — 28.6. Es verdaderamente significativa la diferencia de 7,470 muertes en 1943 a 1,936 muertes en 1968. Este dato ayuda a explicar, en parte, la explosión poblacional en Puerto Rico.

Según los datos del Departamento de Salud, ciertas enfermedades de la primera infancia, diarrea-enteritis, inmaturidad, deformidades congénitas y neumonías, son las primeras causas de muerte de niños en esta edad. Estas causaron el 78.2 por ciento del total de todas las muertes infantiles en 1968.

La esperanza de vida ha aumentado considerablemente los últimos años. De 46 años en 1940, la esperanza de vida alcanzó los 71 años en el 1974.

Veamos algunas estadísticas vitales recientes:

Durante el año 1973 ocurrieron en Puerto Rico un total de 19,257 muertes, lo que representa una tasa de 6.5 muertes por cada 1,000 habitantes. Esta tasa es inferior a la del 1972, que fue de 6.6, pero es igual a la del 1971.

Las principales causas de muerte en el 1973 y las tasas por 100,000 habitantes fueron las siguientes: enfermedades del corazón, 156.2; cáncer, 88.0; enfermedades cerebrovasculares, 48.2 (tasa para el 1972); accidentes, 39.6; arterioesclerosis, 38.0; neumonías, 32.3; cirrosis hepática, 26.2; diabetes mellitus, 25.2 y ciertas enfermedades de la primera infancia, 25.1. Al igual que en los últimos años, las enfermedades del corazón y el cáncer fueron las primeras dos causas de muerte en el 1973.

La mortalidad infantil llegó a 1667 casos, o sea una tasa de 24.2 por cada 1,000 nacimientos vivos. Esta es la tasa más baja de mortalidad infantil que se ha registrado en Puerto Rico. En el 1972 fue de 27.1; en el 1971, 27.5 y en el 1970, 28.6.

*Nuevos desarrollos*

La Ley número 56, del 21 de junio de 1969, conocida como la Ley de la Medicina Integral, establece un sistema integral de asistencia médico-hospitalaria en Puerto Rico. Dentro de este sistema todo individuo, independientemente de su posición social y económica, puede solicitar y recibir dicha asistencia de cualquier persona, agencia, organización e institución autorizada por ley para prestar tal servicio dentro del sistema. A pesar de que Puerto Rico cuenta con recursos públicos y privados para atender adecuadamente los servicios de salud, estos recursos no están integrados en un sistema capaz de brindarle a todo puertorriqueño los servicios de salud que el pueblo necesita y demanda. Como dijera el Secretario de Salud: "la Ley 56 contempla, entre otras cosas, el que en Puerto Rico haya solamente una clase de medicina, igual para todos, sin la actual separación de medicina gubernamental y medicina privada".[41]

La integración de estos servicios de salud en un solo sistema es necesario para dar cumplimiento a la Ley de Seguro Social de los Estados Unidos. De acuerdo con disposiciones de esa ley, a partir del 1 de julio de 1972, a los puertorriqueños que sean beneficiarios de servicios de salud bajo el Título XIX, se les tiene que garantizar el derecho a solicitar y obtener estos servicios de cualquier persona o institución garantizada por ley para prestarlos dentro y fuera del Estado Libre Asociado. Con el propósito de dar cumplimiento a esta disposición de ley, es necesario hacer modificaciones a la política pública en relación con la salud del pueblo y efectuar una reorganización gradual del financiamiento, funcionamiento y administración de todos los recursos de salud en Puerto Rico.

La Ley número 56 autoriza al Servicio de Salud a utilizar los hospitales, centros médicos, centros de salud, casas de salud, dispensarios, clínicas y otras instituciones de salud propiedad del Estado Libre Asociado y de sus municipios para brindar asistencia médico-hospitalaria en igual cantidad y de la misma variedad y calidad a todo individuo independientemente de su condición social y económica. De igual modo el Secretario puede formalizar acuerdos con médicos y dentistas privados y con hospitales, centros médicos, centros de salud, etc., para que puedan brindar asistencia médico-hospitalaria a individuos o familias certificados elegibles para recibir dicha asistencia con cargo a fondos públicos, según se dispone en la ley.

La ley establece que los servicios prestados a pacientes indigentes serán pagados por el Estado. Otros pacientes pagarán de acuerdo con sus recursos económicos. Los planes de servicios médicos pagarán por los que estén acogidos a dichos planes. Ya se han abierto varios centros de salud a toda la ciudadanía. También se han abierto a la comunidad el Hospital Universitario, el Municipal de San Juan, el Centro de Salud de Guaynabo y el de Barranquitas.[42]

El gobierno hace esfuerzos para que los servicios de salud de la más alta calidad estén accesibles a todos los ciudadanos. Una de las promesas del partido en el poder fue establecer un plan universal de salud que proteja a todo el pueblo. En 1973-74, mediante acción legislativa, se creó la Comisión Sobre Seguro de Salud Universal. Esta comisión tiene la encomienda de preparar un plan abarcador para la implantación de un seguro de salud universal en virtud del cual se garanticen iguales servicios de salud a todos los puertorriqueños, independientemente de su posición económica. Ya la comisión rindió su informe al Gobernador y a la Asamblea Legislativa, para su consideración.

---

41. *El Mundo*, 11 de abril de 1970, pp. 1 y 16A.
42. *Ibid.*

## Limitaciones y problemas

A pesar del adelanto alcanzado, necesitamos hacer mucho más para mejorar las condiciones de salud de nuestro pueblo. Necesitamos personal médico y paramédico, más hospitales y más dinero para llevar a cabo los programas de salud.

Ha surgido un nuevo problema que preocupa grandemente a las autoridades: el de la adición a drogas. El Departamento de Salud empezó a asumir responsabilidad por el tratamiento médico y la rehabilitación de los adictos. Hoy existe un departamento gubernamental dedicado enteramente a llevar a cabo los programas dirigidos hacia la prevención, tratamiento y rehabilitación de los adictos. Nos referimos al nuevo Departamento de Servicios contra la Adición. Otras dependencias del gobierno y un número de instituciones privadas también colaboran en la prevención y tratamiento de la adicción a drogas y del alcoholismo. Este último es un problema serio, que está afectando a miles de puertorriqueños. No puede negarse que estos problemas de salud mental, al igual que otros males sociales que nos afectan, son muchas veces más difíciles de atender que los relacionados con la salud física.

No queremos dejar de mencionar el problema que presenta nuestro ambiente.

El Dr. Nelson Biaggi, de nuestra Escuela de Medicina, ha estudiado los varios ambientes físicos que afectan a la salud humana: el agua, el aire, los suelos, el albergue y los alimentos.[43] En cada área señala graves problemas que podrían afectar adversamente la salud. Según el Dr. Biaggi, los ríos están contaminados con heces fecales y desechos de industrias; algunas playas, con aguas negras y desperdicios. Solamente un 35.4 por ciento de la población se beneficia del alcantarillado sanitario. La atmósfera está contaminada por humo, polvo, nieblas, vapor, gases, olores y ruidos. El suelo recibe basura, animales muertos y desperdicios. Hay 1 344 lugares donde se vierte basura a lo largo de las carreteras en Puerto Rico. El problema que se crea al quemar esta basura a la intemperie constituye uno de los factores principales en la contaminación del aire.[44]

Nos planteamos otro problema adicional en el presente. Nos referimos a los posibles riesgos de contaminación de agua y aire en relación con la explotación de las minas de cobre en Puerto Rico.

Ya hemos hablado del alto por ciento de viviendas inadecuadas en Puerto Rico. La condición del hogar se refleja en la salud. También nos preocupa el estado de los mataderos. Estos son motivo de críticas constantes por sus condiciones insanitarias. Ya algunos han tenido que ser cerrados. Todos estos factores presentan un cuadro triste de nuestro ambiente. Se necesitan con toda rapidez amplios programas de protección y de control. Hace falta la ayuda y coordinación de todas las agencias que tienen que ver con los problemas del ambiente y su mejoramiento.

---

43. *El Mundo*, 23 de abril de 1970, p. 16D.
44. *El Mundo*, 6 de marzo de 1970.

## El trabajo

El trabajo constituye el factor más importante de la producción. Otros factores son los bienes de capital, los recursos naturales y el nivel tecnológico. La producción no depende solo del número de trabajadores, sino también de la calidad de los mismos, al igual que de la calidad y cantidad de los demás factores de producción.

### Nuestra fuerza obrera

El grupo trabajador incluye todas las personas que están trabajando o buscando trabajo remunerado, así como los que trabajan por su cuenta. Desde 1960 hasta el presente se ha notado un crecimiento acelerado en el grupo trabajador en Puerto Rico. En el 1960 alcanzaba un total de 625,000 personas, y llegó a los 800,000 en 1968 y a 808,000 en 1969, según datos suministrados por la Junta de Planificación.[45] El aumento de la fuerza obrera se debe mayormente a las inmigraciones y al número mayor de mujeres que anualmente entran al grupo trabajador. Esta situación en gran parte obedece a la creación de empleos para las mujeres que han aumentado en proporción mayor que los de los varones. Las estadísticas de los últimos años indican que el porcentaje de la mujer en el grupo trabajador ha aumentado del 22.1 por ciento en 1960 a 26.2 por ciento en el año 1968. En cambio, el de los hombres disminuyó del 71.5 por ciento en 1960 a 68.4 por ciento en 1968. El creciente número de mujeres en la fuerza trabajadora ha hecho necesario el que se legisle con relación al empleo de las féminas.

Veamos el efecto de una creciente fuerza obrera en el empleo y el desempleo. El número de personas empleadas ha ido en aumento desde el 1960 con excepción del año 1966, en que se registró una leve reducción. Había 680,000 personas empleadas en 1965, las que se redujeron a 677,000 en 1966. El aumento de personas empleadas ha ido en continuo aumento de 1967 a 1969. Por otro lado, el por ciento de desempleo bajó de 1960 a 1965, aumentó nuevamente en 1966 y 1967 y bajó otra vez en 1968 y 1969, según los datos de la Junta de Planificación.

La causa principal del desempleo es la abundancia de mano de obra no diestra, y a su vez es en parte el resultado de la densidad poblacional y de la rapidez del avance industrial. Aunque tenemos abundante fuerza trabajadora, debemos señalar que esta carece en buena medida de los conocimientos y destrezas que se requieren para la industrialización. Con el propósito de hacer frente a las necesidades de la industria, el comercio y la agricultura, el Departamento del Trabajo, en coordinación con otras agencias, organiza programas permanentes de adiestramiento.

Es necesaria la inversión en el mejoramiento del sistema educativo, especialmente en programas vocacionales para el adiestramiento de nuestros trabajadores. Se necesita, además, atender adecuadamente la condición del obrero para que este se sienta satisfecho y pueda rendir una labor más provechosa. Veamos cómo ha mejorado su condición en las últimas décadas.

---

45. Junta de Planificación. *Op. cit.*, Tabla 16, p. A-21.

7.

*Estudio de las estadísticas recientes*

Como es de esperarse, nuestra fuerza obrera, ha ido creciendo año tras año, como se indica a continuación, según las estadísticas sociales para el 1973 que publicó la Junta de Planificación.

| Año | Fuerza obrera |
|-----|---------------|
| 1970 | 827,000 personas |
| 1971 | 854,000 |
| 1972 | 893,000 |
| 1973 | 921,000 |

Al igual que en años anteriores, el porcentaje de la mujer en el grupo trabajador va aumentando; el de los hombres va disminuyendo, según la siguiente tabla:

| Año | Varones - % | Hembras - % |
|-----|-------------|-------------|
| 1970 | 67.3 | 26.7 |
| 1971 | 67.0 | 27.1 |
| 1972 | 66.9 | 28.1 |
| 1973 | 66.1 | 28.1 |

Hay más hombres que mujeres en el grupo trabajador. Aumenta sin embargo a un ritmo mayor la proporción de mujeres que la de hombres en ese grupo.

Desde 1971 hasta 1973 hay más personas empleadas pero ha habido sin embargo, mayor número de desempleados, según se indica a continuación:

| Año | Número de empleados | % de desempleo |
|-----|---------------------|----------------|
| 1971 | 755,000 | 11.6 |
| 1972 | 783,000 | 12.3 |
| 1973 | 810,000 | 12.1 |

En los últimos años, debido a la recesión y a la reducción de la actividad económica, sobre todo en el sector de la construcción, el desempleo ha continuado aumentando. La tasa de desempleo para 1974 fue de 13.3 %. En diciembre de 1974 se registró un 14.1 por ciento de desempleo. Además de la situación económica, otros factores agravan el problema del desempleo. Entre estos pueden señalarse el aumento poblacional, la deserción escolar y el desbalance existente entre la preparación de los desempleados y las necesidades de la economía.

Como dijimos anteriormente, por causa de la situación económica no pudo lograrse en el 1974 la meta de crear 28,000 nuevos empleos. Solamente se crearon 18,000. Este hecho aumenta el número de desempleados.

Según información del Departamento del Trabajo,[46] publicada en la pren-'sa del país, el problema del desempleo en Puerto Rico se sigue agravando. En abril de 1975 la tasa de desempleo fue de 16.2 por ciento y en marzo fue de 16.7. Por otra parte, se informó que las industrias con mayores niveles de desempleo a abril de 1975 fueron las de manufactura con 35,000 personas desempleadas; la construcción con 34,000; el comercio con 18,000 y los servicios con 15,000. El número de empleados en la industria de la construcción ha venido bajando de enero a abril de 1975, comparado con el período de enero a abril de 1974.

*Cambios en la posición del obrero*

El obrero puertorriqueño había estado por muchos años sometido a su patrono, quien dictaba no solamente su salario y sus horas de trabajo, sino también su preferencia política. Esa relación personal y paternal entre el obrero y su patrono ha cambiado a una relación mucho más impersonal y formal con motivo del desarrollo de la unión obrera. Cada día el obrero depende menos de su patrono y más de su unión obrera y de las agencias gubernamentales de servicio.

La unión obrera, que se inició en Puerto Rico con tantas dificultades, ha tenido un desarrollo acelerado en los últimos años debido a nuestro desarrollo industrial. Los obreros se han afiliado a los sindicatos internacionales. El movimiento obrero se va uniendo lentamente y está organizando a casi todos sus obreros dentro de la Federación Americana del Trabajo de los Estados Unidos — C.I.O. (Congress of Industrial Organizations). Además de luchar por mejorar los salarios y lograr mejores condiciones de trabajo, es también una institución de servicio social para el obrero y su familia, y le ofrece servicio médico, seguro contra el desempleo y sistemas de retiro.

El obrero puertorriqueño ha alcanzado una posición de importancia en la sociedad. Ha logrado el reconocimiento de sus derechos. La Constitución del Estado Libre Asociado reconoce una serie de derechos a los obreros, entre ellos los siguientes: 1) libre selección de su ocupación y el derecho a renunciar a dicha ocupación; 2) igual paga por igual trabajo; 3) salario mínimo razonable; 4) protección contra riesgos a su salud o integridad personal en el trabajo o empleo; 5) jornada ordinaria de trabajo que no excede de ocho horas diurnas; 6) compensación extraordinaria, nunca menor de una vez y medio el tipo de salario ordinario, por las horas extras trabajadas en exceso de ocho horas diarias; 7) derecho de los trabajadores de empresa, negocios y patrones privados y de agencias o instrumentalidades del gobierno que funcionen como negocios privados, a organizarse y negociar colectivamente con sus patronos a través de representantes de su propia y libre selección para promover su bienestar y 8) el derecho a la huelga, a establecer piquetes y llevar a cabo otras actividades concertadas legales.

---

46. *El Mundo*, 29 de mayo de 1975, p. 14C.

Además de las garantías constitucionales mencionadas, existen leyes laborales que han tendido a mejorar la condición del obrero. Entre esas leyes están aquellas que cubren los siguientes aspectos:

1. la jornada de trabajo de ocho horas al día y compensación por horas extras
2. salario mínimo
3. seguro de desempleo
4. compensaciones por accidentes del trabajo
5. seguro social federal, incluyendo Medicare
6. relaciones del trabajo
7. reglamentación del empleo de menores
8. permisos para horas extras
9. despido sin justa causa
10. protección a madres obreras
11. salarios mínimos para los trabajadores de la fase agrícola de la industria azucarera
12. prohibición del discrimen por parte de un patrono hacia un obrero por razones políticas, participación en organizaciones obreras o huelga o el que exija un convenio colectivo
13. protección del empleado contra discrímenes de los patronos y de las organizaciones obreras por razones de edad avanzada, raza, color, religión, origen o condición social, y para imponer responsabilidad civil y criminal por tales discrímenes
14. el bono de Navidad

El gobieno también ha aprobado leyes para regular las relaciones entre los obreros y los patronos con el fin de evitar o resolver disputas obrero-patronales. Se ofrecen los servicios de conciliación y arbitraje con el fin de llegar a un acuerdo, sin que haya que recurrir a una huelga o paro. En la mayoría de los casos la ayuda se ofrece a través de un árbitro o conciliador. Este no trata de derrotar a uno u otro bando; más bien intercede para llegar a un acuerdo que sea beneficioso para ambas partes y que logre la paz industrial por el período más largo posible. La mayoría de las veces la negación se basa en la concesión de un salario más alto, pero en muchas ocasiones entran en juego otras demandas tales como, vacaciones, licencia por enfermedad, días festivos, bonos, garantía de trabajo y planes de seguro médico.

Como hemos visto, el puertorriqueño ha alcanzado mejoras en su condición de trabajador. Queremos añadir los siguientes a la lista de logros alcanzados:

1. cursos de adiestramiento para mejorar al trabajador en el oficio que desempeña
2. cursos de adiestramiento a personas desplazadas y a los que ingresan por primera vez en el trabajo
3. ayuda técnica y económica a reuniones cuando solicitan este servicio
4. orientación sobre aspectos relacionados con la legislación

5. servicios de orientación ocupacional a los solicitantes que presentan problemas especiales de selección, cambio o de ajuste ocupacional

6. servicios especiales y de orientación ocupacional a jóvenes, personas de edad avanzada, veteranos, personas lisiadas y para los que se encuentran en desventaja económica y social

7. colocación en trabajo en Estados Unidos por medio de contratos aprobados por el Departamento del Trabajo

8. clases de inglés para los trabajadores migrantes.

Hasta aquí llegamos con los cambios en los aspectos económico y político. En el próximo capítulo presentaremos los cambios en los aspectos sociales y culturales: la familia, la educación, la estructura social, la religión, la vida en las ciudades y la cultura.

RESUMEN

En este capítulo discutimos el fenómeno de cambio social en Puerto Rico en los aspectos económico y político. Incluimos los siguientes aspectos: economía, población, política, vivienda, salud y trabajo. Discutimos las fuerzas que han ayudado a producir cambios en estos aspectos. Las más importantes de esas fuerzas son el proceso de transculturación, la transformación económica, los movimientos poblacionales y el desarrollo de la educación.

Con relación a la economía, hicimos resaltar la transformación de una economía agraria a una industrializada, con los consiguientes cambios no solo en nuestra vida económica, sino también en otros aspectos de la sociedad. Como resultado de los cambios en el orden económico, las condiciones de vida del pueblo en general han mejorado. Se ha reducido el desempleo, con excepción de los últimos años en que ha aumentado. Los obreros han aumentado sus ingresos y han mejorado su posición notablemente. A pesar del desarrollo económico se pueden apreciar todavía ciertas desigualdades en la distribución de los ingresos, y como consecuencia, un alto por ciento de las familias vive en condiciones de pobreza.

Sigue creciendo la población de Puerto Rico a un ritmo que no guarda relación con nuestros recursos. Como consecuencia de este crecimiento poblacional se afectan los servicios de educación, vivienda y salud. Se han iniciado programas de control de natalidad y se hacen esfuerzos por extenderlos a un número mayor de familias. Los censos federales demuestran cómo nuestra población se va concentrando en la zona metropolitana y en los pueblos cercanos a esta. Este movimiento urbano produce inevitablemente un cambio en los valores y en los estilos de vida.

En el orden público recalcamos el cambio ocurrido: Puerto Rico, que era un país sin prácticamente ninguna autonomía política, disfruta hoy de una verdadera autonomía. A pesar de los logros alcanzados en la vida política, los puertorriqueños no parecen estar totalmente satisfechos y demandan mayores libertades. El problema del *status* político de Puerto Rico está ahora más vivo que nunca.

Con la elevación del nivel social y económico de nuestra población, han mejorado las condiciones de la vivienda rural y urbana. La administración de Programas Sociales y la Corporación de Renovación Urbana y Vivienda, se han encargado principalmente de mejorar la vivienda rural y la urbana. La empresa privada también participa activamente en la solución del problema de la vivienda en Puerto Rico. A pesar del esfuerzo realizado por el sector público y por el privado, el problema de la vivienda continúa siendo motivo de gran preocupación.

La salud del pueblo ha mejorado considerablemente, gracias a la elevación del nivel económico y, como consecuencia, el mejoramiento de la dieta, la expansión de los servicios de salud pública y hospitalaria, el progreso de la medicina y el aumento en el número de médicos.

La condición del obrero ha prosperado también considerablemente y las uniones obreras ocupan hoy un sitial de respeto e importancia. El obrero ha logrado el reconocimiento de sus derechos en la Constitución del Estado Libre Asociado y mediante legislación.

## LECTURAS

American Academy of Political and Social Science. *Puerto Rico: A Study in Planned Development.* En *The Annals,* Vol. 285, enero de 1953, páginas 1-152.

Anderson, Robert W. *Party Politics in Puerto Rico.* Stanford: Stanford University Press, 1965.

Bach, Kurt W. *Slums, Projects and People.* Durham: Duke University Press, 1962.

Cochran, Thomas C. *The Puerto Rican Businessman.* Philadelphia: The University of Pa. Press, 1959.

Cofresí, Emilio. *El control de la natalidad en Puerto Rico.* En *Revista de Ciencias Sociales,* julio-sept°. de 1969, Vol. 13, Núm. 3, páginas 379-385.

Departamento de Instrucción Pública. *Educación.* Vol. 21-22, octubre de 1968.

Departamento de Instrucción Pública. *Lecturas básicas sobre historia de Puerto Rico.* San Juan, Puerto Rico: Departamento de Instrucción, 1967.

Departamento de Salud. *Informe anual de estadísticas vitales.* San Juan, Puerto Rico: Departamento de Salud, 1968.

Departamento de Salud. *Informe anual de estadísticas vitales.* San Juan, Puerto Rico: Departamento de Salud, 1973.

Di Venuti, Biagio. *The Economics of Puerto Rico.* San Juan: Deparment of Education, 1957.

Fernández Marina, Ramón. *The Sober Generation.* Río Piedras: Editorial Universitaria, 1969.

Fernández Méndez, Eugenio. *La cultura puertorriqueña.* Facultad de Ciencias Sociales, U.P.R. En mimeógrafo.

Gobierno de Puerto Rico. Los talleres del Nuevo Puerto Rico. *Empleo, adiestramiento y educación.* San Juan, Puerto Rico: La Fortaleza, marzo de 1974.

Junta de Planificación de Puerto Rico. *Informe económico al Gobernador.* San Juan, Puerto Rico: La Junta, 1969.

Junta de Planificación de Puerto Rico. *Informe económico al Gobernador.* San Juan, Puerto Rico: La Junta, 1973.

Junta de Planificación de Puerto Rico. *Estadísticas sociales-1973.* San Juan, Puerto Rico: La Junta, 1975.

Junta Estatal de Elecciones. *Informe oficial sobre las elecciones generales del 7 de noviembre de 1972.* Segunda edición. San Juan, Puerto Rico: La Junta, 1972.

## SOCIOLOGÍA Y EDUCACIÓN

Lewis, Oscar. *La vida.* New York: Random House, 1966.

Mintz, Sidney W. *Worker in the Cane.* New Haven: Yale University Press, 1960.

Monserrat, Joseph. *Puerto Rican Migration: The Impact on Future Relations.* En *Howard Law Journal,* Vol. XV, Fall, 1968, pp. 11-25.

Oficina del Gobernador. *Mensaje del Hon. Rafael Hernández Colón, Gobernador de Puerto Rico, a la Séptima Asamblea Legislativa en su tercera sesión ordinaria.* San Juan, Puerto Rico: La Fortaleza, 3 de marzo de 1975.

Pérez de Jesús, Manuel. *Desarrollo económico, crecimiento poblacional y bienestar social en Puerto Rico.* En *Revista de Ciencias Sociales,* XII, marzo de 1968, páginas 23-52.

Perloff, Harvey S. *Puerto Rico's Economic Future.* Río Piedras: The University of Puerto Rico Press, 1950, Capítulos 1, 2, 3, 4, 5, 6, 12 y 13.

Picó, Rafael. *Planificación y acción.* Baltimore, University Press, 1962.

Picó, Rafael. *Nueva geografía de Puerto Rico.* Río Piedras: Editorial Universitaria, 1969.

Reimer, Everett. *Implicaciones educacionales del desarrollo económico.* En *Educación,* Vol. X, núm. 82, enero de 1961, páginas 15-24.

*Revista de Ciencias Sociales.* Número especial sobre Puerto Rico. Volumen VII, núms. 1 y 2, marzo y junio de 1963.

Rosario, José C. *La producción económica en general.* Río Piedras: Universidad de Puerto Rico, 1952.

Stead, William H. *Fomento: El desarrollo económico de Puerto Rico.* México: Libreros Mexicanos Unidos, S. A., 1963.

Steward, Julián H. *The People of Puerto Rico.* Urbana: University of Illinois Press, 1956.

Stycos, J. Mayone. *Family and Fertility in Puerto Rico.* New York: Columbia University Press, 1955.

Universidad de Puerto Rico. Escuela de Administración Pública. *Revista de Administración Pública.* Vol. IV, Núm. 2, septiembre de 1971.

Vázquez Calzada, José. *El crecimiento poblacional de Puerto Rico - 1493 al presente.* En *Revista de Ciencias Sociales,* XII, marzo de 1968, páginas 1-22.

Vázquez Calzada, José. *La emigración puertorriqueña, ¿solución o problema?* En *Revista de Ciencias Sociales,* VII, dic<sup>e</sup>. de 1963, páginas 323-332.

Vázquez Calzada, José. *Tendencias en patrones de fecundidad en Puerto Rico.* En *Revista de Ciencias Sociales,* X, sept<sup>e</sup>. de 1966, páginas 257-276.

Wells, Henry. *The Modernization of Puerto Rico.* Cambridge: Harvard University Press, 1969.

Zapata, José M. *La sobrepoblación.* Santurce: Imprenta Soltero, 1952.

## CAPÍTULO VIII

## EL CAMBIO SOCIAL EN PUERTO RICO:
## ASPECTO SOCIAL Y CULTURAL

En el capítulo anterior estudiamos los aspectos económicos y políticos del cambio social en Puerto Rico: la economía, la población, la política, la vivienda, la salud y el trabajo. Discutimos las formas en que nuestra vida ha sido afectada por las fuerzas de cambio.

Este capítulo entrará en la consideración del cambio en los aspectos sociales y culturales en Puerto Rico. Estudiaremos el cambio social en los diversos aspectos de la sociedad puertorriqueña: la familia, la religión, la estructura de clases, la vida en las ciudades y la cultura. Al igual que en el capítulo anterior, no profundizaremos en estos aspectos, solamente discutiremos los elementos sobresalientes del cambio. Empecemos con el estudio de la familia.

### LA FAMILIA *

Es imposible hablar de la familia puertorriqueña como si esta fuera homogénea, sin distinguir entre la familia rural y la familia urbana. Reconocemos que hay muchos elementos en común entre ambos tipos, pero también hay diferencias básicas entre ellos. No queremos decir, sin embargo, que no existan diferencias entre unos tipos de familia rural y otros. Estas diferencias existen especialmente en los elementos culturales particulares de una y otra familia rural. Nos referimos, entre otras, a las diferencias en el lugar de residencia, la vida económica, la distancia de los centros urbanos, los medios de comunicación y transportación y las facilidades recreativas y educativas. Además, la gran masa de la población que ha emigrado en los últimos años a los arrabales urbanos y a las urbanizaciones públicas y privadas retiene muchas de las formas de vida rurales, y a pesar de vivir en la zona urbana, exhibe características de familia rural.

Estudiaremos entonces los cambios en la familia puertorriqueña en término de los cambios operados en la familia rural y en la urbana. En el caso de la familia urbana discutiremos los cambios que han experimentado las familias de las clases media y alta, por ser estas dos clases las que mejor reflejan el impacto del cambio social en este tipo de familia.

---

* Vea el Capítulo XIII, para información adicional sobre la familia.

## La familia rural

El cambio social no ha afectado solamente los centros urbanos de Puerto Rico; las áreas rurales también han sentido su efecto. La institución de la familia ha sufrido un número de cambios.

*Algunos cambios significativos.* La familia extendida, que se compone del padre, la madre, los hijos y otros familiares, es tradicionalmente la unidad familiar típica en las zonas rurales. No es hoy día el único tipo de familia que existe en el campo. Con el mejoramiento de las condiciones económicas, la importancia dada al dinero, el pago de jornales, el establecimiento de viviendas individuales para cada pareja que se casa, y con la creciente migración hacia el pueblo o la zona metropolitana, la familia extendida se ha ido perdiendo, dando lugar a la familia nuclear. La familia nuclear consiste del marido, la mujer y los hijos solteros.

La familia, al igual que otros aspectos de la sociedad puertorriqueña, ha sido estudiada extensamente por los científicos sociales.[1] Julian H. Steward [2] y sus colaboradores realizaron un estudio antropológico sobre las comunidades puertorriqueñas, en el que se recoge valioso material sobre la familia. El libro comprende un estudio de cuatro comunidades rurales puertorriqueñas y una comunidad de la clase alta en la zona metropolitana de San Juan. Se escogieron para el estudio comunidades rurales que dependían para su subsistencia del cultivo de tres productos principales: una comunidad de tabaco y frutos menores en las montañas del Este de Puerto Rico, una comunidad cafetera del Centro, una corporación azucarera americana del Sur y una comunidad cañera de la Autoridad de Tierras en el Norte. El propósito del estudio era determinar hasta qué punto el cultivo de la cosecha principal condicionaba la cultura de la comunidad.

La descripción de la familia rural que aquí se presenta y los cambios ocurridos en esta están basados principalmente en la obra de Steward.

La mayor parte de los cambios se aprecian mejor en la familia de las comunidades cañeras de la costa. Las mejores y mayores facilidades de transportación y de comunicación y la ampliación de servicios como la electricidad, la educación y la salud han ayudado a acelerar los cambios en estas comunidades. El padre, tradicionalmente el jefe absoluto de la familia y su principal proveedor, ha tenido que ceder parte de esa autoridad a la esposa. Esto se debe al hecho de que ella también recibe algún ingreso, no necesariamente participando en las faenas agrícolas, sino preparando almuerzo para los obreros, realizando trabajos para las familias del pueblo o laborando como obrera en una fábrica de la localidad. La contribución de la mujer es necesaria para la subsistencia de la familia en el tiempo muerto en que los ingresos del esposo son bajos. Cuando la mujer participa de la función económica y contribuye con su ingreso, espera y exige mayor participación y autoridad en los asuntos de la casa y de la familia, compartiendo de ese modo, la autoridad con el hombre. Podríamos decir que este tipo de familia se ha democratizado más que otros.

---

1. Vea Theodore Brameld. *The Remaking of a Culture: Life and Education in Puerto Rico.* New York: Harper and Brothers, 1959, pp. 360-363.
2. Julian H. Steward. *The People of Puerto Rico. A Study in Social Anthropology.* Urbana: University of Illinois Press, 1956.

Las facilidades de transportación en la costa ayudan a que un mayor número de niños y niñas aprovechen los beneficios de los centros educativos. Las limitaciones en la socialización son subsanadas por la contribución que la escuela y el maestro pueden hacer. La comunidad de la costa tiene mayor acceso a los medios de recreación, periódicos, radios, televisores, ayudando así a la educación total de la persona y dando a estos individuos una perspectiva más amplia de la vida. Se reduce el aislamiento en que viven estas familias, aumentando así el contacto con el mundo exterior. Ese mundo externo es una fuerza importante en el cambio de los patrones de conducta y en el rompimiento con las formas tradicionales de comportamiento.

La mujer de las comunidades rurales del centro de la Isla tiene una posición inferior a la mujer de las comunidades cañeras. Aquella no trabaja fuera del hogar. La familia depende exclusivamente de los ingresos del marido y de los hijos varones solteros. Desde pequeños, estos contribuyen con el dinero, producto de su trabajo, al sostén de la familia. Los hijos recogen café y se emplean en las plantaciones de tabaco. En cambio, el cañaveral, por lo general, no emplea menores.

La comunidad del cafetal es la que menos cambios ha sufrido, quizá debido al aislamiento en que se encuentra, a la poca educación y a la tardanza en llegar hasta allí la industrialización y sus efectos. En esta comunidad el padre ejerce su papel con mayor autoridad, la mujer es más sumisa y los hijos están sometidos al padre, quien controla casi por completo sus vidas. No abundan los casos de abierta rebeldía contra la autoridad paterna.

Un cambio que se nota en las comunidades de tabaco y frutos menores es que ha desaparecido casi por completo la familia extendida. Aquí la familia consiste, por lo general, del padre, la madre y los hijos solteros. Este cambio puede deberse al interés que estas familias están dando al dinero y a la posesión de tierra. Esto requiere el invertir todas sus energías en su propiedad y no en la ajena.

Esta familia es del tipo patriarcal, al igual que en las demás comunidades, donde el padre ejerce su autoridad en los asuntos de la familia, como por ejemplo, la educación de los hijos y su disciplina. La mujer, sin embargo, va ganando mayor consideración y respeto, de parte del esposo. El cambio en la posición tradicional de la mujer es mayor en aquellos casos en que ella o sus padres poseen tierras. En estos casos, la residencia del matrimonio se establece en la finca de ella o de sus padres. La posesión de tierras generalmente conlleva el que la familia sea más estable. Otro aspecto de cambio en este tipo de familia es el de la educación de los hijos. En esta comunidad se reconoce el valor de la educación, de ahí que tanto los hijos varones como las niñas asisten a la escuela por más tiempo que en la comunidad del café. Esto demuestra que se va reconociendo y ampliando el papel que debe desempeñar la mujer.

*Resumen de los cambios en la familia rural.* En resumen, la familia extendida va declinando y la familia conyugal —padre, madre e hijos— tiende a establecerse como una unidad. La familia puertorriqueña es patriarcal, aunque con diversos grados de intensidad. La tendencia es a mantener vigente la autoridad del padre. Los vínculos que unen a padres e hijos son bastante fuertes, especialmente aquellos entre la madre y el hijo. En casos de conflicto, la madre sirve de intermediaria entre padres e hijos. Los nexos de solidaridad entre el marido y su mujer se han alterado durante el siglo XX, especialmente en las comunidades cañeras, donde la mujer está asumiendo mayor participación en la vida económica. Como consecuencia, abundan en estas familias males como el divorcio, el abandono y la delincuencia juvenil. El grado de solidaridad, sin embargo, entre los hermanos se ha mantenido fuerte. Todavía es corriente la autoridad de los hermanos mayores sobre los menores. Conjuntamente con la autoridad, los mayores también protegen a los menores.

La familia de la zona tabacalera y frutos menores también ha sufrido cambios significativos, sin embargo, estos son menores que en la zona del cafetal. En todos los tipos de familia puede apreciarse el interés por un mayor uso de las facilidades educativas y mayor comprensión del papel de la educación como instrumento de mejoramiento.

## La familia urbana

La familia urbana de las clases media y alta es una familia pequeña de tipo nuclear, formada por la pareja y sus pocos hijos. El uso que hace de las facilidades de la vida urbana y de los contactos que tiene con el mundo exterior ha contribuido a producir cambios en este tipo de familia. La familia urbana de nivel social bajo es la que menos ha sentido las fuerzas del cambio social.

*Algunos cambios significativos.* Ha cambiado el papel de autoridad del padre; el marido y la mujer asumen conjuntamente la autoridad e imponen disciplina. La mujer y los hijos reciben un trato mucho más democrático, lo que produce mejores relaciones entre los miembros de la familia. La familia ha dejado de ser una institución formal y se va convirtiendo en una familia de compañerismo democrático, un verdadero grupo de personalidades en interacción.

En la clase media la mujer trabaja fuera, lo que le da mayor independencia y movilidad. Las mujeres están invadiendo todos los campos, incluyendo aquellos que anteriormente se reservaban a los hombres. Como la mujer trabaja fuera del hogar, se reduce el tiempo que ella puede pasar con los hijos, lo que implica que no ejerce un control completo en la educación y dirección de la conducta de sus hijos. Gana, sin embargo, un mayor *status* en la comunidad a través de su participación en actividades sociales, económicas y políticas.

La familia urbana ha dejado de ser una unidad de producción para convertirse principalmente en una unidad de consumo. Hace uso de una gran variedad y cantidad de artículos de consumo. Los artículos y las labores que antes se hacían en el hogar son elaborados y desarrollados por unas agencias, fuera del control de la familia. Nos referimos al lavado, al planchado, a la confección de bizcochos y otros alimentos y a la construcción de muebles. Este tipo de familia hace un mayor uso de facilidades tales como los restaurantes, las cafeterías, los supermercados, las farmacias, las estaciones de gasolina y las escuelas de párvulos y maternales.

La electricidad ha aumentado las comodidades del hogar por el uso de los artefactos caseros que facilitan la labor de la mujer, ya que escasea el servicio doméstico. El hombre participa en las tareas domésticas. La estructura física del hogar ha cambiado; también el arreglo de los muebles, la decoración de la casa, la clase de alimentos que se consumen y la preparación de los mismos.

El divorcio ha aumentado en la familia urbana. Este ha sido motivado en parte por la creciente independencia de la mujer, por sus actividades fuera del hogar, por el crecimiento de las ciudades, con sus tensiones y conflictos, y por la reducción en el control que ejerce la opinión pública y el cambio en las costumbres.

No queremos implicar que el cambio en la familia urbana sea tan grande que apenas si queden elementos tradicionales. Se siguen supervisando las actividades de la hija casadera y el hombre prefiere casarse con una mujer virgen. En lo que respecta a la conducta sexual de hombres y mujeres, prevalece casi sin alteración la norma de la doble moralidad: se espera de la mujer una fidelidad cabal, mientras al hombre se le permite cierto tipo de promiscuidad sexual.

*Resumen de los cambios en la familia urbana.* Como ya hemos dicho Puerto Rico está pasando por una rápida transformación social, motivada principalmente por la modificación producida en nuestro orden económico. Los cambios en el aspecto económico se reflejan en otros aspectos de la sociedad. Como es natural, la familia en casi todos los sectores de la sociedad puertorriqueña, especialmente en las clases medias urbanas, ha sufrido el efecto de estos cambios. Los mismos pueden resumirse de la siguiente manera: mayor *status* de la mujer por su participación en la vida económica, política y social, mayor participación de la madre y los hijos en la deliberación y toma de decisiones de los asuntos familiares, reducción en el tamaño de la familia según aumenta la educación, movilidad hacia los centros urbanos y acceso a todos los recursos disponibles en los mismos.

No todos los cambios que han afectado la familia son positivos. Entre los cambios, han surgido la desorganización social, los desajustes, las nuevas alternativas que considerar y una relación menos personal con los vecinos y los miembros no inmediatos de la familia. Aquellos miembros acostumbrados a los viejos patrones sufren ante el impacto de las nuevas transformaciones. Todas estas cosas son inevitables en una época de grandes cambios sociales.

Por último, deseamos referirnos a Mellado[3] quien comenta las tensiones producidas por las fuerzas sociales sobre la familia puertorriqueña. Algunas tensiones son favorables, como el afán de los padres de dar a sus hijos una educación superior a la que ellos adquirieron; la lucha por la movilidad social ascendente; el esfuerzo por elevar las normas de vida; el deseo de democratizar el gobierno del hogar, y el deseo de explicar la conducta en base del espíritu científico del mundo en que vivimos. Entre las fuerzas desfavorables, dice Mellado que están las siguientes: la lucha desesperada de muchos padres por ofrecer a sus hijos títulos académicos que sobrepasan su capacidad intelectual, la obsesión de padres e hijos de vivir con un lujo y un *confort* superior a sus ingresos, el debilitamiento de las relaciones con los miembros de la familia no inmediata y el conformismo de la esposa y sus hijos ante los abusos de autoridad del hombre.

3. Ramón A. Mellado. *Puerto Rico y Occidente.* México: Editorial Cultura, 1963, pp. 113-114.

## LA RELIGIÓN

La mayor parte de los puertorriqueños dicen que pertenecen a la religión católica. Alrededor del 80 u 85 por ciento demuestran esa preferencia. A pesar de este porcentaje tan alto, las iglesias católicas no son tan concurridas como tenderíamos a esperar a base del número estimado. Por lo general asisten más mujeres que hombres a los servicios religiosos. Los católicos, a través de los nuevos movimientos espirituales, como cursillos de cristiandad, jornadas de vida, alboradas y retiros, están atrayendo a los hombres. Los protestantes, primero que los católicos, han atraído más a los hombres a la iglesia, por medio de una mayor participación activa, delegándoles responsabilidades y participación directa en la vida de la Iglesia.

En Puerto Rico, la celebración de los días religiosos, como el del patrón, la Navidad y la Semana Santa, atrae más gente al pueblo que de costumbre, pero no toda va a la Iglesia. Muchos aprovechan esta visita al pueblo para recrearse. Muchas de estas celebraciones, especialmente el período de Navidades y las fiestas patronales o populares, han tomado un carácter más secular y comercializado que religioso. Muchas otras actividades religiosas, especialmente aquellas relacionadas con las crisis de vida del ser humano, han cobrado también carácter secular y hasta festivo, tanto en la zona rural como en la urbana. A pesar de que decimos que los habitantes de la zona rural son más religiosos que los del pueblo, abundan entre ellos las curaciones mágicas y muchos profesan el espiritismo.

Un gran número de puertorriqueños tampoco parece sentirse obligado a cumplir a cabalidad con los códigos y normas de la iglesia católica. Un número de los que dicen que son católicos, se casan consensualmente y por lo civil, se divorcian, practican métodos contraconceptivos y hasta mantienen concubinas.

### Algunos cambios en la religión

La iglesia ha sentido también los efectos del cambio social. La Iglesia Católica ha experimentado cambios en todas partes del mundo. La Iglesia Protestante también se ha transformado. Veamos primero los cambios en la Iglesia Católica.

*Cambios en la Iglesia Católica.* En Puerto Rico ha surgido un número de instituciones —parques de pelota, cines, teatros, balnearios, hipódromos— que vienen a competir con la Iglesia. Una parte del pueblo no parece sentirse tan obligada a ir a la Iglesia si estas otras instituciones también les atraen, y a veces más que la Iglesia misma. A pesar de ser una institución tradicionalmente conservadora, la Iglesia ha tenido que hacer ciertos cambios para enfrentarse a este problema. Ha aceptado cambios en las horas de sus servicios religiosos y cambios en ciertas prácticas de la Iglesia. Hoy día no es raro asistir a una misa a las cinco o a las seis de la tarde. La Iglesia Católica se ha interesado en actividades de acción social, tendientes al mejoramiento de la vida de la comunidad. Participa y muchas veces dirige programas educativos, recreativos y culturales. Se ha interesado también en actividades económicas, tales como la organización de cooperativas.

Trabaja con grupos de jóvenes obreros, como la Juventud Obrera Católica, y ofrece cursillos a líderes obreros y patronales. Por medio de seminarios y talleres adiestra a los sacerdotes en programas de acción social, para que estos a su vez puedan trabajar efectivamente con los diversos grupos de la sociedad.

Uno de los cambios más significativos de la religión, entre los puertorriqueños en este siglo, es la separación oficial de la Iglesia Católica y el Estado. Con la separación de la Iglesia y el Estado se elimina el clero de nuestro presupuesto, se seculariza la educación y se prohibe la intervención de la Iglesia en las actividades de gobierno.

La Iglesia Católica no es la misma desde el Concilio Vaticano II. Se notan cambios en la misa en español, en vez del latín, en la participación de laicos en la celebración de la misma, en el uso de cantos y coritos populares, música moderna e instrumentos modernos y en la reducción del tiempo de la mortificación en la cuaresma.

El Ecumenismo ha dejado sentir su influencia en la Iglesia Católica. Hoy día católicos y protestantes celebran servicios religiosos conjuntamente. Se promueve de este modo la unidad entre todos los cristianos. En Puerto Rico se llevan a cabo proyectos educativos en que participan a la vez los seminarios Católico, Episcopal y Evangélico.

En Puerto Rico hemos visto también la intervención de la iglesia en la política. Los obispos católicos ayudaron a formar el Partido Acción Cristiana en 1960 y pedían a los feligreses que rechazaran en las elecciones a los candidatos anticatólicos, que se oponían a la enseñanza de religión en las escuelas. Esta intervención de la iglesia en la política se ha reducido grandemente a partir del 1964, en que desapareció el partido antes mencionado. Los obispos no estan hoy día abogando activamente por la educación religiosa en las escuelas, como hacían hasta el 1964. Han optado por abrir escuelas católicas donde se enseña religión como parte del currículo.

Además, han ocurrido cambios adicionales. Hoy día todos los obispos son puertorriqueños, o de ascendencia puertorriqueña. La Santa Sede oyó el clamor de los boricuas por obispos nativos. También las monjas han cambiado su forma de vestir.

A pesar del cambio que ha corrido en la Iglesia Católica, quedan otros aspectos donde se han hecho muy pocas variaciones. La Iglesia no ha cambiado en cosas fundamentales como el divorcio, el control de la natalidad y el celibato.

Otro elemento que también ha afectado a la Iglesia Católica es el hecho de que han surgido un sinnúmero de sectas de la Iglesia Protestante. Desde 1898 empezaron las sectas protestantes a extenderse libremente y a ganar adeptos. Estas iglesias han tenido aceptación por parte de las clases bajas, especialmente por la participación que dan al hombre pobre y porque éste se siente mejor entre la gente de su misma clase social. Mucha de esta gente pobre llama la Iglesia Católica "la Iglesia de los ricos", y la Iglesia Pentecostal "la iglesia de los pobres".[4]

*Cambios en la Iglesia Protestante.* La Iglesia Protestante ha sido bastante liberal desde el comienzo. Cree en el principio del libre albedrío y la

---

4. Stewart, Julian H. *Op. cit.*, pp. 406-409.

libre expresión, lo que quiere decir que se permite el que no todo el mundo esté de acuerdo con todas las ideas y se respetan las opiniones divergentes. En asuntos como el control de la natalidad, el bautismo, el pecado original o el evangelio social, no todos los protestantes creen de igual manera. Se permite la diversidad de criterios y el derecho a exponer los diferentes puntos de vista. La Iglesia Protestante ha estado a la vanguardia de la libre expresión, la libertad de culto, la separación de la Iglesia y el Estado y la liberalidad de las leyes de divorcio.

En cuanto a los cambios en la Iglesia Protestante, podemos afirmar que, siendo una Iglesia importada, han habido pocos cambios en la liturgia. Han introducido, sin embargo, los cantos populares, los instrumentos musicales modernos y más viveza en los servicios. Siguiendo la corriente del Ecumenismo, las relaciones entre los protestantes y los católicos han mejorado notablemente. Participan juntos en los servicios religiosos, en foros, en campañas cívicas y se han unido para discutir y resolver los problemas de Puerto Rico. No se puede negar que quedan grupos disidentes, pero en ambas partes hay mucha más comprensión y tolerancia.

Se señalan otros cambios, como los siguientes: algunos ministros han participado en campañas contra el servicio militar obligatorio y han hecho declaraciones de índole política. En algunas iglesias el sermón ha sido sustituido por el diálogo. En vez de hablar una sola persona, la Iglesia entera participa activamente.

Otro cambio que se puede apreciar entre los protestantes es la actitud favorable que han adoptado hacia los pentecostales. Antes estos no eran muy apreciados por los evangélicos, quienes los veían como fanáticos e irreligiosos. Se predicaba en su contra desde todos los púlpitos. Se les criticaba por los ruidos de panderetas, los instrumentos musicales de todas clases, la larga duración de sus servicios y el conservadorismo exagerado, tanto de parte de los predicadores como de los feligreses.

Hoy día se notan grandes cambios en la secta pentecostal. Es una iglesia autóctona; fundada por el puertorriqueño, con características puertorriqueñas. Desde el principio, los pentecostales compusieron sus propios himnos y coritos, incorporándolos a la liturgia y haciendo de esta una popular. Sus predicadores eran gente humilde, como sus feligreses. Predicaban en todos sitios; lo mismo en sus iglesias o casas como en la calle.

Hoy día, los pentecostales siguen usando las panderetas, los güiros y la guitarra, pero a estos se les ha añadido el coro, y en algunas iglesias, el piano. Sus cultos, que antes eran interminables, hoy día tienen un tiempo limitado. Hay iglesias que tienen horas de entrada y salida.

Los pentecostales hoy se mezclan con otras sectas protestantes y participan juntos de sus servicios. Otros predicadores también visitan sus templos.

Al principio la Iglesia Pentecostal solamente atraía a los humildes. Estaba localizada en sitios donde predominaban los pobres. Todavía hoy la Iglesia Pentecostal se encuentra en el arrabal, pero además tienen templos en las urbanizaciones de la clase media. Al pentecostal hoy día se le permite estudiar y poseer propiedades; como consecuencia, ha mejorado su nivel de vida.

También se ha modificado el fanatismo exagerado de los primeros Pentecostales. Les estaba prohibido visitar el médico, las mujeres tenían que dar a luz en la casa y no practicaban el control de la natalidad. Los pentecostales de hoy visitan al médico, las mujeres dan a luz en el hospital y muchas practican el control de la natalidad. Las mujeres van a la iglesia con trajes de mangas cortas, visten a la moda y se recortan el cabello. Las iglesias usan el ómnibus para transportar a los miembros que viven lejos, escuchan la radio y ven la televisión.

A manera de resumen, podemos afirmar que la Iglesia, como institución tradicionalmente conservadora, ha variado, pero el cambio es leve en las cosas fundamentales. Este proceso de cambio continúa y se espera que haya otras modificaciones.

No queremos terminar esta parte de nuestro trabajo sin dejar de recomendar la lectura de la monografía *Iglesia, educación y cambio en el Puerto Rico contemporáneo*, que presentó Ricardo González, al Departamento de Estudios Graduados de la Facultad de Pedagogía, de la Universidad de Puerto Rico, Recinto de Río Piedras, en mayo de 1970, como requisito parcial para el grado de Maestro en Educación. La monografía del señor González nos ha sido de ayuda en la preparación de esta sección de nuestra obra.

## LA ESTRUCTURA DE CLASES

Puerto Rico ha sido siempre una sociedad de clases. Nuestra primera sociedad, la indígena, tenía una estructura social formada por sus divisiones de clases. Al tope de la estructura estaba el cacique o jefe, le seguían individuos que desempeñaban funciones especializadas, subjefes con determinadas labores y el grupo inferior, el más numeroso, que realizaba una gran variedad de tareas. Según se van extinguiendo los indios desaparece con ellos su división de clases. Llegan los españoles, se convierten en el grupo superior y se inicia su sistema de clases sociales. Había gobernantes, soldados, comerciantes y gente pobre. Más tarde podemos identificar una pequeña clase alta. Los españoles ricos, los grandes hacendados, los comerciantes acaudalados y los que ocupaban posiciones elevadas en el gobierno, la milicia y la iglesia constituían la clase alta. Existía también una pequeña clase media y una gran proporción de gente de clase baja. Hoy día, como consecuencia de los cambios que han ocurrido, en la economía, la educación y el trabajo ha ido creciendo esa clase media hasta convertirse en un grupo poderoso. Este es, a nuestro juicio, el cambio más significativo en nuestro sistema de clases.

### Las clases sociales

En Puerto Rico hay tres clases sociales básicas: alta, media y baja, definidas en términos de los criterios comúnmente usados en otras sociedades estratificadas en clases. Estos criterios son ingresos, ocupación, educación, riqueza y estilo de vida.[5] Para pertenecer a la clase alta cuenta mucho el origen social, la descendencia y la familia. La clase media ha crecido mucho, al extremo de que ya podemos denominar una pequeña

---

5. Véase estudio de Melvin M. Tumin, *Social Class and Social Change in Puerto Rico*. New Jersey: Princeton University Press, 1961.

clase media alta, compuesta por profesionales y hombres de negocios prósperos. A pesar de nuestros grandes esfuerzos por mejorar la vida de nuestra gente, la mayor parte de nuestra población puede clasificarse de clase baja. Una alta proporción de esta clase vive todavía en la pobreza extrema. Analicemos estas tres clases sociales en detalle.

*La clase alta.* La clase alta, que en otros tiempos se caracterizaba por su riqueza agrícola y el prestigio de familia, es hoy día una clase definida en términos de propiedad financiera e industrial. La riqueza sigue siendo su principal símbolo de posición social. Esta clase social por lo general vive en elegantes mansiones en los más exclusivos sectores residenciales en las áreas urbanas. También tienen villas cerca de la playa o en el campo. Está compuesta de cerca de 3 % del total de la población, y con la clase media alta alcanza casi el 9 % de la población total.

La esposa de la clase alta no trabaja fuera de la casa; tampoco trabaja en la casa. Cuenta con dos o tres sirvientas que hacen todo el trabajo doméstico y cuidan de los niños. Esta familia tiene, por lo general, pocos hijos. Para los hijos se prefieren las escuelas privadas. Algunas familias envían sus hijos a escuelas secundarias en Estados Unidos. También prefieren enviar sus hijos a los Estados Unidos a cursar sus estudios universitarios.

Los hombres de la clase alta, son altos ejecutivos de negocio. Muchos son representantes de firmas comerciales americanas. Por su condición y por el trabajo que desempeña, el esposo de la clase alta mantiene relaciones estrechas con los norteamericanos de su misma clase social, tanto aquí como en los Estados Unidos. La naturaleza de su trabajo permite hacer viajes frecuentes a los Estados Unidos. Se relaciona también con los norteamericanos a través de sus actividades sociales. Es por esta razón, que la clase alta, más que ningún otro grupo, ha asimilado las costumbres y prácticas norteamericanas.

En resumen, los símbolos de la posición de clase alta son los siguientes: casas lujosas, dos o más automóviles, sirvientes, educación de escuela secundaria y de colegio en escuelas americanas, bilingüismo y trabajo como profesional o gerente. Las características culturales de herencia española están desapareciendo entre las familias de clase alta. Esta clase se limita a unos cuantos cientos de familias que se distinguen o caracterizan por su americanización, trabajo y su elevada posición social.

Las relaciones sociales de estas familias son entre ellos mismos. Pertenecen a clubs exclusivos. Sus actividades sociales y recreativas son al estilo americano. Son conservadores en política y religión. La mayoría de ellos son católicos.

*La clase media.* La clase media, que es la clase que más está creciendo y desarrollándose en Puerto Rico, es quizá el grupo que mejor asimila los efectos de la industrialización. Componen esta clase las masas de empleados de cuello blanco y los profesionales que han contado con recursos como la educación, la ambición y el interés para ocupar posiciones de importancia en la comunidad, el comercio y el gobierno. La clase media es posiblemente la más poderosa y exigente. Es la clase que viene día a día a poblar las modernas urbanizaciones de las grandes ciudades y de la zona metropolitana. Compone cerca de 1/4 a 1/3 de la población total.

Es el grupo que más énfasis da a la educación como un medio de movilidad social. Esta clase se empeña en que sus hijos, tanto hombres como mujeres, alcancen la mejor educación posible como un medio para conservar la posición que sus padres han ganado o aspirar a una mayor. Todo padre de esta clase social aspira a que su hijo llegue al colegio y la universidad.

Esta clase está asimilando rápidamente las costumbres y prácticas norteamericanas. Esto se deja ver en el lenguaje salpicado de palabras y frases del inglés, en la forma de preparar y servir las comidas y en el arreglo de la casa.

La clase media en la zona metropolitana educa sus hijos en las escuelas elementales y secundarias privadas y en las escuelas modelos que funcionan en algunas de las mejores urbanizaciones. Algunos envían sus hijos a colegios y universidades de Estados Unidos. Esta es una clase amante de los anuncios de sus actos sociales en la prensa, especialmente de aquellos relacionados con sus hijas. Tiende a dar importancia a la "buena vida" en términos de una gran cantidad de artefactos y comodidades materiales: automóviles, viviendas, nevera, televisor y yates, entre otros. Como es natural, surgen problemas y desajustes sociales cuando no se pueden satisfacer adecuadamente las exigencias de esta creciente clase media.

En un trabajo reciente, Buitrago[6] afirma que como consecuencia del proceso de industrialización que ha tenido lugar en Puerto Rico, los sectores medios, como él los llama, han crecido hasta abarcar los siguientes grupos: 1) nuevos obreros diestros o semidiestros; 2) pequeño o mediano empresario; 3) distribuidores; 4) vendedores; 5) profesionales, que él divide en profesionales grandes y pequeños, 6) profesionales y semiprofesionales, que incluyen el agente de publicidad y agentes de relaciones públicas.

De acuerdo con Buitrago, estos grupos participan en diferentes niveles y sectores del sistema. Los nuevos obreros diestros y semidiestros trabajan como asalariados. Exhiben un estilo de vida similar al de nuestras clases medias. El pequeño o mediano empresario posee un mayor grado de autonomía. El distribuidor posee cierta autonomía, pero a la vez cierta dependencia de esos sectores productivos para los cuales trabaja. Los vendedores, en todos sus niveles, están en una posición de asalariados, y dependen, por lo tanto, de sus patronos. El profesional grande exhibe características de empresario, no así el profesional pequeño, como los maestros, que no pueden ocultar su dependencia del gobierno y su condición de asalariados. El agente de publicidad y el de relaciones públicas son también asalariados bien pagados.

*La clase baja.* La numerosa clase baja no se limita a los pueblos y las áreas rurales. También abunda en los arrabales de la zona metropolitana, en las urbanizaciones públicas y en otros sectores residenciales más humildes. Pertenecen a este grupo las grandes masas obreras, agrícolas e industriales, de poco o ningún adiestramiento. Constituyen también la clase baja los que dependen de la asistencia pública.

En el estudio de Tumin, se encontró que cerca de dos terceras partes de la muestra podía clasificarse como perteneciente a la clase baja. Este

---

6. Carlos Buitrago Ortiz. *Los sectores medios en la sociedad puertorriqueña.* En *Revista de Ciencias Sociales*, Vol. XII, Núm. 4, diciembre de 1968, pp. 541-567.

grupo poblacional tiene poco menos de cuatro años de escuela o ninguna preparación. La mayoría de la gente de color pertenece a esta clase. Generalmente los miembros de este grupo no participan en organizaciones formales excepto iglesias y uniones. También sus actividades recreativas se llevan a cabo en bases informales, ya que carecen de los recursos económicos para patrocinar formas de recreación costosas. En fin, están en niveles bajos de educación, ingresos, ocupación y residencia.

Esta clase no ha recibido las influencias del cambio social en la misma proporción que la clase media. Esto se ha debido en parte a sus limitaciones económicas y sociales y a los contactos limitados con otros grupos sociales. La vida social y recreativa de este grupo se limita generalmente a la comunidad local. El trabajo, sin embargo, los pone en contacto con otros grupos, de los cuales van aprendiendo muchos elementos nuevos.

Gracias al aumento de las facilidades educativas, la clase baja ha tenido la oportunidad de mejorar su preparación. Los hijos de la clase baja sin embargo, son los que primero abandonan la escuela. Por esta razón, se hacen esfuerzos por retener este grupo en la escuela el mayor tiempo posible y por proporcionarle una mejor educación. La escuela pública les ofrece una magnífica oportunidad para una mayor y mejor socialización a través de los contactos con los maestros y los otros estudiantes.

## La movilidad social

Por movilidad social se entiende el movimiento de los individuos de una posición a otra en la jerarquía social. Hablamos de movilidad ascendente, o descendente, dependiendo de la dirección del movimiento.

La movilidad ascendente implica el aprender la subcultura de la clase a la cual uno se mueve. Esta envuelve aprender maneras de hablar, de vestir y de comportarse compatibles con la clase a que nos movemos. La educación es muy influyente en la movilidad ascendente. La movilidad descendente es menor que la ascendente.

Las clases sociales puertorriqueñas del presente no son cerradas. Puerto Rico es una sociedad abierta, en la cual las clases ganan y pierden miembros. Esto puede apreciarse en el cambio rápido que han tenido nuestras clases sociales en los últimos cincuenta años. Existen grandes oportunidades de movilidad social, especialmente a través de la educación. La creciente industrialización, ha ayudado a la movilidad social ascendente, según lo demuestra la formación de los sectores medios. Estas clases medias aprovechan todas las oportunidades de movilidad para mejorar su condición económica y social. Los niños asisten a la escuela por más tiempo. Los padres aspiran para sus hijos una mayor educación que la que ellos alcanzaron. Tienen fe en el valor de la educación y se preocupan por el grado de aprovechamiento académico de sus hijos. En el estudio de Tumin, 90 % de la muestra reveló que a más educación, se disfruta de una mejor posición. La educación es para este grupo, la principal avenida de movilidad social. Continúa Tumin diciendo que el grado de educación alcanzado significa una gran diferencia en los ingresos, la ocupación y el prestigio a que una persona puede aspirar. La educación afecta la actitud que la persona tiene de ella misma y de la sociedad, le señala cuán bien está actuando en comparación con otros, cuán bien la sociedad lo ha tratado y cuán prometedor es su futuro.[7]

El desarrollo de la educación en todos los niveles y el gran deseo del pueblo de aprovecharse de sus ventajas por las oportunidades que ofrece para la movilidad social, explican en parte el notable progreso que ha tenido Puerto Rico en los últimos años.

### LA VIDA EN LOS CENTROS URBANOS

El crecimiento de los centros urbanos en Puerto Rico fue muy lento en el pasado, como demuestra Vázquez Calzada.[8] Durante los primeros 300 años del régimen español no se desarrollaron grandes centros urbanos. Solamente San Juan podía considerarse urbano, de acuerdo con la presente definición del censo, en que se requiere de un poblado tener una población mínima de 2,500 personas para ser urbano.

Los centros urbanos empezaron a surgir en el siglo XIX. En el 1899, solo 17 de los 69 pueblos fueron clasificados como urbanos y únicamente el 15 % de la población total vivía en esos 17 lugares. Según Vázquez Calzada, varios factores contribuyeron al lento desarrollo urbano, el más importante de ellos era el tipo de economía prevaleciente, especialmente la agricultura de subsistencia. De 1899 a 1940 creció el sector urbano, como consecuencia del desorrollo de la agricultura comercial y de algunas pequeñas industrias manufactureras. Para el 1940, la proporción de la población urbana era el 30 %. El deterioro de la agricultura y el desarrollo de la industrialización han acelerado el crecimiento urbano. La población urbana aumentó a 40 % en 1950 y sobrepasa el 50 % en el presente. Hoy día, el área metropolitana de San Juan y los pueblos cercanos a esta son los de mayor concentración poblacional.

Como hemos visto, las grandes masas poblaciones se han venido concentrando en los centros urbanos, dando lugar a un estilo de vida urbano. Con la transformación de la sociedad se alteran las formas tradicionales de vida y los modos de comportamiento, aumenta la desorganización social y se pierde la intimidad entre los grupos primarios típicos de las pequeñas vecindades. Debido a la complejidad de la vida urbana, fallan las instituciones y surgen los problemas sociales, causados por la insuficiencia de facilidades educativas y recreativas, la inestabilidad de la familia y la falta de supervisión del hogar, el hacinamiento, la contaminación del agua y del aire, el aumento de los accidentes, la poca vigilancia policíaca, la congestión del tránsito y el debilitamiento de los controles sociales y la opinión pública.

El crecimiento urbano ha traído muchos beneficios a las gentes de las ciudades, pero también ha creado la necesidad de más y mejores servicios y facilidades. Esto ha impuesto una gran demanda a los programas de gobierno por más viviendas, hospitales, escuelas, parques de recreo, transportación pública, salud, empleos, vigilancia policíaca, recogida de basura y contaminación del agua y del aire.

---

7. Tumin. *Op. cit.*, p. 214.
8. José Vázquez Calzada. *El crecimiento de Puerto Rico - 1493 al presente.* En *Revista de Ciencias Sociales*, XII, marzo de 1968, pp. 1-20.

Veamos en detalles los principales problemas sociales asociados con el desarrollo urbano.

## La vivienda

La zona metropolitana de San Juan, por ser importante centro comercial e industrial, se convierte en la región receptora de la población de otras regiones. Se crean inevitablemente problemas de vivienda. La situación económica de la familia está relacionada con las condiciones de la vivienda. El ingreso de una familia determina en gran medida las condiciones en que se encontrarán sus viviendas. En Puerto Rico, a pesar del alto ritmo de construcción de viviendas, todavía existe una alta proporción de viviendas inadecuadas y deficientes. De acuerdo con estudios realizados por la Administración de Renovación Urbana y Vivienda, se estima que hay unas 160,400 viviendas inadecuadas y en deterioro localizadas en la zona urbana de los diferentes municipios de Puerto Rico.[9] El mayor número de viviendas deficientes se registra en San Juan. Aquí el arrabal incide con mayor frecuencia. El arrabal se caracteriza por el deterioro de las estructuras y la alta densidad poblacional. En estos arrabales hay ausencia de calles, falta de facilidades de agua y servicios sanitarios y falta de espacios abiertos para la recreación.

El alto crecimiento poblacional de Puerto Rico, unido al éxodo de familias rurales hacia las zonas urbanas, agudiza el problema de la vivienda en las zonas urbanas. Estas familias que abandonaron la zona rural van en busca de mayores oportunidades económicas. Por sus características de bajos ingresos y baja escolaridad, no pueden satisfacer por sí mismos las necesidades de viviendas y representan la clientela potencial de los programas de vivienda pública.

En general, el problema de la vivienda se caracteriza, en adición al deterioro físico, por el hacinamiento de las familias, la falta de facilidades sanitarias y la insuficiencia de luz natural y ventilación.

## La salud

El problema mayor de salud está en los arrabales, ya que aquí la higiene pública es casi desconocida. El agua es escasa. Las aguas negras van directamente a otros cuerpos de agua de alta contaminación. Los informes de la Corporación de Renovación Urbana y Vivienda señalan problemas relacionados con la salud en las viviendas públicas del área metropolitana, como la falta de limpieza, montones de basura que llevan a la proliferación de moscas, mosquitos y ratones e ineficiente recogida de basura. El desconocimiento de la higiene y la extensión de la prostitución pueden llevar a enfermedades venéreas.

El crecimiento poblacional, acompañado del desarrollo industrial y el aumento en el ingreso personal, ha traído como resultado un aumento continuo del volumen de basuras y desperdicios sólidos. La recolección y dispo-

---

9. Junta de Planificación. *Informe económico al Gobernador*, 1969, p. 229.

sición final de los desperdicios sólidos en formas inadecuadas e insanitarias crea un serio problema de contaminación ambiental que afectan la salud y el bienestar de la comunidad. Recientemente se legisló (Ley número 21 de 4 de junio de 1969) para imponer multas a aquellas personas halladas culpables de arrojar basura en calles, patios y solares yermos.

Por último, no queremos dejar de mencionar los efectos de la urbanización en la salud mental de los ciudadanos. Para que la sociedad pueda funcionar óptimamente es necesario que sus miembros se mantengan mentalmente saludables.

La salud mental se encuentra amenazada ante la complejidad del ambiente urbano, los ruidos del medio, la diversidad de seres humanos y los problemas que nos acechan. Los movimientos poblacionales a la zona urbana requieren ajustes a un ambiente desconocido y cambiante, donde abundan los riesgos, los peligros y el vicio. Muchos no logran hacer este ajuste adecuadamente, creándose problemas de salud mental que requieren servicios profesionales. El anonimato del hombre en la ciudad, con la pérdida de sus grupos primarios y el debilitamieto de los controles sociales, produce aislamiento y desarraigo. Esto puede producir mayores problemas personales y sociales, como el suicidio, el crimen y la adicción a drogas.

## La transportación

Conocidos de todos son los problemas relacionados con la transportación en las zonas urbanas. Debido al rápido crecimiento de la zona metropolitana de San Juan, no contamos con suficientes facilidades de transportación para servir a la población. Debido a la escasez de amplias vías, la congestión de tránsito ocasiona una gran pérdida de tiempo. Abundan los accidentes automovilísticos y escasea el espacio para estacionamiento. Una queja que se oye a diario es que los ómnibus públicos dejan a los ciudadanos lejos de sus hogares y éstos tienen que caminar largas distancias a pie.

Al presente, la Autoridad Metropolitana de Autobuses es la agencia que se encarga de servir transportación en masa al área metropolitana. Esta agencia administrativa opera un sistema de transportación pública para beneficio de los residentes de San Juan y los municipios de Bayamón, Cataño, Guaynabo, Trujillo Alto y Carolina.

Para afrontar los problemas hay planes para establecer un sistema rápido de transportación en masa para la zona metropolitana de San Juan, además de la utilización de los cuerpos de agua y canales como un medio auxiliar para la transportación colectiva. Este proyecto tomaría en cuenta el desarrollo natural de San Juan, el aumento de población y la demanda de un servicio eficiente.

## La recreación

No hay suficientes facilidades recreativas públicas para niños, jóvenes y adultos en el área metropolitana de San Juan, al igual que en otras áreas urbanas de Puerto Rico. Las facilidades privadas existentes son prohibitivas por su alto costo. Ejemplo de esto es el costo de los cines. La recreación se ha comercializado demasiado. Se necesitan amplios medios de recreación que permitan a la población el disfrute máximo de las horas libres. Así se evitará que esa población caiga en las garras de la delincuencia y otros males sociales. Hacen falta también más facilidades de recreación pasiva que provean a los ciudadanos un mayor disfrute de su vida y mayor esparcimiento espiritual.

La Administración de Parques y Recreo Públicos y la Compañía de Fomento Recreativo tienen la responsabilidad de proveer facilidades recreativas y deportivas en Puerto Rico. Otras agencias del gobierno también proveen facilidades y ofrecen programas recreativos y deportivos: el Departamento de la Vivienda, el Departamento de Instrucción, la Policía de Puerto Rico y la Administración de Acción Juvenil.

## La delincuencia

La delincuencia juvenil es uno de los principales problemas sociales de hoy. Generalmente afecta a grandes concentraciones de adolescentes en casi todas las ciudades del mundo. Son muchas las fuerzas de cambio social —la urbanización, la movilidad, los problemas familiares, la impersonalidad, el debilitamiento de los controles sociales, el uso del tiempo libre y la mayor libertad para los jóvenes— que hacen difícil la vida del adolescente. Estas fuerzas lo confunden, despiertan su ansiedad y provocan un tipo de conducta antisocial. Este problema preocupa no solo a las autoridades gubernamentales sino a todos los grupos de la comunidad, especialmente a los padres, a los maestros y demás personal relacionado con la educación.

Nadie puede decir con exactitud cuál o cuáles son las verdaderas causas de la delincuencia juvenil. Las investigaciones hechas sobre el tema demuestran que se puede deber a una o más de las siguientes causas: nivel socioeconómico bajo, fracaso en la escuela, deserción escolar, problemas familiares, la guerra, la prosperidad económica y los disturbios de la personalidad, entre otras muchas. Debe aclararse que ninguna de estas causas produce automáticamente al delincuente. En la formación de un delincuente operan fuerzas externas, del ambiente y la cultura, al igual que fuerzas internas, como los factores psicológicos del individuo —su personalidad y su concepto de sí mismo.

Como hemos dicho, hay factores relacionados con la escuela, como las dificultades académicas, los fracasos, las deficiencias en lectura y la deserción escolar, que pueden ser, en parte, responsables de un número de casos de delincuencia juvenil. Igualmente, podemos señalar que muchos niños jóvenes se han librado de la delincuencia, gracias a la influencia positiva de la escuela y del maestro. La escuela es la única institución estable y organizada que muchos niños y jóvenes con problemas conocen. Para estos niños, la influencia de la escuela puede ser realmente significativa.

Algunos ven la delincuencia como un fracaso de la educación. Alegan que, si la educación hubiera tenido éxito, muchos jóvenes de hoy no serían delincuentes. Por otro lado, muchas otras personas dicen lo contrario. Gracias al éxito que ha logrado la educación es que la inmensa mayoría de los jóvenes no son delincuentes. A veces cometemos el error de juzgar la educación en términos de lo que esta ha significado para ciertos individuos. La verdad es que hemos dado más publicidad a las actividades delictivas de algunos jóvenes que a las positivas de muchos de ellos.

Veamos la relación que existe entre la escuela y la delincuencia juvenil. No debe perderse de vista el hecho de que ninguna institución en particular, en este caso la escuela, es únicamente culpable de la delincuencia, como tampoco es la única institución que intenta contribuir a la rehabilitación del delincuente. Muchas otras influencias son también responsables de este mal social y de su erradicación. La escuela, como institución, puede provocar la delincuencia, como veremos más adelante, pero también puede evitarla o puede ayudar al delincuente en su rehabilitación.

*La escuela puede producir delincuencia.* Se nos hace difícil aceptar que la escuela pueda producir delincuencia, ya que esta institución existe para mejorar la sociedad y no para empeorarla. La verdad es que de la misma manera que hay familias, que crean problemas a sus miembros hay escuelas y maestros que lo hacen también. No cabe duda que hay escuelas que producen experiencias frustrantes e insatisfactorias para muchos niños.

En este punto queremos citar a Paul W. Alexander, de un artículo que escribió para la revista *Educational Forum*, en el que menciona las siguientes técnicas que pueden emplear la escuela para producir niños delincuentes:

> ...ridiculizar al niño; ponerlo en aprietos; compararlo desfavorablemente con otro niño; avergonzarlo públicamente; desconfiar de él sin motivos; permitir que otros niños se mofen o aprovechen de él; imponerle constantemente tareas que son muy difíciles para él o que no se ajusten a su capacidad; lastimar su dignidad en cualquier forma; no darle, aunque sea de vez en cuando, alguna oportunidad de hacer, crear y si posible sobresalir en alguna cosa; proporcionarle pocas oportunidades de hacer amigos; negarle la oportunidad de expresar su propia personalidad; proveerle pocas oportunidades de recreación y aventuras; deteriorar su sentido de seguridad o de "pertenecer", ser vagos e inconscientes en mantener disciplina; concebir la disciplina como... "el maestro vs. el discípulo" en vez de considerarla como una empresa conjunta y especialmente el no reconocer y reportar problemas de conducta en su etapa incipiente y ver que reciba tratamiento adecuado.[10]

No cabe duda que la escuela que emplea estas técnicas que menciona Alexander estará ayudando a producir delincuentes.

A las técnicas sugeridas por Alexander, podemos añadir otras, como las siguientes: 1) un maestro mal preparado, que no siente interés por el trabajo y no está atento a las necesidades de sus alumnos ni se preocupa por su desarrollo personal; 2) un currículo rígido, que exige los mismos requisitos de todos los educandos; un programa escolar en el que los estudiantes no le ven utilidad a lo que se les obliga a aprender y, por lo tanto, resulta en ausencias frecuentes y en mal comportamiento en el salón

---

10. Paul W. Alexander. *Some Tested Techniques in Teaching Delinquency*. En *Educational Forum*, November, 1943, pág. 41. Traducción tomada de la publicación *Delincuencia juvenil*, Departamento de Instrucción Pública, pp. 38-39.

de clases y 3) la falta de personal profesional especializado, como orientadores, trabajadores sociales y psicólogos, que ayuden al maestro a reconocer problemas de disciplina y presten su ayuda a esas casos, o si los hay, el desconocimiento por parte del personal escolar de los procedimientos para utilizar los servicios profesionales especializados.

No queremos en forma alguna dar la impresión de que la escuela sea la principal causante de la delincuencia. Recordemos que el niño pasa más tiempo en el hogar y en la comunidad que en la escuela. Al igual que muchos niños se sobreponen a circunstancias adversas en la familia, también muchos niños se sobreponen a situaciones desfavorables en la escuela y no se convierten en delincuentes. En innumerables casos, la escuela es la que nos desvía del camino de la delincuencia.

*La escuela puede evitar la delincuencia.* La primera contribución que puede hacer la escuela en la prevención de la delincuencia es la de proveer un ambiente que estimule a los estudiantes a permanecer en las aulas por el mayor tiempo posible. La escuela debe ser un sitio seguro para los alumnos. Estos deben sentirse aceptados y respetados. Cuando este ambiente está presente se reduce la deserción escolar.

La escuela ayuda a evitar la delincuencia juvenil cuando trata de enseñar a cada niño de acuerdo con su habilidad, cuando establece diferencias en el currículo para el niño lento, el promedio o el superdotado y cuando se preocupa por que los niños aprenden a leer a temprana edad. Desarrollar las destrezas en la lectura produce grandes satisfacciones al niño; el no desarrollarlas produce grandes frustraciones. Muchos estudios asocian la delincuencia con las dificultades en lectura.

Como una medida para ayudar a evitar que la escuela produzca delincuencia juvenil debemos preocuparnos por que cada maestro enseñe a un grupo relativamente pequeño de niños. Solamente de esta manera el maestro podría conocer bien a cada alumno y educarlo como individuo. El maestro que enseña a grupos pequeños puede estar atento a las señales de desviaciones, corregirlas a tiempo o hacer el debido referimiento a los especialistas. Estos deben estar disponibles para ayudar al maestro a trabajar con los problemas especiales que presentan algunos niños. Se necesitan maestros bien preparados que sepan trabajar con niños y jóvenes y sientan interés en ayudarlos. El maestro debe estar atento al niño que se ausenta con frecuencia, casi siempre por causa injustificada, al que comete faltas insistentemente, al que fracasa con frecuencia, al aislado, y al excesivamente retraído.

La escuela, que se preocupa por evitar la delincuencia, debe proveer un currículo interesante, pero sobre todo flexible y rico en actividades, especialmente para el niño de nivel socioeconómico bajo que tan expuesto está a la delincuencia. El currículo escolar puede enriquecerse con experiencias de trabajo, lo que ofrece oportunidad de hacer una obra valiosa en la comunidad y de ganar algún dinero para sus necesidades. En este punto puede mencionarse la labor que realizan los Centros de Estudios y Trabajo, bajo la dirección del Departamento de Instrucción Pública de Puerto Rico. Si bien es cierto que los jóvenes que asisten a estos centros no son delincuentes, es posible que de no haber asistido a ellos algunos hubiesen optado por seguir ese camino. El hecho de que el centro les provea un

currículo diferente a tono con sus intereses y que se dé atención a la satisfacción de sus necesidades, sirve de cauce para evitar la delincuencia.

*La escuela puede ayudar al delincuente.* La escuela puede evitar la delincuencia como también puede ayudar al delincuente. Insistimos que la
escuela puede y debe ofrecer la mejor influencia educativa; por lo tanto,
debe tratarse por todos los medios posibles, de aumentar el tiempo que
el niño pasa en la escuela diariamente. Se podrían añadir períodos adicionales de clase y trabajo sobre las horas regulares, pero se requiere supervisión adulta, especialmente de buenos modelos masculinos.

El delincuente es quizás el niño que más necesita de la escuela. Es
también el más dado a ser rechazado por la escuela debido a su conducta,
que constituye un dolor de cabeza para esta institución. Nunca debe verse
de esta manera. En el pasado se creía que el delincuente debía expulsarse de
la escuela; hoy, sin embargo, creemos que muchos pueden y deben permanecer en ella, si reciben atención especial. Hoy vemos al delincuente como
un niño con problemas que necesita orientación y protección, antes que
castigo.

El delincuente necesita de un maestro comprensivo que esté consciente de las necesidades de sus alumnos y que se comprometa a ayudar
al que más lo necesita. Debe ser una persona bien preparada, un adulto
seguro y maduro emocionalmente. Esto es, debe ser una persona que se
conoce a sí misma. La escuela debe ofrecer a sus discípulos un currículo
flexible, dinámico, interesante, realista, que se ajuste a las necesidades de
los educandos y les permita obtener cierto grado de satisfacción por los
logros alcanzados. El salón de clases debe caracterizarse por la actividad
y la variedad. Deben usarse métodos dinámicos, variados e interesantes,
que estimulen y reten al alumno, que inciten su participación y lo lleven
a relacionarse más estrechamente con el maestro y sus compañeros. Algunas
escuelas combinan los estudios formales con algún tipo de experiencias de
trabajo, lo que hace al niño sentirse importante y útil.

No debemos olvidar el hecho de que el maestro o la escuela no bastan
para resolver la delincuencia. El maestro no puede trabajar solo. Por más
preparación y mejores deseos que tenga, necesita de la ayuda de los especialistas. No debe perderse de vista la importancia que tiene para cualquier
niño, especialmente el delincuente, un buen programa de orientación, que
haga consciente a todo el personal de la escuela de la necesidad de ayudar
al que más lo necesita. Deseamos recalcar también la relación que debe
siempre existir entre el hogar y la escuela.

Reconocemos que los fracasos, las notas y la disciplina son fuentes de
tensión y de insatisfacción en la escuela. Nos parece que deben examinarse
los medios evaluativos y los procedimientos disciplinarios que se ponen en
práctica y, si posible, mejorarlos para evitar los sentimientos de derrota, de
inferioridad o de hostilidad hacia la escuela, que tan perjudiciales son para
muchos niños.

Sería ideal que el delincuente pudiera permanecer en la escuela, donde
cuenta con un maestro preparado, interesado en ayudarlo y con los recursos
profesionales a su disposición, pero esto no es siempre posible. Algunos
niños, por su condición o el grado de delincuencia, no pueden permanecer
en la escuela y beneficiarse del programa regular de clases. Estos necesitan
escuelas o instituciones, con programas especiales, acompañados de todos

los servicios sociales y psicológicos posibles. Nos referimos al empleo de enfermeras, médicos, psiquiatras, psicólogos, orientadores, religiosos, trabajadores sociales y especialistas en lectura, en educación especial y en recreación.

## La adicción a drogas

El problema de la adicción a las drogas es de tal naturaleza que se ha llegado a decir que en San Juan hay un adicto por cada 250 habitantes, una proporción mucho más alta que en Nueva York. Son muchas las causas de la adicción —los sentimientos de inadecuación, la soledad, los problemas de difícil solución y la impotencia del individuo para resolver los mismos. No cabe duda que la complejidad de la vida urbana contribuye a este problema.

Es complejo y costoso el tratamiento a los adictos a drogas. Además de los esfuerzos que hace el gobierno para atender a los adictos, un número de organizaciones privadas presta servicios a los drogadictos. Pero no se cuenta aún con los medios y facilidades suficientes para el tratamiento. Ahora se está dando mayor énfasis a la prevención. Actualmente la escuela está desempeñando un papel activo en la prevención del mal.

Con el propósito de atender adecuadamente el problema de las drogas, se creó en 1973 el Departamento de Servicios contra la Adicción. Este departamento lleva a cabo los programas dirigidos hacia la prevención, atención y solución de los problemas de la adicción a drogas narcóticas, la dependencia de drogas estimulantes y el alcoholismo. El Departamento da énfasis a la prevención en la comunidad, en la escuela y en campamentos para jóvenes.

## La prostitución

El problema de la prostitución en la zona metropolitana es el precio que pagamos a cambio del crecimiento y la atracción turística. En las áreas hoteleras de Isla Verde y el Condado y en el Viejo San Juan, donde se reúne mucha gente en busca de diversión y alegría, es donde hay más profusión de prostitutas.

Según un informe preparado por el comandante de la División del Control del Vicio de la Policía de Puerto Rico, durante el 1969 se efectuaron 491 arrestos de mujeres, la mayoría extranjeras, en ciertos lugares conocidos por la Policía y en la calle. Otros 117 arrestos se llevaron a cabo en casas destinadas al comercio sexual. Se estima que en la zona metropolitana existen unos 43 prostíbulos. Si a estas cifras se les añade 24 arrestos en las llamadas casas escandalosas, tenemos un total de 632 detenciones al año.

El arma principal con que cuenta la policía para efectuar la tarea es la Ordenanza 112, del 27 de mayo de 1968, que en su inciso B del Artículo 1, dice: "Incurrirá en delito toda persona de uno u otro sexo que en lugar público, hiciera proposiciones obscenas, para fines de prostitución o lascivia".

## La educación

El desarrollo urbano y en especial el metropolitano ha tenido un impacto tremendo en la educación. Con el aumento poblacional, viene el aumento acelerado en la matrícula escolar y con este serios problemas, como la escasez de escuelas, bibliotecas, material didáctico, personal docente, etc. Se ha tenido que establecer la doble matrícula, lo que implica una reducción en la dieta educativa.

La clase media se ha movido a los suburbios en grandes números y ha hecho uso de las mejores facilidades educativas, tanto públicas como privadas. Las modernas urbanizaciones privadas cuentan con buenos edificios escolares, maestros bien preparados, personal profesional especializado, bibliotecas, laboratorios y recursos audiovisuales. Los estudiantes que asisten a estas escuelas están por lo general motivados para hacer el mejor uso de los servicios que se les ofrecen y seguir estudios superiores. Cuentan con el estímulo de padres, maestros y amigos.

La clase baja habita los residenciales públicos y los arrabales urbanos. Estos crecen cada día y aumentan la matrícula escolar. Uno de los problemas a encararse como producto de este creciente desarrollo urbano, es cómo ofrecer una educación a tono con las necesidades de los niños que provienen de estas áreas de privación cultural.

Las escuelas de este tipo de comunidades enfrentan las peores condiciones — facilidades insuficientes, matrícula excesiva, carencia de maestros bien preparados, maestros de poca experiencia y, a veces, poco motivados para servir en escuelas con este tipo de estudiantes, un currículo poco adaptado a las necesidades de los alumnos y escasez de materiales. En los arrabales de San Juan, muchas veces las escuelas quedan distantes de los hogares de los alumnos y para llegar a ellas hay que cruzar avenidas de mucho tránsito, poniendo en peligro la vida de los niños pequeños.

Los maestros que trabajan en las escuelas del arrabal enfrentan serios problemas. Entre ellos, podemos mencionar, la actitud indiferente de los alumnos, que se refleja en ausencias frecuentes, pobre aprovechamiento académico y deserción escolar o fracaso. Unido a estos problemas que presentan los alumnos, está el poco interés de parte de los padres en la educación de sus hijos. Por eso es tan baja la proporción de alumnos que prosigue estudios en la escuela secundaria, en escuelas vocacionales o en la universidad.

La desigualdad educativa se hace más notable en las escuelas de las áreas de privación cultural. La calidad de la educación es inferior a la de otras áreas, según revelan las pruebas que se han administrado a los alumnos.

La escuela tiene una gran responsabilidad como institución de servicio educativo en los residenciales públicos y los arrabales urbanos. Aquí encontramos un bajo promedio de escolaridad y un alto grado de analfabetismo, además de un bajo aprovechamiento de los alumnos y un alto por ciento de jóvenes fuera de la escuela. También encontramos delincuentes, adictos y niños abandonados — toda una gama poblacional que requiere servicios educativos.

Es necesario que las zonas urbanas cuenten con suficientes escuelas adecuadamente equipadas para que satisfagan las necesidades y habilidades de toda la población escolar, desde infantes hasta adultos. Es necesario, además, el establecimiento de diversos tipos de escuelas — académicas, vocacionales, técnicas, especiales — y diversos programas de estudio, centros de cuidado de niños y centros para adultos.

En cuanto a la educación al nivel universitario, debemos señalar que el crecimiento de las zonas metropolitanas requerirá la expansión del sistema universitario, tanto público como privado.

## LA CULTURA

Desde sus orígenes, Puerto Rico ha sentido la influencia de varios grupos: indios, españoles y negros africanos. Más tarde, a fines del siglo XIX, empieza a llegar la influencia norteamericana y con esta se hace más marcado el fenómeno de cambio social.

### Siglos XV al XIX

Los habitantes de Puerto Rico para la época del Descubrimiento y la Conquista eran indígenas, que se dedicaban a la agricultura, la pesca y la caza. Luego llegaron los colonizadores españoles. Su influencia se deja sentir en la vida familiar, la religión, el trabajo y la política. También influye en la cultura el elemento negroide, pero el español se impone. Prevalecen los diversos aspectos de la cultura española sobre los aspectos correspondientes de las culturas indígenas y africana.

Describiendo la cultura puertorriqueña de fines del siglo XIX, Mellado [11] dice que era la cultura típica de una sociedad agraria, católica, latina, hispánica, idealista y relativamente estática.

La familia, numerosa y patriarcal, se caracterizaba por la estrechez de los lazos de afecto e intimidad entre sus miembros. El padre era el único proveedor de la familia. La mujer y los hijos estaban totalmente sometidos al padre, a quien obedecían ciegamente.

El sistema de clases sociales era rígido y las oportunidades de movilidad social eran escasas, debido en parte a las pocas oportunidades educativas. Las oportunidades de salud pública eran escasas. Había completa unión entre la Iglesia y el Estado y la influencia de la iglesia llegaba a todas las demás instituciones.

### Siglo XX

La cultura que encuentran los americanos en Puerto Rico en 1898 es una mezcla de los elementos indígenas, españoles y negroide. En 1898 se inicia una nueva era con la llegada de los americanos. La cultura que trajeron los norteamericanos a Puerto Rico era la cultura típica de una sociedad industrializada, protestante, anglosajona, pragmática y dinámica.[12]

---

11. Ramón Mellado. *Puerto Rico y Occidente.* México: Editorial Cultura, 1963, p. 97.
12. *Ibid.*, p. 98.

La cultura puertorriqueña de hoy es el producto de la interacción entre la cultura puertorriqueña de principios de este siglo y la cultura que introdujeron los norteamericanos. Es natural que se hayan producido cambios, pero estos cambios no han desfigurado nuestra cultura. Por el contrario, nuestra cultura se ha enriquecido no solo a través del contacto de los norteamericanos sino a través del proceso de difusión con éstos, al igual que con los demás pueblos del mundo. Como dice Fernández Méndez: [13] "Hoy comemos arroz chino hecho en Estados Unidos, bacalao importado de Terranova, vinos de España y California, anchoas enlatadas en Portugal, carne *beef* enlatada en Argentina, caviar y vodka rusos, sardinas españolas, jamones polacos..."

Muchos factores han ayudado a producir cambios en la cultura puertorriqueña, como hemos dicho antes: la transformación de la economía, los movimientos poblacionales, tanto dentro de Puerto Rico como en el exterior, la extensión de la educación, el proceso de transculturación por que ha pasado Puerto Rico durante el presente siglo y los medios de comunicación —periódicos, libros, revistas, películas y programas de televisión.

Nuestra sociedad se ha hecho más industrial y urbana. Se han extendido los servicios de educación y de salud, han aumentado los empleos y mejorado las normas de vida. La movilidad social es más factible y crece la clase media. La familia se ha democratizado y se ha reducido su tamaño. Ha sentido, sin embargo, el impacto de numerosas tensiones producidas por el cambio. Han surgido las uniones obreras, y las relaciones entre el obrero y su patrono son impersonales.

Continúa diciendo Fernández Méndez que la cultura puertorriqueña en el siglo XX se halla en el punto de encuentro de muchas tradiciones culturales. De España hemos recibido la religión y el lenguaje, la riqueza de la literatura del Siglo de Oro...

Hoy leemos obras publicadas en español por editoriales como Fondo de la Cultura Económica de México, o Sudamericana y Losada de Argentina o Aguilar de Madrid. Al mismo tiempo tenemos a nuestro alcance profusión de obras publicadas en inglés por casas como McGraw Hill, Prentice-Hall...

De los Estados Unidos hemos recibido además los métodos comerciales e industriales: Pueblo, Woolworth, General Motors, IBM, Kodak, Sears... también las películas de Hollywood, los Bancos Chase Manhattan y First National City... Incluso el protestantismo y muchas ideas modernas de ciencia y tecnología.

A la pregunta, ¿qué es la cultura puertorriqueña? se contesta Fernández Méndez, en el artículo antes citado: "Básicamente es la manera que los puertorriqueños han tenido de asimilarse todos estos rasgos y elementos de cultura. Es cultura puertorriqueña la minifalda y la canción de los Beatles, pero es también cultura puertorriqueña las canciones de Rafael Hernández, las danzas de Morell Campos..."

Recomendamos el examen de otro punto de vista sobre la cultura puer-

---

13. Eugenio Fernández Méndez. ¿*Existe una cultura puertorriqueña*? Universidad de Puerto Rico, Facultad de Ciencias Sociales, pp. 6-8. En mimeógrafo.

torriqueña, y en especial, sobre los efectos que ha producido en ella la transformación social por que atraviesa Puerto Rico. Ese punto de vista es el que presenta el Dr. Eduardo Seda Bonilla en su libro *Réquiem para una cultura*.[14]

## RESUMEN

En este capítulo hemos estudiado los aspectos sociales y culturales del cambio social en Puerto Rico: la familia, la religión, la estructura de clases, la vida en los centros urbanos y la cultura.

El cambio social ha afectado la familia rural y la urbana. En la zona rural, la familia extendida va declinando y la conyugal tiende a establecerse como una unidad. La familia es patriarcal, y la tendencia es a mantener vigente las autoridad del padre. Los nexos de solidaridad entre el marido y la mujer se han alterado durante el siglo XX, especialmente en las comunidades cañeras, donde la mujer está asumiendo mayor participación en la vida económica. La familia de la zona tabacalera y frutos menores también ha sufrido sufrido cambios significativos; sin embargo, éstos son menores que en la zona del cafetal.

La familia urbana, especialmente la de clase media, ha sufrido el efecto del cambio social. La mujer ha adquirido mayor *status*, que le facilita su participación en la vida económica, política y social al igual que en la toma de decisiones de los asuntos familiares.

No todos los cambios que han afectado la familia son positivos. También han surgido la desorganización y los desajustes sociales.

La Iglesia he sentido los efectos del cambio social. A pesar de ser una institución conservadora, la Iglesia Católica ha tenido que hacer ciertos cambios —participa en actividades de acción social, la misa se dice en español, ha introducido cantos, coritos populares y música moderna. El Ecumenismo ha dejado sentir su influencia en la Iglesia Católica. Católicos y protestantes celebran servicios religiosos juntos.

La Iglesia Protestante ha hecho pocos cambios en la liturgia. Ha introducido los cantos populares, los instrumentos musicales modernos y más viveza en los servicios. Las relaciones entre católicos y protestantes han mejorado notablemente. Igualmente han mejorado las relaciones entre protestantes y pentecostales.

En Puerto Rico hay tres clases sociales básicas: alta, media y baja, definidas en términos de los criterios comúnmente usados en otras sociedades estratificadas, que son ingreso, ocupación, educación, riqueza y estilo de vida. Hoy día, como consecuencia de los cambios que han ocurido en la economía, la educación y el trabajo, ha ido creciendo esa clase media hasta convertirse en un grupo numeroso. A pesar de los cambios ocurridos, la mayor parte de la población puede clasificarse de clase baja.

La población de Puerto Rico se ha ido haciendo urbana paulatinamente. El cambio ha sido más rápido en los últimos treinta años, al extremo que hoy más de la mitad de la población es urbana. Con el desarrollo de los centros urbanos, la complejidad de la vida y las dificultades que confrontan

---

14. E. Seda Bonilla. *Réquiem para una cultura*. Río Piedras: Ediciones Bayoán, 1974.

las instituciones para realizar sus funciones, surge un número de problemas sociales que hemos discutido en el capítulo: la vivienda, la salud, la transportación, la recreación, la delincuencia, la adicción a drogas, la prostitución y la educación. Aumentan las viviendas inadecuadas y la salud física y mental se deteriora, la congestión de automóviles y la escasez de buenas vías de transportación crean serios problemas y faltan facilidades recreativas para todos.

La delincuencia es un grave problema en las ciudades grandes. Este tiene muchas causas y su solución no es fácil. Las fuerzas de cambio social —la urbanización, los movimientos poblacionales, los problemas familiares, la impersonalidad, el mucho tiempo libre y la ociosidad— hacen difícil la vida del adolescente y lo llevan a delinquir. La escuela tiene que enfrentarse a este problema. Esta institución tiene una importante tarea que desempeñar en la prevención de la delincuencia y tiene también la responsabilidad de ayudar al delincuente. No debemos olvidar que el maestro solo no puede realizar toda la tarea; necesita la ayuda de los especialistas.

Es alto el precio que pagamos por el desarrollo urbano. Surge la adicción a drogas y florece la prostitución. El desarrollo urbano tiene su impacto en la educación. Hay escasez de escuelas y de personal docente, material didáctico y bibliotecas. Ha tenido que establecerse la doble matrícula reduciéndose así la dieta educativa. También hacen falta diversos tipos de escuelas secundarias y es necesario ampliar las facilidades de educación superior.

Finalmente discutimos el tema de la cultura y de cambios en la misma. Muchas factores han contribuido a producir cambios en la cultura puertorriqueña: la transformación de la economía, los movimientos poblacionales y el proceso de transculturación por que ha pasado. Puerto Rico. La cultura puertorriqueña de hoy es el producto de la interacción entre los elementos de principios de este siglo y los que introdujeron los americanos. Han habido cambios, pero la cultura se ha enriquecido, no solo con la influencia norteamericana sino también con la influencia de muchos otros pueblos del mundo. Nos hemos hecho internacionales.

## LECTURAS

American Academy of Potitical and Social Science. *Puerto Rico: A Study in Planned Development.* En *The Annals,* Vol. 285, enero de 1953, páginas 1-152.

Bayouth Babilonia, Edward. *El tratamiento del menor delincuente en Puerto Rico.* En *Revista Jurídica de la Universidad de Puerto Rico,* XXXVII, Núm. 4, 1968, páginas 677-741.

Brameld, Theodore. *The Remaking of a Culture.* New York: Harper and Bros., 1959, Capítulos 3, 4, 14, 18 y 19.

Buitrago, Carlos. *Los sectores medios en la sociedad puertorriqueña.* En *Revista de Ciencias Sociales,* Vol. XII, dic°. de 1968, páginas 541-567.

Cáceres, Ana C. y José A. Cáceres. *Influencia de la familia en el desarrollo del ser humano.* En *Pedagogía,* XVI, Núm. 2, julio-dic°. de 1968, páginas 79-91.

Cáceres, José A. *La escuela y la delincuencia juvenil.* En *Pedagogía,* XVII, Núm. 1, enero-julio de 1969, páginas 67-75.

Cochran, Thomas C. *The Puerto Rican Businessman.* Philadelphia: The University of Pa. Press, 1959.

Consejo Superior de Enseñanza. *Estudio del sistema educativo de Puerto Rico.* Río Piedras: Universidad de Puerto Rico, 1960.

Fernández Méndez, Eugenio. *La familia puertorriqueña: Cómo la ve el antropólogo social.* En *Pedagogía,* Vol. III, Núm. 2, dic*. de 1955, páginas 35-52.

Fernández Méndez, Eugenio. *Algunos cambios culturales, económicos y sociales que afectan la familia en Puerto Rico.* En *Revista de ciencias Sociales,* Vol. VIII, Núm. 2, junio de 1964, páginas 167-173.

Fernández Méndez, Eugenio. *¿Existe una cultura puertorriqueña?* En Universidad de Puerto Rico, Facultad de Ciencias Sociales. En mimeógrafo.

González, Ricardo. *Iglesia, educación y cambio en el Puerto Rico contemporáneo.* Monografía, Departamento de Estudios Graduados, Facultad de Pedagogía, Universidad de Puerto Rico, 1970.

Granda, Germán de. *Transculturación e interferencia ligüística en el Puerto Rico contemporáneo* (1898-1968). Bogotá: Instituto Caro y Cuervo, 1968.

Jiménez, Iris Nereida. *Problemas asociados con el desarrollo urbano y sus implicaciones en la educación.* Monografía, Departamento de Estudios Graduados, Facultad de Pedagogía, Universidad de Puerto Rico, 1970.

Junta de Planificación de Puerto Rico. *Informe económico al Gobernador.* San Juan: La Junta, 1969.

Junta de Planificación de Puerto Rico. *Informe económico al Gobernador.* San Juan: La Junta, 1973.

Kupperstein, Lenore R. y Jaime Toro Calder. *Delincuencia juvenil en Puerto Rico.* Río Piedras: Centro de Investigaciones Sociales, Universidad de Puerto Rico, 1969.

Kvaraceus, William C. *Anxious Youth: Dynamics of Delinquency.* Columbus:

Lewis, Oscar. *La vida.* New York: Random House, 1966.

Mellado, Ramón. *Puerto Rico y Occidente.* México: Editorial Cultura, 1963, Capítulo 3.

Mellado, Ramón. *Cuadros de la vida puertorriqueña.* En *Pedagogía,* Volumen XVI, Núm. 2, julio-dic*. de 1968, páginas 63-77.

Mintz, Sidney W. *Worker in the Cane.* New Haven: Yale University Press, 1960.

Mintz, Sidney W. *Puerto Rico: An Essay in the Definition of a National Culture.* En *Status of Puerto Rico.* Selected Background Studies prepared for the United States. Puerto Rico Commission on the Status of Puerto Rico. Washington, D.C.: Government Printing Office, 1966, páginas 339-434.

Nieves Falcón, Luis. *Recruitment to Higher Education in Puerto Rico.* Río Piedras: Editorial Universitaria, 1965.

Nieves Falcón, Luis. *Diagnóstico de Puerto Rico.* Río Piedras: Editorial Edil, Inc., 1972.

Oficina del Gobernador. *Mensaje del Hon. Rafael Hernández Colón, Gobernador de Puerto Rico, a la Séptima Asamblea Legislativa en su tercera sesión ordinaria.* San Juan: La Fortaleza, 3 de marzo de 1975.

Otero de Ramos, Mercedes. *Estudio socio-ecológico de la deserción escolar y de la delincuencia juvenil en Puerto Rico.* Río Piedras: Centro de Investigaciones Sociales, Universidad de Puerto Rico, 1970.

Paláu de López, Awilda. *Algunos hallazgos sobre la delincuencia juvenil en Puerto Rico.* En *Bienestar Público,* julio-agosto-septiembre de 1965, páginas 21, 81; 13-18.

Paláu de López, Awilda. *En la calle estabas...* (La vida dentro de una institución para menores.) Río Piedras, Puerto Rico: Editorial Edil, 1969.

*Pedagogía,* Vol. X, Núm. 2, julio-dic*. de 1962). Número dedicado al tema de la delincuencia juvenil.

Quintero Alfaro, Ángel G. *Cambios culturales recientes en Puerto Rico.* En *La Torre,* Año IV, núm. 14, abril-junio de 1956, páginas 179-194.

Ramírez, Rafael L. *Un nuevo enfoque para el análisis del cambio cultural en*

*Puerto Rico.* En *Revista de Ciencias Sociales*, Vol. VIII, núm. 4, dic*. de 1964, páginas 339-355.

Ramos Perea, Israel. *The Social Class Structure of Puerto Rico.* En mimeógrafo.

*Revista de Ciencias Sociales.* Número especial sobre Puerto Rico. Volumen VII, núms. 1 y 2, marzo y junio de 1963.

Rosario, José C. *La criminalidad en Puerto Rico.* Río Piedras: Universidad de Puerto Rico, 1953.

Rosario, José C. *La prostitución en Puerto Rico.* Río Piedras: Universidad de Puerto Rico, 1958.

Sánchez Hidalgo, Efraín. *Juvenile Delinquency and Cultural Deprivation.* En *Pedagogía*, XV, Núms. 1 y 2, enero-diciembre de 1967, páginas 173-180.

Seda Bonilla, E. *Comentarios sobre la llamada Transformación Social de Puerto Rico.* En *Revista Facultad de Estudios Generales*, Vol. III, núm. 5, mayo de 1961.

Seda Bonilla, E. *Interacción social y personalidad en una comunidad de Puerto Rico.* San Juan: Ediciones Juan Ponce de León, 1964.

Seda Bonilla, E. *Los derechos civiles en la cultura puertorriqueña.* Río Piedras: Editorial Universitaria, 1963.

Seda Bonilla, Eduardo. *Réquiem para una cultura.* Río Piedras: Ediciones Bayoán, 1974.

Steward, Julian H. *The People of Puerto Rico.* Urbana: University of Illinois Press, 1956.

Stycos, J. Mayone. *Family and Fertility in Puerto Rico.* New York: Columbia University Press, 1955.

Toro Calder, Jaime. *Algunos hallazgos de un estudio sobre la delincuencia juvenil en Puerto Rico.* En *Revista de Ciencias Sociales*, XIV, Núm. 2, junio de 1970, páginas 233-246.

Tumin, Melvin M. *Social Class and Social Change in Puerto Rico.* New Jersey: Princeton University Press, 1961, Capítulos 8, 9, 10, 15 y 16.

Universidad de Puerto Rico. Escuela de Administración Pública. *Revista de Administración Pública.* Vol. IV, Núm. 2, septiembre de 1971.

Vázquez Calzada, José. *El crecimiento poblacional de Puerto Rico — 1493 al presente.* En *Revista de Ciencias Sociales*, XII, marzo de 1968, páginas 1-22.

# CAPÍTULO IX

## CAMBIO SOCIAL EN PUERTO RICO:
## ASPECTO EDUCATIVO

No estaría completo el estudio del cambio social en Puerto Rico si no incluyéramos a la educación. Casi todas las transformaciones sociales, en una forma u otra, están relacionadas con la enseñanza. Esta no solo es afectada por los demás elementos de cambio, sino que también genera otros cambios y crea una actitud hacia la transformación social.

La educación es una fuerza poderosa en nuestra sociedad, y así lo reconoce nuestro gobierno, al asignarle la tercera parte del presupuesto. La mayoría de nuestros habitantes, en una forma u otra, están ligados a la educación. Más de la tercera parte de nuestra población está matriculada en algún tipo de escuela, pública o privada. Nuestra población es joven. El 36 por ciento está entre las edades de 5-19 años, edades en las que por lo general se asiste a la escuela. Esto nos obliga a ofrecer oportunidades educativas a esta alta proporción de habitantes.

Mucho se ha logrado en materia de educación, pero aún queda más por hacer. Se han producido cambios significativos en el campo de la educación. Estos cambios se deben principalmente al empeño del gobierno de ofrecer al pueblo una instrucción que propenda al pleno desarrollo de la personalidad y al fortalecimiento de los derechos del hombre y de las libertades fundamentales. También se deben a la fe que el pueblo ha demostrado tener en el valor de la educación. Con el desarrollo económico que hemos experimentado y el mejoramiento general del pueblo, aumentan sus aspiraciones y su deseo de estudiar. El sistema educativo ha tenido que transformarse para servir mejor las necesidades y problemas de todos los puertorriqueños.

En este capítulo estudiaremos los cambios en materia de educación. Empezaremos con un breve recuento histórico para ver los desarrollos educativos en la época de la dominación española y la llegada de los americanos hasta nuestros días. Luego discutiremos los cambios ocurridos en el control de la instrucción en Puerto Rico, la posición del maestro, los problemas del estudiante, los programas y servicios del Departamento de Instrucción Pública y los problemas y limitaciones del sistema educativo. Finalmente estudiaremos la escuela privada y la educación universitaria.

Presentaremos seguidamente algunos de los logros, que hemos alcanzado en el campo de la educación. Primeramente veamos algunos de estos logros en su perspectiva histórica.

### Breve recuento histórico

Debemos ver el desarrollo de la educación en Puerto Rico desde dos grandes períodos de la historia: la dominación española y la influencia norteamericana.

*La educación durante la dominación española*

Durante la dominación española en Puerto Rico, la filosofía del sistema educativo era "hacer de los puertorriqueños fieles súbditos de la corona y obedientes hijos de la Iglesia".[1] La educación era un privilegio de las clases pudientes. La docencia era mayormente función de la Iglesia. La escuela parroquial era la principal institución educativa para el nivel elemental y secundario. Los monasterios ofrecían educación secundaria y profesional, principalmente teología. Los que querían obtener una educación superior tenían que ir al exterior.

En tiempos de España, los métodos y los materiales de enseñanza eran inadecuados, se dependía mucho de la memorización. El currículo incluía lectura, escritura, aritmética y religión. Las facilidades educativas eran escasas y los maestros estaban mal preparados. A pesar de esta situación, se hizo algún progreso. Aumentó el interés en la educación, y especialmente en la instrucción como responsabilidad del gobierno. En el siglo XIX se establecen las primeras escuelas públicas, pero siguen en función las instituciones privadas controladas por la Iglesia. Además, mejoraron la calidad de la enseñanza y la preparación de los maestros.

De acuerdo con Osuna,[2] el censo escolar de 1864 revela las siguientes estadísticas para la educación elemental: había 74 escuelas públicas para varones y 48 para niñas, 16 escuelas privadas para varones y 9 para niñas. Un total de 2,396 varones asistían a la escuela, de los cuales 1,315 recibían instrucción gratuita y 1,081 pagaban por su educación. De 1,092 niñas que asistían a la escuela, 695 no pagaban y 397 hacían sus gastos. Había 88 maestros y 54 maestras.

De acuerdo con *el Estudio del sistema educativo de Puerto Rico*,[3] al terminar la dominación española en Puerto Rico, la Isla tenía alrededor de un millón de habitantes. Había 380 escuelas elementales para varones, 138 para hembras, 26 escuelas de enseñanza secundaria y una escuela para adultos. El total de escuelas (545) albergaba una población escolar de 47,861 estudiantes. El analfabetismo alcanzaba entre el 79 y el 85 por ciento de la población total de la Isla. No se tiene una idea exacta de cuántas personas se educaban fuera de la escuela, con tutores privados, o eran instruidas en el hogar por sus padres o hermanos mayores.

Al terminar la dominación española, el sistema educativo en Puerto Rico

---

1. Consejo Superior de Enseñanza. *Estudio del sistema educativo de Puerto Rico*. Vol. 1, Río Piedras, Universidad de Puerto Rico, 1960, p. 427.

2. Juan J. Osuna. *A History of Education in Puerto Rico*. Río Piedras: Editorial Universitaria, Universidad de Puerto Rico, 1949, p. 49.

3. Consejo Superior de Enseñanza. *Op. cit.*, pp. 427-428.

incluía escuelas públicas y privadas, laicas y religiosas, donde se educaban hembras y varones por separado. Había escuelas en todas las municipalidades.

## La influencia norteamericana

Con la llegada de los norteamericanos, la educación pública recibe un gran impulso a pesar de enfrentarse a serios problemas administrativos y pedagógicos. Nos referimos a la escasez de facilidades y de maestros preparados y al problema del idioma. Los norteamericanos estaban empeñados en que nuestros niños aprendieran inglés. Durante el siglo xx continúa el progreso en la educación: más alumnos entran a la escuela y menos se quedan fuera de las aulas. El interés por la educación ha sido siempre superior a los recursos con que contamos. De ahí que hayamos tenido que ofrecer solo tres horas de clases a la mayoría de la matrícula escolar. Afortunadamente la doble matrícula se ha ido reduciendo considerablemente. Este problema afecta mayormente a los alumnos de los primeros tres grados de la escuela elemental rural.

Para el 1940, la población había aumentado a 1,869,255 habitantes. Había 296,000 niños en la escuela, pero todavía 285,000 niños de edad escolar estaban fuera de las aulas. El analfabetismo se había reducido a un 31 por ciento.

La educación recibe mayor impulso con la aprobación de la Constitución del Estado Libre Asociado en 1952, ya que garantiza un sistema de instrucción para todos. Para 1952, el presupuesto asignado a la educación había alcanzado a $34.1 millones, cifra cuatro y media veces mayor que la de 1940. En 1954, por primera vez, prácticamente todos los niños de 6 años estaban matriculados en el primer grado, pero aún el 75 por ciento asistía a clases sólo medio día.

El cambio más acelerado fue de 1940 a 1960. En esos años se construyeron más escuelas y se nombraron más maestros que nunca antes. Durante esos 20 años se abrieron más escuelas que las que se habían abierto en los primeros 40 años del siglo. No cabe duda que en esos años el gobierno asumió mucha más responsabilidad en proveer educación para toda la ciudadanía. La matrícula escolar aumentó rápidamente en todos los niveles, incluyendo la escuela privada. También aumentó considerablemente en la universidad. El presupuesto educativo alcanzó una tercera parte del presupuesto general. Con el aumento en la matrícula, se crearon otros problemas, con los cuales estamos luchando todavía. Nos referimos a la doble matrícula, la baja retención y la pobre calidad de la enseñanza. Este último problema fue causado por las grandes cantidades de alumnos que han asistido a la escuela, la falta de facilidades y recursos y una política de promoción en masa que en nada ayudaba a la calidad.

En 1960, la matrícula escolar se había elevado a 640,000 estudiantes, con un 89 por ciento de los niños de 6-12 años de edad en la escuela elemental y más del 78 por ciento de los comprendidos entre los 6 y los 18 años. El analfabetismo se había reducido a 17 por ciento. El presupuesto anual de instrucción pública era de $74.1 millones, cerca de diez veces más que la cifra de 1940.

El progreso registrado del 1960 para acá ha sido notable. El presupuesto escolar sobrepasó los $200,000 millones en 1966-67, cerca de tres veces el de

1960. En el año escolar 1966-67, la matrícula de la escuela pública para los niveles elemental y secundario ascendía a 651,528 estudiantes, según las estadísticas sociales de 1973, publicadas por la Junta de Planificación de Puerto Rico.

El crecimiento del sistema educativo se revela en las cifras de matrícula de las escuelas públicas y privadas acreditadas para los años que aquí se señalan, según la fuente antes citada:

| Año escolar | Matrícula escuela pública | Matrícula escuela privada |
|---|---|---|
| 1969-70 | 672,299 | 83,953 |
| 1970-71 | 687,877 | 87,974 |
| 1971-72 | 697,410 | 85,094 |
| 1972-73 | 711,238 | 91,109 |
| 1973-74 | 713,166 | 87,154 |

Para tener un cuadro completo del número total de estudiantes habría que sumar a las estadísticas anteriores, la matrícula que asiste a las escuelas privadas no acreditadas. La matrícula de estas últimas fue la siguiente:

| Año escolar | Matrícula |
|---|---|
| 1969-70 | 8,026 |
| 1970-71 | 8,774 |
| 1971-72 | 7,154 |
| 1972-73 | 4,982 |

Los siguientes datos presentados por el Secretario de Instrucción Pública, Dr. Ramón A. Cruz, en un discurso reciente, dan una idea del crecimiento del sistema de instrucción pública.

| Año | Núm. de maestros | Núm. de salones | Presupuesto | Costo por alumno | Analfabetismo % |
|---|---|---|---|---|---|
| 1940-41 | 6,171 | 5,266 | $5,324,398.35 | $29.97 | 31.5 |
| 1950-51 | 9,850 | 7,590 | 36,610,129.25 | 72.12 | 25.6 |
| 1960-61 | 15,537 | 12,443 | 87,890,624.39 | 142.01 | 17.0 |
| 1970-71 | 23,115 | 19,129 | 301,397,320.00 | 381.00 | 11.8 |

CONTROL SOCIAL DE LA EDUCACIÓN EN PUERTO RICO

De acuerdo con el *Diccionario de sociología*, de Fairchild,[4] *control social* es la suma total de los procedimientos por medio de los cuales la sociedad

4. Henry Pratt Fairchild (ed.). *Diccionario de sociología*, Cuarta edición en español. México: Fondo de Cultura Económica, 1966, p. 68.

u otro grupo dentro de ella consigue que la conducta de sus unidades componentes, individuos o grupos, se conforme a lo que de los mismos se espera. Aplicando este concepto a la educación, podemos afirmar que la sociedad ejerce control social para asegurarse de que las escuelas cumplen con lo que se espera de ellas. La educación es parte integrante del sistema social y no puede estar libre de las fuerzas que operan en la sociedad. Si aspiramos a comprender el sistema educativo no podemos pasar por alto las fuerzas que ejercen control sobre este.

La sociedad ejerce controles formales e informales. El control social formal es obligatorio. En el caso de la educación, el control formal emana de las leyes y de los reglamentos que gobiernan la operación de las escuelas. El control informal se ejerce por medios persuasivos. Es el tipo de control que ejercen instituciones o grupos con intereses especiales que están preocupados por la educación. Algunas veces ofrecen cooperación a la escuela; en otras ocasiones la critican y se tornan hostiles. No hay leyes ni reglamentos escritos para ejercer el control informal.

Examinemos las fuerzas que ejercen control social sobre la educación en Puerto Rico y los cambios que se han producido en esas fuerzas. Veamos primero las fuerzas de control formal.

### EL CONTROL SOCIAL FORMAL

La Constitución del Estado Libre Asociado de Puerto Rico, el Departamento de Instrucción Pública y las leyes escolares ejercen control social formal.

### La Constitución del Estado Libre Asociado de Puerto Rico

En la Sección 5 del Artículo II (Carta de Derechos) la Constitución del Estado Libre Asociado de Puerto Rico dice:

> Toda persona tiene derecho a una educación que propenda al pleno desarrollo de su personalidad y al fortalecimiento del respeto de los derechos del hombre y de las libertades fundamentales. Habrá un sistema de instrucción pública el cual será libre y enteramente no sectario. La enseñanza será gratuita en la escuela primaria y secundaria y hasta donde las facilidades del Estado lo permitan, se hará obligatoria para la escuela primaria.

### El Departamento de Instrucción Pública

La Constitución, en la Sección 6 del Artículo IV (del Poder Ejecutivo) crea el Departamento de Instrucción Pública, que tiene a su cargo el sistema de instrucción pública de Puerto Rico. El Departamento está bajo la dirección del Secretario de Instrucción Pública, con sujeción a las disposiciones de la Constitución y de las leyes de Puerto Rico. Este funcionario es nombrado por el Gobernador, con el consejo y consentimiento del Senado, según lo estipula la Constitución en la Sección 5 del Artículo IV.

*El Secretario de Instrucción Pública.* El Secretario tiene poderes para establecer y dirigir el sistema de escuelas públicas gratuitas. Aunque la dirección del sistema de instrucción está centralizada en el Secretario, se han hecho esfuerzos por descentralizarla para que pueda servir mejor las necesidades de los puertorriqueños. En 1964, se organizaron seis regiones educativas, según la Carta Circular número 12, del 20 de marzo de 1964, del Departamento de Instrucción Pública. El propósito de la regionalización, según la mencionada circular es "facilitar la administración y supervisión de los distintos programas y servicios educativos, haciendo más accesibles la orientación pedagógica y la ayuda técnica a los distritos escolares". Esa carta circular fija las responsabilidades de cada nivel de organización: central, regional y local.

La Carta Circular número 26-69-70, del 27 de agosto de 1969, reafirma los propósitos de la circular anterior que crea las regiones y revisa las funciones y las líneas de autoridad de cada nivel. Se clasifican las siguientes funciones generales: 1) política educativa, normas y reglamentos; 2) supervisión y currículo; 3) administración y 4) relaciones con la comunidad.

Citando de esta carta circular, veamos cómo los tres niveles participan en la realización de una de las funciones —la formulación de la política educativa.

*Nivel central.* Formular y revisar la política educativa general y los objetivos del Sistema en colaboración con los demás niveles y con la comunidad.

*Nivel regional.* Interpretar la política educativa general y los objetivos del Sistema; facilitar su aplicación en la región educativa y sugerir a la Oficina Central revisiones de esta política.

*Nivel local.* Interpretar la política educativa general y los objetivos del Sistema; facilitar su aplicación en el distrito escolar y sugerir a la Región Educativa y a la Oficina Central revisiones de esta política.

Como dice el Departamento de Instrucción en una publicación reciente,[5] su meta es lograr la mayor descentralización compatible con el mejor funcionamiento. Esa transición se está logrando a un ritmo continuo.

Hay ciertas áreas, como por ejemplo, la formulación de la política educativa para todo el sistema, donde es necesaria la autoridad centralizada. La Oficina Central debe, sin embargo, mantenerse en estrecha comunicación con todos los sectores del sistema, para asegurarse de que la política educativa armoniza con la realidad.

Abundando sobre la tendencia a descentralizar el sistema, en la publicación antes citada, se señala que hay áreas en que la centralización es ventajosa. Cojamos por ejemplo, la planificación, el desarrollo y las compras. Se hace posible lograr grandes economías y ofrecer una consolidación de recursos que no están disponibles en los niveles regional o de distrito. Hay áreas fundamentales, como la enseñanza, la supervisión, la formulación del currículo, donde la descentralización puede promover mayor iniciativa y hacer posible la flexibilidad para resolver problemas particulares de las regiones y los distritos.

---

5. Departamento de Instrucción Pública. *La instrucción pública en Puerto Rico, Ayer hoy y mañana.* San Juan, Puerto Rico, 1968, p. 7.

En 1974, la Legislatura de Puerto Rico aprobó un proyecto, que el Gobernador convirtió en ley, mediante el cual se autoriza al Secretario de Instrucción a crear distritos escolares experimentales. Se contempla que estos distritos tengan mayor autonomía local que la que tienen los distritos convencionales.

El Secretario expide cartas circulares y memorandos que contienen directrices y disposiciones para la administración de la función educativa. También pronuncia discursos, escribe artículos, celebra conferencias de prensa y emite comunicados en los cuales traza líneas de acción para el sistema de instrucción. Como un ejemplo podemos citar el discurso pronunciado el 27 de abril de 1970 con motivo de celebrarse la Semana de la Educación.[6] En ese discurso, el Secretario recabó la colaboración de los maestros, los estudiantes y los líderes cívicos para que, en un esfuerzo aunado, laboren hacia el mejoramiento de la educación del país. En el discurso se dan instrucciones a los directores de escuela sobre la manera de conseguir esa participación con miras a lograr una educación pública más efectiva.

En otro discurso, pronunciado en abril de 1969, también en ocasión de celebrarse la Semana Educativa, el titular de Instrucción enumeró los objetivos principales de su gestión como secretario. Estos objetivos son los siguientes:

1. Ofrecer a toda la población escolar de Puerto Rico las facilidades educativas que se necesitan con mayor urgencia: un día escolar completo de seis horas de clase; escuelas bien construidas y bien equipadas; escuelas bien conservadas para evitar su deterioro; libros de texto para todos los estudiantes: bibliotecas escolares y públicas; laboratorios bien equipados; recursos tecnológicos que faciliten la enseñanza; oportunidades de mejoramiento económico y profesional para el magisterio; promedio razonable de alumnos por maestro y supervisión adecuada.

2. Ampliar y mejorar la instrucción vocacional y técnica para que pueda atender eficazmente las demandas, cada vez más exigentes de la industria, el comercio, la banca y la agricultura.

3. Atender las necesidades educativas de los jóvenes puertorriqueños de 16 a 21 años de edad que están fuera de la escuela y no tienen trabajo alguno.

4. Mejorar la calidad de la enseñanza académica en el nivel elemental y secundario, para que tanto la Universidad como los padres de familia y ciudadanos confíen en el producto· de la escuela pública.

5. Formularemos una filosofía para la educación pública puertorriqueña que le dé sentido a la enseñanza. Incorporaremos en esa filosofía los grandes valores de la cultura occidental que han sido buenos por miles y miles de años. Esos valores serán las metas a lograr a través del conocimiento.

6. Trataremos de establecer un clima de orden institucional en las escuelas públicas, para que el proceso educativo puede conducirse con entera normalidad.[7]

---

6. *El Mundo*, 28 de abril de 1970.
7. Mensaje en la Semana Educativa. Abril de 1969, p. 6-7.

Veamos otros ejemplos en que el Secretario de Instrucción expresa líneas de acción para el sistema educativo. En un discurso ante el Club de Leones de San Juan, en febrero de 1973, la entonces Secretaria Celeste Benítez, reveló qué una de las áreas que recibirá más atención será la educación vocacional y técnica.

En una conferencia de prensa en abril de 1974, el Dr. Ramón A. Cruz anunció que el nuevo plan de quinmestres empezaría a funcionar sobre una base experimental en agosto de 1974. En declaraciones escritas en febrero de 1975, ante las críticas sobre la enseñanza del inglés en Puerto Rico, el Secretario de Instrucción informa que el Departamento intensifica la enseñanza del inglés y da cuenta de las diversas formas que se utilizan para mejorar la enseñanza de este idioma.

## Las leyes de instrucción pública

Las leyes de instrucción pública son extensas y abarcan casi todos los aspectos de la educación en Puerto Rico. Es difícil enumerar todos los aspectos cubiertos por las leyes, pero entre ellos están los siguientes: los deberes del Secretario, la organización de los distritos escolares, el uso de los edificios, la certificación y destitución de los maestros, los sueldos, los beneficios, la enseñanza de adultos, la instrucción vocacional, etc. Muchas de estas leyes han sido enmendadas, y otras están obsoletas y necesitan revisión. Ya se ha preparado un anteproyecto que contiene la revisión de las leyes de instrucción pública. En adición a los estatutos, existe un número de reglamentos promulgados por el Secretario, que tienen igualmente fuerza de ley. Un ejemplo es el reglamento para la certificación de maestros.

*La Junta Estatal de Educación.* La Ley número 139 del 29 de junio de 1969, crea la Junta Estatal de Educación, compuesta por el Presidente del Consejo de Educación Superior y por ocho miembros nombrados por el Gobernador, con el consejo y consentimiento del Senado. El Secretario de Instrucción Pública también asiste a las reuniones de la Junta con voz, pero sin voto.

La misión esencial de la Junta, según la Sección 4 de la Ley es:

A. Formular con el Secretario la filosofía educativa del Gobierno del Estado Libre Asociado de Puerto Rico.

B. Asesorar al Secretario en la orientación del sistema de instrucción pública.

C. Velar por que los programas del Departamento cumplan sus objetivos educativos estimulando el afán por el estudio, el pleno desarrollo de la personalidad del educando, los valores de igualdad y de dignidad humanas que inspiran las normas constitucionales de Puerto Rico y los objetivos de esta ley.

Según la Sección 5, en el cumplimiento de esta misión, la Junta tendrá las siguientes responsabilidades:

**A.** La Junta considerará y aprobará anualmente un plan general para el desarrollo del sistema educativo primario, secundario, vocacional y técnico.

**B.** La Junta estudiará los reglamentos vigentes del Departamento y hará recomendaciones al Secretario de aquellas enmiendas que juzgue necesarias.

La Junta tendrá las siguientes atribuciones y deberes según la Sección 6:

**A.** Asesorará al Secretario de Instrucción en cuanto a: 1. Las recomendaciones presupuestarias a ser sometidas por el Departamento de Instrucción al Negociado de Presupuesto; 2. La obtención y uso de ayuda federal para la educación en el Estado Libre Asociado; 3. El uso de los recursos editoriales y las emisoras de radio y televisión del Estado Libre Asociado y otros medios de comunicación a los fines de que éstas cumplan su función educacional dentro de la filosofía y objetivos educativos que se adopten y sujetos a la reglamentación y leyes federales aplicables.

**B.** Estudiará las leyes vigentes aplicables al Departamento y hará recomendaciones al Secretario respecto a estas. También podrá asesorar al Secretario en cuanto a la legislación bajo consideración en la Asamblea Legislativa que afecte al Departamento.

**C.** Nombrará o contratará los empleados que estime necesarios para el mejor cumplimiento de sus funciones.

**D.** Hará recomendaciones al Consejo de Educación Superior y al Secretario para facilitar la mejor coordinación del sistema de instrucción pública y la Universidad de Puerto Rico.

**E.** Llevará a cabo aquellos estudios que el Secretario le encomiende y aquellos otros que por iniciativa propia, ella determine.

**F.** Tendrá libre acceso a los archivos y estudios preparados por el Departamento para obtener toda información, cuya divulgación no hubiese sido restringida por disposición expresa de ley, que le resulte necesaria para realizar sus funciones. Asimismo, con la aprobación del Secretario, podrá utilizar personal del Departamento para que le ayude en sus gestiones.

**G.** Podrá nombrar comités de entre sus miembros cuando así lo creyere necesario para realizar sus funciones.

**H.** Preparará su reglamento interno.

*El futuro de la Junta Estatal de Educación.* En los momentos en que escribimos creemos que pronto dejará de existir la presente Junta Estatal de Educación. Ya se han dado los primeros pasos hacia una reforma del sistema educativo, con la creación de la Comisión sobre Reforma Educativa. Ya hay legislación presentada para derogar la ley que creó la Junta en 1969.

Como resultado del estudio del sistema educativo que haga esta Comisión y de la legislación que se presente y se apruebe posteriormente, se reorganizará todo el sistema de educación. Posiblemente se cree un organismo con más poderes que la actual Junta. Puede que ese nuevo organismo, si se creare, intervenga de una, manera u otra, en la selección del Secretario de

Instrucción. Se ha alegado que si el Secretario respondiera a una Junta y no al Gobernador, podría haber continuidad en la política educativa. Ahora no ocurre así. Con el cambio de gobierno, se produce un cambio de Secretario de Instrucción y como consecuencia, por lo general, un cambio de política educativa. Se cambian muchos programas, a veces sin evaluarlos, ya que el nuevo Secretario tiene sus ideas y planes que quiere implantar. Esta es una situación que disgusta a los maestros y a los padres de los alumnos.

*La Comisión sobre Reforma Educativa.* En agosto de 1974 se aprobó la Ley número 17, que crea la Comisión sobre Reforma Educativa. La Comisión está integrada por siete personas, incluyendo a los presidentes de las comisiones de Instrucción y Cultura de la Cámara y del Senado. La Comisión trabaja activamente en el cumplimiento de su encomienda. Ya se han celebrado en varios lugares de la Isla, vistas públicas sobre los problemas educativos de Puerto Rico.

Según el Artículo 2 de la mencionada ley, la Comisión tiene la encomienda de llevar a cabo un estudio de todo el sistema educativo de Puerto Rico. A tales efectos, esbozará una filosofía educativa que provea el marco conceptual dentro del cual realizará su encomienda. La educación preescolar, primaria, secundaria y universitaria se estudiarán en forma exhaustiva y abarcadora. El mismo Artículo señala todos los aspectos que recibirán atención especial como parte del estudio que se realice. Como resultado de este estudio, y para implementar la reforma, se presentará la legislación que sea pertinente.

La ley estipula los poderes de la Comisión y asigna fondos para su funcionamiento. Asimismo se señalan las obligaciones de la Comisión de someter informes al Gobernador y a la Asamblea Legislativa. El primer informe deberá rendirse dentro de un término de seis meses y el informe final a más tardar dentro de dos años. Los términos señalados comienzan a contar desde la fecha en que quedó constituida la Comisión.

*La filosofía educativa.* Como hemos visto, según la ley que crea la Junta Estatal de Educación, la misión esencial de la misma es formular con el Secretario la filosofía educativa de Puerto Rico. Según *el Estudio del sistema educativo de Puerto Rico*, "la filosofía educativa sirve de pauta orientadora de la educación. Provee un cuerpo de ideas sobre el hombre, la sociedad y la escuela que determinan el currículo y regulan los procesos docentes. Traza posibles caminos y señala los resultados que serían de operarse. Debe estar arraigada en la cultura del país donde opera y conocer las direcciones de esa cultura a fin de servirla mejor".[8]

En Puerto Rico se han hecho varios intentos por formular una filosofía educativa. El 1 de julio de 1942, el Departamento de Instrucción, por medio de la Carta Circular Número 1 esbozó lo que llamó "Filosofía educativa y reformas en el currículo de la escuela elemental". Seis años más tarde, en 1948, el Dr. Ramón Mellado[9] señala que esa filosofía nunca se llevó a la práctica. Durante el período comprendido entre octubre de 1948 y julio de 1949, el Teachers College de la Universidad de Columbia realizó un estudio del currículo de las escuelas de Puerto Rico. El mencionado es-

---

8. Consejo Superior de Enseñanza. *Op. cit.*, p. 435.
9. Ramón Mellado. *Culture and Education in Puerto Rico.* San Juan: Asociación de Maestros de Puerto Rico, 1948.

tudio no propugna una filosofía, pero sus hallazgos pueden ser de valor al determinar una filosofía educativa para Puerto Rico.

En 1954 se promulgó un nuevo esbozo de filosofía educativa, publicado bajo el título *La escuela pública en Puerto Rico — Normas de supervisión y administración escolar.* En 1959 el profesor universitario Dr. Domingo Rosado realizó un estudio que lo llevó a proponer los objetivos para la educación en Puerto Rico. Un nuevo intento por esbozar una filosofía educativa se hizo en 1966, al prepararse el *Plan de desarrollo curricular.* El mismo contiene lo que se llamó "las aspiraciones de la escuela pública puertorriqueña".[10]

En cumplimiento de la misión esencial para la cual fue creada la Junta Estatal de Educación, se preparó un proyecto de una filosofía educativa para Puerto Rico. El 12 de enero de 1972, el entonces Secretario de Instrucción, Dr. Ramón Mellado, sometió ese proyecto a la consideración de la Junta. El proyecto fue preparado con el asesoramiento del personal docente del Departamento de Instrucción, profesores de la Universidad de Puerto Rico y de muchos prestigiosos ciudadanos puertorriqueños.[11] La Junta circuló ampliamente el documento y celebró vistas públicas para oír la reacción de los educadores y de la ciudadanía. Ocurrieron cambios de Secretarios de Instrucción y la filosofía educativa contenida en el Proyecto no fue adoptada. Con la formación de la nueva Comisión sobre Reforma Educativa se revive el asunto de la filosofía educativa, ya que la preparación de la misma se le encarga a la Comisión.

*Comentarios en torno al Proyecto de filosofía educativa para Puerto Rico, sometido a la Junta Estatal de Educación.* Se expresa en el documento una idea sobre la educación en Puerto Rico y sus objetivos. Se alega que con este proyecto no se pretende sentar "rígidos dogmas oficiales"; que los conceptos expuestos deberán servir como pauta de una orientación político-administrativa. Nos preguntamos cómo puede ser la filosofía educativa pauta de orientación político-administrativa sin tener cierto carácter dogmático. No puede negarse que los documentos oficiales, especialmente en un sistema educativo altamente centralizado, como el nuestro, a la larga tienden a verse como dogmas o leyes.

El Proyecto reconoce la necesidad y conveniencia de que los educadores se mantengan en contacto directo con el pueblo y que se propicie el intercambio de ideas a fin de mantener los programas educativos en un estado de fluidez. Este concepto nos parece muy propio para una sociedad de carácter democrático como la nuestra.

Toda filosofía parte de una serie de conceptos. Si la educación va dirigida a la formación del hombre, debemos tener un concepto claro sobre la naturaleza humana. ¿Qué es el hombre? Es un ser que puede y debe asumir responsabilidad por su conducta, tanto por su bien como por el de los demás. El asumir responsabilidad le permitirá el desarrollo de sus potencialidades y el logro de su libertad individual. Se reconoce la necesidad de que

---

10. Departamento de Instrucción Pública. *Plan de desarrollo curricular,* 1966, pp. IV-VII.

11. Véase el libro *En busca de una filosofía educativa,* preparado por la Junta, que contiene las diferentes ponencias.

se oriente al educando en el ejercicio inteligente de su libertad, ya que el ser humano puede usar esa libertad para el bien o para el mal.

La educación debe ser una experiencia integradora de la personalidad del hombre, tanto en su dimensión individual como en sus proyecciones sociales. Por lo tanto, estamos de acuerdo con las grandes orientaciones de la educación que se señalan en el Proyecto: (1) educación integral — que alcanza todas las dimensiones del ser humano; (2) educación universal — para todos los ciudadanos y (3) educación permanente — que no termina nunca.

El proceso educativo sirve de vehículo para suministrar a los educandos un cúmulo de conocimientos que consideramos son significativos para las personas, tanto individual como socialmente. Deben considerarse los conocimientos en términos de las necesidades de los educandos. No adquirimos conocimientos de lujo; los adquirimos cuando estos nos ayudan a satisfacer nuestras necesidades. De ahí que la educación debería partir de un entendimiento cabal de los educandos, pues los conocimientos a transmitir a unos y a otros no serán necesariamente idénticos. La idea es contribuir a la formación cultural básica a través del estudio de las distintas materias: matemáticas, ciencias, idiomas, etc.

Debe recordarse que existen diferencias en el ritmo de aprendizaje de unos y otros. Esto hace necesario el escalonar las destrezas y los conocimientos y que se provean oportunidades para que cada educando progrese a su propio ritmo. Así se reconocerá ampliamente el concepto de las diferencias individuales.

En la sección sobre los objetivos de la educación se esbozan las metas esenciales para la educación en Puerto Rico y se señala que estas no deben diferir, en lo fundamental, de las vigentes en los pueblos de Occidente: la formación de un hombre culto, la formación ocupacional y la formación cívica y social.

El hombre culto conoce, por lo menos en sus principios fundamentales, las ideas y orientaciones sobresalientes de la cultura de nuestro tiempo. Debe relacionarse al estudiante con el mundo del trabajo para que él pueda seleccionar y prepararse en una ocupación que esté en estrecha correspondencia con sus aptitudes y su vocación. La formación ocupacional debe recibir atención preferente, especialmente en un país como el nuestro, en que el grueso de la matrícula no prosigue estudios universitarios. Para la mayor parte de nuestros jóvenes, la preparación de escuela secundaria resulta ser terminal, ya que al salir de ella muchos ingresan a la fuerza trabajadora. Debemos asegurarnos de que hemos propiciado el que estos jóvenes hayan adquirido las destrezas y los conocimientos que van a necesitar, sin olvidar que ellos deben recibir los ingredientes que hacen de ellos las personas cultas que describe el documento. La formación cívica y social garantiza el que el estudiante más tarde pueda contribuir al bienestar social de su grupo y de su pueblo, identificándose con las aspiraciones, intereses y valores de la vida material y la espiritual.

En los objetivos especiales de la educación en Puerto Rico, se incluyen aquellos que envuelven algún problema particularmente relacionado con nuestra idiosincrasia o nuestra especial situación como pueblo. Entre ellos se encuentran la transculturación, la enseñanza del español y del inglés y el cambio social. El segundo objetivo especial está plenamente justificado. Debemos dar la mayor prioridad a la enseñanza del español y del inglés: uno por ser parte esencial de nuestro patrimonio cultural y el otro, como segundo idioma, para facilitar nuestra relación con los Estados Unidos y con otros países y otras culturas.

La transculturación y el cambio social nos parecen, más que objetivos, fenómenos sociales que afectan nuestra vida de pueblo y que tienen su impacto en los objetivos generales. Quizá convendría apuntar que un principio importante en nuestro concepto de educación es que el proceso educativo en nuestro medio debe partir de la realidad puertorriqueña.

El Proyecto termina con un resumen de los objetivos de la educación en Puerto Rico y como estos ayudan a la formación del tipo de hombre a que aspiramos. Citamos directamente del Proyecto:

> ...podríamos resumir los objetivos de la educación en Puerto Rico como aquellos capaces de formar un hombre equilibrado, dotado de una conciencia del carácter problemático de nuestro tiempo; culto y eficiente en su educación profesional, pero no deshumanizado por la especialización, por la economía, por la técnica o por la política; amante de su cultura, de su comunidad, de su familia, atento a los problemas del mundo, a los valores universales; un hombre orgulloso de su identidad puertorriqueña y siempre dispuesto a enriquecerla y a mejorarla; un hombre libre, tan celoso de la libertad propia como respetuoso de la ajena; abierto al diálogo, a la comunicación, a la convivencia democrática y a la solidaridad y con una clara conciencia del servicio a la comunidad.[12]

Coincidimos con este concepto del hombre que queremos formar. Veamos ahora cómo funciona el control social informal.

## EL CONTROL SOCIAL INFORMAL

Los principales grupos que ejercen control social informal sobre la educación son las asociaciones profesionales, los partidos políticos, los grupos religiosos y otras organizaciones e individuos de la escuela y de la comunidad. Veamos cómo estos ejercen control.

### Las asociaciones profesionales

La más antigua de las asociaciones profesionales es la Asociación de Maestros de Puerto Rico. Últimamente ha surgido otra, conocida como la Federación de Maestros de Puerto Rico.

*La Asociación de Maestros de Puerto Rico.* Esta es la más conocida y la más influyente de las organizaciones del magisterio. Los fines de la Asociación de Maestros de Puerto Rico son los siguientes: 1) fomentar la educación, libre y gratuita, en todos sus aspectos; 2) propender a la salud y al bienestar de los niños y de los maestros...; 3) prestar su apoyo moral y ma-

---

12. Departamento de Instrucción Pública, *Proyecto de una filosofía educativa para Puerto Rico.* San Juan: Departamento de Instrucción, 1972, p. 53.

terial, cuantas veces fuere posible a las instituciones y a los individuos que laboran con iguales propósitos o fines; 4) laborar por todos los medios a su alcance para establecer entre los maestros de Puerto Rico, relaciones de afecto y fraternal compañerismo... y 5) mejorar, por todos los medios hábiles y legales, las condiciones económicas de sus asociados.[13]

La Asociación realiza un sinnúmero de actividades profesionales, entre ellas, las siguientes: 1) publica la revista El Sol; 2) ofrece un programa radial todos los domingos; 3) realiza estudios sobre los problemas del magisterio y de la escuela; 4) celebra certámenes, foros públicos, asambleas, institutos y seminarios en los cuales se estudian cuestiones fundamentales de carácter educativo, profesional y cultural.

La Asociación se fundó en la ciudad de Ponce, en el 1911, en una época en que la educación estaba altamente controlada por la política. La condición del maestro en 1911, según el editorial de la Revista de la Asociación de Maestros de Puerto Rico, de diciembre de 1947, era como sigue:

> Se era maestra mediante un examen libre después de haber terminado el octavo grado; se dependía por entero de los vaivenes de la política de partidos; los sueldos eran de $30.00 para los rurales y de $50.00 para los urbanos; el año escolar se limitaba a nueve meses. El inspector y los políticos fueron dueños absolutos de la situación del maestro; no había leyes de permanencia, de pensiones, de certificación, de escalas de sueldos; el magisterio serviría solamente como peldaño para otras actividades.[14]

La Asociación de Maestros no solo ha luchado por mejorar la condición del maestro, sino también se ha preocupado por la situación de la educación en general, como se demuestra a continuación:

> Desde sus comienzos la Asociación de Maestros luchó por el mejoramiento de la educación, y por el bienestar de los maestros. En sus primeros años encaró problemas con el idioma y la eliminación de la política en los nombramientos de los maestros. Laboró por la ampliación del curso escolar de nueve a diez meses, el aumento del presupuesto para instrucción pública, el aumento de sueldos para los maestros, la primera ley de pensiones, la concesión de licencias vitalicias, el establecimiento de escuelas nocturnas rurales, el pago de los primeros 20 días de ausencia, la concesión de becas al magisterio y el crecimiento del interés de la opinión pública en los problemas de la educación de los niños.[15]

La Asociación siempre ha luchado por que se use el español como vehículo de enseñanza y se enseñe el inglés como asignatura especial. Ejerce control en muchas otras formas. Criticó la creación de las regiones educativas pues las consideró democratización en apariencia, ya que fueron obra

---

13. Asociación de Maestros de Puerto Rico. Boletín Núm. 1: ¿Qué es la Asociación de Maestros?, 1966, p. 3-4.
14. Consejo Superior de Enseñanza. Op. Cit., p. 2326.
15. Ibid., p. 368 .

de una sola persona, el Secretario de Instrucción Pública.[16] Ejerce control sobre el Departamento de Instrucción Pública y también sobre la Legislatura. Al Departamento le pide que mejore las condiciones de trabajo de los maestros y que formule la filosofía de la escuela puertorriqueña. A la Legislatura le exige que aumente el presupuesto destinado a la educación, mejore los sueldos y pensiones de los maestros y conceda otros beneficios a estos profesionales. Lucha por que se legisle a favor de la colegiación del magisterio y por que se apruebe una ley que disponga y reglamente la negociación profesional entre el Departamento de Instrucción y la organización que representa al magisterio.[17]

La Asociación llevó la voz cantante en la lucha por la creación de la Junta Estatal de Educación. Veamos cómo se expresa la Asociación con relación a la necesidad de crear la Junta, un año antes de la creación de la misma:

> La educación pública puertorriqueña es una empresa que pertenece a todo el pueblo y que afecta directamente a todos los ciudadanos. En consecuencia, debe proveerse el mecanismo que propicie la participación adecuada de la ciudadanía en la formación de la política educativa.
>
> La educación pública es una empresa de tal complejidad y magnitud que requiere la colaboración profesional de muchos y muy diversos talentos. Esa colaboración es prácticamente imposible en un sistema donde la política educativa, los servicios de enseñanza, el reclutamiento de maestros, la certificación del personal docente, los ascensos, las compensaciones, el otorgamiento de licencias y becas y otros servicios de la docencia y administración del sistema quedan subordinados a la autoridad de un solo funcionario.
>
> El establecimiento de una junta estatal de educación podría evitar los males inherentes a esa excesiva centralización de poderes.
>
> La constitución de una Junta Estatal representativa de la ciudadanía y con autoridad para formular la política educativa de Puerto Rico propiciaría la continuidad y la estabilidad necesarias para una eficaz educación.
>
> Una Junta Estatal representativa del pueblo podría ser vehículo apropiado para precisar las metas y aspiraciones educativas que sirvan de fundamento a la política educativa.
>
> La experiencia de los cincuenta estados que tienen Juntas Estatales de Educación señala que se ha estimulado la iniciativa local y la participación directa y efectiva de padres y maestros y otros sectores de la ciudadanía en el mejoramiento de las escuelas.[18]

*La Federación de Maestros de Puerto Rico.* Esta organización está afiliada a la American Federation of Teachers, American Federation of Labor-Congress of Industrial Organizations. Un examen de los objetivos de la Federación revela su interés por ejercer algún tipo de control social sobre la educación en Puerto Rico. A continuación aparecen los principales obje-

---

16. *El Mundo*, 20 de marzo de 1967.
17. *El Sol*, marzo de 1968, p. 8.
18. *El Mundo*, 24 de enero de 1968.

tivos de la Federación, según su Constitución, donde puede verse claramente su lucha por lograr el control.

1. Cooperar en todo sentido con el engrandecimiento del sistema educativo de Puerto Rico, ayudando en la creación de los currículos, normas de enseñanza y el mejoramiento profesional de los maestros.

2. Interesar a los maestros a progresar profesionalmene mediante la promoción de institutos, estudios postgraduados, familiarización técnica, etc.

3. Fomentar la participación activa de los maestros en la creación de normas educativas.

4. Defender los intereses, derechos y futuro de los maestros en todo momento.

5. Promover el mejoramiento de las facilidades educativas, en términos de planta física, oportunidades de estudio, material didáctico, número razonable de estudiantes por maestros y todo aquello que resulte en beneficio de la educación, los estudiantes y los maestros.

*Los partidos políticos*

Los partidos políticos ejercen control social sobre el sistema educativo. El Gobernador, que es miembro del partido político en el poder, nombra al Secretario de Instrucción. En nuestro sistema, que es centralizado, las leyes dan amplios poderes al Secretario. Siendo así, él es el que más control ejerce sobre el sistema. En el pasado, el Comisionado de Educación era nombrado por el Presidente de los Estados Unidos. En varias ocasiones este funcionamiento ejercía presión para que la enseñanza en las escuelas se condujera en inglés. El problema de la enseñanza del inglés tomó un cariz político, lo que dio lugar a una larga polémica. No es hasta que el señor Mariano Villaronga se convierte en Comisionado de Educación en el 1947, que el español viene a ser el vehículo oficial de intrucción. El inglés se enseñaría como segundo idioma. Esta ha seguido siendo la política oficial del Departamento de Instrucción en cuanto a la enseñanza del inglés y del español en Puerto Rico.

Los partidos políticos tienen una plataforma política o un programa. La educación es, por lo general, asunto importante en esta plataforma.

Examinemos los programas de los partidos políticos principales que tomaron parte en las elecciones de 1968 para ver la atención que prestan a la educación.[19]

*El Partido Nuevo Progresista.* El Partido Nuevo Progressita comparte con el Pueblo de Puerto Rico su fe y confianza en la educación como el instrumento fundamental para el cultivo y desarrollo de nuestros recursos humanos. El Partido Nuevo afirma que el sistema de instrucción pública en Puerto Rico evidencia una serie de fallas o problemas graves los cuales requieren cuidadosos estudios y entendimiento para lograr acción correctiva inmediata.

---

19. Se cita de los programas de los partidos políticos, aquellas partes que se refieren a la educación.

El Partido Nuevo, ante la situación existente se propone:

1. Propiciar la elaboración y aplicación de una filosofía educativa que sirva de pauta orientadora al sistema de instrucción pública.

2. Corregir la indeseable y antidemocrática concentración de poderes en la persona del Secretario de Instrucción Pública. A tono con este propósito, establecerá una Junta de Educación Estatal, donde la ciudadanía está debidamente representada...

El Partido Nuevo Progresista sostiene que el idioma español, que es nuestro vernáculo, debe ser vehículo de enseñanza en la escuela pública.

El Partido Nuevo considera además que es imprescindible enriquecer nuestro currículo escolar con una intensa y preferente atención al idioma inglés como asignatura que no solo servirá para abrir nuevas y amplias oportunidades económicas a nuestro pueblo, sino también como un instrumento político y cultural de amplitud inconmensurable. Para lograr este propósito, el Partido Nuevo recabará mayor ayuda económica de Washington.

*El Partido Popular Democrático.* El Partido Popular Democrático ha propiciado siempre, como una de las más altas aspiraciones del pueblo puertorriqueño, la mayor extensión y la mejor calidad del sistema educativo, desde la escuela primaria hasta la Universidad, para que el educando reciba los conocimientos, las destrezas y la formación que le capaciten a fin de desarrollar su vida, creadoramente, en una sociedad democrática y progresiva, y para que pueda cumplir plenamente sus responsabilidades cívicas ante los retos que le presentan los nuevos tiempos en Puerto Rico.

A esos fines, el Partido Popular Democrático se compromete a:

Crear las condiciones necesarias para que todas las personas menores de edad reciban una educación académica de 12 años antes de cumplir los 19 años, y para que un número creciente de adultos, que no han recibido esa instrucción, puedan adquirirla.

Ampliar y fortalecer los programas de igualamiento de oportunidades educativas, para ayudar a un sector importante de nuestra población a superar las dificultades económicas que impiden o limitan su asistencia a la escuela y el mejor aprovechamiento de la enseñanza.

Intensificar el esfuerzo para eliminar totalmente la doble matrícula.

Ampliar los programas especiales para los jóvenes y adultos que han abandonado la escuela sin completar la educación secundaria.

*El Partido del Pueblo.* La instrucción pública en Puerto Rico debe propender a la dignificación del ser humano y por tanto no se debe tolerar discrimen alguno por razones de raza, color, sexo, nacimiento, origen o condición social, ni por ideas políticas o religiosas en la educación del individuo. La instrucción es vehículo principal para el desarrollo de la personalidad y el fortalecimiento del respeto a los derechos del hombre y las libertades fundamentales del puertorriqueño.

Habrá una conferencia anual presidida por el Gobernador, en la cual colaboren educadores de todos los niveles y la ciudadanía, cuyo propósito será analizar, evaluar y recomendar sobre el programa educativo del país. Habrá además una Junta Estatal de Educación creada por ley que la integrarán los elementos activos del proceso educacional —padres, maestros y administradores— que servirá de cuerpo legislativo que interpretará la política pública fijada por el estado para hacerla aplicable a los problemas y las prioridades educativas básicas del sistema. Esta Junta tendrá correspondientes juntas a los niveles regionales.

Enalteceremos la posición del maestro, no solamente con el mejoramiento de sus condiciones de trabajo y sus sueldos, sino facilitándole la mayor participación en sus programas y permitiéndole el uso de su imaginación y de su creatividad en sus trabajos. Se estimulará por diversos medios su mejoramiento profesional.

La participación de los ciudadanos en la escuela trascenderá la tradicional función de las asociaciones de padres y maestros. Será norma que en todo lugar la escuela se integre a la comunidad respondiendo ampliamente al principio democrático de la participación de los líderes comunales que quieran cooperar con la escuela, sin distinciones de clase alguna.

*El Partido Independentista Puertorriqueño.* La política educativa del Partido Independentista Puertorriqueño irá encaminada a orientar la instrucción pública hacia nuestra futura condición de pueblo libre. Se afirmarán los valores de la cultura puertorriqueña de tradición cristiana e hispánica, sin rechazar los valores de otras culturas que puedan enriquecer la nuestra. La escuela atenderá tanto al desarrollo intelectual como a la formación moral y espiritual del estudiante.

El Partido implantará una vigorosa política educativa encaminada a facilitar oportunidades escolares a los millares de niños de Puerto Rico que ahora no las tienen y establecerá un plan de desarrollo que lleve a la eliminación de la doble matrícula, a la eliminación del analfabetismo, a mejorar sustancialmente el contenido de la enseñanza y, en general, a elevar el nivel cultural de nuestro pueblo.

Como la escuela descansa tanto en la preparación como en el bienestar del maestro, se procurará que el personal docente se encuentre adecuadamente preparado mediante el otorgamiento de facilidades para tal propósito y se establecerá una escala de sueldos que le asegure al maestro una renumeración justa y le permita desempeñar con mayor eficacia su alta misión educativa. Se le garantizará la permanencia en su cargo y se aprobarán reglas justas de nombramiento, clasificación y ascenso.

En resumen, todos los partidos políticos abogan por el fortalecimiento del sistema de instrucción pública para servir mejor las necesidades de los puertorriqueños, el enaltecimiento de la posición del magisterio y la solución de los problemas que aquejan a la educación.

Han surgido conflictos en el desarrollo del sistema educativo de Puerto Rico en que han estado envueltos los partidos políticos. En el año académico 1964-65, al anunciarse una nueva propuesta para la escuela secundaria, surgió una situación conflictiva con motivo de la enseñanza del inglés. Se alegaba que se reduciría el tiempo que se dedica al inglés en el currículo. Algunos sectores políticos, como el Partido Estadista, presentaron sus objeciones, lo que motivó que se estudiara de nuevo la propuesta. En este caso, los líderes políticos, ejercieron control sobre el liderato del sistema educativo.

Los partidos políticos y los grupos de tendencia separatista también han ejercido control social sobre el sistema educativo. La enseñanza del inglés ha sido motivo de conflicto para algunos de los grupos que no vislumbran el futuro de Puerto Rico atado al de la nación norteamericana. Algunos estudiantes se han negado a aprender inglés. Otros, se han opuesto al uso de textos en ese idioma y al empleo de profesores que no enseñan en español. En algunos colegios católicos han surgido situaciones problemáticas con estudiantes que se han negado a saludar la bandera de los Estados Unidos.

## La religión

El estudio de la historia de la educación en Puerto Rico revela la influencia de la religión sobre la docencia. Originalmente esta estaba en manos de la Iglesia; la escuela parroquial fue la principal institución educativa. Esta fue la situación hasta fines del siglo XIX en que se reconoce la educación como función del Estado. No es hasta la implantación del régimen americano que se establece plenamente el concepto de la escuela pública.

En una sociedad donde existen diversos grupos religiosos, es natural que estos traten de influir en una forma u otra sobre el sistema educativo. En el presente existe completa separación de la Iglesia y el Estado, según la Sección 3, Artículo II, de la Constitución del Estado Libre Asociado. Las sectas religiosas establecen escuelas privadas para enseñar religión y velar por el desarrollo moral de niños y jóvenes. El resto del currículo de la escuela privada es muy parecido al de la pública. Las escuelas privadas no pueden recibir ayuda económica del Gobierno, según dispone la Constitución. Se hacen, sin embargo, gestiones por parte de varios grupos, algunos oficiales del gobierno y líderes legislativos para que se haga posible la ayuda gubernamental a las escuelas privadas.

En 1969, el entonces Secretario de Instrucción Pública, Dr. Ramón Mellado, se declaró a favor de legislar o enmendar la Constitución para que el Estado pueda dar ayuda directa a las escuelas privadas. De acuerdo con el Secretario la ayuda económica directa del Gobierno a las instituciones privadas no lucrativas es necesaria para evitar su cierre y proteger los 80,000 alumnos puertorriqueños que estudian en dichas instituciones.[20]

En la misma ocasión, el educador puertorriqueño Dr. Ismael Rodríguez Bou se opuso enfáticamente a que se enmendara la Constitución para hacer posible cualquier ayuda directa del Gobierno a las escuelas privadas. Según Rodríguez Bou la obligación mayor del Gobierno es la de fortalecer el sistema de instrucción pública.[21]

La influencia de los diversos grupos religiosos no se limita a establecer escuelas privadas y a demandar ayuda económica del Gobierno. En Puerto Rico, los católicos hacen esfuerzos para que la escuela pública incluya la religión en el currículo o, por lo menos, permita a los niños, que asisten a ella, recibir instrucción religiosa. Este es un asunto altamente controvertible en el presente y lo fue también en el pasado en que tuvo implicaciones político-partidistas, dando lugar a la creación del Partido Acción Cristiana. Este partido fue a las elecciones generales de 1960 y de 1964.

La Iglesia aboga por el establecimiento de más escuelas católicas para

---

20. *El Mundo*, 22 de octubre de 1969.
21. *Ibid.*

acomodar no solo a los hijos de los pudientes sino también a los de familias pobres. Este interés en ofrecer facilidades en las escuelas católicas a los niños pobres ha surgido como resultado de las críticas que se han hecho en el sentido de que la escuela privada está creando un tipo de segregación social en Puerto Rico.

A medida que se establecen más escuelas católicas, surgen otras críticas tanto de parte de los católicos como de otros sectores de la opinión pública. Se suscita, además, el problema del vehículo de enseñanza, que a menudo es el inglés, apartándose de la política establecida por el Departamento de Instrucción. Los grupos que critican la escuela privada católica alegan que la misma está americanizando a los estudiantes. En 1967, veinticinco profesionales católicos del país le plantearon al Arzobispo Luis Aponte Martínez "la necesidad de proceder urgentemente a la puertorriqueñización de las escuelas católicas dirigidas por religiosos procedentes de Estados Unidos", según el periódico El Mundo, del 3 de abril de 1967.

Continúan los profesionales antes citados, expresándose en el mismo número del periódico:

> Es de general conocimiento que en esta institución docente (refiriéndose a una escuela en particular) como en casi todas las que en Puerto Rico dirigen religiosas y religiosos procedentes de Estados Unidos, de manera consciente o inconsciente se viene operando un proceso de transculturación cuyo resultado es la americanización de los estudiantes. La obstinación de estas escuelas de enseñar en un idioma que no es el vernáculo de los alumnos en abierta oposición a las normas vigentes en todos los países del mundo y la política oficial del Departamento de Instrucción Pública de Puerto Rico, no constituye su única actividad despuertorriqueñizante. Esta actividad se ejerce en el ámbito total de la cultura incluyendo costumbres, hábitos de vida, mentalidad, sentimientos, formas de actividad religiosa y política, y culmina no pocas veces en la conversión de los alumnos en propélitos del asimilismo anexionista o sea de la Estadidad...

El párrafo que acabamos de citar demuestra cómo se han mezclado en este caso dos formas de control social que operan sobre el sistema educativo: el religioso y el político.

*Otras fuerzas de control social informal*

Las fuerzas sociales que hemos mencionado en esta parte de nuestro trabajo no son las únicas que ejercen control informal sobre el sistema educativo. Otras asociaciones profesionales además de las magisteriales, al igual que otros segmentos de la sociedad, como los obreros, por ejemplo, también ejercen algún tipo de control. Las asociaciones de padres y maestros, los padres individualmente, otros grupos de la comunidad, los profesores universitarios, los maestros y los estudiantes ejercen presión adicional, que dejan sentir de manera informal. Los obreros pueden demandar la enseñanza de más destrezas vocacionales; los padres, más énfasis a los conocimientos académicos, y los maestros, mayor participación en la formulación del currículo y de la política educativa. Los estudiantes reclaman mayor libertad y participación en asuntos curriculares y administrativos. Los legisladores impulsan la enseñanza de moral y ética en las escuelas y tiempo libre para que los niños puedan asistir a la iglesia de su preferencia.

Al Departamento de Instrucción le preocupa seriamente la participación de la comunidad en los asuntos educativos. Con tal propósito, se han organizado asociaciones de padres y maestros en todas las escuelas. También se han organizado grupos asesores de la escuela y comités de ciudadanos. Estos identifican los problemas, los analizan, diseñan un plan de acción, desarrollan el mismo y ayudan a evaluarlo.

## El maestro

No podemos estudiar a fondo el sistema educativo de Puerto Rico sin detenernos a analizar la posición del maestro. El educador desempeña una posición clave en el sistema educativo. Como dijera la Dra. Antonia Sáez: "Nada importa un currículo sabiamente esbozado, ni programas pedagógicamente preparados, si falta el maestro que interprete, oriente y realice la labor diaria". Con estas palabras de la Dra. Sáez nos damos cuenta de la importante labor que realiza el maestro.

### Posición del maestro en el sistema educativo

Los maestros que prepararon la ponencia sobre la posición de este profesional en el sistema escolar y en la sociedad para la Conferencia de Educación, auspiciada por el Departamento de Instrucción Pública, en abril de 1968, comparten la opinión sobre la posición del educador que esbozamos en el párrafo anterior. Ellos se expresan en la siguiente forma:

> Inmerso en el sistema escolar, el maestro parece estar en el último peldaño de la escala de puestos. No obstante, es este el eje central hacia el cual gravitan los problemas, enfoques y cambios educativos. Somos nosotros, los maestros, los responsables de instrumentar y actualizar las innovaciones y los cambios en los diversos programas docentes. Nuestra posición, como vemos, es primaria y de suma importancia, puesto que es en ella donde se realiza finalmente la teoría y la filosofía del sistema educativo. Venimos a ser, a fin de cuentas, la piedra angular sobre la cual descansa todo el proceso educativo.[22]

Con estas palabras los mismos maestros expresan muy atinadamente la posición central que ocupan en el sistema educativo de Puerto Rico. Esto no quiere decir que siempre se les haya reconocido ese lugar prominente que ocupan en el sistema. Creemos que, para el éxito del sistema, es necesario que todos reconozcamos ese importante papel que juega el educador.

---

22. *Educación*, Vol. XIX, 21-22, octubre de 1968, p. 63.

*Aumento en el número de maestros y en su preparación*

El crecimiento de la matrícula estudiantil ha requerido el aumento continuo en el número de maestros. Veamos cómo el cuerpo magisterial ha ido aumentando.

| Año | Núm. de maestros |
|---|---|
| 1940-41 | 6,171 |
| 1950-51 | 9,850 |
| 1960-61 | 15,537 |
| 1969-70 | 21,750 |
| 1970-71 | 23,115 |
| 1971-72 | 23,642 |
| 1972-73 | 25,012 |

Este total incluye solamente a los maestros del salón de clases.

La preparación de los maestros ha ido mejorando año tras año. En el 1960 un 40 % de los maestros poseía el grado de Bachiller. En el 1960-70 los maestros con esa preparación alcanzaban a 56.1 %; en 1970-71, 58.4 %; en 1971-72, 59.7 % y en 1972-73, 61.4 %. Todavía es bajo el por ciento de maestros con grados superiores al bachillerato. Por primera vez, en 1970, los maestros con el grado de Maestría alcanzaron el 2 % del total.

Es cada día más bajo el por ciento de maestros con preparación inferior a Normal (7.8 % en 1972-73), pero es todavía crecido el por ciento de maestros que solamente posee el diploma de Normal.

Conviene señalar que el reglamento para la certificación de maestros en Puerto Rico todavía requiere la preparación mínima de Diploma Normal para un maestro de escuela elemental, y el bachillerato, para el de secundaria. Algunas universidades, entre ellas el Recinto de Río Piedras de la Universidad de Puerto Rico, no ofrecen programas de menos de cuatro años para la preparación de maestros de escuela elemental. Solamente ofrecen programas de cuatro años de estudios conducentes al bachillerato. Los maestros con una preparación inferior al bachillerato tienen muy pocas oportunidades de empleo en el Departamento de Instrucción Pública.

*Investigaciones sobre el maestro puertorriqueño*

A pesar de ser un grupo profesional numeroso no se han hecho muchos estudios sobre el magisterio puertorriqueño. En 1958, con motivo del estudio del sistema educativo ordenado por la Cámara de Representantes de Puerto Rico,[23] se realizó una investigación que abarcó a todos los maestros. Un total de 11,971, o sea el 95.2 por ciento, contestó el cuestionario. El estudio recogió información sobre las características generales de los maestros — sexo, edad, preparación académica y especialización, experiencia, licencia que posee, nú-

---

23. Consejo Superior de Enseñanza. *Op. cit.*, Capítulo 9.

mero de alumnos por maestro, intereses, actividades extracurriculares y actividades a que se dedican en el verano.

En 1966, se hizo un estudio abarcador de los maestros de Puerto Rico.[24] Los doctores Luis Nieves Falcón y Patria Cintrón de Crespo investigaron un total de 600 maestros elementales y secundarios, representativos del cuerpo magisterial de toda la Isla. Para recoger información se usó el método de la entrevista. Cada una duró de cuatro a cinco horas.

El estudio de los doctores Nieves Falcón y Crespo abarca un número de problemas relacionados con el magisterio: estilos de vida, valores, razones para escoger la profesión, cómo se sienten en su trabajo, planes futuros, la estructura de su personalidad y sus actitudes hacia los programas de adiestramiento en las universidades, al igual que las actitudes hacia las organizaciones profesionales.

A petición del Departamento de Instrucción Pública, el Centro de Investigaciones Sociales de la Universidad de Puerto Rico, en Río Piedras, realizó en 1969 un estudio sobre el impacto que tienen sobre el maestro las estrategias de cambio educativo.[25] El propósito principal del estudio es evaluar el impacto que tuvieron sobre los maestros los programas experimentales que el Departamento llevaba a cabo en tres distritos escolares: Río Piedras Este, San Germán y Salinas, conocidos como distritos guías. El estudio se realizó con una muestra de 405 sujetos. Para el desarrollo del proyecto se utilizó el método de la entrevista. También se utilizó un inventario de actitudes de maestros y una escala de valores.

A la investigación realizada hay que añadir los estudios sobre los valores de los maestros hechos por el Dr. Ramón Ramírez López, publicados en forma de artículos separados en la revista *Pedagogía: Valores e ideales*, 3(2):61-75, diciembre de 1955; *The Values of Female Elementary Education Majors*, 5 (2): 63-75, diciembre de 1957, y *Estudio axiológico*, 7 (1) 7-19, junio de 1959.

La Profesora Patria C. de Crespo, para su tesis doctoral estudió a las maestras puertorriqueñas que han emigrado a Nueva York y se desempeñan en las escuelas de la ciudad.[26] Este es un estudio psicológico de las maestras como personas y como profesionales: sus características, su autopercepción y cómo las perciben otros, su éxito y su satisfacción en la profesión, cómo lo perciben ellas y cómo lo perciben otros.

Hay un estudio hecho por este autor que envuelve 150 maestros rurales con contrato provisional que estudiaban en la sesión de verano de 1958, de la Universidad de Puerto Rico, en Río Piedras.[27] Interesábamos conocer mejor al maestro rural: sus cualidades profesionales, su trabajo y las condiciones que lo afectan, sus relaciones con la comunidad, su situación económica; en general, las condiciones en que vive y trabaja el maestro rural. Se preparó

24. Luis Nieves Falcón y Patria Cintrón de Crespo. *The Teaching profession in Puerto Rico*. Río Piedras, Universidad de Puerto Rico, Social Science Research Center, 1970.

25. Universidad de Puerto Rico. *Estudio de cambio educativo, su impacto sobre los maestros*. Río Piedras: Centro de Investigaciones Sociales, 1970.

26. Patria C. de Crespo. *Puerto Rican Women Teachers in New York*. San Juan: Departamento de Instrucción Pública, 1969.

27. José A. Cáceres. *El maestro rural puertorriqueño*. Río Piedras: Colegio de Pedagogía, 1960. En mimeógrafo, Biblioteca Sellés

un cuestionario que contestaron 150 maestros y que representaba las diversas regiones geográficas de Puerto Rico.

Queremos mencionar también algunas tesis para completar el grado de Maestría en Educación, en la Universidad de Puerto Rico, que arrojan luz sobre el maestro puertorriqueño. Entre estas, se encuentran las siguientes: *Satisfacciones e insatisfacciones que manifiesta el magisterio puertorriqueño*, por Roque Díaz Tizol y Andrés Álvarez Díaz, 1968, y *La percepción que tenía la comunidad del maestro de ayer y de hoy*, por Carmen Lydia Cruz, 1968. En la Escuela de Administración Pública de la Universidad de Puerto Rico, Luz E. Torres Martínez escribió una tesis para el grado de Maestría: *Motivaciones que inducen a los maestros a abandonar el sistema de Instrucción Pública*. 1964. La investigación abarca los maestros que abandonaron el sistema durante los años comprendidos entre 1955-56 y 1959-60. El 10 por ciento del universo constituyó la muestra.

## El maestro y el cambio social

A través del estudio de diversos trabajos de investigación hemos podido corroborar la actitud positiva con que los maestros puertorriqueños ejercen su profesión, su alto sentido de responsabilidad y el orgullo que sienten de ser competentes profesionalmente. De ahí que sus mayores satisfacciones estén en los logros educativos de sus discípulos.

La vida social del maestro es limitada. Apenas participa en las actividades sociales y en las organizaciones cívicas y se relaciona poco con otros fuera de su profesión. Sus intereses culturales son pobres también. Al definir los propósitos de la educación le da más importancia a la formación de buenos ciudadanos y a la preparación para una ocupación que a los valores culturales o a la formación de un hombre culto. A base de esta información, podemos concluir que, en general, el maestro es más conservador que liberal. Esto no quiere decir que no esté consciente de los cambios sociales y económicos que han ocurrido y de los efectos que estos tienen en la vida en general. No solo reconoce los cambios que se han operado, sino que está complacido con estos y está consciente de su participación en el logro de los mismos. Reconoce el progreso que se ha logrado y el hecho de que los cambios le han afectado a él favorablemente. Pero siente aprecio por los valores tradicionales de nuestra cultura — la honradez, una familia unida y la religiosidad. A pesar de la liberalidad con que los temas controvertibles se están discutiendo hoy día, el maestro es poco tolerante en cuestiones de política y religión. Prefiere no discutir estos temas en el salón de clases.

Está consciente del hecho de que a tono con los cambios, tiene que cambiar también la preparación del maestro. Siente, por lo tanto, gran necesidad de mejorar su preparación. Por lo general, se siente satisfecho con la educación que recibió en la universidad, aunque critica la preparación profesional debido a las discrepancias entre la teoría pedagógica estudiada y la realidad del sistema educativo puertorriqueño.

A pesar de que reconoce que el gobierno ha hecho mucho por mejorar la posición del maestro, no está satisfecho con el sueldo que recibe ni con las condiciones de trabajo. Su sueldo no equipara con el de otros profesionales de igual preparación ni con el de algunos trabajadores con preparación inferior a la suya. Para la mayoría de los maestros, las deudas son altísimas, y no tienen ahorros. A pesar de su situación económica, la mayoría de los maestros no considera que el tener un buen sueldo es una de las cosas más importantes de la vida.

Entre las condiciones de trabajo que señala deben mejorarse están las siguientes: demasiadas horas de trabajo fuera del salón de clases, equipo deficiente, disgusto con la actuación de los superiores, problemas de disciplina y desinterés de los padres en la educación de sus hijos. Cree que mejorando el sueldo y las condiciones de trabajo se mejora el *status* de la profesión. Espera que el gobierno así lo haga. Él puede también presionar al gobierno como pasó con la huelga de maestros de 1974.

Tampoco está satisfecho el maestro con el reconocimiento que recibe de la sociedad ni de sus superiores en el sistema educativo. Siente que no se le consulte en asuntos profesionales, especialmente el currículo, las metas, los cambios y la política educativa. Por eso reclama mayor participación como un medio para que se le reconozca su valía como profesional.

En el estudio que trata del impacto que ejercen los programas experimentales sobre los maestros, realizado por el Centro de Investigaciones Sociales de la Universidad de Puerto Rico, se ve que sienten satisfacción con la innovación y reconocen que los programas experimentales son beneficiosos. Sin embargo, los maestros exhiben características de personalidad que no son las más apropiadas para producir un ambiente conducente al cambio y la innovación. El estudio revela que los maestros poseen (para usar la frase del libro) una actitud maestro-orientada. Los que exhiben esta actitud son personas autoritarias, que se esfuerzan por ejercer dominio completo en el salón de clases. El estudiante no participa en la planificación de las actividades del salón de clases. El currículo no responde a sus intereses y necesidades, lo que resulta en falta de interés de los alumnos. La actitud autoritaria del maestro crea una atmósfera de tensión y de miedo entre los alumnos. No ocurre una verdadera identificación de maestro y discípulo. Predomina en el salón una actitud de hostilidad y desconfianza. Esta actitud se notaba en un grado menor en los maestros del grupo experimental que los del grupo control. Esto puede querer decir que el nuevo programa ha tenido algún impacto en la conducta del maestro.

## LOS ESTUDIANTES

Los estudiantes son parte importantísima del sistema educativo. Las escuelas y los maestros existen para ayudar a los estudiantes en su máximo desarrollo. Evaluamos el éxito del sistema en la media en que se ofrecen a los alumnos los servicios educativos y la forma en que ellos hacen uso de los mismos. Por tal razón, es esencial que el sistema se preocupe por matricular al mayor número de estudiantes, el aprovechamiento escolar, las promociones, los fracasos y el poder retener los alumnos el mayor tiempo posible.

En Puerto Rico, las estadísticas prueban que el sistema educativo ha ido creciendo año tras año, a juzgar por el número de alumnos y de maestros, el presupuesto y los servicios auxiliares que complementan la docencia. Como resultado de estos esfuerzos planificados por parte del gobierno, ha ido bajando gradualmente la iliteracia y ha ido aumentando la retención escolar. A pesar de los logros en el poder de retención de la escuela puertorriqueña, este sigue siendo un problema para mantenernos preocupados.

Ya hemos presentado en otra parte de este capítulo la expansión del sistema educativo y los esfuerzos que se hacen por llegar a todos los estudiantes de edad escolar. Faltan por discutir los problemas de la retención escolar y de la desigualdad educativa.

## La retención escolar

Hemos dicho anteriormente que uno de los índices de éxito de un sistema educativo es el poder de retención. Es importante preocuparnos por la retención de los alumnos, si es que queremos mejorar el nivel económico del pueblo en general. El grado de educación que recibe una persona afecta su tipo de empleo, los ingresos y el nivel de vida. Los de más baja educación tienen, por lo general, los empleos peor remunerados y son los más numerosos en el grupo de los desempleados. Una mayor retención escolar contribuirá a reducir la tasa de desempleo. Durante el año fiscal 1973, en Puerto Rico se registró un promedio de 18,000 desempleados y 20,000 jóvenes ociosos entre las edades de 14 a 19.

El gobierno de Puerto Rico, a través de los años ha hecho esfuerzos por aumentar el poder de retención. En 1945, de cada 100 alumnos que ingresaban al primer grado urbano, 69 llegaban al sexto grado, 31 al noveno y 12 al duodécimo grado. Del grupo que ingresaba al primer grado rural, la escuela lograba retener 14 hasta sexto grado y uno hasta noveno.[28]

El *Estudio del sistema educativo*[29] contiene estadísticas muy reveladoras del aumento del poder de retención de la escuela pública durante 25 años (1934-35 a 1958-59). En relación con el poder de retención de la escuela elemental a base del número de estudiantes que comenzó la escuela elemental en 1934-35 y la terminó seis años después (1939-40), el por ciento de retención fue de 31.94 y el de deserción, 68.06. Para el grupo que comenzó en primer grado en 1953-54 y se graduó de sexto grado en 1958-59, el por ciento de retención fue de 68.53 y el de deserción de 31.67. Es interesante señalar que en esos 25 años se duplicó el poder de retención de la escuela elemental. Nos tiene que preocupar, sin embargo, que una tercera parte de los alumnos que ingresaban a primer grado no llegaban a terminar la escuela elemental.

En los 25 años comprendidos entre 1934-35 y 1958-59 la retención en la escuela intermedia aumentó de 16.83 por ciento a 36.17. La deserción bajó de 83.17 por ciento a 63.83. La retención para este nivel está basada en el número de estudiantes que comenzó la escuela elemental y el por ciento que terminó la escuela intermedia nueve años después.

En cuanto a la escuela ssuperior, a base del número de estudiantes que comenzó la escuela elemental y llegó al duodécimo grado, encontramos los siguientes datos:

La retención para el grupo que empezó el primer grado en 1934-35 y llegó a cuarto año en 1945-46, fue de 6.91 por ciento. La deserción fue de 93.09. El grupo que comenzó primer grado en 1947-48 y alcanzó el duodécimo

---

28. Consejo de Educación Superior. *Op. cit.*, p. 916.
29. *Ibid.*, pp. 916-920.

grado en 1958-59 tuvo un por ciento de retención de 18.05 y una deserción de 81.95. La retención en el nivel de escuela superior de 1934-35 a 1958-59 se triplicó.

Estas estadísticas demuestran que la escuela pública en todos los niveles ha aumentado su poder de retención.

En cuanto a la retención escolar por zonas urbanas y rural, se pueden apreciar aumentos en ambas zonas, pero los aumentos son mayores en la urbana. Sobre este asunto, continúa diciendo el *Estudio del sistema educativo*, antes citado, que preocupa el hecho de que a pesar del aumento todavía 64 niños de cada 100 de los que ingresan a primer grado en la zona rural no llegan al último grado de la escuela elemental mientras que en la zona urbana el número se reduce a solo 15. Preocupa también la suerte del 88 por ciento de los alumnos de la zona rural que no llegan al noveno grado. Estas cifras, se refieren al grupo que ingresó al primer grado en 1947-48 y llegó al sexto grado seis años después, o al noveno, nueve años después.

También podemos observar el aumento en la retención escolar a través del examen de las estadísticas sociales para 1973, que publica la Junta de Planificación de Puerto Rico.[30] A continuación puede verse:

La retención acumulada de primer grado al duodécimo grado, en las escuelas públicas y privadas acreditadas:

| Matrícula 1er grado Año Escolar | Matrícula 12mo grado Año escolar | % de la matrícula |
|---|---|---|
| 1959-60 | 1970-71 | 33.05 |
| 1960-61 | 1971-72 | 34.70 |
| 1961-62 | 1972-73 | 34.64 |
| 1962-63 | 1973-74 | 38.42 |

El Secretario de Instrucción informó en la prensa,[31] el 28 de abril de 1974, que el promedio de retención es de 31 por ciento. En el lapso de doce años — de primer grado a duodécimo — se nos van de la escuela 68 de cada 100 alumnos.

La retención acumulada del primero al sexto grado, para escuelas públicas y privadas acreditadas, es la siguiente:

| Matrícula 1er grado Año Escolar | Matrícula 6to grado Año escolar | % de la matrícula |
|---|---|---|
| 1965-66 | 1970-71 | 74.78 |
| 1966-67 | 1971-72 | 74.37 |
| 1967-68 | 1972-73 | 78.07 |
| 1968-69 | 1973-74 | 79.13 |

La retención acumulada del septimo al duodécimo grado para escuelas públicas y privadas acreditadas alcanza las cifras que siguen:

---

30. Junta de Planificación. *Estadísticas sociales*, 1973, pp. 135-137.
31. *El Mundo*, 28 de abril de 1974, pp. 1A y 10A.

| Matrícula 7<sup>mo</sup> grado<br>Año Escolar | Matrícula 12<sup>mo</sup> grado<br>Año escolar | % de la ma-<br>trícula |
|---|---|---|
| 1965-66 | 1970-71 | 49.48 |
| 1966-67 | 1971-72 | 49.76 |
| 1967-68 | 1972-73 | 49.65 |
| 1968-69 | 1973-74 | 54.70 |

*Causas de la deserción escolar.* En 1957-58, la División de Investigaciones Pedagógicas del Consejo Superior de Enseñanza, en cooperación con el Departamento de Instrucción Pública, llevó a cabo un estudio de la deserción escolar.[32] El objetivo principal del estudio era conocer los factores que contribuyen a la deserción escolar para poder buscarle remedios adecuados. Se utilizó una muestra de 661 estudiantes que habían desertado de la escuela pública y un grupo de control de 590 alumnos, cuyas características correspondían a las de los desertores. El estudio llegó a la conclusión de que las diferencias mayores entre los sujetos que se dan de baja de la escuela y los que no se dan de baja están concentradas en el área de relaciones de familia, en las enfermedades incapacitantes, en la insatisfacción con la escuela y en las aspiraciones académicas de los estudiantes.

De las 46 variables estudiadas para determinar su posible influencia en la deserción escolar, se encontró que 10 eran significativas. Las variables que resultaron guardar mayor relación con la deserción escolar en todos los niveles en todas las zonas fueron dos: insatisfacción con la escuela y aspiraciones académicas. Los desertores eran los más insatisfechos con la escuela y los que tenían aspiraciones académicas más bajas. El resto de las variables significativas fueron las siguientes: (1) enfermedades incapacitantes en la familia; (2) relaciones de las madres y los sujetos; (3) relaciones de los sujetos con las madres; (4) relaciones de los padres con los sujetos; (5) relaciones de los sujetos con los padres; (6) relaciones de los sujetos con los hermanos; (7) problemas con la policía y (8) planes de matrimonio.

En un estudio que cubre los desertores de los años comprendidos entre 1960 y 1964, la Profesora Mercedes Otero de Ramos,[33] encontró que el cambiar de *status* (24.1 %), la situación económica (20.8 %) y la falta de interés (15.9 %), fueron los problemas más frecuentes de los desertores mencionados como motivo para abandonar la escuela. Por cambio de *status* se entendía lo siguiente: irse para el ejército, embarcarse, cambiar de residencia, casarse, enamorarse o quedar embarazada. La situación económica incluía problemas económicos, problemas de transportación, padre o familiar lo retiró de la escuela e irse a trabajar.

El estudio demostró una íntima relación entre la deserción escolar y la situación económica de las familias de los desertores, según puede verse al analizar las razones específicas para darse de baja. Específicamente las principales razones para abandonar la escuela fueron: el irse a trabajar

---

32. Consejo Superior de Enseñanza. *Op. cit.*, pp. 921-928.
33. Mercedes Otero de Ramos. *Estudio socio-ecológico de la deserción escolar y de la delincuencia juvenil en Puerto Rico.* Río Piedras: Centro de Investigaciones Sociales, Universidad de Puerto Rico, 1970, pp. 41-42.

(19.7 %), los problemas en el hogar (13.4 %) y el embarcarse (13.3 %). La gran mayoría de las razones que dan los desertores para abandonar la escuela son ajenas al ambiente escolar. Todo parece indicar que la conducta indeseable no es una razón importante para abandonar la escuela.

## La igualdad de oportunidades educativas

El principio de la igualdad de oportunidades educativas está consignado en la Constitución del Estado Libre Asociado de Puerto Rico y ratificado en nuestras leyes y reglamentos de instrucción pública. Es bien conocido por todos el esfuerzo que ha venido haciendo el gobierno de Puerto Rico y, en especial, el Departamento de Instrucción Pública, por hacer realidad la aspiración constitucional de igualdad de oportunidades educativas. Tenemos un sistema de escuelas públicas gratuito que sirve a una alta proporción de nuestros niños y jóvenes de edad escolar. Se proveen unos servicios complementarios a lo docente: becas, ayudas económicas, comedores escolares, transportación, servicios de salud, trabajo social y orientación, que procuran contrarrestar las desigualdades que puedan impedir a un segmento de la población escolar ponerse en contacto con el sistema de instrucción pública.

A pesar de las mejores intenciones del gobierno, la realidad es que las limitaciones económicas y sociales de Puerto Rico han impedido que la disposición constitucional se pueda cumplir plenamente. Analicemos algunos de estos factores donde se pueden señalar fallas.[34] Cojamos, por ejemplo, el número de horas que el niño pasa en la escuela. El seis por ciento de nuestros estudiantes están en doble matrícula. Esto ocurre mayormente en la zona rural y en la escuela elemental. Así lo informó el Secretario de Instrucción en una entrevista para la prensa.[35]

Donde existen los problemas más serios en educación en Puerto Rico es en la zona rural y en la escuela elemental, tanto rural como urbana. La escuela elemental es la unidad básica de todo el sistema. Si no tenemos una buena escuela elemental, no podemos esperar tener una buena escuela secundaria. El por ciento de fracasos en la escuela elemental es de 11 por ciento. Este es un por ciento altísimo. El fracaso es costoso en términos de dinero. Más que nada, reduce el interés del alumno al hacerle repetir grados. Si el fracaso se debe a dificultades en destrezas de lectura y escritura, la repetición de grados ayuda muy poco.

Los maestros peor preparados y con menos experiencia se encuentran en el nivel elemental, y especialmente en la zona rural. El 60 por ciento del total de los maestros que en 1965-66 tenían una preparación académica de Normal o menos ejercía en la zona rural, constituyendo esta cifra el 70 por ciento del total de maestros en la zona rural. El 80 por ciento de los maestros con bachillerato o más trabajaba en la zona urbana; la gran mayoría de ellos, en la escuela intermedia y superior. La escuela elemental tiene maestros peor preparados que la secundaria.

Las facilidades físicas de las escuelas también sirven para acentuar la desigualdad. En 1966-67 el Departamento de Instrucción contaba con un 25

34. Para mayor información véase *Educación*, Vol. XIX, Núm. 21-22, octubre de 1968, pp. 89-119.
35. *El Mundo*, 28 de abril de 1974, pp. 1A y 12A.

por ciento de salones inadecuados o sea, 3,815 salones del total de 15,445. En la zona rural se encontraba alrededor del 64 por ciento (2,842) del total de los salones inadecuados.

En cuanto al número de estudiantes por maestro, el sistema ha experimentado progreso a partir de 1950, en todos los niveles y en ambas zonas, pero aún persiste la desigualdad que gravita predominantemente hacia la escuela elemental y especialmente la zona rural. En 1950, la tasa de estudiantes por maestros para toda la Isla era de 49 estudiantes. Para 1966-67 descendió a 34 estudiantes. El problema de muchos estudiantes por maestro ha sido principalmente un problema del nivel elemental, y no del intermedio y superior.

Los programas complementarios a la docencia, con muy pocas excepciones, presentan evidencia de desigualdad, pues en mayor o menor grado favorecen los sectores urbanos. En cuanto a becas se refiere, se concede un por ciento mayor a los estudiantes de la zona urbana. Los servicios de orientación que se prestan a los alumnos de las escuelas rurales son muy limitados. Los servicios de trabajo social se ofrecen predominantemente en las escuelas urbanas. Lo mismo podemos decir en relación con los servicios de los grupos de salud escolar, de educación física, de niños con limitación mental y de estudiantes de talento intelectual superior. Los programas de educación preescolar, tan necesarios para reducir las desventajas que traen a la escuela los niños del arrabal y de las urbanizaciones públicas, también se concentran en la zona urbana. La deserción escolar, como ya hemos dicho, es mayor en la zona rural que en la urbana. Todo parece indicar que donde más falta hacen estos servicios complementarios es donde menos se ofrecen.

¿Cuál es el impacto que ejerce esta desigualdad de oportunidades educativas en el aprovechamiento académico de los alumnos? El Dr. Luis Nieves Falcon,[36] nos dice: "el resultado más patente es la conexión directa que existe entre el nivel socioeconómico de los estudiantes y su aprovechamiento escolar. En términos escuetos, esto lo que significa es que mientras más pobre es el estudiante, en términos generales, más pobres serán sus calificaciones y más corrientes los fracasos escolares". El Dr. Nieves Falcón presenta evidencia basada en investigaciones hechas por él, así como por el Departamento de Instrucción, por otras agencias y por investigadores individuales, para sostener su afirmación. El efecto de la desigualdad no se refleja solamente en el aprovechamiento académico, sino también en los instrumentos de medición, como el *Test Puertorriqueño de Habilidad General*. Se alega que hay muchos ítems en la prueba que favorecen a los estudiantes de nivel socieconómico de clase media, poniendo en desventaja a los niños de las clases pobres.

En un número de *Avance*,[37] la entonces Secretaria de Instrucción, Celeste Benítez, en contestación a la pregunta, ¿Hay igualdad de oportunidades educativas en Puerto Rico? dice: "Tenemos que admitir, y es duro hacerlo, que nuestro sistema no provee oportunidades iguales para todos los niños del país. Ofrecemos, sí, unos programas uniformes, pero esto ni garantiza ni propicia una situación de igualdad".

---

36. Luis Nieves Falcón. *Diagnóstico de Puerto Rico*. Río Piedras: Editorial Edil, 1972, pp. 178-182.

37. *Avance*, Núm. 44, 21 de mayo de 1973, pp. 21-24.

Para fundamentar su afirmación, la Sra. Benítez se refiere a los resultados de las pruebas de aprovechamiento en lectura que se ofrecieron en 1970-71 a los estudiantes de nivel elemental en las escuelas públicas de Puerto Rico. Del total de 81 distritos escolares, 46 cayeron bajo la norma, 20 fueron clasificados de aprovechamiento normal y solo 15 alcanzaron niveles sobre lo normal.

Al examinar los datos en los 46 distritos de bajo aprovechamiento en lectura se encontró lo siguiente: 30 de los 46 distritos tienen un ingreso familiar más bajo que el promedio de la Isla; 33 distritos tienen un índice de doble matrícula de 10 por ciento o más; 43 tienen un porcentaje de analfabetismo superior al promedio de la Isla, y 31 distritos tienen 20 por ciento o más de maestros provisionales.

El análisis de los datos de los 15 distritos de alto aprovechamiento reveló que: 8 distritos de los 15 tienen un ingreso familiar más alto que el promedio de la Isla; en 12 de los 15 distritos no hay matrícula doble, o esta es menos del 3 por ciento de la totalidad; solo 4 distritos tienen un 20 por ciento o más de maestros provisionales, y solo 4 distritos tiene un porcentaje de analfabetismo mayor al promedio de la Isla.

### PROGRAMAS Y SERVICIOS QUE OFRECE EL DEPARTAMENTO DE INSTRUCCIÓN PÚBLICA

El Departamento de Instrucción desarrolla infinidad de programas y presta innumerables servicios a toda la población escolar. Por limitaciones de espacio, solamente presentaremos algunos de los que consideramos más importantes para fines de este libro.

### Educación preescolar

Los primeros grupos de kindergarten o jardines de infancia en el sistema escolar se organizaron en 1960 con una matrícula de 350 niños. En los primeros seis o siete años, el programa se desarrolló rápidamente. De ahí en adelante el crecimiento ha sido más lento, como podemos ver por los datos que siguen:

| Año escolar | Matrícula |
|---|---|
| 1968-69 | 16,523 |
| 1969-70 | 16,235 |
| 1970-71 | 17,662 |
| 1971-72 | 18,146 |
| 1972-73 | 18,545 |
| 1973-74 | 18,896 |

Miles de niños puertorriqueños de cinco años de edad están desprovistos de los servicios de una educación escolar temprana bien orientada, que puede ser significativa para el desarrollo de una personalidad saludable y como preparación para la escuela formal. De acuerdo con el censo de 1970, en Puerto Rico había para esa fecha, un total de 68,132 niños de cinco años. Creemos que deben tomarse medidas para ampliar el programa de kindergarten e igualmente formularse un plan para la atención de los niños de tres a cinco años.

## Educación elemental

Se ha logrado notable progreso en la matrícula del nivel elemental. Prácticamente todos los niños de edad escolar en este nivel asisten a la escuela. No hemos tenido igual éxito con las bajas y los fracasos en esta primera etapa de la educación formal.

Además del desarrollo social y emocional del niño en los primeros tres años de la escuela elemental, es importantísima la adquisición de las destrezas fundamentales de lectura, escritura y aritmética. Por esta razón es que el Departamento de Instrucción se dirige hacia la eliminación de los grados en esa primera etapa y la individualización de la enseñanza. Así nos aseguramos de que el niño progrese al ritmo que sus capacidades le permiten y se eliminen los fracasos.

La educación en los grados superiores de la escuela elemental descansa en el dominio de las destrezas fundamentales adquiridas en el nivel primario. Se amplían las experiencias en los idiomas inglés y español, las matemáticas y la ciencia. Se amplía el currículo para incluir actividades artísticas, musicales y manuales y se le empieza a relacionar con el mundo del trabajo. Debe continuarse en este nivel la atención individual al alumno iniciada en el primer nivel para poder atender adecuadamente a los más talentosos, a los normales y a los lentos. Es imprescindible contar en el nivel elemental con psicólogos, orientadores y trabajadores sociales que ayuden a lograr un mejor conocimiento del alumno.

## Educación secundaria

Podemos hablar de dos niveles en la educación secundaria: intermedio y superior.

*Nivel intermedio.* Fue creado en 1942 como una escuela de tipo exploratorio. Para poder desempeñar esa función se requería una programación especial, que ofreciera oportunidad al estudiante de descubrir y desarrollar sus intereses y sus preferencias vocacionales. Era necesaria una escuela con un amplio currículo académico y vocacional. Se esperaba que con ese tipo de programa la escuela pudiera atender más adecuadamente los problemas de los adolescentes y así aumentar la retención escolar. La escuela intermedia no ha podido cumplir a cabalidad con los objetivos para los cuales fue creada. Su currículo es rígido y limitado, la deserción escolar es alta y carece de suficientes y buenos servicios de orientación que ayuden a determinar los intereses y aptitudes de los alumnos. Como se dice en un artículo de la Junta de Planificación,[38] refiriéndose a la escuela intermedia: "en los útimos años se han agravado los problemas de indisciplina, adicción a drogas y crecimiento de la matrícula, lo cual hace más difícil el dedicar el tiempo y el esfuerzo de los limitados recursos de los maestros, orientadores y personal directivo a la labor que es necesario realizar".

Ante los problemas serios que presenta este nivel, es necesario que el Departamento de Instrucción tome pronto una decisión en cuanto al tipo de escuela intermedia que más conviene a la población estudiantil en el momento actual. No importa la decisión que se tome, será necesario revisar y ampliar los ofrecimientos académicos, artísticos, recreativos y vocacionales, además de ofrecer los servicios esenciales al estudiante de esta edad.

*El Nivel superior.* Este nivel comprende los grados del décimo al duodécimo. La escuela superior sigue siendo fundamentalmente la misma de hace 20 ó 25 años. No ha ocurrido en ese nivel una verdadera reorganización administrativa y curricular. Tampoco han ocurrido grandes cambios en otros aspectos como bibliotecas, laboratorios, servicios de orientación y metodología de la enseñanza.

Según un informe del Departamento de Instrucción,[39] los logros más significativos en este nivel escolar en los últimos años han sido el aumentar los requisitos de graduación de 12 a 15 unidades y el establecer talleres vocacionales en todas las escuelas superiores. Otro logro significativo en el año académico 1974-75 fue el establecimiento del plan de quinmestres,[40] sobre una base experimental, que cubrió la escuela intermedia y la superior en seis distritos escolares. Este plan conlleva no solo una reorganización del calendario escolar sino también del currículo de la escuela secundaria. El plan de quinmestres consiste de cinco términos lectivos de 45 días cada uno. Al estudiante se le requerirá asistir a cuatro términos para un total de 180 días de clases al año. Tendrá un término de vacaciones, que podrá ocurrir en cualquiera de los cinco términos.

Si tenemos en cuenta el alto promedio de deserción escolar en este nivel, la alta proporción de adolescentes fuera de la escuela, el crecido número de desempleados tanto entre los que han abandonado la escuela como entre los graduados, vemos que es necesario hacer una revisión programática y organizacional profunda de la escuela secundaria, incluyendo, por supuesto, la introducción de las más modernas estrategias de enseñanza. Con el tipo de escuelas que tenemos al presente, es imposible atraer y retener a nuestra juventud en las aulas y prepararla adecuadamente para el mundo cambiante del trabajo.

## Educación vocacional y técnica

Hasta hace poco, la matrícula de las escuelas vocacionales era insuficiente comparada con la de las escuelas superiores académicas. Aunque la

---

38. Junta de Planificación de Puerto Rico. Negociado de Planificación Social. *El sistema escolar puertorriqueño: bases y cambios necesarios para ampliar su alcance y eficiencia,* 1972, p. 21. En mimeógrafo.
39. Departamento de Instrucción Pública. *Informe de logros,* enero de 1969 a agosto de 1971.
40. Vea Capítulo 19 para una explicación detallada sobre el plan de quinmestres.

diferencia en matrícula entre ambas escuelas sigue siendo grande, se han ido abriendo más escuelas vocacionales al igual que departamentos vocacionales y de oficios en más escuelas superiores. Esta acción ha sido necesaria con el fin de preparar el personal en las ocupaciones diestras, semidiestras y técnicas que se requieren para el crecimiento económico de Puerto Rico. Un país como el nuestro que va por el camino de la industrialización, necesita mucho más personal bien preparado para desempeñarse efectivamente en los empleos que provienen del desarrollo tecnológico. No es un secreto que no hemos atendido bien este aspecto de nuestro desarrollo. Mientras tenemos miles de jóvenes desempleados, tenemos a la vez miles de empleos vacantes. Los que buscan empleo no están preparados para desempeñar las posiciones vacantes porque no poseen la debida preparación ni las destrezas necesarias.

Para ofrecer a nuestros jóvenes la preparación ocupacional que necesitan, se han ampliado y fortalecido los servicios educativos de los programas de Educación Vocacional y Técnica, Ocupaciones Relacionadas con la Salud, Educación Comercial, Educación en Distribución y Mercadeo, Agricultura Vocacional, Economía Doméstica y Artes Industriales. Se han abierto nuevos programas y talleres vocacionales y técnicos como parte de las escuelas secundarias académicas. Muchas escuelas se han transformado en escuelas de propósitos múltiples. Además de los programas académicos, ofrecen cursos vocacionales con talleres ocupacionales. De esta manera se ofrece al estudiante la alternativa de seguir un oficio como parte de su preparación de escuela superior. Además, se han establecido escuelas vocacionales de área y hay funcionando tres institutos tecnológicos. Se ha abierto una escuela de troquelería, nuevos centros vocacionales especiales, centros de costura industrial, escuelas agrícolas especializadas, centros de economía doméstica para adultos, además de varios proyectos vocacionales especiales, entre otros. Esto ha conllevado la ampliación, aunque en pequeña escala, de los servicios de orientación.

El gobierno, preocupado por reducir el desempleo a la vez que por preparar el personal que la industria necesita, ha recomendado la reforma del programa vocacional de la escuela pública. En 1974, se creó por ley, dentro del Departamento de Instrucción, la Junta de Instrucción Vocacional, Técnica y de Altas Destrezas, para que desarrolle un programa efectivo de preparación de técnicos para llenar las necesidades del país.

Un aspecto que se hace necesario atender, como consecuencia del desarrollo de los programas vocacionales, técnicos y de altas destrezas, es la preparación de los maestros. Esto es así por la dificultad de reclutar maestros para estos campos y el alto por ciento de maestros provisionales. El Departamento de Instrucción, en cooperación con las universidades, ha empezado a atender este problema.[41]

## Extensión educativa

Este programa brinda a la población adulta y a la gente joven, que han abandonado la escuela, la oportunidad de iniciar o continuar estudios aca-

---

41. Véase *Desarrollo y mejoramiento profesional del personal docente vocacional, El Sol*, Vol. XX, Núm. 17, mayo de 1975, pp. 15-18.

démicos y ocupacionales. El gobierno ha asumido mayor responsabilidad en la preparación de los jóvenes de 16 a 21 años que están fuera de la escuela y desempleados. Muchos de ellos tienen muy poca preparación o no están adiestrados para desempeñar los puestos disponibles como consecuencia del desarrollo tecnológico que experimentamos. El alto grado de deserción escolar ha hecho este problema más severo. El gobierno también siente preocupación por la educación de los adultos analfabetos y de aquellos de poca preparación que se encuentran en difícil situación para permanecer empleados u ocupar empleos bien remunerados, debido principalmente a su bajo nivel educativo.

Para satisfacer las necesidades de este grupo numeroso de jóvenes y adultos, el Departamento de Instrucción cuenta con los siguientes programas y servicios, entre otros:

1. Centros de Educación y Trabajo. Estos centros son para jóvenes de 16 a 21 años y ofrecen instrucción académica, instrucción vocacional, instrucción cívica, experiencias de trabajo, orientación educativa y personal y recreación. Algunos de estos centros son residenciales.

2. Escuela Hotelera, en cooperación con la Administración de Fomento Económico. Prepara personal para trabajo general en hoteles y restaurantes.

3. El Centro de Oportunidades Educativas, localizado en el Fuerte Buchanan, Guaynabo, Puerto Rico. Su propósito principal es dar oportunidad de terminar sus estudios a aquellos estudiantes entre las edades de 16 a 21 años, que han abandonado la escuela y están desempleados. Este Centro tiene el propósito de compensar las deficiencias académicas de los alumnos, el adiestramiento en oficios, los estudios libres y los estudios bajo tutoría. Aún después de obtener el certificado de escuela superior, el estudiante puede permanecer en el Centro para continuar en una fase graduada o aprendizaje de destrezas vocacionales u oficios, que le permitan competir en el mundo de empleo de una sociedad industrializada.

4. Programa de Enseñanza Elemental. Incluye la alfabetización de los que nunca han ido a ia escuela y los puede llevar hasta alcanzar el octavo grado. También incluye el aumentar la educación elemental a los que abandonaron la escuela. El 35 por ciento de los que se benefician de este programa son personas entre las edades de 16 a 21 años. Se ofrecen clases formales en las escuelas, en los hogares y por televisión. El programa *Uno enseña a uno* funciona a base de voluntarios que enseñan a leer y escribir a personas analfabetas.

5. Educación Secundaria para Adultos. Esta división incluye la escuela secundaria libre, los cursos y exámenes libres, los exámenes de ubicación y aprovechamiento general, las escuelas superiores nocturnas y de verano y la escuela superior sabatina. Este programa también incluye la Escuela Superior Televisada, cuyo propósito es preparar a los interesados para el examen de aprovechamiento general de nivel de cuarto año.

6. El programa de inglés para adultos, que sirve a unos 5,000 estudiantes.

7. Instrucción Vocacional y Técnica. Se ofrecen cursos especiales o de extensión a personas fuera de la escuela, entre las que hay un grupo crecido de personas entre los 16 a los 21 años. El programa incluye clases

especiales de economía doméstica, oficios e industrias, agricultura vocacional, educación comercial, educación distributiva y otros.

8. Otros programas y servicios como educación de la comunidad, servicios de biblioteca, servicios de orientación y centros de producción de materiales de enseñanza.

Además del Departamento de Instrucción, otras agencias del Estado Libre Asociado cuentan con programas de extensión educativa o programas para ofrecer ayuda de índole diversa a los jóvenes entre las edades de 16 a 21 años. Entre esas agencias están las siguientes: (1) Departamento del Trabajo, con sus diversos programas, como el de experiencias de trabajo para jóvenes, desarrollo y adiestramiento de recursos humanos, programas de aprendizaje, adiestramiento en ventas y adiestramiento de líderes recreativos; (2) Departamento de la Vivienda, con sus programas recreativos, campamentos y cuerpos juveniles de la comunidad; (3) Administración de Parques y Recreo, con actividades de recreación y deportes; (4) Administración Fomento Cooperativo, con sus programas de acción comunal para desarrollo cooperativo y de adiestramiento de líderes cooperativos; (5) Servicio de Extensión Agrícola, con su programa de desarrollo de juventudes y Clubs 4H; (6) Departamento de Servicios Sociales, con su programa de rehabilitación vocacional atendiendo a los casos con impedimentos físicos, mentales y sociales; (7) Administración de Derecho al Trabajo; (8) Administración de Acción Juvenil y (9) Departamento de Servicios contra la Adicción.

Hay también agencias privadas que llevan a cabo programas de extensión educativa a niños, jóvenes y adultos.

*Educación especial a niños impedidos*

Este programa ha recibido gran impulso en los últimos años, gracias a la ayuda federal. Se atienden grupos especiales de niños con retardación mental leve, severa y grupos de educables, niños sordos, niños con disturbios emocionales, niños con problemas de visión, niños con problemas de aprendizaje y niños afásicos. También se han organizado centros prevocacionales para niños impedidos. Se ha organizado un centro de materiales y se han establecido dos nuevas escuelas, especialmente diseñadas, para atender a los niños de educación especial.

*Otros programas*

En adición a estos programas, existen otros que rinden importantes servicios, como el programa de educación cooperativa, de escuela y comunidad, el de escuelas bilingües, que sirven a niños puertorriqueños que regresan de Estados Unidos y que no dominan el español y los centros de prevención escolar. En 1974 había unos 12 centros que servían a 80 escuelas. Realizan labor preventiva en relación con la adicción a drogas, la deserción escolar y la delincuencia juvenil. Estos centros también ofrecen adiestramiento a los maestros.

El Departamento de Instrucción realiza asimismo esfuerzos por mejorar la calidad de la docencia. Entre esos esfuerzos se encuentran programas que van dirigidos a mejorar la preparación del personal docente. Un maestro bien preparado puede realizar una labor más eficiente. Se llevan a cabo programas de adiestramiento en servicio de maestros, superintendentes de escuelas y de otro personal. Se ayuda también a mejorar la calidad de la docencia a través de un mayor uso de los recursos audiovisuales, el ofrecimiento de clases por televisión, el empleo de innovaciones pedagógicas y la flexibilización de la organización escolar. Se ha adiestrado al maestro a trabajar con grupos grandes, medianos y pequeños y con los niños individualmente. Además, se les ha preparado para que estimule el estudio independiente en sus alumnos.

Para atender los problemas de la calidad educativa, además de la reducción de la doble matrícula y el aumento de la ración educativa, se desarrollan nuevos programas para mejorar la educación del niño rural y del que proviene de áreas de privación cultural, tanto del campo como de los arrabales urbanos. Se fortalecen los programas de educación primaria, ya que es en esta etapa donde el niño proveniente de áreas en desventaja necesita mayor ayuda. Se trabaja continuamente en la revisión general de todo el currículo de la escuela puertorriqueña para ajustarlo a las necesidades de nuestros niños y a la realidad en que vivimos. Se desarrollan otros programas nuevos tendientes a lograr mayor participación de los estudiantes, los maestros y la ciudadanía en la formulación de la política educativa.

En el esfuerzo por dar un enfoque más científico a todo el programa educativo, se puede apreciar un énfasis en la planificación y la investigación, al igual que un interés en la labor de evaluación. Confiamos en que estos nuevos programas y enfoques vengan a mejorar notablemente la calidad de la educación en Puerto Rico.

*Efectos de los nuevos programas y servicios.* La escuela pública está adquiriendo el prestigio que le corresponde en la comunidad, gracias a los numerosos programas y proyectos nuevos que está realizando y al éxito que va alcanzando en ellos. El cuerpo de maestros, con su dedicación, mayor preparación y una remuneración más justa, también ayuda a imprimir prestigio a la escuela.

La escuela se ha convertido en una verdadera institución social y ha aumentado la interacción entre ella y la comunidad. En la escuela pública se mezclan las personas de los diversos grupos sociales, lo que mejora la convivencia. Es este un factor esencial en nuestro sistema democrático de vida. La movilidad social aumenta con el aprovechamiento de las mejores y mayores oportunidades educativas. Los padres reconocen el valor e importancia que tiene la educación para sus hijos y hacen esfuerzos por dotar a estos de una preparación superior a la que ellos recibieron. Gracias a las ventajas de la educación y las oportunidades que se han ofrecido, las personas de origen humilde son hoy día asambleístas, alcaldes, líderes obreros, miembros de la legislatura y profesionales.

### LIMITACIONES Y PROBLEMAS DE LA EDUCACIÓN EN PUERTO RICO

Es evidente que el progreso alcanzado en materia de educación ha sido notable. No obstante, aún quedan problemas y limitaciones que vencer. La solución de muchos de esos problemas requiere mayores asignaciones presupuestarias para el Departamento de Instrucción.

## Problemas apremiantes

En primer lugar está el problema de la escasez de facilidades y recursos educativos adecuados. Poco más de la mitad de nuestra población escolar elemental y secundaria recibe un día completo de seis horas de clase. El resto recibe solo 3, 4 ó 5 horas de clase. La matrícula alterna aumenta en los niveles de escuela secundaria.

Las condiciones físicas de muchos de los planteles de enseñanza son en extremo deplorables. Hay necesidad urgente de reparar escuelas y de construir más facilidades. Este y otros problemas están íntimamente relacionados con la escasez de recursos económicos.

Tenemos escasez de bibliotecas, laboratorios, recursos audiovisuales, equipo para los talleres, libros y muchos otros materiales didácticos.

Más del 13 por ciento de nuestros maestros tienen licencia provisional, lo que quiere decir que no han completado los estudios universitarios requeridos por los reglamentos para desempeñarse debidamente. Las universidades del país no preparan suficiente personal docente en algunas áreas para atender las necesidades del Departamento de Instrucción. Un alto por ciento de maestros provisionales enseña en los programas de educación vocacional y técnica.

No tenemos suficientes maestros para servir las necesidades del país. El promedio de alumnos por maestro es de 33.

El segundo problema, que consideramos seriamente crítico, tiene que ver con la enseñanza vocacional y técnica. Es necesario reformar la educación pública de tal manera que se atienda la demanda creciente por personal profesional, técnico y bien preparado, para atender las necesidades de la industria. Las instituciones educativas tienen la obligación de atender debidamente las demandas ocupacionales de nuestra sociedad.

El tercer problema concierne a los miles de jóvenes de 16 a 21 años de edad que están fuera de la escuela y sin trabajo. Se hace necesario organizar más centros de educación y trabajo y otros programas retadores. Hace falta mayor coordinación con todas las agencias que pueden ayudar a resolver este problema.

El cuarto problema es el de mejorar la calidad de la enseñanza académica. No hemos sido suficientemente exigentes con nuestros alumnos, en asuntos académicos. Hace falta reforzar el desarrollo de las destrezas fundamentales en la escuela primaria y refinarlas en los demás grados. Es necesario implementar estrategias de enseñanza más modernas.

El quinto problema tiene que ver con la formulación de la filosofía educativa. Nos debe preocupar el dominio de los conocimientos, pero por encima de ese objetivo debe estar la calidad que impartimos a nuestras vidas y la formulación de valores. Por esta razón es imprescindible que se formule una filosofía de la educación para Puerto Rico.

El sexto problema tiene que ver con la democratización de la educación. Es necesario utilizar más adecuadamente los talentos de los maestros, los estudiantes y la comunidad en la formulación de la política educativa y demás asuntos relacionados con la escuela.

El séptimo problema es el de la retención escolar. Una forma de contribuir a la reducción en el desempleo y aumentar la calidad de los servicios del trabajador es reteniendo a los jóvenes en la escuela y ofreciéndoles una buena educación y las destrezas que necesitan.

El octavo problema es el de la desigualdad de oportunidades educativas, especialmente en lo que afecta al niño rural y al que proviene de áreas de pobreza. La escuela tiene la responsabilidad de ofrecerles oportunidades que los ayuden a combatir las limitaciones de su medio social.

Por último, deseamos señalar la necesidad de proveer a los niños y a los maestros con suficiente personal especializado: orientadores, trabajadores sociales y psicólogos, entre otros.

## LA ESCUELA PRIVADA

Debido a la elevada población de Puerto Rico, sus problemas económicos y la escasez de facilidades educativas para toda la población que desee educarse, la escuela privada ha sido una ventaja para el gobierno de Puerto Rico. Miles de estudiantes asisten a escuelas privadas que, de no hacerlo así, estarían congestionando aún más las limitadas facilidades con que contamos.

### Desarrollo de la escuela privada

La escuela privada no es algo nuevo en Puerto Rico. Esta existe desde la dominación española. Como hemos dicho antes, al principio la Iglesia asumió la mayor parte de la responsabilidad educativa, pero ya en el siglo XIX quedó sentado el principio de la educación como función del Estado. Cuando los americanos ocuparon la Isla había solamente 26 escuelas privadas. La mayoría de las escuelas eran públicas. Aún después de establecerse el sistema de escuelas públicas, las privadas continúan funcionando y aumentando en número. Conjuntamente con el sistema de escuelas públicas existen escuelas católicas, protestantes y otras dirigidas por entidades o ciudadanos particulares.

Osuna,[42] nos da cuenta del crecimiento de las escuelas privadas en el siglo XX. En 1920 había 46 escuelas privadas, con una matrícula de 5,823 estudiantes. Veintiuna de las escuelas de este total eran acreditadas por el Departamento de Instrucción. El número de escuelas privadas acreditadas aumentó a 55 durante el año académico 1940-41, con una matrícula de 11,328 estudiantes. Más de la mitad de estas escuelas eran católicas. Para el 1945-46 había 52 escuelas privadas acreditadas, de las cuales 39 eran católicas. Ese año, el Departamento de Instrucción nombró un supervisor general que tiene a su cargo las escuelas privadas.

---

42. Juan José Osuna. *A History of Education in Puerto Rico*. Río Piedras, Editorial de la Universidad de Puerto Rico, 1949, pp. 475-477.

En 1952 ya había 117 escuelas privadas, con 29,374 alumnos.[43] Ya para el 1961-62, la matrícula de esas escuelas privadas había alcanzado a 54,034 estudiantes y a 61,767 en 1964-65. De las 155 escuelas privadas acreditadas en 1960, 71 eran católicas, 34 no sectarias, y el resto pertenecen a las diferentes denominaciones protestantes.[44] El español era el vehículo de enseñanza en 74 escuelas, y el inglés en 58. Del total, 114 eran coeducacionales, nueve para varones y nueve para niñas.

Cuarenticinco por ciento de estas escuelas fueron acreditadas en la última década, de 1950-60. Esto demuestra el crecimiento de las escuelas privadas en la década, debido a varios factores, entre ellos el movimiento poblacional, mejoramiento del nivel económico de la familia, día escolar más largo en la escuela privada y el prestigio que va teniendo este tipo de escuela en Puerto Rico.

La escuela privada aumentó su matrícula progresivamente hasta 1970-71. Después de este año han habido fluctuaciones, según lo revelan las siguientes estadísticas: [45]

| Año | Privada Acreditada [46] | Privada no acreditada | Total |
|---|---|---|---|
| 1962-63 | 69,169 | 6,904 | 69,073 |
| 1967-68 | 73,169 | 6,379 | 70,548 |
| 1968-69 | 78,650 | 4,975 | 83,625 |
| 1969-70 | 81,080 | 8,026 | 89,106 |
| 1970-71 | 84,870 | 8,774 | 93,644 |
| 1971-72 | 83,563 | 7,154 | 90,717 |
| 1972-73 | 86,401 | 4,982 | 91,383 |
| 1973-74 | 83,522 | 5,277 | 88,799 |

Deseamos hacer algunas observaciones en relación con estos datos. Estas cifras indican que la matrícula de la escuela privada es aproximadamente el 10 por ciento del total de la matrícula de la escuela pública. Alrededor de dos terceras partes de la matrícula de las escuelas privadas pertenecen a los grados elementales, incluyendo el nivel preescolar, que tiene tanta matrícula como cualquiera de los otros grados. Hay que acreditarle a la escuela privada una matrícula tan alta (comparada con la de la escuela pública para ese nivel) que fluctúa cada año entre 7,000 y 9,000 alumnos, para pre-kinder y kindergarten.

Las escuelas privadas difieren unas de otras y en algunos aspectos son diferentes a las escuelas públicas. Se pueden señalar diferencias en la selección de los alumnos, la edificación escolar y el grado de cooperación que ofrecen los padres a la escuela. Los estudiantes proceden de niveles socioeco-

---

43. *El Mundo*, 4 de septiembre de 1952, pp. 1-16.
44. Ismael Rodríguez Bou. *Significant Factors in the Development of Education in Puerto*. Tomado de *Status of Puerto Rico Selected Background Studies*, Washington, D. C., U. S. Government Pringting Office, 1966, p. 215.
45. Junta de Planificación. *Estadísticas sociales. Op. cit.*, p. 124.
46. Incluye escuelas privadas acreditadas y públicas acreditads no administradas por el Departamento de Instrucción.

nómicos más altos y los padres cooperan más con la escuela. Estas instituciones privadas se ocupan mucho de la selección de sus alumnos y ponen mucho énfasis al aprovechamiento académico. Tienen mejor edificación escolar que las escuelas públicas y usan mayor cantidad de material didáctico.[47] No cabe duda de que estas condiciones son favorables al trabajo educativo a que están sometidos los estudiantes de escuelas privadas. La calidad de la enseñanza y el aprovechamiento del estudiante es superior en la escuela privada que en la pública. También se ha encontrado que los estudiantes de cuarto año procedentes de escuelas privadas hacen mejor trabajo que los de la pública. Realizan mejor trabajo académico en primer año de universidad y obtienen mejores índices de graduación.[48]

La admisión de estudiantes al primer año de la Universidad de Puerto Rico en el recinto de Río Piedras también refleja las diferencias entre las escuelas públicas y las privadas.[49] Del total de 11,300 solicitantes para agosto de 1969, 8,579 procedían de escuelas públicas. De estos se admitieron 4,100, o sea, el 48 %. De escuelas privadas procedían 2,721 estudiantes, de los cuales 1,965 (72 %) fueron admitidos. Para ese mismo año hubo un total de 4,148 matriculados, esto es, 68.3 % de los admitidos. Estos se distribuyen en 2,790 procedentes de escuelas superiores públicas y 1,358 de escuelas privadas. Nótese que en cuanto a estudiantes admitidos y matriculados la proporción fue ventajosa para los de la escuela privada. La Universidad del Estado recibe en primer año una alta proporción de estudiantes que hicieron sus estudios de escuela superior en instituciones privadas. La nueva norma de admisión puesta en vigor en el Recinto de Río Piedras para el año académico 1975-76 podría hacer variar esta condición. Se nos informa que esta norma modifica el sistema tradicional de admisiones, ya que da mayor peso a las partes del examen de admisión que mide la aptitud o el potencial del estudiante para realizar labor universitaria.

## LA EDUCACIÓN UNIVERSITARIA

No podemos hablar de logros y cambios en la educación en Puerto Rico sin hacer referencia a la educación universitaria. En la misma forma en que crece el interés del pueblo por la educación elemental y secundaria, aumenta el interés por la educación universitaria. La Universidad de Puerto Rico no es hoy la única institución universitaria del país. Esta ha tenido que ampliar sus recintos para atender las demandas de las generaciones jóvenes. Otras instituciones han surgido y comparten con la Universidad de Puerto Rico las responsabilidades de la educación superior.

La Universidad de Puerto Rico continúa recibiendo la mayor proporción de la matrícula de edad universitaria. En 1973-74, la matrícula universitaria total ascendía a 88,254 estudiantes, de los cuales 50,439 (57.2 %) asistían a la Universidad de Puerto Rico y 37,815 (42.8 %) a las instituciones privadas.

---

47. Rodríguez Bou. *Op. Cit.*, p. 216.
48. Consejo Superior de Enseñanza. *Op. Cit.*, pp. 38; 66-70.
49. Universidad de Puerto Rico. *Cuadro biográfico, Clase 1973.* Río Piedras: Decanato de Estudiantes, 1970.

## La Universidad de Puerto Rico

La universidad de Puerto Rico, que surgió en Río Piedras en 1903 como una institución para formar maestros, es hoy día un complejo centro de educación superior. Su expansión fue rápida y no tardaron en establecerse los diversos colegios en el campus de Río Piedras. En 1911 se estableció el Colegio de Agricultura y Artes Mecánicas de Mayagüez. La matrícula de la Universidad ha aumentado considerablemente; igualmente su claustro de profesores. El estudiantado se duplica cada diez años. En 1940-41 la matrícula ascendió a 5,869 estudiantes; en 1950-51 a 11,343 y en 1960-61 a 18,893. Se duplicó la matrícula en los próximos nueve años: 37,839 estudiantes para 1969-70. De ese año en adelante, la Universidad de Puerto Rico ha continuado aumentando su matrícula en la siguiente forma:

| Año | Matrícula |
| --- | --- |
| 1970-71 | 42,516 |
| 1971-72 | 43,609 |
| 1972-73 | 47,533 |
| 1973-74 | 50,439 |

Es interesante señalar que la mitad de esta matrícula asiste al Recinto de Río Piedras de la Universidad de Puerto Rico.

A pesar del crecimiento de la Universidad de Puerto Rico ha bajado el por ciento de la matrícula total que asiste a esta institución y ha aumentado el por ciento de la matrícula que asiste a las instituciones universitarias privadas, como podemos ver a continuación:

| Año | % matrícula total U.P.R. | % matrícula total instituciones privadas |
| --- | --- | --- |
| 1960-61 | 71.2 | 28.8 |
| 1970-71 | 66.6 | 33.4 |
| 1971-72 | 61.9 | 38.1 |
| 1972-73 | 59.1 | 40.9 |
| 1973-74 | 57.2 | 42.8 |

En 1942 se aprobó la vieja Ley Universitaria. Inmediatamente comenzó su más grande programa de expansión académica. Así surgieron los Colegios de Ciencias Naturales, Ciencias Sociales, Humanidades y Estudios Generales. Para hacer llegar la educación superior a un mayor número de jóvenes que no podían asistir a los recintos de Río Piedras o Mayagüez, se comenzó el establecimiento de los colegios regionales para ofrecer los cursos de los primeros dos años de Bachillerato, conocido como el programa de transferencia y dar adiestramiento para carreras cortas. El primer Colegio Regional fue el de Humacao, establecido en 1962. Se inauguró con una matrícula de 266 estudiantes. En 1972-73 tenía 2,534 estudiantes. Ya hay legislación aprobada convirtiendo a Humacao en colegio universitario de cuatro años. En 1967 se establecieron los colegios regionales de Cayey y Arecibo. Ambos colegios tenían una matrícula de 2,501 y 2,472 estudiantes, respectivamente, en 1972-73. Cayey se convirtió en 1970 en un colegio universitario, con programas de cuatro años conducentes al bachillerato. Este colegio está adscrito directamente a la Presidencia de la Universidad de Puerto Rico.

En agosto de 1970 se inauguró el Colegio Regional de Ponce, con una matrícula inicial de 400 estudiantes: 150 para los programas de transferencia y 250 para los de carreras cortas. Al crear el Colegio Regional de Ponce, el Consejo de Educación Superior dispuso dar mayor énfasis al programa de carreras cortas. Se ofrecerá un programa variado que abarque los siguientes objetivos ocupacionales: contabilidad, gerencia comercial, gerencia industrial, terapia física, terapia ocupacional, construcción civil, dibujo arquitectónico, refrigeración, aire acondicionado y programación de computadoras.[50]

En agosto de 1971 comenzó a funcionar el Colegio Regional de Bayamón, en 1972, el de Aguadilla y en 1974, el de Carolina.

La demanda por servicios educativos al nivel universitario seguirá aumentando en los próximos años. Será necesario ampliar las facilidades de la Universidad de Puerto Rico para acomodar una matrícula que va aumentando cada año. La matrícula proyectada de 50,000 estudiantes para 1974-75 se logró en 1973-74. Para atender las necesidades de educación superior, tendrán que establecerse colegios regionales adicionales, tanto en la zona metropolitana de San Juan como en otros lugares de la Isla, donde haya grandes concentraciones de estudiantes potenciales. Para el 1984-85 la Universidad de Puerto Rico anticipa una matrícula de 100,000 estudiantes, distribuida de la siguiente manera: 51,000 en los recintos de Río Piedras, Mayagüez y San Juan, y 49,000 en los nuevos recintos y en colegios regionales.

Otra forma de medir el desarrollo de la Universidad de Puerto Rico es a través de los grados y diplomas que concede. Entre los treinta años comprendidos entre 1940-1970, la Universidad otorgó un total de 73,901 grados, certificados y diplomas. En 1970-71 otorgó 5,582; en 1971-72, 6,421 y en 1972-73, 7,734.

### Ley Universitaria de 1966

El 20 de enero de 1966 se aprobó la nueva ley universitaria. Con la aprobación de esta ley, la Universidad funciona como un sistema orgánico de educación superior, compuesto por las siguientes unidades institucionales, dotadas de autonomía académica y administrativa:

1) El Recinto Universitario de Río Piedras, integrado por todas las escuelas, colegios, facultades, departamentos, instituciones, centros de investigación y otras dependencias que en el momento de aprobarse la ley componían el Recinto de Río Piedras de la Universidad de Puerto Rico.

2) El Recinto Universitario de Mayagüez, integrado por todas las escuelas, colegios, facultades, departamentos, institutos, centros de investigación y otras dependencias que en el momento de aprobarse la ley funcionaban en el Colegio de Agricultura y Artes Mecánicas de la Universidad de Puerto

---

50. *El Mundo*, 19 de julio de 1970, p. 10B.

Rico. La Estación Experimental Agrícola y el Servicio de Extensión Agrícola quedan integradas a este Recinto en lo administrativo y programático.

3) El Recinto Universitario de Ciencias Médicas, integrado por la Escuela de Medicina y Medicina Tropical, la Escuela de Odontología y las demás escuelas, servicios, institutos y programas de enseñanza e investigación en las artes y las ciencias de la salud, que al momento de aprobarse la ley componían el Recinto de San Juan de la Universidad de Puerto Rico.

4) La Administración de Colegios Regionales de Educación Superior, integrada por los Colegios Regionales de Humacao, Arecibo, Bayamón, Ponce, Aguadilla y Carolina, y por los que puedan establecerse en el futuro.

El Presidente de la Universidad es el director del Sistema Universitario. Cada recinto, al igual que la Administración de Colegios Regionales, está presidido por un Rector.

La Universidad de Puerto Rico tiene una junta de gobierno, denominada Consejo de Educación Superior. A continuación citamos de la Ley, las facultades del Consejo de Educación Superior:

El Consejo fomentará la educación superior en Puerto Rico con arreglo a las normas que a tal efecto adopte; formulará las directrices que regirán la orientación y el desarrollo de la Universidad, examinará y aprobará las normas generales de funcionamiento propuestas por los organismos legislativos y administrativos de esta, de conformidad con la presente ley, y supervisará la marcha general de la institución.

*Objetivos de la Universidad de Puerto Rico.* De acuerdo con el artículo 2 de la Ley, la Universidad tiene como misión esencial alcanzar los siguientes objetivos, con los cuales es consustancial la más amplia libertad de cátedra y de investigación científica.

1) Transmitir e incrementar el saber por medio de las ciencias y de las artes, poniéndolo al servicio de la comunidad a través de la acción de sus programas, investigadores, estudiantes y egresados.

2) Contribuir al cultivo y disfrute de los valores éticos y estéticos de la cultura.

En el cumplimiento leal de su misión la Universidad deberá:

1) Cultivar el amor al conocimiento como vía de libertad, a través de la búsqueda y discusión de la verdad, en actitud de respeto al diálogo creador;

2) Conservar, enriquecer y difundir los valores culturales del pueblo puertorriqueño y fortalecer la conciencia de su unidad en la común empresa de resolver democráticamente sus problemas;

3) Procurar la formación plena del estudiante, en vista a su responsabilidad como servidor de la comunidad;

4) Desarrollar a plenitud la riqueza intelectual y espiritual latente en nuestro pueblo, a fin de que los valores de la inteligencia y el espíritu de las personalidades excepcionales que surgen de todos sus sectores sociales, especialmente los menos favorecidos en recursos económicos, puedan ponerse al servicio de la sociedad puertorriqueña;

5) Colaborar con otros organismos, dentro de las esferas de acción que le son propios, en el estudio de los problemas de Puerto Rico;

6) Tener presente que por su carácter de Universidad y por su identificación con los ideales de vida de Puerto Rico, ella está esencialmente vinculada a los valores e intereses de toda comunidad democrática.

*Puntos fuertes de la ley.* Aunque no es perfecta, la nueva ley es superior a la anterior en el sentido que ofrece mayor participación al claustro en la selección de decanos y directores de departamentos, mediante el procedimiento de consulta. El claustro tiene también representación en el Senado Académico y este en la Junta Administrativa y Junta Universitaria. El Senado participa en las consultas relativas a los nombramientos de los sectores y de los decanos que no presiden facultades.

En cuanto a los estudiantes, la ley les reconoce oficialmente como miembros de la comunidad académica. Gozan del derecho de participar en la vida de esa comunidad y tienen todos los deberes de responsabilidad moral e intelectual a que ella, por su naturaleza, obliga. La Ley provee para el establecimiento de un Consejo General de Estudiantes en cada recinto, un Consejo de Estudiante en cada facultad y comités de estudiantes que asesorarán a los organismos encargados de servicio y ayuda al estudiante.

## La Universidad y el cambio social

Durante los últimos años la Universidad de Puerto Rico ha sentido el impacto de las fuerzas de cambio que han afectado la educación superior en todas partes del mundo. No han faltado, por supuesto, las luchas de los estudiantes por ganar mayor participación en los asuntos universitarios. De hecho, han adquirido participación, pero no han faltado las protestas y las revueltas estudiantiles.

La Universidad ha crecido considerablemente para atender las demandas por mayores oportunidades de estudio de nuestra población joven. Han surgido los colegios regionales y uno de ellos se ha convertido ya en un colegio universitario con programas conducentes al bachillerato. Otro colegio regional está también en vías de convertirse en colegio universitario. El currículo de los colegios regionales responde a las necesidades de un Puerto Rico industrializado. Los programas de los otros recintos universitarios deben igualmente ajustarse a las demandas de la industria y de los demás sectores de la economía de Puerto Rico.

Han aumentado los servicios al estudiante, que incluyen no solo un amplio programa de becas y otras ayudas económicas, sino también servicios de orientación, trabajo social, residencias universitarias, actividades atléticas y de arte, música y drama, actividades sociales y culturales, viajes de estudio, intercambio de estudiantes, etc. Se han construido nuevos edificios y se han modificado otras estructuras para atender a una matrícula creciente, han aumentado los laboratorios y bibliotecas. El personal docente ha mejorado su preparación, gracias a un amplio programa de licencias sabáticas y licencias con ayuda económica.

En el aspecto académico ha crecido el número de facultades, escuelas y departamentos de excelente calidad. Se ha desarrollado un vigoroso programa graduado y han aumentado las actividades de investigación. Los programas académicos están sometidos a continua reevaluación y se hacen esfuerzos por mejorar la calidad de la enseñanza. La Universidad utiliza la más reciente tecnología educativa, realiza proyectos innovadores y trata de crear un clima favorable a la enseñanza, a través del mejoramiento de las relaciones entre profesores y estudiantes.

La Universidad presta un encomiable servicio a nuestra sociedad. Su prestigio se ha dejado sentir no solamente en nuestro país sino también en el exterior. Estudiantes del mundo entero han cursado y cursan estudios en todas las escuelas y departamentos de nuestro primer centro docente. Más de tres mil estudiantes no residentes han recibido instrucción en nuestra universidad. Nuestros alumnos que desean proseguir estudios superiores son admitidos a todas las principales universidades del mundo.

Como la demanda por servicios educativos al nivel superior continuará aumentando en los próximos años y la universidad del estado no podrá absorber esta creciente matrícula, se espera un crecimiento sin precedentes de las instituciones universitarias privadas. Todas se preparan para ese papel más importante que les tocará desempeñar en el Puerto Rico del futuro.

## LA EDUCACIÓN UNIVERSITARIA EN EL PUERTO RICO DE HOY

En esta parte daremos importancia a una serie de asuntos que consideramos claves para entender la educación universitaria de hoy. El primero es el medio social en que se lleva a cabo la educación universitaria. Le siguen los efectos que ese ambiente produce en la Universidad de hoy y, finalmente, las formas en que las universidades se enfrentan al reto que les ha impuesto la sociedad.

### El medio social en que se lleva a cabo la educación universitaria

Vivimos en un mundo caracterizado por las fuerzas de cambio social, que afectan toda nuestra estructura social y nuestros modos de comportamiento. La principal característica del mundo moderno es el cambio. Son tan poderosas estas fuerzas de cambio, que como maestros, no podemos limitarnos a educar para el presente. Tenemos que educar para un mundo en cambio, para el presente y para el futuro. Por lo tanto, educar a los jóvenes de hoy es un verdadero reto para el maestro.

Basta con echar una mirada a nuestro alrededor para darnos cuenta de las muchas manifestaciones de cambio. Algunas de las manifestaciones de cambio se hacen evidentes en: (1) las tendencias poblacionales; (2) la interdependencia de los pueblos y naciones; (3) la ciencia y la tecnología; (4) el trabajo; (5) el ocio; (6) los medios de transportación y comunicación; (7) la familia; (8) el conocimiento y (9) las organizaciones. No vamos a discutir aquí cada una de esas manifestaciones de cambio y su impacto en la educación. Ya las hemos discutido en el Capítulo VI de esta obra. Solamente comentaremos brevemente los cambios en las tendencias poblacionales, por entender que estos influyen grandemente en el crecimiento de las universidades.

Puerto Rico se confronta con el difícil problema del crecimiento poblacional, ya que los recursos disponibles son insuficientes para mantener en forma adecuada las necesidades del pueblo. Una de las características de esa población es la movilidad. Mejores carreteras, más y mejores automóviles, la expansión de la transportación aérea y las mayores oportunidades de empleo fuera de la comunidad local, son algunos de los factores que explican la movilidad. El mayor movimiento poblacional es hacia los centros urbanos, especialmente hacia las áreas metropolitanas. Los datos del censo de 1970 reflejan el aumento poblacional que se va registrando en la zona metropolitana de San Juan y en los pueblos adyacentes. Demuestran, además, que los pueblos del interior van perdiendo población. La reducción de la agricultura lleva al hombre a las ciudades en busca de empleo para él y para su esposa.

La población de los centros urbanos también se mantiene en constante movimiento. Abandonan el centro de la ciudad y se mudan a las zonas suburbanas. La emigración de la población es otra forma de explicar la movilidad. Nos referimos a la emigración de los puertorriqueños hacia Nueva York y otras ciudades de Norteamérica.

*Efectos del ambiente en la Universidad*

Esas tendencias de cambio que hemos descrito, relacionadas con la dinámica poblacional, se manifiestan indudablemente en el ambiente universitario. El tremendo aumento poblacional, con el consiguiente desarrollo de los centros urbanos, tiene un efecto en las demandas por una educación universitaria, que Puerto Rico, con todo su sistema de universidades públicas y privadas, no puede satisfacer a plenitud. La Universidad deja de servir a unos grupos especiales de estudiantes para servir a todos por igual, tanto a los ricos, a los de clase media, como a los pobres. Esta heterogeneidad de los alumnos hace más exigente la labor que tenemos que desempeñar en la Universidad de hoy. Nos obliga a examinar las normas de admisión para ser más justos con los estudiantes que proceden de áreas en desventaja.

Las consecuencias mayores de este problema poblacional se notan en el Recinto de Río Piedras, de la Universidad de Puerto Rico. Este Recinto se caracteriza por la congestión poblacional — más de 30,000 personas entre profesores, estudiantes y demás personal. Unos 20,000 vehículos privados circulan diariamente por el Recinto. El área del campus se extiende unas 283 cuerdas, lo que complica el ya difícil problema de la congestión. El crecimiento del Recinto crea una serie de problemas que afectan no solamente a los estudiantes sino a la comunidad puertorriqueña, ya que la Universidad se halla en medio de un gran centro urbano. El hacinamiento produce efectos negativos en las personas y tienden a producirse los males sociales que asociamos con los grandes centros urbanos — crimen, droga, pobreza, etc. Al aumentar la población estudiantil, se incrementa el número de alumnos por profesor, se dificultan los procesos de matrícula, escasean las facilidades físicas adecuadas y se afectan los servicios que se prestan a todo el personal, especialmente a los estudiantes. Nos referimos a los servicios de cafetería, librería, bibliotecas, orientación, atención médica, becas y áreas de estacionamiento. Esta congestión resulta en una serie de problemas de impersonalización y anonimato, que en muchos casos enajena a los estudiantes de la propia Universidad.

*La Universidad frente a los retos de hoy*

La Universidad no solo educa a sus estudiantes al dedicarse a la búsqueda de los conocimientos, la trasmisión del saber y a su formación como ciudadanos. La Universidad tiene otra gran misión de servicio, que es la identificación y solución de los problemas de la sociedad. Por eso es que la Universidad de hoy estudia la ecología y la utilización de los recursos naturales, al igual que estudia los problemas relacionados con la vivienda, la educación y los servicios de salud. Se estudian también los problemas de consumidor, las relaciones obrero-patronales, la adicción a drogas y el crimen. De esta manera nos orientamos hacia nuestra realidad social y nos envolvemos en la solución de los problemas que nos afectan. La comunidad se convierte en el laboratorio, sustituyendo muchas veces el estudio formal de los textos y la asistencia al salón de clases.

En una comunidad donde convergen tantas personas con tantos puntos de vista, es inevitable que surjan conflictos que alteren el orden establecido. Hemos sido testigos, en los últimos años, de protestas y demostraciones estudiantiles que han mantenido cerrados nuestros recintos por períodos de tiempo más o menos largos. Así ha ocurrido también en otras partes del mundo. En Puerto Rico, esta situación se complica con el problema del *status* político. Llega la política partidista a los centros universitarios, y los administradores tienen que preocuparse por propiciar un clima adecuado para el quehacer institucional por encima de la agitación estudiantil.

Los estudiantes, críticos del actual sistema de cosas, reclaman mayor participación en los procesos de la institución. La participación estudiantil es deseable y debemos aprovecharla al máximo. Ofrece una experiencia educativa que ayuda al desarrollo del estudiante. En la Universidad de Puerto Rico, los estudiantes han ganado representación en los Senados Académicos, en las Juntas y en las reuniones de las facultades y de los departamentos. Se han incorporado estudiantes a los comités de currículo, de reevaluación académica y en los programas que les sirven a ellos, como orientación, atletismo y actividades extracurriculares.

Hay otras formas de participación efectiva que debemos utilizar más frecuentemente y que a veces olvidamos como educadores. Nos referimos a la aportación que el estudiante puede hacer en la formación de su propio programa educativo y en la planificación de las experiencias a que ha de someterse. De esta manera, el estudiante participará, en colaboración con el profesor, en la formulación de su currículo y de las actividades educativas, a tono con sus intereses y necesidades. Se justifica este tipo de participación porque el maestro, en ocasiones, pierde de vista los cambios que se están operando. El estudiante, a través de esta colaboración, puede hacer valiosas aportaciones al programa educativo. Esta es una participación estudiantil efectiva.

Este tipo de participación no satisface a todos los estudiantes, especialmente a un grupo pequeño, que reclama para sí el gobierno de la Universidad y la facultad para nombrar y despedir a profesores y administradores. Este grupo trata de lograr sus propósitos, sin importar los métodos que tenga que utilizar. No favorecemos este tipo de "participación", si es que así se le puede llamar, porque atenta contra la institución universitaria y pone en peligro el cabal cumplimiento de sus funciones.

## RESUMEN

Desde los tiempos de España hasta el presente, los cambios en el campo de la educación han sido notables. Ha quedado firmemente establecida la función que el Estado desempeña en la educación del pueblo. Hoy día contamos con una escuela libre y gratuita para todos, desde el nivel elemental hasta el secundario, y con una gran variedad de oportunidades en la educación vocacional y universitaria. Continúa existiendo también un sistema de escuelas privadas, aunque estas no atienden más del 10 por ciento de la matrícula escolar total de Puerto Rico. Las escuelas privadas siguen teniendo el respaldo de una parte considerable del pueblo, debido al prestigio que gozan en la comunidad.

En cuanto al control social de la educación en Puerto Rico, podemos afirmar que existen fuerzas de control social formal y fuerzas de control social informal. La Constitución del Estado Libre Asociado de Puerto Rico, el Departamento de Instrucción Pública y las leyes escolares ejercen control social formal. Entre los grupos que ejercen control informal están las asociaciones profesionales, los partidos políticos, los grupos religiosos y otras organizaciones e individuos de la escuela y de la comunidad.

Se han hecho esfuerzos por democratizar la administración del sistema educativo. Se va logrando algún grado de descentralización con el establecimiento de las regiones educativas. Estas tienen funciones específicas, pero con líneas de interacción y comunicación entre la Oficina Central y los distritos escolares. Se hacen esfuerzos por dar a maestros, padres y estudiantes mayor participación en la orientación del sistema educativo.

El Departamento de Instrucción atiende con redoblado interés la educación en pueblos y campos de Puerto Rico para reducir el grado de desigualdad que ha caracterizado estos dos sectores poblacionales. Hoy día, el barrio más remoto cuenta con su escuela elemental y su comedor escolar. No quedan comunidades urbanas sin una escuela superior, y algunas comunidedes rurales cuentan con esta facilidad. Se han extendido los jardines de infancia. Los medios educativos también se han ampliado. Hoy hacemos uso de la radio, la televisión, el cine, la prensa y las revistas para impartir la educación tanto a los niños y a los jóvenes como a los adultos. Se llevan a cabo muchos programas y proyectos nuevos tendientes a servir mejor a toda la población estudiantil y a aumentar la calidad de la enseñanza.

La matrícula escolar ha ido aumentando año tras año. Más del 90 por ciento de la población de edad escolar de nivel elemental y el 70 del nivel secundario está asistiendo a la escuela. No solo aumenta la asistencia a la escuela, sino también la retención escolar. Anualmente se aumenta el número de plazas de maestros y de personal de supervisión. Mejora considerablemente la preparación de los maestros, al igual que los sueldos que reciben. Aumentan los salones de clases, los laboratorios, las bibliotecas, los libros de texto y los materiales de enseñanza. Se hacen grandes esfuerzos por aumentar el tiempo que el educando pasa en la escuela. Como resultado se ha logrado bastante éxito en la reducción de la doble matrícula, siendo mayormente problema en los primeros tres grados de la escuela elemental rural.

En cuanto a la educación vocacional, hemos señalado sus limitaciones y los esfuerzos que se hacen para ampliar estas oportunidades y ponerlas a la par con el desarrollo industrial de Puerto Rico.

Un amplio programa de educación de adultos es responsable de la reducción del analfabetismo en Puerto Rico. Más del 80 por ciento de los puertorriqueños eran analfabetos en 1898. Los analfabetos constituían un 78.3 por ciento para el 1900. Desde ese año hasta el presente la proporción de analfabetos se ha ido reduciendo considerablemente. El censo de 1950 reflejó un analfabetismo del 24.7 por ciento de nuestra población. Ese porcentaje se había reducido a 17 en 1960 a y 11 en 1970.

La educación universitaria sigue desarrollándose ampliamente. La Universidad de Puerto Rico ensancha sus facilidades, sus programas y su radio de acción en la comunidad. El establecimiento de los colegios regionales y el fortalecimiento de los principales recintos aseguran un futuro prometedor para la educación superior. Las universidades privadas también aumentan sus facilidades y sus programas para servir mejor a las necesidades del país.

## LECTURAS

Asociación de Maestros de Puerto Rico. *¿Qué es la Asociación de Maestros de Puerto Rico?* Boletín Núm. 1, 1966.

Asociación de Maestros de Puerto Rico. *Planes para el futuro.* En *El Sol*, mayo de 1968, página 8.

Benítez, Jaime. *La Universidad del futuro.* Río Piedras: Universidad de Puerto Rico, 1964.

Bothwell, Reece B. (ed.). *En busca de una filosofía educativa.* San Juan: Junta Estatal de Educación, 1975.

Brameld, Theodore. *The Remaking of a Culture.* New York: Harper and Bros., 1959, Capítulos 10, 12, 13, 19 y 20.

Brookover, Wilbur B. y David Gottlieb. *A. Sociology of Education.* Segunda edición. New York: American Book Co., 1964, Cap. 5.

Cáceres, José A. *Tecnología, cambio social y educación.* En *Pedagogía*, Vol. VX, Núms. 1 y 2, enero-diciembre de 1967, páginas 95-110.

Cáceres, José A. *La certificación de maestros en Puerto Rico.* Río Piedras: Oficina de Orientación, Colegio de Pedagogía, Universidad de Puerto Rico, 1968.

Cáceres, José A. *El maestro rural puertorriqueño.* Río Piedras: Colegio de Pedagogía, 1960. En mimeógrafo en la Biblioteca Sellés.

Cintrón de Crespo, Patria. *Puerto Rican Women Teachers in New York.* San Juan: Departamento de Instrucción, 1969.

Consejo Superior de Enseñanza. *Estudio del sistema educativo de Puerto Rico.* Río Piedras: Universidad de Puerto Rico, 1960.

Consejo Superior de Enseñanza. *La deserción escolar en Puerto Rico.* Río Piedras: Universidad de Puerto Rico, 1964.

Consejo Superior de Enseñanza. *Los estudiantes de la escuela secundaria nocturna en Puerto Rico: Características y aspiraciones.* Río Piedras: Universidad de Puerto Rico, 1964.

Constitución del Estado Libre Asociado de Puerto Rico. San Juan, 1952.

Departamento de Instrucción Pública. Carta Circular Núm. 12, 20 de marzo de 1964.

Cruz, Carmen Lydia. *La percepción que tiene la comunidad del maestro de ayer y de hoy.* Tesis de Maestría en Educación, Universidad de Puerto Rico, Río Piedras, Puerto Rico, 1968.

Departamento de Instrucción Pública. *Proyecto de una filosofía educativa para Puerto Rico.* San Juan: Departamento de Instrucción, 1972.

Departamento de Instrucción Pública. Carta Circular Núm. 26-69-70, 27 de agosto de 1969.

Departamento de Instrucción Pública. *Plan de desarrollo curricular,* 1966.

Departamento de Instrucción Pública. *La instrucción pública en Puerto Rico: Ayer, hoy y mañana.* San Juan: Departamento de Instrucción, 1968.

Departamento de Instrucción Pública. *Educación,* Vol. 21-22, octubre de 1968.

Díaz Tizol, Roque y Andrés Díaz Álvarez. *Satisfacciones e insatisfacciones que manifiesta el maestro puertorriqueño.* Tesis de Maestría en Educación, Universidad de Puerto Rico, Río Piedras, 1968.

Fairchild, Henry P. *Diccionario de sociología.* Cuarta edición en español. México: Fondo de Cultura Económica, 1966.

Federación de Maestros de Puerto Rico. *Boletín informativo.* Marzo de 1969.

García de Serrano, Irma. *The Puerto Rico Teachers Association and its Relationship to Teacher Personnel Administration.* Río Piedras: University of Puerto Rico Press, 1971.

Gobierno de Puerto Rico. Los talleres del Nuevo Puerto Rico. *Empleo, adiestramiento y educación.* San Juan, Puerto Rico: La Fortaleza, marzo de 1974.

González de Piñero, Europa. *Tendencias e ideas pedagógicas: Su aplicación en Puerto Rico.* Madrid: Ediciones Plaza Mayor, 1971.

Graham, Grace. *The Public School in the New Society.* New York: Harper and Row, 1969, Cap. 8.

Junta de Planificación. *Informe económico al Gobernador.* San Juan: Junta de Planificación, 1969.

Junta de Planificación de Puerto Rico. *El sistema escolar público: bases y cambios necesarios para ampliar su alcance y eficiencia.* San Juan: La Junta, 1972. En mimeógrafo.

Loubriel, Oscar. *Supervisión: Acción de grupo.* San Juan, Puerto Rico: Ediciones Mirador, 1973.

Mellado, Ramón. *Culture and Education in Puerto Rico.* San Juan: Asociación de Maestros de Puerto Rico, 1948.

Mellado, Ramón. *Puerto Rico y Occidente.* México: Editorial Cultura, 1963.

Nieves Falcón, Luis: *Recruitment to Higher Education in Puerto Rico — 1940-1960.* San Juan: Editorial Universitaria, 1965.

Nieves Falcón, Luis. *Diagnóstico de Puerto Rico.* Río Piedras: Editorial Edil, Inc., 1972.

Nieves Falcón, Luis y Patria C. Crespo. *The Teaching Profession in Puerto Rico.* Río Piedras: Universidad de Puerto Rico, Social Science Research Center, 1970.

Negrón de Montilla, Aida. *Americanization in Puerto Rico and the Public School System: 1900-1930.* Río Piedras: Editorial Edil, Inc., 1971.

Osuna, Juan J. *A History of Education in Puerto Rico.* Río Piedras: Editorial de la Universidad de Puerto Rico, 1947.

Otero de Ramos, Mercedes. *Estudio socio-ecológico de la deserción escolar y la delincuencia juvenil en Puerto Rico.* Río Piedras, Puerto Rico: Centro de Investigaciones Sociales, 1970.

Quintero Alfaro Ángel G. *Evaluación y proyecciones de la situación educativa de Puerto Rico.* San Juan: Departamento de Instrucción Pública, sin fecha.

Quintero Alfaro, Ángel G. *Educación y cambio social en Puerto Rico: una época crítica.* Río Piedras: Editorial Universitaria, 1972.

Reimer, Everett. *Problemas sociales asociados con el desarrollo de Puerto Rico en las últimas dos décadas.* Mimeógrafo. Biblioteca General, Sala de reserva y Colección Sellés, Universidad de Puerto Rico.

Reimer, Everett. *Implicaciones educacionales del desarrollo económico.* En *Education,* Vol. X, Núm. 82, enero de 1961, páginas 15-24.

Riefkohl, Luis. *La Asociación de Maestros como grupo de presión.* Tesis de Maestría. Escuela de Administración Pública, Universidad de Puerto Rico, Río Piedras, 1957.

Rivera, Pedro José. *Nuevos programas y enfoques del sistema de instrucción pública en Puerto Rico.* San Juan: Departamento de Instrucción Pública, 9 de agosto de 1967.

Rodríguez Bou, Ismael. *Significant Factors in the Development of Education in Puerto Rico.* United States — Puerto Rico Commission on the Status of Puerto Rico. *Status of Puerto Rico. Selected Background Studies.* Washington, D.C.: U.S. Government Printing Office, 1966, páginas 147-314.

Rosado, Domingo. *A Philosophical Study to Propose Objectives for Education in Puerto Rico.* Doctoral dissertation. New York University, 1959. Sin publicar.

Steward, Julian H. *The People of Puerto Rico.* Urbana: University of Illinois Press, 1956.

Teachers College, Columbia University. *Public Education and the Future of Puerto Rico.* New York: Bureau of Publications, Teachers College, 1950.

Tumin, Melvin M. *Social Class and Social Change in Puerto Rico.* New Jersey: Princeton University Press, 1961, Capítulos 4, 5, 6, 7, 26, 28.

Universidad de Puerto Rico. *Cuadro bibliográfico, Clase 1973.* Río Piedras: Decanato de Estudiantes. Oficina de Admisiones, 1970.

Universidad de Puerto Rico. *Dos décadas de investigaciones pedagógicas.* Río Piedras: Universidad de Puerto Rico, Consejo Superior de Enseñanza, 1965.

Universidad de Puerto Rico. Centro de Investigaciones Sociales. *Estrategias de cambio educativo: Su impacto sobre los maestros.* Río Piedras: Universidad de Puerto Rico, 1970.

Westby-Gibson, Dorothy. *Social Perspectives on Education.* New York: John Wiley and Sons, Inc., 1965, Cap. 12.

# PARTE IV

# La Personalidad

Uno de los temas de mayor interés para la sociología educativa es el desarrollo de la personalidad. Como aceptamos el hecho de que la personalidad no es innata y que puede, en cambio, dirigirse su desarrollo, debe proveerse el mejor ambiente posible para la máxima formación del ser humano. Todas las agencias educativas tienen entonces contraída una importante responsabilidad.

El Capítulo X presentará la teoría general sobre el desarrollo de la personalidad. Se estudiarán los factores que más influyen en esta: la herencia biológica, el ambiente físico, la cultura y las experiencias personales. Se discutirá también el papel que desempeña la educación en el desarrollo de la personalidad.

Dedicaremos el Capítulo XI al estudio del proceso de socialización. Comenzaremos con una orientación teórica sobre este proceso, la descripción del mismo y las agencias que intervienen en la socialización. Como ejemplo se discutirá el proceso de socialización de un niño puertorriqueño de la zona rural.

Entre las agencias socializadores se destaca la escuela. Es esta la más importante institución a cargo de la educación formal. El capítulo da importancia al papel de la escuela en la socialización —desde la escuela maternal hasta la secundaria.

# CAPÍTULO X

## EL DESARROLLO DE LA PERSONALIDAD

En este capítulo estudiaremos el desarrollo de la personalidad, dando especial atención a los factores que influyen en su desarrollo: la herencia biológica, el ambiente físico, la cultura y las experiencias personales particulares. Estudiaremos cada uno de estos factores separadamente y la manera en que se combinan para formar al ser humano. Demostraremos cómo cada uno de estos factores impone limitaciones al otro, y cada uno a su vez, facilita el trabajo del otro. La personalidad humana es el resultado de la interacción de esos cuatro factores.

El capítulo terminará señalando la significación de la educación en el desarrollo de la personalidad. Como esta es un producto social, podemos como educadores ayudar en la dirección del proceso mediante el cual se forma la personalidad del educando, teniendo en cuenta sus capacidades y limitaciones.

Pasamos ahora a definir tres conceptos que son fundamentales para entender este capítulo: individuo, persona y personalidad.

### INDIVIDUO, PERSONA Y PERSONALIDAD

Hablando en términos sociológicos, el niño, al nacer, es un individuo. Carece de relaciones sociales y no tiene conocimiento del mundo social que le rodea. Tampoco ocupa una posición en el grupo social. Como individuo, el niño, al nacer, está desprovisto de todos los atributos sociales —nombre, lenguaje, ideas, hábitos, destrezas— que lo hacen humano; en otras palabras: le falta mucho por aprender para llamarse un ser social. Nace, sin embargo, con las posibilidades y las potencialidades para hacerse humano. Viene al mundo lleno de posibilidades y nada más. Las condiciones que se le ofrezcan determinarán en gran parte su desarrollo futuro.

Al nacer, el niño no es una persona humana, no tiene personalidad; en otras palabras: no nace humano. Decimos que el niño no nace con una personalidad formada. La persona es, pues, un ser muy distinto del individuo. Llamamos persona humana al individuo socializado, que ha adquirido la cultura de la sociedad, no solo en sus manifestaciones materiales, sino también en sus manifestaciones no materiales (lenguaje, normas, valores, lealtades y maneras de actuar y de pensar). La persona es el ser humano que ocupa un determinado lugar en la sociedad. La persona es el hombre en la sociedad.

El niño no nace con una personalidad humana; esta se desarrolla como

resultado de la interacción con los factores de su ambietne. La personalidad
humana es el resultado de la interacción del individuo con su ambiente
total: físico, social y cultural. La palabra *interacción* es básica al definir
el término personalidad. Nos referimos especialmente al resultado de la interacción de los factores constitutivos de la personalidad que se explican
más adelante. Es a través de la interacción social que el individuo adquiere
una personalidad —desarrolla el concepto de los papeles que desempeña en
el grupo social. La personalidad es la suma y organización de los rasgos
que determinan el papel de la persona en el grupo. Definida la personalidad
en esta forma, tenemos que concluir que todos los individuos socializados,
todos los seres humanos tienen personalidad.

En resumen, la personalidad humana no es innata ni instintiva: esta
se adquiere, se aprende a través de la interacción social. La personalidad es
un producto social.

### FACTORES QUE INFLUYEN EN EL DESARROLLO DE LA PERSONALIDAD

Uno de los temas más discutidos en las ciencias sociales es el de los
factores que influyen en el desarrollo de la personalidad. Varias personas
han formulado sus explicaciones acerca de las fuerzas que influyen en la
personalidad. Algunos nos dicen que el hombre, como ser humano, es lo
que es debido a fuerzas inherentes en su organismo. Para ellos, la conducta
humana está principalmente determinada por la biología. De otro lado tenemos la explicación que nos dan algunos geógrafos. Ellos hacen resaltar la
influencia del ambiente físico en la personalidad. En sus explicaciones sobre
la conducta humana, otras personas han restado importancia tanto a los
factores biológicos como a los geográficos.

Nosotros creemos que al explicar los factores que influyen en el desarrollo de la personalidad humana no podemos dejar de discutir la importancia de los factores biológicos y los geográficos. Estos, sin embargo, no
son los únicos factores determinantes de la personalidad. Tenemos que incluir también el efecto del ambiente sociocultural y de las experiencias personales particulares. Es la combinación de estos cuatro factores— la herencia, el ambiente físico, el ambiente sociocultural y las experiencias personales
particulares— lo que produce la personalidad.

No queremos en forma alguna implicar que el primer factor, la herencia, sea el más importante, ni que el último factor, las experiencias personales, sea el menos importante. No podemos decir, en términos generales,
cuál de los factores es el más importante. Los cuatro factores son importantes. Sin embargo, habrá casos específicos en que un factor sea más importante que otro.

### *La herencia biológica*

No puede en forma alguna dejarse de mencionar la importancia del
papel de la biología en el desarrollo del ser humano. La personalidad no
puede existir independientemente de la biología; no puede existir indepen-

dientemente de un organismo físico con vida. Como miembro de una especie humana, el hombre posee todos aquellos rasgos y características propios de esa especie. Prácticamente, todos los miembros de la especie son aproximadamente iguales, en términos de la biología. Sin embargo, no hay dos seres humanos exactamente iguales. Muchas veces el campo de las diferencias individuales es muy grande. Las diferencias más obvias lo son en los aspectos externos, lo que da lugar a las bases para la clasificación del hombre en razas. También existen diferencias en otros aspectos, como, por ejemplo, diferencias en la habilidad para aprender, en su inteligencia. El genio y el morón podrían ser hermanos. La biología nos dice, pues, que el ser humano hereda una serie de rasgos característicos de todos los seres humanos y también unas características únicas que hereda de sus padres.

El niño, al nacer, posee un organismo físico y un sistema nervioso. También posee un sistema glandular, importante en su desarrollo futuro. Biológicamente, el niño es capaz de alcanzar un desarrollo superior y de aprender más que todos los otros animales. Ayudan al hombre a alcanzar este desarrollo superior su posición erecta, el uso de las manos, el cerebro y los órganos de expresión. Su sistema nervioso es más altamente organizado que el de otros animales y su cerebro es mucho más complicado en su estructura. Todo esto permite al hombre una gran variedad de reacciones: le ayuda a pensar, a transmitir ideas a través del lenguaje y a ver las relaciones entre las cosas, haciéndolo superior a los demás animales.

No queremos dejar de mencionar en este momento el experimento que realizó en 1931 el profesor Kellogg,[1] de la Universidad de Indiana. Este profesor llevó a su casa un chimpancé de 7 ½ meses, de nombre *Gua*, con el propósito de criar al chimpancé con su hijo Donald, de 10 meses, y observar las reacciones y cambios de ambos. El niño y el chimpancé vivieron en la misma casa y estuvieron expuestos a la misma rutina por espacio de 9 meses. Su régimen consistía en caminar, comer, jugar y participar en otras actividades a las cuales se someten los niños en nuestra cultura.

A los 7 ½ meses, *Gua* podía subirse a una silla alta. El niño tardó 18 ½ meses en hacerlo. *Gua* aprendió a pararse derecho en las patas traseras mucho antes de que el niño pudiera caminar solo. También aprendió primero a correr y a saltar. *Gua* demostró ser superior al niño en su desarrollo motor.

Veamos algunas semejanzas y diferencias en sus reacciones sociales y emocionales. Desde el principio, el chimpancé y el niño se interesaron el uno en el otro. Caminaban cogidos de la mano, dormían juntos y desarrollaron una actitud de mutua protección. El chimpancé no gustaba de la amistad de niños mayores y de adultos. Aunque en los primeros meses el niño sentía cierta atracción hacia el chimpancé, según creció fue sintiendo mayor interés en los niños y adultos.

Como era de esperar, en la comunicación vocal y en el desarrollo del lenguaje el niño fue superior. Ambos aprendieron a seguir correctamente toda clase de mandos verbales. Aunque al principio el chimpancé respondía con más exactitud a los mandos, el niño se adelantó al chimpancé en la comprensión verbal. A pesar de los 9 meses que vivió con el niño, *Gua*

---

1. W. N. y L. A. Kellogg. *The Ape and Child.* New York: McGraw-Hill Book Co., 1933.

nunca aprendió a hablar. Donald, sin embargo, empezó a hablar antes de un año.

Este caso demuestra que el hombre es el único animal capaz de un desarrollo superior al de los demás animales y capaz de lograr una personalidad humana.

El organismo físico también tiene necesidades y deseos básicos; entre ellos, la necesidad de alimentarse y de eliminar. Estos son estímulos internos; pero también responde a estímulos externos, como, por ejemplo, al tacto y al castigo.

Además del factor organismo físico, es necesario conocer también los demás rasgos que se heredan biológicamente y que influyen en mayor o menor grado en el desarrollo de la personalidad. Entre estos factores, veamos en primer lugar la apariencia física. El recién nacido tiende a parecerse físicamente a sus padres. Se hereda el color de la piel, el color y contextura del cabello, la forma de la nariz y el color de los ojos. Se heredan también las capacidades para hablar, razonar y desarrollar la inteligencia humana. Se hereda el sexo, la raza, el temperamento y ciertas disposiciones A pesar de reconocerse que estos son rasgos heredados, admitimos también que el ambiente puede imponer ciertas ventajas o limitaciones al desarrollo de los mismos. Cojamos, por ejemplo, el factor inteligencia. Los experimentos demuestran diferencias en la inteligencia de gemelos que han sido criados en diferentes ambientes: los gemelos criados en ambientes superiores exhibieron una inteligencia superior y los gemelos criados en ambientes inferiores demostraron una inteligencia inferior.

La herencia biológica no determina la personalidad humana; no es el único factor determinante en el desarrollo de la personalidad. Aceptamos, sin embargo, que la herencia biológica ejerce su influencia, que predispone su desarrollo en una dirección u otra y que puede muy bien ayudar o limitar el desarrollo personal del ser humano. En el pasado existía la tendencia a atribuir demasiada importancia a la herencia biológica en la explicación de la conducta humana. Algunos psicólogos formularon una larga lista de instintos, explicando así la importancia que la biología tenía en el desarrollo de la conducta. Cuando los psicólogos modernos empezaron a estudiar a los infantes, fueron descartando esa lista de instintos de los años anteriores y dieron énfasis entonces a la importancia que el aprendizaje juega en el desarrollo del ser humano. La naturaleza original empieza a ser modificada por las respuestas aprendidas tan temprano en la vida del niño —horas después de nacido—, que puede afirmarse entonces que la conducta adulta no ofrece evidencia alguna de la existencia de los instintos. Nadie explicaría hoy día la sociabilidad del ser humano a base de un instinto gregario ni la guerra a base de un instinto belicoso y pugnaz en el hombre. Tampoco hablamos en términos científicos de un "instinto maternal" o de un "instinto de protección".

Aparte del reconocimiento de la existencia de algunos reflejos, nadie explica hoy día la conducta humana en términos biológicos exclusivamente. Se reconoce la existencia de las urgencias o necesidades que dan impulso a la actividad humana, pero no determinan la conducta. La forma de satisfacer estas urgencias no es innata, es cultural. Se satisfacen estas urgencias de acuerdo con las maneras aceptadas por la sociedad. Ha sido reconocido hoy día que antes que biológica y heredada la conducta humana es social y aprendida. Ni aún en la explicación de muchos rasgos de la conducta de los animales inferiores al hombre damos hoy día tanta importancia a la biología.

## El ambiente físico

Otro factor imprescindible para el desarrollo de la conducta humana es el ambiente físico. La vida humana tiene que desarrollarse en un ambiente físico, y este está presente desde el momento del nacimiento del niño. Factores del medio físico, como temperatura, clima, cuerpos de agua, montañas, desiertos y recursos naturales, afectan la vida del hombre en una forma u otra. Estos factores no determinan su desarrollo; pero tampoco puede descartarse su influencia. Influyen de muchas maneras en la vida del hombre: en su trabajo, su recreación y su forma de vida.

El hombre no es hoy día un esclavo de los factores del medio físico. Posee inteligencia, recursos y cultura para vencer o hacer cambiar casi todos los factores del medio físico que en una forma u otra le pueden afectar. Mientras mayor sea el desarrollo de un pueblo, mayores recursos tendrá el hombre para vencer las limitaciones del ambiente físico; su depedencia de la geografía será menor. Habrá todavía algunos factores del medio físico que el hombre no podrá vencer, pero estos son cada día menores.

Lo más importante de todo es ver la forma en que el hombre conquista esos factores del medio físico y ajusta su vida a un ambiente modificado por él. Una montaña puede impedir el desarrollo del hombre, pero dejará de impedirlo tan pronto él pueda hacerla desaparecer o atravesarla con un túnel. Se impone entonces un elemento cultural sobre las limitaciones del medio físico. Existen cuerpos de agua que parecen impedir el desarrollo del hombre. Esos mismos cuerpos de agua pueden ser más tarde importantes agentes de desarrollo y progreso.

El ambiente físico puede lo mismo limitar que ayudar en el desarrollo del ser humano. Un factor geográfico puede ser un factor negativo al hombre, pero también puede ser un factor que le ayude grandemente a hacer otras cosas. Donde las condiciones geográficas son adversas y el hombre puede hacer poco por cambiarlas, la vida del hombre será dura, su organización social por lo general será simple y su conducta se ajustará a esa condición. El esquimal tiene, por tanto, que ajustar su vida a las condiciones geográficas en que vive.

Las condiciones geográficas favorables no garantizan un desarrollo favorable ni determinan cierto tipo de conducta. El conocimiento necesario para el control del ambiente tiene primero que ser parte de la cultura. Los indios americanos tenían condiciones favorables, pero a pesar de ello no desarrollaron una gran civilización. Les faltaba, por supuesto, el conocimiento técnico, las motivaciones y las ansias de progreso del hombre moderno. El cuenta con estos recursos y puede conquistar el ambiente y organizar mejor su vida social. Esta capacidad para conquistar y modificar su ambiente con el fin de proporcionarse una vida mejor es exclusiva del hombre. Los demás animales no pueden hacerlo; simplemente se adaptan a su ambiente.

*Ambiente sociocultural (Cultura)*

El ambiente sociocultural también influye en el desarrollo de la personalidad; en otras palabras: la sociedad y la cultura son ingredientes importantes en el desarrollo del ser humano. Los efectos de la sociedad y la cultura pueden apreciarse a través del estudio de casos de niños que se han criado con animales. Este sería el caso de los niños ferales. El más conocido de estos casos es el de las Niñas Lobas de la India,[2] que se encontraron viviendo con lobos en una villa india en 1921. Exhibían características de animal: no usaban ropa, no hablaban, comían carne cruda, huían de los seres humanos, caminaban en cuatro patas usaban la lengua para tomar líquidos y tenían la vista ajustada a la oscuridad. La mayor de ellas, que vivió por más tiempo, fue sometida a intenso tratamiento y adquirió muchas características humanas, como el lenguaje, el hábito de vestir y el de relacionarse con otras personas.

Se ha expresado cierta duda en los últimos años en cuanto a la completa veracidad de toda la información que se tiene sobre las Niñas Lobas de la India. Recomendamos el examen del artículo que escribió Bethelheim[3] para corroborar este punto. Muchos científicos sociales, al referirse a la importancia del ambiente sociocultural en la personalidad, citan preferentemente casos de niños criados en el aislamiento.

Uno de estos casos es el de Ana,[4] una niñita americana que desde pocos meses después de su nacimiento, hasta el momento en que fue encontrada, a la edad de cinco años, en una casa de campo en Pennsylvania, había vivido en casi completo aislamiento. Recibió solamente las atenciones mínimas que le permitieron sobrevivir. Era hija ilegítima de una mujer joven que quería ocultar a su niña. El abuelo de Ana era una persona muy severa y no quería a la niñita en su casa. Por fin accedió a que la niñita fuese llevada a un piso alto de su casa en el campo. Ana recibió allí la menor atención personal y no tuvo asociación normal con niños o adultos. A la edad de cinco años, cuando fue rescatada, Ana exhibía la conducta de un niño pequeño. No hablaba, y apenas si se movía en la cuna. Su conducta fue observada. Bajo tratamiento recuperó, aprendió a andar, a correr, a hablar, aunque con lentitud, y aprendio a jugar con otros niños. Ana murió a la edad de diez años.

Otro caso que nos narra también Kingsley Davis es el de Isabel, una niñita que estuvo unos seis años y medio en el aislamiento. También era hija ilegítima. Su mamá era sordomuda. La niña pasó todo el tiempo encerrada en una habitación oscura con su mamá. Cuando fue encontrada no exhibía características humanas; no hablaba. Bajo tratamiento recuperó grandemente y adquirió características sociales.

Estos dos casos ilustran que el niño no nace humano, que las cualida-

---

2. J. A. L. Singh y Robert M. Zingg. *Wolf Children and Feral Man*. New York: Harper and Brothers, 1939.

3. Bruno Bethelheim. *Feral Children and Austistic Children*. En *American Journal of Sociology*, Vol. LXIV. 1959, 455-467.

4. Kingsley Davis. *Extreme Isolation of a Child*. En *American Journal of Sociology*, Vol. XLV, enero de 1940, 554-565: *Final Note on a Case of Extreme Isolation*. En *American Journal of Sociology*, Vol. LII, marzo de 1947, 432-437.

des de humanidad se adquieren solamente a través de la interacción del individuo con otros seres humanos en su ambiente cultural. Para estas dos niñas fue imposible adquirir en el aislamiento los rasgos de la cultura. Les faltó lo más importante: la asociación normal con humanos y la adquisición del lenguaje.

La cultura ejerce una serie de influencias sobre la personalidad. Da énfasis a ciertas prácticas, motivaciones y valores, que las personas por lo general toman de esta y las hacen parte de su personalidad. La cultura influye en la adquisición de aquellos rasgos y valores aceptados comúnmente. El efecto de la cultura nos ha hecho aceptar, entre otros, los valores sociales comunes de la democracia, el matrimonio monógamo, la fidelidad matrimonial y el respeto por la propiedad privada. También hemos aceptado nuestro lenguaje, las maneras de vestir, los hábitos de alimentación, un sistema de relaciones sociales y un ritmo de vida en lo concerniente al trabajo y al descanso. De la cultura hemos obtenido nuestros gustos, normas, valores, creencias, ideas, lealtades y prejuicios. Estas cosas no son innatas como el sexo y el temperamento. Son aprendidas en el curso de la vida y dan orientación a esta.

Existen diferencias entre una cultura y otra, lo que implica que existen diversas maneras de actuar entre las culturas. Es interesante observar el papel que juega la cultura en la conducta humana cuando comparamos nuestro modo de vivir con el de otros países. Las diferencias entre unas culturas y otras son muchas. Existen diferencias en lenguaje, hábitos de alimentación, moral, vestido y religión, entre otras. Es interesante ver cómo los niños van aprendiendo estas diferentes formas de vida de la cultura en que se desenvuelven. El niño americano, criado entre americanos, en un lugar en que solamente se habla inglés, aprenderá a hablar este idioma. De este mismo modo va aprendiendo todos aquellos rasgos de su cultura y de su grupo.

Los individuos en el grupo no reciben las influencias de la cultura con el mismo énfasis. Unos son más agresivos que otros y unos más sumisos que otros. La influencia de la cultura tampoco llega a todos por igual; unos reciben unos elementos y otros reciben otros elementos o parte de ellos. Personas de diferentes edades, sexo, clases sociales y regiones están expuestas a diferentes patrones de conducta. Las diferencias en diversos aspectos de la conducta son notables entre los niños de las clases sociales altas y bajas. Existen definitivamente diferentes prácticas de crianza. Cuando estudiamos una comunidad nos damos cuenta de las diferencias en valores, actitudes y normas, entre los que viven alrededor de la plaza y los que viven en los arrabales del pueblo.

Es quizá más fácil ver el efecto de la cultura en la personalidad a través del estudio de sociedades más simples que la nuestra. En esas sociedades simples, al individuo se le presentan menos alternativas y menos posibilidades y la conducta de las personas es menos variada que en las sociedades complejas.

La antropóloga norteamericana Ruth Benedict, en su libro *El hombre y la cultura*,[5] describe tres sociedades primitivas: los Zuñi, los Kwakiutl y

5. Ruth Benedict. *El hombre y la cultura*. Buenos Aires: Editorial Sudamericana, tercera edición en español, 1953.

los Dobuans, y explica cómo la personalidad de estos grupos, y en especial las diferencias entre unos y otros, es un producto de la cultura. Otro estudio que también presenta el efecto de la cultura en el desarrollo de la personalidad es el de la antropóloga Margaret Mead en Nueva Guinea, descrito en su libro *Sexo y temperamento en tres sociedades primitivas*.[6]

La cultura es, pues, un factor determinante en el desarrollo de la personalidad humana, pero no es el único. Junto a otros factores, todos en interacción, la cultura ayuda a producir cierto tipo de personalidad.

## Experiencias personales particulares

Todas las personas pasan por ciertas experiencias en el curso de sus vidas, que son más o menos particulares a ellas y que ejercen una influencia decisiva en el desarrollo de la personalidad. Muchas veces, las experiencias de las personas son de tal naturaleza que las llevan a desarrollar ideas y patrones opuestos a aquellos aceptados por el resto de la sociedad. Este puede ser el caso del que odia a las mujeres o el caso del homosexual.

Muchos de los problemas que presentan los seres humanos son el resultado de estas experiencias particulares. Gran cantidad de libros de sociología han ignorado la importancia de estas experiencias personales. A nuestro entender, este concepto es de gran valor si es que queremos comprender mejor las fuerzas que forman al ser humano. Debemos tener cuidado de no exagerar demasiado la importancia de las experiencias particulares. Estas no ofrecen una exclusiva influencia en el desarrollo del ser humano. Debemos tener cuidado al hablar de experiencias particulares. Lo que algunos llaman experiencias particulares no pueden siempre ser clasificadas como tales; son experiencias que muchos otros han tenido.

Hay dos tipos de experiencias particulares: aquellas que surgen como consecuencia de la asociación o contacto continuo con una persona y aquellas que surgen de repente, al azar, y que ocurren una sola vez en la vida. Un ejemplo del primer tipo es el efecto que puede tener en el desarrollo del niño la relación que día a día establece con su madre, con su padre, con un maestro en particular, o con un hermano, o con un amigo, y el efecto de esta relación en su desarrollo personal futuro. Un ejemplo del segundo tipo de experiencia puede ser el de la que sufre una niña a manos de un asaltador. También caen en este segundo tipo de experiencias las siguientes: una enfermedad seria, el abandono por los padres, los temores causados por la oscuridad y un desastre, como un incendio, por ejemplo. Estos tipos de experiencias traumáticas pueden tener un efecto significativo en el desarrollo de la personalidad.

Es muy difícil llegar a conclusiones sobre la influencia de cierto tipo de experiencia particular aislada, no recurrente en el desarrollo de la personalidad. Los científicos sociales están de acuerdo con el aspecto de que un episodio aislado no necesariamente ejerce una influencia poderosa. Ninguna experiencia nueva puede reducir al mínimo la influencia de experiencias anteriores, que consideramos tan importantes en el desarrollo de la personalidad.

---

6. Margaret Mead. *Sex and Temperament in Three Primitive Societies*. New York: William Morrow, 1935.

### INTERACCIÓN DE LOS FACTORES HERENCIA BIOLÓGICA, AMBIENTE FÍSICO, CULTURA Y EXPERIENCIAS PERSONALES PARTICULARES

Hemos presentado cuatro factores que ejercen su influencia en el desarrollo de la personalidad humana: la herencia biológica, el ambiente físico, la cultura y las experiencias personales particulares. No hay manera de señalar el efecto que cada uno de estos factores surte separadamente, ni de determinar tampoco cómo estos factores se combinan para formar la personalidad. No podemos decir que uno de estos cuatro factores funcione independientemente del otro. La personalidad humana no es el resultado de la suma de la herencia, el ambiente físico, la cultura y las experiencias personales. La personalidad humana es el resultado de la interacción de estos cuatro factores. Cada uno de estos factores impone ciertas limitaciones al otro, y cada uno, a su vez, facilita el otro o lo ayuda.

Una persona, por ejemplo, podría vivir en un ambiente superior y no poseer inteligencia suficiente para aprovecharse de las ventajas de ese ambiente. Aunque existan las mejores universidades, esa persona no podrá utilizar las ventajas de ese ambiente, no porque no existan facilidades educativas, sino por su limitada capacidad intelectual. En otras palabras: el uso que el hombre haga de las oportunidades de la cultura puede depender de su herencia biológica.

Veamos como otro ejemplo el caso de un niño con una inteligencia superior en una comunidad donde no hay acceso a las escuelas. Es posible que este niño ni siquiera aprenda a leer, no por razones de inteligencia, sino porque en el ambiente en que crece no puede hacer uso de su inteligencia para la educación formal. Por eso decimos que el uso que el hombre haga de las potencialidades de su herencia biológica puede depender de las oportunidades que le ofrezca la cultura.

Hasta hace relativamente poco tiempo, a las mujeres no se les permitía gozar de las mismas oportunidades educativas que al hombre, especialmente en lo concerniente a la educación superior. Las mujeres con inteligencia superior nacían y morían sin hacer uso de su inteligencia para los estudios universitarios. La misma situación ocurriría con dos niños del mismo nivel intelectual a quienes se les ofrecen oportunidades educativas desiguales. No cabe duda de que el niño a quien se le ofrecen mayores oportunidades para participar de un ambiente propio al desarrollo de su inteligencia alcanzará mayores logros educativos debido a las mayores y mejores oportunidades culturales. Esta misma situación ocurre con los niños ferales o con los niños criados en el aislamiento. Aunque estos fueran normales a los diez años de edad no sabrían leer ni escribir, ni mucho menos hablar, debido a las condiciones a que fueron sometidos y a las experiencias que vivieron.

Las experiencias personales particulares pueden limitar o impedir las potencialidales de la herencia, el ambiente y la cultura. Tomemos por ejemplo el caso de un niño con una inteligencia superior, con un ambiente igualmente superior, con todas las posibilidades y oportunidades que él desea y necesita para su educación. Este niño ha desarrollado una fuerte aversión por la escuela, los libros, los maestros y todo aquello relacionado con una educación formal. Sigue en la escuela por presión de los padres, pero no hace progreso alguno; cada día tiene mayor aversión a los estudios y odia a los maestros. Un estudio cuidadoso del caso revela que el problema de este niño tiene su origen en sus primeras experiencias con un maestro que no lo comprendió ni reconoció a tiempo su inteligencia superior.

En este caso, el ambiente, la cultura y la herencia biológica aseguraban buenas oportunidades de desarrollo, pero las oportunidades no se han podido utilizar, y probablemente nunca se utilicen a plenitud, debido a las experiencias de este niño con su primer maestro. La herencia, el ambiente y la cultura solas no hacen todo el trabajo. Estos factores pueden desarrollar capacidades y potencialidades ayudadas o limitadas por las experiencias personales particulares. La dinámica interacción de estos cuatro factores es la que produce la personalidad.

## LA EDUCACIÓN Y EL DESARROLLO DE LA PERSONALIDAD

No deseamos terminar este capítulo sin hacer algunas observaciones con relación al papel que desempeña la educación en el desarrollo de la personalidad. Como dijimos al principio del capítulo, la personalidad humana es un producto social. Esta se forma como resultado de la interacción de cuatro importantes factores: herencia, ambiente físico, cultura y experiencias personales particulares. Se demuestra en esta forma que la personalidad humana no es enteramente biológica, pero tampoco enteramente social.

Si la personalidad fuese enteramente biológica o instintiva, las potencialidades y recursos de la educación estarían seriamente limitados por el peso que esa condición tendría en el desarrollo del ser humano. La educación, o mejor dicho, la influencia de todas las agencias educativas, no podría hacer otra cosa que proveer un ambiente favorable para el desarrollo de la personalidad hasta el máximo o el límite determinado por la biología.

La situación cambia cuando reconocemos el hecho de que los factores biológicos solos no producen al ser humano y que otros factores son también importantes en el proceso de formación de la personalidad. Tenemos entonces oportunidad para planear y dirigir este proceso en la mejor forma posible. Podemos entonces ofrecer al niño las mejores oportunidades y el mejor ambiente posible, de acuerdo con nuestros recursos y capacidades. Plástico y maleable por excelencia, el niño podrá aprovecharse de estas oportunidades del ambiente para lograr su máximo desarrollo, teniendo en cuenta sus capacidades y limitaciones.

Es nuestro deber esforzarnos por proporcionar al niño en el hogar, en la escuela y en la comunidad las mejores condiciones para su desarrollo. Nos referimos no solo a la educación que las agencias educativas pueden proporcionar, sino especialmente a la calidad de las relaciones humanas y a la actitud hacia el niño. En lo que a la familia respecta, debemos ofrecer al niño el ambiente más saludable posible, pleno no solo de facilidades materiales, sino de amor y cariño. La escuela tiene también una importante responsabilidad. Debe ofrecer al niño el mejor programa educativo posible en un ambiente de respeto y comprensión, bajo la dirección de un maestro preparado y competente. Encomendamos a la familia, a la escuela y a las demás agencias educativas el velar por el máximo desarrollo de la personalidad. Solo así podremos contar en el futuro con una generación de ciudadanos con personalidades estables y seguras.

## RESUMEN

A través de este capítulo hemos insistido en el hecho de que el hombre no nace humano, de que la personalidad humana no es innata. La personalidad es un producto social, se adquiere a través de la interacción social. Discutimos los factores que influyen en el desarrollo de la personalidad: la herencia biológica, el ambiente físico, el ambiente sociocultural y las experiencias personales particulares. Los cuatro factores son importantes; ninguno de ellos es el más importante. Es la interacción de esos factores lo que produce cierto tipo de naturaleza humana. Cada uno de estos factores, a la vez que impone ciertas limitaciones al otro, lo facilita o ayuda. El uso que el hombre haga de las oportunidades de la cultura puede depender de su herencia biológica. De igual manera, el uso que el hombre haga de las potencialidades de su herencia biológica puede depender de las oportunidades que le ofrezca la cultura. Las experiencias personales pueden limitar o impedir las potencialidades de la herencia, el ambiente y la cultura.

El hecho de que la personalidad no sea enteramente biológica y que por el contrario, factores como el ambiente, la cultura y las experiencias personales influyan en su desarrollo, hace más difícil la tarea del educador. Esto quiere decir que debemos esforzarnos por ofrecer al niño las mejores oportunidades y el mejor ambiente posible para su formación.

## LECTURAS

Barnouw, Victor. *Culture and Personality*. Homewood: Illinois: The Dorsey Press, Inc., 1963.

Benedict, Ruth. *El hombre y la cultura*. Tercera edición en español. Buenos Aires: Editorial Sudamericana, 1953.

Bethelheim, Bruno. *Feral Children and Autistic Child: en*. En *American Journal of Sociology*. Vol. LXIV, 1959, páginas 455-467.

Biesanz, John y Marvis Biesanz. *La sociedad moderna: Introducción a la sociología*. México: Editorial Letras, S.A., 1958, Capítulo 12.

Brookover, Wilbur B. y David Gottlieb. *A Sociology of Education*. Segunda edición. New York: American Book Co., 1964, Capítulo 2.

Broom, Leonard y Philip Sleznick. *Sociology: A Text with Adapted Readings*. Segunda edición. Evanston: Row, Peterson and Co., 1958, Capítulo 4.

Brown, Francis J. *Educational Sociology*. Segunda edición. New York: Prentice-Hall, Inc., 1954, Capítulo 6.

Cantril, Hadley: *Don't Blame it on Human Nature*. En *The New York Times Magazine*, 6 de julio de 1947, página 22. (Manual de Lecturas de Sociología Educativa, Biblioteca General, Sección de Reserva.)

Cooley, Charles H. *Human Nature and the Social Order*. New York: Charles Scribner's Sons, 1902.

Cuber, John F. *Sociology: A Synopsis of Principles*. New York: D. Appleton-Century Co., Inc., 1947, Capítulo 9.

Davis, Kingsley. *Extreme Isolation of a Child*. En *American Journal of Sociology*, Vol. XLV, enero de 1940, páginas 554-565.

Davis, Kingsley. *Final Note on a Case of Extreme Isolation*. En *American Journal of Sociology*, Vol. LII, marzo de 1947, páginas 432-437.

Elkin, Frederick. *The Child and Society: The Process of Socialization.* New York: Random House, 1962.

Erikson, Erik H. *Childhood and Society.* New York: W.W. Morton and Co., Inc., 1950.

Green, Arnold W. *An Analysis of Life in Modern Society.* Tercera edición. New York: McGraw-Hill Book Co., Inc., 1960, Capítulo 7.

Havighurst, Robert J. y Bernice L. Neugarten. *Society and Education.* Tercera edición. Boston: Allyn and Bacon, 1967, Capítulo 5.

Kallenbach, W. Warren y Harold M. Hodges, Jr. *Education and Society.* Columbus, Ohio: Charles E. Merrill Books, Inc., 1963, páginas 123-142.

Kellogg, W. N. y L. A. *The Ape and Child.* New York: McGraw-Hill Book Co., 1933.

Linton, Ralph. *Cultura y personalidad.* Primera edición en español. México: Fondo de Cultura Económica, 1945, Capítulo 5.

Mead, George H. *Mind, Self and Society.* Chicago: University of Chicago Press, 1934. (Editado por Charles W. Morris.)

Mead, Margaret. *Sex and Temperament in Three Primitieve Societies.* New York: William Morrow, 1935.

Singh, J. A. L. y Robert M. Zingg. *Wolf Children and Feral Man.* New York: Thomas Y. Crowell, Co., 1958, páginas 140-144.

Mercer, Blaine E. y Edwin R. Carr. *Education and the Social Order.* New York: Rinehart and Co., Inc., 1957, páginas 30-32, 37-45.

Merrill, Francis E. y H. Wentworth Eldredge. *Society and Culture.* New Jersey: Prentice-Hall, Inc., 1958, Capítulos 8, 9 y 10.

Ogburn, William F. y Meyer O. Nimkoff. *Sociología.* Traducción de la segunda edición americana. Madrid: Aguilar, 1959, Capítulos 12 y 13.

Riesman, David y otros. *The Lonely Crowd.* New York: Doubleday Anchor Book, 1953.

Singh, J. A. L. y Robert M. Zingg. *Wolf Children and Feral Man.* New York: Harper and Brothers, 1938.

# CAPÍTULO XI

## EL PROCESO DE SOCIALIZACIÓN

Todas las sociedades tienen prácticas sociales y normas que rigen la vida de los individuos. Estas prácticas y normas se trasmiten a los niños por medio de la socialización.

En este capítulo estudiaremos el proceso de socialización, presentando inicialmente una orientación teórica sobre este proceso, la descripción del mismo y las agencias que intervienen en la socialización. Discutiremos la formación del yo, que surge como resultado del proceso de socialización.

Como medio de ilustración, discutiremos brevemente el proceso de socialización de un niño puertorriqueño de la zona rural, desde que nace hasta que se casa.

Finalmente, estudiaremos la relación entre la socialización y la educación: cómo la escuela en los distintos niveles contribuye a la socialización de los alumnos.

### La orientación teórica del proceso de socialización

Se llama socialización al proceso mediante el cual el niño se convierte en una persona, un miembro funcional y activo de la sociedad que vive y actúa como los demás miembros o como la mayoría de los miembros, de acuerdo con los *folkways*, los *mores* y las tradiciones.

El niño recién nacido tiene una serie de necesidades que satisfacer. Usemos como ejemplo la satisfacción de la necesidad de nutrición. Esa necesidad hay que dirigirla y controlarla de acuerdo con las prácticas de la sociedad. Los padres, especialmente las madres, se valen de distintos medios para enseñar al niño a regular la necesidad de nutrición, a socializarlo en cuanto a hábitos de alimentación se refiere. El niño debe aprender cuándo comer, qué comer, cómo comer y con quién comer. El niño aprenderá a comer a ciertas horas del día, a comer ciertos alimentos y a usar ciertos utensilios, según le enseñen sus padres o las personas encargadas de esta parte de la socialización. La socialización es un proceso educativo. Se logra en una situación social. Es un proceso social de interacción entre personas, entre grupos y entre las cosas y prácticas del ambiente. La interacción social funciona en dos direcciones: el niño es afectado por las otras personas, por ejemplo, su mamá; pero esta es a la vez afectada por él, produciéndose de este modo cambios en la conducta de las dos personas. La interacción social puede envolver personas o grupos en diversos grados de intimidad. Puede envolver tanto cooperación como oposición.

Puede existir la interacción entre el niño y su familia en la misma forma en que puede existir entre el niño y su madre o entre el grupo de juego a que pertenece el niño y otros grupos de juego de la comunidad. Debemos tener presente el hecho de que este proceso de interacción social es indispensable para lograr la socialización del niño. Sin pasar por este proceso, el niño nunca desarrollará una personalidad humana completa; sería un individuo desde el punto de vista sociológico; no aprendería a ajustarse a las normas sociales ni aprendería a desempeñar su papel en la sociedad. Este proceso interactivo con otros seres humanos y con la cultura estuvo ausente en los pocos casos conocidos de niños criados en el aislamiento.

Al nacer, el niño tiene las potencialidades para convertirse en un ser humano. Nos atañe a nosotros ofrecerle las oportunidades de socializarse. Gradualmente, a través de una serie de experiencias, se va convirtiendo en una persona humana, se va socializando. Al principio, cuando es pequeño, estas experiencias o enseñanzas están muy bien dirigidas y controladas conscientemente por los padres y por los maestros. Luego, según el niño va creciendo, los padres y los maestros pierden parte de ese control en la socialización. Sus amigos y compañeros ejercen luego casi todo el control.

La socialización es un proceso que comienza con el nacimiento del niño. Sigue a través de toda su vida. Esto quiere decir que no solo se socializa el niño; se socializa también el adolescente, el adulto y el anciano. El proceso de socialización visto de esta forma es un proceso dinámico, es un proceso de ajuste a las diferentes etapas de crecimiento y a las diferentes situaciones de la vida. El niño se socializa cuando aprende a controlar sus necesidades fisiológicas, cuando está aprendiendo a hablar, cuando está aprendiendo a jugar, cuando aprende a diferenciar unas personas de otras, cuando imita a otros y cuando asume su papel en el grupo.

## DESCRIPCIÓN DEL PROCESO

La socialización del niño comienza por lo general en la familia, en el grupo de mayor intimidad para él, que es un grupo primario por excelencia. Aprende lo que es cariño, amor, autoridad y protección. En este grupo pequeño los contactos se limitan a las relaciones con sus padres y con sus hermanos o con los demás miembros de la familia. Los contactos sociales van aumentando según crece el niño y según aumenta su radio de acción. Estos contactos empiezan a extenderse más allá de la familia y llegan a los grupos de juego. Aquí aprende a ajustarse a las demandas de este grupo, a estar con otras personas y a trabajar con otros. Aquí puede tener sus primeros conflictos y problemas. Así se va socializando en el juego con otros niños. Muchas veces estos influyen en él mucho más que sus padres. Se socializa también en la escuela. En ella entra en contacto con un número mayor de niños, los cuales vienen de diversos ambientes. En la escuela aprende a ajustarse a un grupo mayor. Una vez en ella, empieza a ampliar sus contactos sociales, no solo dentro de su ámbito, sino en el camino hacia ésta y el regreso a su hogar. Empieza a establecer contactos en la comunidad con los diferentes individuos y con los diferentes grupos e instituciones; a aprender los papeles que desempeñan las distintas personas en la comunidad: el policía, el comerciante, el cartero y el sacerdote, entre otros; y las distintas instituciones: escuela, banco, industria, e iglesia.

La escuela viene a ser una importante agencia de socialización durante gran parte de la vida del niño. La escuela secundaria, en especial, es un sitio para hacer nuevos ajustes. Se amplían su experiencia y tiene mucho que imitar de los demás, de los modelos que se le presentan. Sustituye unos patrones de conducta por otros. Acepta responsabilidades. Empieza a ajustarse al sexo opuesto. Para muchos, la influencia de la escuela se extiende por lo general hasta la adolescencia, ya que aquí termina la educación formal de una gran parte de nuestra población. El niño aprende en la escuela un gran número de prácticas muy necesarias para su ajuste futuro. No aprende sólo destrezas. Aprende además a vivir y a trabajar con otros. Aprende normas de conducta. De la escuela superior puede pasar al colegio o universidad, donde hará nuevos ajustes en su proceso de socialización o pasará directamente al mundo del trabajo. Se socializa cuando comienza a trabajar con otros, a cooperar con otros, a asumir responsabilidades adultas y a desempeñar un papel en la sociedad. Como adulto se socializa cuando establece relaciones más fijas con otros seres humanos, especialmente con el sexo opuesto.

El proceso de socialización continúa con el matrimonio, cuando aprende a ajustarse a la otra persona y a convivir con ella. Se socializa también con la llegada y crianza de los hijos, con la aceptación del papel de padre, con el ajuste de su conducta a las necesidades de sus hijos y con la educación de ellos. La socialización de los padres continúa con el matrimonio de sus hijos, la llegada de los nietos y la aceptación del papel de abuelo o abuela. Luego viene el retiro del trabajo y la vejez, cuando se reducen las relaciones y los contactos sociales y la socialización para muchos se reduce grandemente. Finalmente, llega la muerte. El proceso de socialización funciona de este modo desde el nacimiento hasta la muerte de la persona. A través de este proceso, el individuo es satisfecho por sus grandes realizaciones y limitado por sus frustraciones.

La socialización no funciona siempre tan normal y tan perfectamente como esta descripción sugiere. No es siempre tan efectiva. Si se llevara a cabo perfecta y efectivamente, no habrían desviaciones en la conducta ni surgirían problemas sociales. Todo el proceso de socialización conduciría a la conformidad.

## LAS AGENCIAS DE SOCIALIZACIÓN

Como hemos advertido en la descripción anterior, son muchas las agencias sociales que ayudan en el proceso de socialización del niño.

### Las agencias más importantes

La más importante de estas agencias, para la mayoría de nosotros, es la familia y el primer grupo social del cual el niño tiene conocimiento. En este grupo encuentra a sus padres, hermanos y demás miembros de la familia, que ejercen una influencia directa en su socialización. Los padres son figuras de autoridad que ejercen control y disciplina sobre el niño.

Además de la familia, hay otras agencias importantes que facilitan la socialización, entre ellas el grupo de juego, la escuela, la iglesia, los grupos de adolescentes, las instituciones políticas y económicas de la comunidad, la prensa, la radio y la televisión. En un capítulo anterior —el Capítulo V— al explicar las agencias encargadas de la educación, las clasificamos en agencias formales e informales, dependiendo de la manera en que ellas ejercen su influencia. En los próximos capítulos discutiremos más detalladamente la importancia y la influencia de estas agencias en el desarrollo de la personalidad.

Todas las agencias sociales que hemos enumerado son medios importantes en el proceso de socialización. Algunas serán más importantes que otras para algunos individuos, pero todas ejercen en una forma u otra una influencia definida en el desarrollo de la personalidad. La escuela emplea la enseñanza didáctica directa para impartir la educación al niño. Se le enseña a leer y a escribir y se le desarrollan también destrezas numéricas. Pero tanto la escuela como la familia y la iglesia usan además otros medios, entre ellos la recompensa y el castigo. Al niño se le recompensa por hacer bien las cosas o se le castiga por hacerlas mal. Otro medio importante en la socialización es la imitación. Gran parte de lo que aprendemos es asimilado por imitación.

### EL CONCEPTO DEL YO [1]

Presentamos ahora más específicamente la formación del yo, que surge como resultado del proceso de socialización.

Cuando hablamos del yo pensamos en el individuo tal y como él se ve y se conoce, porque cada ser humano es distinto y único. Cada ser humano es un individuo y como tal es que tenemos que verlo y estudiarlo.

### El yo como producto social

Un detalle interesante con relación al concepto del yo es que a pesar de que es individual, es a la vez un producto social, es decir, que se desarrolla y se mantiene a través de la interacción social. El niño, al nacer, no trae ese concepto del yo. No tiene un concepto de sí mismo como individuo aparte de otros individuos. El yo se desarrolla; no es hereditario. No se desarrolla independientemente de las relaciones sociales; surge como consecuencia de las relaciones que tiene el niño desde su nacimiento con otros seres humanos.

Cuando el niño comienza a tener contactos con otras personas y a conocérse a sí mismo a través de esas personas, se va dando cuenta de su existencia como una criatura aparte de los demás y no como una prolongación de los adultos que tienen significación en su vida. Distingue unas personas de otras y aprende además que él es distinto de los otros. Cuando el niño emplea pronombres como yo, mío, tú y tuyo empieza a hacerse consciente de sí mismo como individuo y de las otras personas como individuos semejantes a él, pero distintos.

---

1. En esta sección se contó con el asesoramiento de la doctora Patria C. de Crespo, de la Facultad de Pedagogía.

El yo es un reflejo de las situaciones sociales en las que el niño participa. Como sus primeras relaciones se llevan a cabo en la familia, es aquí donde empieza por lo general, a desarrollar actitudes hacia sí mismo. Por esta razón es tan importante la calidad de las relaciones que existen en su grupo familiar, la actitud que se tiene hacia el niño, el amor que se le brinda, el cariño y la comprensión que recibe y las maneras de dirigirse a él. No ejerce el mismo efecto en su yo el que se le quiera, se le desee, se le admire, o por el contrario, se le odie, se le rechace, se le desapruebe o se le frustre. No cabe duda de que su yo sentirá los efectos de las reacciones negativas o positivas. Las relaciones con su grupo familiar y la clase de actitudes que el niño perciba posiblemente sean decisivas en su formación y produzcan un efecto durante toda su vida.

## El desarrollo del yo

Como ya hemos dicho, el yo existe al nacer. Este surge de las experiencias del niño con otras personas. Cuando un niño pequeño, como de dos años de edad, empieza a imitar a los otros, sin entenderlo, ha empezado a colocarse en la posición de ellos. Luego, según madura, imita a los demás, pero esta vez con significado. Se pone en el lugar del padre o de la madre y trata de verse él mismo como él cree que los demás lo ven. Al desempeñar el papel de madre o de padre, se alaba como su mamá lo alaba a él o se habla a sí mismo como su mamá habla de él. Asimismo, desempeña el papel de sus hermanos, del policía o del vendedor. De esta forma va adquiriendo conciencia de su yo y empieza a ver reflejada la opinión de los demás en él.

Un paso muy importante en la formación del yo ocurre cuando el niño empieza a jugar con otros niños, pero especialmente a través del juego formal, el que sigue reglas formales. Empieza a verse desde el punto de vista de su grupo y no desde el punto de vista de un individuo en particular. El niño tiene que tener en mente los papeles de los demás miembros del equipo y aprende a esperar cierto tipo de conducta de cada jugador, ya que el juego tiene ciertas reglas fijas que hay que obedecer. El niño se hace consciente de la importancia de estas reglas en la conducta de cada jugador y por eso adopta un papel generalizado de los demás componentes del equipo.

Luego viene la parte más difícil, que es cuando el niño aprende a asumir el papel de la sociedad en relación con él, "el otro generalizado", usando las palabras de Mead.[2] Más tarde, el niño se dará cuenta de que al igual que en el juego, las personas en los grupos también asumen diferentes papeles, de acuerdo con ciertas normas sociales, las reglas de la sociedad, del "otro". Hay un "otro" u "otros" que controlan nuestras acciones. El niño se va haciendo consciente de las normas de moral de la comunidad que es el otro generalizado, y acepta sus *folkways* y *mores*. De este modo, el niño forma su concepto a base de las demás actividades de la sociedad guiándose por las normas y valores de la sociedad. Ha adquirido un "otro generali-

---

2. George H. Mead. *Mind, Self and Society*. Chicago: Unibersity of Chicago Press, 1934.

zado". Esta es, en términos generales y en forma abreviada, la manera en que el psicólogo George H. Mead explica el desarrollo del yo.

No deseamos terminar con el concepto del yo sin hacer unas observaciones adicionales. Ya hemos dicho que el yo es el resultado de la interacción del individuo con otros individuos. El yo es el resultado de la actitud que los otros tienen hacia nuestra conducta en términos de alabanza o desaprobación. El yo que surge como resultado de las actitules de otros, es lo que se llama el *yo espejo*, un término que adoptó Charles H. Cooley.[3] Adaptamos nuestra conducta a la conducta de los demás hacia nosotros. Cada persona es un espejo que refleja nuestra conducta. Cada persona observa su imagen en este espejo social y se nutre de esa reacción; dependiendo de esa reacción se puede sentir satisfecha o avergonzada.

El yo espejo incluye tres elementos: 1) imaginación de lo que significa nuestra presencia para otra persona; 2) imaginación del juicio que esa otra persona hace de esa presencia y 3) una especie de autosentimiento, como orgullo o mortificación. Lo que nos produce orgullo o mortificación es el efecto que a nuestro juicio produce nuestra presencia en la mente de los otros. A veces nos jactamos de una acción ante una persona y nos avergonzamos de la misma acción ante otra persona.

La niña que se prepara para ir a un baile no se viste solo para complacerse. Le preocupa más cómo la ven los muchachos y las otras muchachas. Cuando se mira en un espejo está anticipando las reacciones de los otros. En nuestras relaciones sociales nos preocupa lo que otros estén pensando acerca de nosotros. Si nos imaginamos que su juicio es favorable, nos sentimos orgullosos. Por el contrario, si nos imaginamos que su juicio es desfavorable, nos sentimos mortificados. El concepto que formamos de nosotros mismos depende en gran parte del concepto que nos imaginamos que otros tienen de nosotros. Así es cómo surge el yo en interacción con otras personas.

Hay un punto adicional que no debemos dejar de mencionar cuando hablamos del concepto del yo. Nos referimos a lo que Erikson[4] llama el sentido de identidad, que es la imagen propia, la autoimagen que el niño establece en la adolescencia y que se fortalece durante esos años. Ya el niño ha desarrollado una relación adecuada con el mundo de las destrezas y los instrumentos y con el mundo de las relaciones sociales; ha madurado sexualmente y ha pasado de la etapa de la niñez.

Al llegar a la adolescencia, que ha sido sacudida por una revolución fisiológica relacionada con el crecimiento y desarrollo rápidos de su cuerpo, vuelve a preocuparse por lo que siente en su interior y por la forma en que aparece a los ojos de los demás. El armonizar estas dos imágenes, la que él tiene en su interior y la que cree aparecer ante los ojos de los otros, es de vital importancia en esta etapa. Si no se resuelve este problema, puede dar paso a un sentido de confusión, de conflicto. Además, se relaciona directamente con su imagen vocacional, que es base para su vida futura.

El sentido de identidad, la autoimagen, surge de todas las experiencias

3. Charles H. Cooley. *Human Nature and the Social Order*. New York: Charles Scribner's Sons, 1902.

4. Erick H. Erickson. *Childhood and Society*. New York: W. W. Norton and Co., Inc., 1950.

sociales saludables que van fortificando el concepto del yo y que producen un adulto adecuado e íntegro. El adolescente ha logrado establecer un sentido de identidad justo cuando se acepta como es, sin culpar a otros por lo que es.

### El proceso de socialización de Puerto Rico

Para ilustrar cómo funciona el proceso de socialización vamos a presentar una serie de detalles de la vida de un niño puertorriqueño de la zona rural que abarca desde su nacimiento hasta su edad adulta.

### Puntos sobresalientes de la socialización

*Comienzos del proceso.* Aunque el proceso de socialización comienza en la familia, en forma alguna se limita exclusivamente a las influencias de la familia inmediata del niño. El hecho de que la pareja al casarse establece su residencia cerca de sus parientes políticos, más el peso que el sistema de compadrazgo tiene en la sociedad rural, da lugar al establecimiento de una serie de relaciones sociales que afectan el proceso de socialización del niño. Las visitas son una actividad recreativa importante. Amigos, parientes y compadres entran y salen libremente de las casas de sus vecinos en el curso del día. Estos visitantes cargan en brazos al bebé, lo acuestan, lo alimentan, juegan con él y lo bañan. Por lo general, la familia se convierte en una organización amplia y elástica, con el resultado de que al niño se le socializa en un grupo grande y extendido.

El niño comienza a aprender en la familia la clase de conducta que se considera apropiada para él y para otros miembros de la sociedad. Aprende la forma en que ha de comportarse con las demás personas. Aprende a respetar no solamente a su padre y a su madre, sino también a otros miembros de la sociedad, especialmente a aquellos mayores que él y a los de un nivel superior. Aprende en la familia las funciones que desempeñan sus miembros: su padre, que es el jefe de la casa; su madre, la que prepara los alimentos, y los niños, que obedecen ciegamente al padre.

*Diferencias de clase en la socialización.* En Puerto Rico, al igual que en otras partes del mundo, existen diferencias en la socialización, dependiendo de si el niño nace en una familia de clase alta, media o baja. Se hacen pocos preparativos para el nacimiento del bebé en el hogar de un obrero de la clase baja rural. El bebé nace en la casa, con la ayuda de una comadrona. La mamá posiblemente guarde el cordón umbilical del bebé en las páginas de un libro para que el niño sea inteligente.

Se lacta al niño desde el nacimiento hasta la edad de dos años, si la madre no está encinta para este tiempo. Se alimenta cuantas veces llora. La mamá empieza a darle algunos alimentos sólidos antes de este cumlir un año. Generalmente le da arroz, habichuelas y vegetales majados. El niño empieza a comer independientemente, temprano en su vida, sin mucho esfuerzo de parte de la madre. Cuando la comida está preparada, a cada niño se le sirve su plato. Se sienta donde quiere.

Cuando el niño está "duro", se pone en el piso. Pronto comienza a gatear y a moverse libremente por toda la casa. A algunos niños se les permite gatear en la tierra y jugar con algún juguete o con piedras, botellas y latas. Generalmente, un hermanito de seis o siete años es el encargado de cuidarlo.

La mamá de la clase baja se preocupa del desarrollo de hábitos de eliminación del niño. A la edad de un año le enseña a usar la escupidera. A la edad de dos años lo lleva a la letrina. Algunas madres se ocupan poco de adiestrar a su hijo en la eliminación y el niño hace sus necesidades en el piso, en el patio de la casa o en los alrededores.

Es corriente ver desnudo a un niño de la clase baja durante su primer año de vida y a veces más tarde. Sin embargo, desde temprana edad se hace una distinción de sexo. A las niñas no se les deja desnudas, a los varones sí.

El niño va a la escuela a la edad de seis años. A pesar de su edad camina largas distancias para llegar a la escuela. El niño está en la edad de hacer mandados a las tiendas. Empieza a ayudar a su padre en las faenas agrícolas, muda los animales, busca leña y carga agua. Las niñas ayudan a sus mamás en los quehaceres domésticos y cuidan de sus hermanos más pequeños. No es raro que una niña de doce o trece años haya ya abandonado la escuela y se emplee como sirvienta con la idea de ganar dinero. Todavía existen en el campo prejuicios de parte de los padres en relación con la educación de las niñas. Muchos niños también abandonan la escuela a temprana edad y se emplean como peones o sirvientes. Los niños abandonan estos trabajos cuando están en la edad de emplearse como obreros regulares en las faenas agrícolas. Las niñas pueden seguir como sirvientas hasta el momento de casarse.

Las diferencias entre los niños de la clase media rural y los de la clase baja estriban en las mejores dietas para el bebé, una mayor atención al niño y un mayor cuidado de sus ropas. Los niños de la clase media rural también tienen que hacer mandados y ayudar a sus padres en la finca. Permanecen por más tiempo en la escuela y no se alquilan como peones. Las niñas ayudan a sus mamás en los quehaceres domésticos y aprenden a coser y a bordar.

Los niños de las clases altas rurales por lo general nacen en el pueblo, en una clínica privada. Se alimentan de fórmulas prescritas por el médico. Generalmente hay sirvientas o niñeras encargadas de cuidar al niño. Los niños de las clases altas asumen muy poca responsabilidad en los trabajos de la finca, pero en cambio asisten por mucho más tiempo a la escuela. Hacen viajes frecuentes al pueblo y se asocian con las clases urbanas, de las que aprenden la conducta de la gente del pueblo.

*El papel de los padres en la socialización.* El padre enseña a sus hijos respeto y obediencia, a respetar primero a su padre y luego a su madre. El buen hijo es respetuoso y obediente. El buen padre provee a sus hijos alimentos, ropa, medicina y escuela. La buena madre cuida de sus hijos, no los abandona nunca y se sacrifica por ellos.

La madre juega un papel muy importante en la socialización. Como el padre está fuera gran parte del día, es a la madre a la que corresponde la educación del niño. El niño pequeño nunca abandona la casa sin permiso de su madre. El está todo el tiempo bajo su supervisión. Los hombres consideran que el trabajo de cuidar y criar al niño es cosa de mujeres; por eso es que por lo general no participan de las tareas rutinarias de la crianza.

Además el padre cree que para que el hijo lo respete es conveniente no tener tener mucho contacto directo con él y ser muy estricto. Tal vez, por eso, muchos niños temen a sus padres.

*Diferencias de sexo en la socialización.* Desde bien pequeño, al niño se le enseña a ser macho, a portarse como macho. Para lograr esto se usan distintos medios: se le enseñan palabras obscenas, se hace referencia a su pene, se le estimula a hacer todas aquellas cosas propias de los varones y a no jugar con niñas ni con muñecas.

Las niñas son tratadas en forma distinta. Desde bien temprano se les enseña a usar ropa siempre, y a sentarse correctamente y a exhibir la conducta propia de una niña. La niña hace trabajos propios de su sexo. Ayuda a su mamá en la casa: barre, lava, cocina, friega los trastes y cuida de los niños. Existe la tendencia a creer que los niños dañan a las niñas y les enseñan palabras feas.

Las niñas reciben la estricta supervisión de sus padres. No se les permite salir libremente como a los varones. A las niñas se les dispensa esta supervisión especial por varias razones, entre ellas, las siguientes: las mujeres son inocentes y débiles, deben ser vírgenes al contraer matrimonio; los hombres son malos.

En conclusión, la socialización tiende a hacer a la mujer sumisa e inferior. Se le trata con afecto, ternura y mayor consideración. Los padres son más fuertes y estrictos con los varones.

*El noviazgo.* En el campo, especialmente en las clases bajas, no existen muchas oportunidades para establecer relaciones con el sexo opuesto. A las niñas se les cría bajo estricta supervisión; salen poco de su casa, y cuando salen están acompañadas por lo general por una hermana o hermano menor, por su padre o por su madre. Los jóvenes tienen oportunidad de verse con las muchachas en los bailes, los velorios y los rosarios. El varón no tiene quizá mucha oportunidad de hablar con su muchacha en esta ocasión, debido a la supervisión de los padres, pero le manda cartas de amor. Si la joven lo acepta, él pedirá permiso al padre para visitar a su hija en calidad de novio, con buenas intenciones. El padre generalmente le dice los días que puede visitar a su hija. Prácticamente todo el cortejo ocurre en la casa, a la vista de los padres, para evitar así la intimidad entre la pareja y antes que nada para asegurar la virginidad de la mujer.

*El matrimonio.* Después de cierto período de noviazgo viene el matrimonio, generalmente civil o religioso, aunque todavía ocurren muchos casos de matrimonio consensual, especialmente en las clases bajas. Por lo general, la pareja se casa joven. Es muy importante para la novia que al casarse sepa hacer todas las tareas del hogar, además de saber criar aves y cerdos. El hombre tiene la obligación de trabajar y proveer los alimentos. Con el matrimonio, ella se convierte en una subordinada de su marido. Tiene la obligación de tener relaciones sexuales con su esposo, de tener hijos y de cuidarlos. Su primer hijo nace generalmente dentro del primer año de matrimonio. De ahí en adelante su vida se limita a su hogar, a su marido y a su hijo. Otros hijos siguen al primero y así aumentan la familia.

Como hemos visto a través de la explicación del proceso de socialización del niño puertorriqueño de la zona rural, existen unas pautas o normas de conducta aceptadas por los adultos y que tratan de inculcarse mediante la socialización. La cultura ejerce presión a través de los padres para hacer que el niño se adapte lo más posible a estas normas y las asimile según va creciendo y haciéndose adulto. En el caso del niño puertorriqueño, algunas de esas normas de conducta adulta que se le inculcan son las siguientes: respeto y obediencia al padre, cualidades de machismo, cómo ser buen hombre de trabajo, buen esposo y buen padre, respeto hacia las niñas y en especial hacia su novia. Algunas normas que guían la socialización de las niñas son el respeto y la obediencia, el desarrollo de valores femeninos, entre ellos la virginidad, la sumisión, el enclaustramiento y el ser buenas hijas, buenas madres y buenas esposas.

### LA SOCIALIZACIÓN DEL NIÑO DE EDAD PREESCOLAR

Como ya hemos dicho, el proceso de socialización comienza cuando el niño nace, cuando este siente por primera vez la influencia de las personas que le rodean. La socialización es un proceso de interacción entre el niño y su mundo social. La socialización que ha comenzado en la familia se amplía cuando el niño llega a la escuela maternal y al kindergarten.

#### Los aprendizajes más significativos

Hoy día, a nadie se le ocurre pensar que el niño asiste por primera vez a la escuela sin antes haber aprendido algo. Veamos algunos de los aprendizajes que el niño adquiere en la edad preescolar y lleva a la escuela cuando asiste a ella por primera vez.

El niño aprende primero, antes que nada, las disciplinas básicas o sea, las formas de satisfacer las necesidades de nutrición y eliminación y el control de sus emociones.

Desde bien temprano, el niño empieza a desarrollar el concepto de sí mismo —un concepto de él como persona, distinto a los demás seres humanos. Este concepto se forma en la relación con las demás personas. Es el concepto que lleva a la escuela.

También desarrolla destrezas y adquiere conocimientos. Aprende a hablar el lenguaje de los padres y a manejar objetos y herramientas que son necesarios para sus juegos y períodos de trabajo en la escuela maternal y el kindergarten.

Cuando el niño llega a la escuela, ha desarrollado conciencia de las diferencias que existen entre las personas y los grupos. Se da cuenta de las diferencias entre los sexos y sabe comportarse como miembro de uno u otro sexo.

#### La experiencia de la escuela maternal y el kindergarten

Se va haciendo más corriente cada día que el niño pase por la escuela maternal y el kindergarten antes de ingresar formalmente al primer grado de nuestro sistema educativo. En la escuela maternal y el kindergarten, por primera vez, el niño tiene contacto más directo y formal con otros adultos fuera de su familia. La relación que ha tenido con médicos, policías o vendedores de helados no ha sido tan estrecha, ya que no se ha relacionado emocionalmente con esa gente. Para establecer lazos emocionales con los adultos, el niño tiene que depender por lo general de sus padres.

Su mundo social de relación con los adultos se va ampliando a medida que se inicia en la escuela maternal y el kindergarten. La maestra es la persona clave en esta etapa. Es la primera persona profesional con la cual el niño tiene contacto directo. De ahí la importancia de que esta maestra haya recibido un buen adiestramiento profesional que la capacite para guiar inteligentemente a los niños de tierna edad. Aunque un poco tarde, los colegios que preparan maestros han reconocido la importancia de esa preparación profesional y están ofreciendo programas para satisfacer esta necesidad.

Se justifica más cada día que el niño vaya a la escuela maternal. Sus relaciones sociales han estado limitadas a un pequeño número de adultos o han incluido solamente muy pocos niños de la vecindad inmediata. A veces llega a la escuela maternal sin haber tenido apenas la oportunidad de jugar con otros niños. En la escuela maternal se amplía su mundo social, incluyendo un mayor número de niños, esta vez bajo la supervisión de la maestra. Como hemos dicho antes, son muchas las cosas que él aprende en sus relaciones con otros niños. Aprende información valiosa, actitudes y valores; aprende la cultura de los niños.

Los padres por lo general ven la escuela maternal y el kindergarten como una oportunidad que se ofrece al niño para estar con otros niños, aprender a llevarse bien con ellos y a prepararse para el primer grado. No todos los padres están de acuerdo en cuanto a lo que el niño debe aprender en esa etapa. Hay padres que quisieran que la escuela maternal y el kindergarten fueran más formales de lo que son y enseñaran parte o todo el contenido del primer grado. Estas escuelas no son para enseñar el contenido formal que corresponde a otros niveles. Deben, por lo tanto, seguir siendo escuelas informales.

Los niños, por su parte, ven la escuela maternal y el kindergarten como una oportunidad para jugar y gozar de esta experiencia. De hecho se juega, ya que el juego es parte del currículo de esa etapa. Sin embargo, no todo es juego. Junto a este se exponen otras importantes enseñanzas para el niño de edad preescolar.

En esta etapa de desarrollo, las relaciones sociales con otros niños de su edad no son estrechas ni formales. El niño puede sentir preferencia por un amigo en especial, pero por lo general sus compañeros de juego varían grandemente, dependiendo de la oportunidad del momento. Los niños de esta edad no han desarrollado todavía la actitud cooperadora que es tan necesaria para el éxito de las relaciones sociales. Por esta razón es que son frecuentes las riñas entre los niños pequeños; pero estas son de corta duración. Muy pronto se olvidan las riñas y los niños siguen siendo amigos como antes. Esto es algo que a los adultos se nos hace difícil de entender.

El liderato en el grupo de amigos tampoco es estable en esta primera experiencia educativa. Se pueden, sin embargo, apreciar ciertos niños con cualidades de liderato y también niños que son más dados a dejarse dirigir.

*Implicaciones de varios factores para la educación del niño de edad preescolar*

Lo primero que debe entender la maestra de niños de edad preescolar es que el proceso de socialización no empieza el día en que el niño llega a la escuela por primera vez y que tampoco termina cuando abandona la misma. La socialización comienza con el nacimiento del niño y termina con su muerte. Esto tiene una importante implicación para la educación. Cuando el niño llega a la escuela maternal no es una pizarra en blanco en materia de socialización. Ya ha empezado a socializarse y traerá a la escuela las influencias de su familia y de los demás agentes socializadores. La maestra no puede pensar que ella lo va a hacer todo; tiene que contar con las influencias previas asimiladas por el niño. Empezará su función socializadora partiendo de esa base. La maestra tendrá que construir sobre las bases sentadas por las agencias socializadoras que actúan sobre la herencia biológica de cada niño.

Como todos los niños no han sido expuestos a las mismas influencias, la maestra va a encontrar una serie de diferencias entre unos y otros. Unos niños llevarán a la escuela unos aprendizajes y otros niños otros. La maestra deberá comprender esas diferencias y tratar a cada niño como un ser diferente, que tiene potencialidades, pero también limitaciones. El hecho de que haya diferencias entre lo que cada niño ha aprendido en su hogar y en las otras agencias socializadoras antes de ir a la escuela, implica que cada niño trae una base distinta sobre la cual iniciará su trabajo la maestra. La tarea de la maestra tiene que ser individual. Esto hace más difícil, pero a la vez más interesante su labor.

El reconocimiento de estas diferencias entre los niños de un salón va a requerir tolerancia y paciencia de parte de la maestra. Lo que puede hacer Juanito no lo puede hacer necesariamente Pepito. Lo que sabe uno no lo sabe el otro. La maestra tendrá que llevar a unos más de la mano que a otros. Además, en ocasiones tendrá que hacer labor con los padres, ya que éstos pueden facilitar u obstaculizar el aprendizaje del niño en la escuela. La maestra deberá cultivar las mejores relaciones con los padres para que estos sean receptivos a las recomendaciones que tenga que hacerles y para que ofrezcan toda su cooperación.

Es un hecho reconocido por todos que en los primeros años de la vida del niño se sientan las bases de su personalidad. En la escuela maternal y el kindergarten deberán ofrecerse las mejores oportunidades y el mejor ambiente posible que propicien el óptimo desarrollo de esta. Plástico y maleable por excelencia, el niño podrá aprovecharse de estas oportunidades del ambiente para lograr el máximo desarrollo, teniendo en cuenta sus capacidades y limitacioness.

El clima social del salón de clases debe caracterizarse por las mejores relaciones entre la maestra y el niño. Debe ser uno de aceptación del niño como él es, de seguridad, afecto y cariño y lo suficientemente informal que permita a cada uno desarrollarse a su capacidad. Aun dentro de esta informalidad, el niño debe encontrar unas normas de conducta que le ayuden a ajustar su vida a las normas de la sociedad. La escuela es después de todo una sociedad pequeña. Las experiencias adquiridas en esta pequeña sociedad le ayudarán a ajustarse a una sociedad mayor.

Nadie puede negar hoy día que enseñar a niños de edad preescolar es una tarea difícil que conlleva un número de responsabilidades. En esta etapa, quizás más que en ninguna otra, se necesita una maestra madura psicológicamente y segura profesionalmente. No se puede olvidar que las experiencias que el niño viva en ese nivel pueden afectar tanto los años futuros de su educación formal como el desarrollo de su personalidad.

## LA SOCIALIZACIÓN EN LA ESCUELA ELEMENTAL

La escuela elemental es fundamental en la socialización del niño, pues en ella empieza a adquirir formalmente los patrones de conducta aceptados por la sociedad. En la escuela elemental el niño se pone en contacto con niños de su misma edad, niños mayores y adultos que le van a servir de modelos para su conducta futura. Del éxito o del fracaso de estas primeras relaciones dependerá, en muchos casos, el futuro de muchos niños. Por eso es importante que los educadores conozcan los distintos aspectos de la socialización en la escuela elemental.

### Características del niño de escuela elemental

La mayoría de los niños que llegan por primera vez a la escuela elemental se parecen en cuanto a edad cronológica. Casi todos tienen alrededor de seis años de edad. Aunque se parecen en este aspecto hay grandes diferencias en relación con la edad mental, niveles socioeconómicos y experiencias socializadoras que hayan tenido en el hogar y en la comunidad. Aquellos que han pasado por la escuela maternal y el kindergarten, se notan menos dependientes del hogar y de los miembros de la familia. Los niños que han tenido menos oportunidades de relacionarse con otros niños y con adultos que no pertenecen a la familia se notan más inmaduros, individualistas y dependientes.

Brembeck[5] nos dice que el niño de 5 a 12 años ha llegado a la etapa en que quiere compartir su experiencia. No se conforma con estar solo, sin otros con quien jugar. Durante los primeros años de este período, el niño se relaciona con su mejor amigo. Este es generalmente uno con quien el niño se siente bien y hacia quien desarrolla gran adhesión o apego.

### Patrones de conducta que traen los niños de escuela elemental

Los niños de escuela elemental vienen de diferentes niveles socioeconómicos y con diferentes trasfondos socioculturales. De acuerdo con la comunidad de donde provienen —urbana o rural, clase alta, media o baja— traen consigo los patrones de conducta que han adquirido por medio de la familia.

---

5. Cole S. Brembeck. *Social Foundations of Education.* New York: John Wiley and Sons, 1966, p. 160.

Estos patrones de conducta varían, dependiendo, entre otras cosas, de la educación de los padres, sus expectativas y aspiraciones en cuanto a su hijo, el tiempo que pasan con él y las oportunidades que pueden ofrecerle.

Para un estudio detallado sobre este asunto, véase *Inventario de investigaciones sobre el niño puertorriqueño*, de Luis Nieves Falcón.[6]

Si sabemos que las familias y las comunidades tienen diferentes patrones de conducta, debemos conocerlos bien para poder entender mejor al niño y ayudarlo más eficazmente en su socialización. Así estaremos facilitando la adaptación del estudiante a la escuela elemental y ayudándole a tener éxito en la misma.

## Expectativas del niño de escuela elemental

Cuando el niño viene a la escuela elemental, espera aprender a leer, escribir y contar. Estas expectativas reflejan las aspiraciones de los padres y otros miembros de su familia. Como nos dicen Brookover y Erickson,[7] "las normas o expectativas de otros definen la conducta apropiada de las personas en diferentes situaciones sociales". Ya que los padres son las personas más íntimamente relacionadas con el niño, sus expectativas determinan generalmente su conducta en la escuela elemental.

Las expectativas de los padres en relación con sus hijos varían en los distintos niveles socioeconómicos. Los padres de clase alta esperan más de sus hijos en términos de logros educativos, y muchas veces les crean problemas si, por diversas razones, no pueden alcanzar esas expectativas.

Los padres de clase media comparan y evalúan a sus hijos en términos de los niños de su misma clase social o de la misma escuela. Estos padres esperan mucho de sus hijos en cuanto al aprovechamiento académico se refiere.

Las expectativas de los padres de ingresos bajos son más limitadas. Ellos aspiran a que sus hijos alcancen mayor educación que la que ellos lograron, pero sus metas generalmente no llegan tan lejos como las de las clases alta y media.

Los maestros también influyen en las expectativas de los estudiantes de escuela elemental. Muchas veces los maestros tienen expectativas bajas en relación con la capacidad de algunos niños para aprender. No podemos perder de vista el hecho de que la limitación de algunos niños, especialmente los de niveles bajos, está en el ambiente y no en su capacidad mental.

## La experiencia de la escuela elemental

Cuando el niño llega a la escuela elemental se encuentra con una situación diferente a la que tenía en el hogar. Se encuentra con un grupo de niños y con una maestra que les son extraños. Tiene que someterse, por lo general, a unas normas del salón de clases que son más rígidas que las

---

6. Luis Nieves Falcón. *Inventario de investigaciones sobre el niño puertorriqueño.* En *Educación,* Vol. 19, abril de 1966, pp. 9-24.

7. Wilbur B. Brookover y Edsel Erickson. *Society, Schools and Learning.* New York: John Wiley, 1969, pp. 64-98.

que tenía en el hogar. Tiene un sitio donde sentarse y unas normas que obedecer.

En el salón de clases normal y corriente al nivel elemental, no hay diferenciación de *status* entre los estudiantes. La diferenciación se va haciendo en base del aprovechamiento académico. A los que logran un aprovechamiento alto se les promueve, recibiendo de este modo el reconocimiento de los maestros y de los padres. Por el contrario, los que no logran el nivel de aprovechamiento esperado fracasan. Los fracasos pueden afectar tanto social como emocionalmente al niño de escuela elemental.

La escuela elemental moderna no somete a todos los estudiantes a tareas similares. Se hacen esfuerzos por individualizar la enseñanza. El estudiante progresa a su propio ritmo. La promoción es flexible y se rompe con el sistema tradicional de grados.

Para ayudar en la socialización del niño, la escuela elemental utiliza técnicas, como proyectos, trabajo en grupos, recitación socializada y programas recreativos y artísticos. Se emplean, además, otros recursos como los clubs de las distintas asignaturas académicas, el club de arte dramático, las actividades de juego y las clases de educación física, arte y música, que ayudan al desarrollo social del educando.

No podemos dejar de mencionar el papel del maestro de escuela elemental en la socialización de sus alumnos. Les sirve de modelo para aprender los patrones de conducta de la vida adulta. Muchas veces surgen conflictos entre estudiantes y maestros. Algunos estudiantes se rebelan de las normas del salón, casi siempre impuestas por el maestro. El maestro democrático liberaliza las normas del salón, planifica con los alumnos, y ambos conjuntamente deciden las normas. El maestro que es demasiado autoritario puede aumentar los conflictos.

### Los grupos de amigos en la escuela elemental

La escuela elemental es el primer mundo significativo del niño fuera del hogar. Cuando el niño llega a la escuela elemental, es individualista, pero a medida que se envuelve en las actividades de la clase, se siente estimulado a trabajar con otros. A medida que los alumnos se relacionan entre sí, se van formando grupos informales de amistad, o grupos de pares,[8] como también se les llama.

En estos grupos, el niño goza de un considerable grado de independencia y tiene oportunidad de realizar actividades determinadas por el grupo mismo. Realiza actividades siguiendo sus propios intereses. Para muchos niños, los grupos de amigos proveen un refugio a las imposiciones autoritarias de los adultos.

### LA SOCIALIZACIÓN EN LA ESCUELA SECUNDARIA

Cuando el niño llega a la escuela secundaria, según la conocemos en Puerto Rico, tiene, por lo general, unos trece años de edad cronológica y

---

8. Del inglés *peers*.

ha sido expuesto a la escuela elemental por lo menos por seis años. Ha tenido también una serie de contactos y experiencias en la familia y en la comunidad que traerá consigo al llegar a la escuela secundaria. El grado de socialización que el estudiante haya alcanzado en la escuela elemental, se va a reflejar en su comportamiento en la secundaria.

## La transición de escuela elemental a la secundaria

La escuela secundaria recoge los niños de un área geográfica mayor que la escuela elemental. En la comunidad pueden haber muchas escuelas elementales, pero casi siempre hay una sola escuela secundaria. Este hecho implica que el niño va a tener oportunidad de relacionarse con nuevos compañeros procedentes de ambientes distintos que exhiben grandes diferencias. Esta diversidad de contactos acelera el proceso de socialización, pues el niño se encuentra expuesto a un mayor número de modelos heterogéneos.

En la escuela secundaria se le expone a una diversidad de programas —vocacionales y académicos— y asignaturas o cursos. Las asignaturas electivas también aumentan el número de modelos a escoger. Además, la escuela secundaria ofrece un mayor número de actividades extracurriculares, ampliando así el círculo de donde los estudiantes pueden seleccionar modelos. Esta mezcla de los sexos en las actividades extracurriculares realiza una valiosa función en nuestra sociedad.

## La influencia de los pares en el proceso de socialización en la escuela secundaria

La sociedad adolescente se desarrolla a plenitud en el nivel secundario. Los amigos o pares vienen a ser de suma importancia en la medida en que los adolescentes se van independizando de los padres. Los pares son grupos de estudiantes de la misma edad. Se forman por la necesidad que tiene el adolescente de relacionarse con otros. El adolescente busca la seguridad en el grupo, en lo que demuestra cierto grado de madurez. En los grupos de pares, el adolescente adquiere ciertos conocimientos que no son accesibles en la familia. Los grupos de pares ayudan en la transformación del niño a adulto.

Coleman,[9] nos dice que al limitarse a un círculo cerrado de aquellos de su misma edad e intereses, el adolescente crea una pequeña sociedad privada, con su propia subcultura —rituales, símbolos, lenguaje. Es una subcultura que brinda prestigio y *status*, especialmente a los que encarnan la imagen del escolar que ellos han forjado. Esta imagen no necesariamente coincide con los valores de la escuela o de los adultos. La subcultura estudiantil está frecuentemente en conflicto con las normas oficiales de la escuela. A esto quizás se deba que el individuo que obtiene reconocimiento de sus padres no sea necesariamente el más serio o capacitado.

Como dice Coleman,[10] el prestigio en esta subcultura recae normalmente

---

9. James S. Coleman. *The Adolescent Society*. New York: Free Press, 1961.
10. *Ibid.*

sobre el atleta, la muchacha o muchacho más popular, el mejor bailador, el poseedor del mejor automóvil, el mejor vestido, el artista más sobresaliente.

La subcultura adolescente tiende a restar importancia al contenido académico de la escuela secundaria. Esto fue confirmado por Coleman en su estudio, al preguntarles a los estudiantes cómo querían ser recordados en la escuela superior: como un estudiante brillante, como una estrella en los deportes, como el más popular. Ni los varones ni las niñas querían ser recordados como estudiantes brillantes. Entre los varones, la mayoría escogió ser recordado como estrella en los deportes. Las niñas, como la más popular.

Hemos visto en el estudio de Coleman, que el proceso de socialización que ocurre en la escuela secundaria tiene el efecto de hacer que los estudiantes adopten valores de sus pares, aunque estos valores no coinciden con aquellos que sostenga el resto de la sociedad, principalmente sus padres y maestros.

No todos los autores están de acuerdo con Coleman. Otros como Brookover y Erickson [11] creen que el adolescente puede hallar inspiración en su compañero para hacer algunas cosas, pero otras, como por ejemplo, su motivación académica puede hallarla en sus padres o en otros adultos.

Clark [12] divide la sociedad estudiantil de la escuela secundaria en tres subculturas: 1) la de la diversión y el placer, caracterizada por los automóviles deportivos, los deportes, las citas y las actividades sociales, a expensas del estudio y de otras actividades de crecimiento intelectual; 2) la académica, que implica un envolvimiento en el estudio y las actividades intelectuales y 3) la delincuente o delictiva, que envuelve una total indiferencia hacia el estudio o los aspectos sociales de la escuela. Los estudiantes de esta subcultura se rebelan contra la escuela y participan en actividades contrarias a las reconocidas y establecidas por la escuela. La existencia de estas subculturas es índice de que los estudiantes están sujetos a las influencias de sus pares y de sus maestros. La interacción que se desarrolle o el clima social de la escuela va a ser la fuerza que generará ideas y valores entre estudiantes y maestros o entre estudiante y estudiante y determinará la subcultura a que pertenecerá el alumno.

## El maestro y su impacto en la socialización de los estudiantes

Aunque el énfasis mayor durante el proceso de socialización en la escuela secundaria reside en el impacto de los pares, es importante reconocer que los maestros juegan un papel significativo en el proceso de socialización. Existen desgraciadamente muy pocos datos que expliquen este proceso en la escuela secundaria. Existen estudios relacionados con las técnicas y condiciones del aprendizaje, pero hay poco material relacionado con las formas mediante las cuales los maestros producen cambios en las actitudes y comportamiento de los estudiantes. No tenemos suficientes estudios que demuestren los cambios que ocurren en los estudiantes durante y después de la interacción con sus maestros. La relación entre maestro y estudiante

11. Wilbur B. Brookover y Edsel L. Erickson. *Society, Schools and Learning*. Boston: Allyn and Bacon, 1969, pp. 68-80.
12. Burton Clark. *Educating the Expert Society*. San Francisco: Chandler, 1962.

es, sin embargo, el foco central de toda educación. El éxito de la educación depende en parte de la calidad de la interacción entre maestro y estudiante. El salón de clases, que es el principal campo de acción entre el profesor y su discípulo, es la unidad más poderosa de interacción social en toda la escuela.

El maestro trabaja cara a cara con el estudiante. Este tipo de relación ofrece un problema al maestro —la creación de un clima de aprendizaje de libertad y de control. Este no es un problema serio en la escuela elemental porque el estudiante atribuye al maestro sabiduría y autoridad. Lo es en la escuela secundaria. El material que enseña se discute fuera de la escuela y se presta a varias interpretaciones. La autoridad del maestro es retada. El estudiante quiere ser amigo del maestro y el maestro quiere ser amigo del estudiante. Es difícil, sin embargo, para ambos traer juntos las dos imágenes en conflicto —el maestro como amigo y como autoridad.

## Los adolescentes y el cambio social

Vivimos en un mundo de constantes cambios sociales. Debemos estar conscientes de las implicaciones de estos cambios en la vida del adolescente y en la educación que recibe en la escuela secundaria.

Coleman,[13] quien ha profundizado en el estudio de la sociedad adolescente, nos habla de los efectos que han tenido los cambios sobre los jóvenes. Nos señala los siguientes: 1) el aumento considerable en las parejas que salen solas; 2) el gran peso y la responsabilidad sobre la escuela y 3) la temprana sofisticación de los adolescentes.

En cuanto al primer efecto —las parejas que salen solas— no se debe pensar que van en busca de mayor libertad sexual; su propósito principal es satisfacer una necesidad psicológica de seguridad emocional. Lo dicen los mismos adolescentes; el hogar no les ofrece la intimidad y seguridad que necesitan.

En cuanto al segundo efecto, todos sabemos que la escuela era un suplemento del hogar en la educación de los jóvenes. Esto ha cambiado hoy día: la vida del adolescente está cada día más enfocada hacia la escuela, convirtiendo al hogar en un suplemento de la escuela.

Muy relacionado con el primer efecto está la temprana sofisticación de los adolescentes. Saben más del mundo, del sexo, del sexo opuesto, y tienen más oportunidad de aprender tanto las materias académicas como las no académicas. Expuestos a la radio, la televisión, el cine y los diferentes libros, nuestros jóvenes tienen más conocimiento del mundo que los de años atrás.

La sofisticación del adolescente, según Coleman[14] tiene aspectos positivos y negativos. Los adolescentes están más prestos a las nuevas ideas y a las nuevas experiencias. Por otro lado, es más difícil enseñarles, están menos deseosos de permanecer en el rol de aprendices, son impacientes con sus maestros y menos dados a ver al maestro como modelo y como autoridad. La escuela tendrá que encontrar nuevas formas de capturar o

---

13. James S. Coleman. *Social Change, Impact on Adolescents.* En *The Bulletin of the National Association of Secondary School Principals,* April, 1965, pp. 11-14.
14. *Ibid.*

cautivar el interés y la energía de los adolescentes, utilizando su creciente sofisticación en bien de la educación. Los adolescentes responden cuando se captura su imaginación. Están más dispuestos a responder cuando se les lanza un verdadero reto.

## RESUMEN

La socialización es el proceso mediante el cual el niño adquiere la cultura de la sociedad y se hace un ser social. La socialización es un proceso continuo; comienza con el nacimiento del niño y termina con su muerte. Definido el proceso de socialización de este modo, tenemos que aceptar que no sólo se socializa el niño, sino que también se socializa el adolescente, el adulto y el anciano. La socialización es un proceso de ajuste a las muchas situaciones que se le presentan al ser humano durante toda su vida: en la familia, la escuela elemental, los grupos de juego, la comunidad, la escuela secundaria y el colegio, el trabajo, el matrimonio y el nacimiento y crianza de sus propios hijos. Como ejemplo, se discutió el proceso de socialización de un niño puertorriqueño de la zona rural, desde su nacimiento hasta su edad adulta.

La socialización es un proceso de interacción social que se logra fundamentalmente entre personas, pero también a base del complejo total de la cultura. La socialización no es posible sin la interacción social. Es en la interacción con otras personas que el ser humano desarrolla el concepto de su yo. A pesar de que el yo es algo individual, es un producto social: surge y se mantiene a través de la interacción social. El yo es un reflejo de las situaciones sociales en las que el ser humano participa. Son muy importantes las actitudes y las expresiones de los que rodean al niño para ayudarlo a desarrollar un adecuado sentido de su yo. Por esta razón es que el desarrollo de la personalidad es de tanta importancia para la educación y para todas las personas encargadas de impartir la educación al niño.

Entre las agencias socializadoras está la escuela. Es la más importante institución a cargo de la educación formal. Hoy día la influencia de la escuela se deja sentir desde una edad más temprana. Se va haciendo más corriente que el niño pase por la escuela maternal y el kindergarten antes de ingresar formalmente al primer grado de nuestro sistema educativo. El mundo social del niño se va ampliando a medida que se inicia en la escuela. Se relaciona con otros niños, y aprende de ellos información valiosa, actitudes y valores.

Los primeros años de vida del niño son muy importantes en su desarrollo personal. De ahí que en la escuela maternal y el kindergarten se ofrezcan las mejores oportunidades y el mejor ambiente posible que propicien el óptimo desarrollo de su personalidad.

La socialización continúa en la escuela elemental. Se siguen ampliando sus relaciones sociales. La experiencia educativa se hace más formal que en la etapa anterior. Hay unas destrezas y conocimientos que adquirir y el niño de escuela elemental, por lo general, siente deseo de aprender. El maestro debe aprovechar esta motivación de parte del alumno. Debe tenerse en cuenta, sin embargo, que la escuela elemental no puede someter a todos los estudiantes a tareas similares. Debe guiarse al niño para que progrese a su propio ritmo. La promoción es flexible y se rompe con el sistema tradicional de grados.

A la escuela secundaria, el joven trae una serie de experiencias que ha adquirido en la familia, la comunidad y la escuela elemental. En la secundaria tiene la oportunidad de relacionarse con nuevos compañeros, procedentes de diferentes tipos de ambientes. Participa en un mayor número de actividades extracurriculares, y se amplía el círculo de donde los estudiantes pueden seleccionar modelos.

Es marcada la influencia de los grupos de pares en la adolescencia. Aquí el joven obtiene la intimidad y seguridad que no le ofrecen otros grupos. El proceso de socialización que ocurre en la escuela secundaria tiene el efecto de hacer que los estudiantes adopten los valores de sus pares, aunque estos valores no coincidan con aquellos que sostenga el resto de la sociedad, principalmente sus padres y maestros.

La enseñanza en la escuela secundaria se complica más por el mundo de cambios en que todos vivimos. Este cambio está afectando al adolescente. Es más difícil enseñarle hoy día. Será necesario encontrar nuevas formas de capturar el interés y la energía del adolescente.

## LECTURAS

Adams, Don y Gerald M. Reagan. *Schooling and Social Change in Modern America.* New York: David McKay Co., 1972, Capítulo 3.

Brembeck, Cole S. *Social Foundations of Education: Environmental Influences in Teaching and Learning.* Second Edition. New York: John Wiley and Sons, Inc., 1971, Capítulos 5, 6, 7, 8, 9.

Bossard, James H. S. y Eleanor Stokes Boll. *The Sociology of Child Development.* Cuarta edición. New York: Harper and Row, 1966.

Brookover, Wilbur B. y David Gottlieb. *A Sociology of Education.* New York: American Book Co., 1964.

Brookover, Wilbur B. y Edsel Erickson. *Society, Schools, and Learning.* New John Wiley and Sons, Inc., 1966.

Cáceres, José A. *La socialización del niño de edad preescolar.* En *Pedagogía,* XIV, Núm. 2, 1966.

Cave, William A. y Mark A. Chesler. *Sociology of Education.* New York: Macmillan Co., Inc., 1974, Parte I-A y Parte II-E.

Clark, Burton. *Educating The Expert Society.* San Francisco: Chandler, 1962.

Cole, William E. y Roy L. Cox. *Social Foundations of Education.* New York: American Book Co., 1968, Capítulo 7.

Coleman, James S. *Youth: Transition to Adulthood.* Chicago: University of Chicago Press, 1974.

Coleman, James S. *The Adolescent Society.* New York: Free Press, 1961.

Coleman, James S. *Social Change, Impact on Adolescent.* En *The Bulletin of the National Association of Secondary School Principals,* Abril, 1965.

Davis, Kingsley. *Extreme Isolation of a Child.* En *American Journal of Sociology,* XXV, enero de 1940, páginas 554-565.

Davis, Kingsley. *Final Note on a Case of Extreme Isolation.* En *American Journal of Sociology,* LII, marzo de 1947, páginas 432-437.

Dreeben, Robert. *On What is Learned in School.* Reading. Mass.: Addison-Wesley Publishing Co., 1968.

Elkin, Frederick. *El niño y la sociedad.* Buenos Aires: Editorial Paidos, 1964.

Fernández Méndez, Eugenio. *La identidad y la cultura*. San Juan, Puerto Rico: Instituto de Cultura Puertorriqueña, 1965.

Gessel, Arnold y otros. *Youth: The Years from Ten to Sixteen*. New York: Harper and Brothers, 1956.

Gordon, Calvin W. *The Social System of the High School*. Illinois: Free Press, 1957.

Graham, Grace. *The Public School in the New Society*. New York. Harper and Row, 1969.

Grambs, Jean D. *Schools, Scholars and Society*. New Jersey: Prentice-Hall, Inc., 1965.

Havighurst, Robert J. y Bernice L. Neugarten. *Society and Education*. Tercera edición. Boston: Allyn and Bacon, 1967, Capítulo 5.

Havighurst, Robert J. e Hilda Taba. *Adolescent Character and Personality*. New York: John Wiley and Sons, Inc., 1949.

Hernández, Carlos. *Necesidades y problemas del adolescente boricua*. En *Revista de Ciencias Sociales*, III, Núm. 2, junio de 1959.

Hunt, Maurice P. *Foundations of Education: Social and Cultural Perspectives*. New York: Holt, Rinehart and Winston, 1975, Capítulo 4.

Jackson, Philip W. *Life in Classrooms*. New York: Holt, Rinehart and Winston, Inc., 1968.

Landy, David. *Tropical Childhood*. Chapel Hill: The University of North Carolina Press, 1959.

Lewis, Oscar. *La vida*. New York: Random House, 1966.

Margolin, Edithe. *Sociocultural Elements in Early Childhood Education*. New York: Macmillan Publishing Co., 1974.

Morrison, A. y D. McIntyre. *Schools and Socialization*. Baltimore, Md.: Penguin Books, 1971.

Nieves Falcón, Luis. *Diagnóstico de Puerto Rico*. Río Piedras: Editorial Edil, Inc., 1972.

Nieves Falcon, Luis. *Inventario de investigaciones sobre el niño puertorriqueño*. En *Educación*, Vol. 19, abril de 1966.

Parsons, Talcott. *The School Class as a Social System: Some of its Functions in the American Society*. En Havighurst, Neugarten y Folk. *Society And Education, A Book of Readings*. Boston: Allyn and Bacon, 1967.

Ritchie, Oscar W. y Marvin R. Koller. *Sociology of Childhood*. New York: Appleton-Century-Crofts, 1964.

Sánchez Hidalgo, Efraín y Lydia A. Sánchez Hidalgo. *La psicología de la crianza*. Río Piedras: Editorial Universitaria, 1973.

Sieber, Sam D. y David W. Wilder. *The School in Society: Studies in the Sociology of Education*. New York: The Free Press, 1973, Parte II.

Smith, B. Othaniel y Donald E. Orlosky. *Socialization and Schooling*. Bloomington, Indiana: Phi Delta Kappa, 1975.

Steward, Julián H. *The People of Puerto Rico*. Urbana: University of Illinois Press, 1956.

Stycos, J. Mayonne. *Familia y fecundidad en Puerto Rico*. México: Fondo de Cultura Económica, 1958.

Thomas, Donald R. *The Schools Next Time*. New York: McGraw Hill Book Co., 1973, Capítulo 6.

Waller, Willard. *The Sociology of Teaching*. New York: John Wiley and Sons, Inc., 1965.

Westly-Gibson, Dorothy. *Social Perspectives on Education*. New York: John Wiley and Sons, 1965, Capítulo 6.

Wolf, Kathleen L. *Growing up and its Price in three Puerto Rican Subcultures*. En *Psychiatry*, XV, No. 4, Nov., 1952, páginas 401-433.

**PARTE V**

# Los Grupos Sociales y su influencia en el desarrollo de la personalidad

El desarrollo de la personalidad humana, y en especial la influencia que ejercen sobre ella los diferentes grupos sociales, es el tema de la quinta parte de nuestro trabajo. En el Capítulo XII se consideran distintos aspectos relacionados con los grupos sociales: su naturaleza, funciones, características y clasificación. También se trata la relación entre los grupos sociales y la educación.

Los capítulos XIII al XV tratan en detalle los grupos sociales que mayor influencia ejercen en la personalidad: la familia, los grupos de actividades y la escuela.

El Capítulo XIII abarca el estudio de la familia que es la principal influencia social en el desarrollo de la personalidad. Estudiaremos, entre otras cosas, la relación de la familia con la escuela en la formación de la personalidad.

Las relaciones sociales del niño con otros de su misma edad son muy importantes en su desarrollo. El niño tiene muchas cosas que aprender de otros niños de su misma edad: la cultura del grupo, actividades, valores e información imprescindible en el proceso de crecer. Este asunto nos ocupa en el Capítulo XIV bajo el título de los grupos de actividades.

El Capítulo XV se dedica al estudio de la escuela, que es el grupo que más influye en el niño durante ciertas horas del día. La influencia de la escuela se extiende por un número de años. Estudiaremos la influencia de la escuela y del maestro en la personalidad del niño, recalcando el modelo que ofrece el maestro en la socialización y el efecto del clima social de la escuela en la conducta de los niños.

# CAPÍTULO XII

## LOS GRUPOS SOCIALES

Desde que nacemos hasta que morimos estamos envueltos en actividades con los diferentes grupos sociales a los cuales pertenecemos. Somos miembros de una familia y de grupos recreativos, políticos, cívicos, económicos, religiosos y culturales. Todo lo que somos y representamos —nuestras actitudes, prejuicios, ideales, creencias, normas y valores— lo tomamos de los grupos a los cuales pertenecemos o hemos pertenecido. El primer grupo del cual tenemos conocimiento es la familia en que nacemos. Nos relacionamos primeramente con los padres, los hermanos y los demás miembros de la familia, pero a medida que crecemos nos unimos a otros grupos sociales en la escuela, la iglesia, el trabajo y la comunidad en general. Así es como funcionamos en la sociedad, como miembros de diferentes grupos.

Como los grupos son tan importantes en nuestra vida, son de especial interés en el estudio de la sociología general y de la sociología de la educación en particular. A esta le interesa la influencia de los grupos sociales en el desarrollo del ser humano.

Dedicaremos este capítulo al estudio de los grupos sociales. Incluiremos los siguientes aspectos: la naturaleza de los grupos sociales, definición, funciones, características, clasificación y, finalmente, la significación de los grupos sociales para la educación.

### NATURALEZA DE LOS GRUPOS SOCIALES

El hombre es un animal social y toda su vida ocurre dentro de los grupos sociales. Nace, por lo general, con todas las potencialidades biológicas para convertirse en un ser humano, pero estas operando aisladamente no lo hacen humano. Necesita también el contacto íntimo y continuo con las demás personas, desde su nacimiento, para poder adquirir su personalidad humana. Las potencialidades biológicas no se desarrollarían si no fuera por el proceso de interacción social a que está expuesto desde su nacimiento. Las presiones de las personas y los grupos que lo rodean influyen en la modificación de su conducta. Vemos, pues, que la interacción social es indispensable para el desarrollo de las características que nos convierten en humanos.

Todos los hombres en todas las sociedades pertenecen a grupos sociales. No nos unimos a los grupos por un instinto gregario o por predisposición innata. La formación de grupos es una respuesta aprendida, como consecuencia de nuestras experiencias con las demás personas desde bien temprano en nuestra vida. No vivimos ni podemos vivir en el aislamiento.

Para poder sobrevivir, el recién nacido necesita la ayuda de las demás personas. Depende de los miembros de su familia inmediata para su alimentación, protección y afecto, en fin para todas sus necesidades. De la relación con los otros recibe seguridad, satisfacción y protección. Este efecto positivo que le produce la vida en grupo es posiblemente el factor más importante para continuar perteneciendo a los diferentes grupos sociales en el resto de su vida. No cabe duda entonces que es la familia, desde los primeros años de vida del niño, la que más influye en nuestra continuada dependencia de la vida de grupos. A través de toda nuestra vida, los grupos continúan satisfaciendo nuestras necesidades.

## DEFINICIÓN

Cuando dos o más personas con propósitos comunes se unen e interactúan decimos que forman un grupo social. El énfasis en la definición del grupo social descansa en la relación que se establece entre los miembros que tienen intereses comunes y la forma en que esos miembros se afectan recíprocamente. Un grupo social puede consistir lo mismo de dos personas que de miles de personas; lo importante desde el punto de vista sociológico no es el número de personas, sino la interacción que existe entre sus miembros.

Para que exista un grupo social debe haber estímulos y respuestas mutuos entre sus miembros. Debe producirse una relación social que sea significativa para sus miembros, en el sentido de que cada uno tenga en cuenta a los otros, y esté orientado hacia ellos.

## STATUS Y ROL

Hay dos términos que generalmente se emplean cuando hablamos de la interacción del individuo en el grupo. Nos referimos a los términos *status* y papel o *role*.

### Status

El *status* es la posición social que la persona ocupa en el grupo, en términos de su prestigio y poder. Las personas en el grupo tienen diferentes *status*. Linton[1] nos habla del *status* adscrito y del *status* adquirido. El primero es el que la persona adquiere por nacer en una familia determinada, tener cierta edad o ser de un sexo u otro. El segundo lo obtiene la persona por medio del estudio, el esfuerzo y la motivación. El *status* adscrito puede influir en el adquirido. Si a una persona, por el hecho de vivir en un área de privación cultural se le niegan las oportunidades

---

1. Ralph Linton. *Estudio del hombre.* México: Fondo de Cultura Económica, 1959, Cap. VIII.

educativas, no podrá alcanzar el *status* de otros a quienes se le ofrecen todas las oportunidades y pueden hacer buen uso de ellas.

## Rol

El papel o *role* se refiere a la conducta que se espera de las personas que ocupan determinadas posiciones y la forma en que desempeñan sus responsabilidades. Cuando la persona ejercita sus derechos y deberes en una posición, está ejecutando una función o rol.

El aprendizaje de los roles o papeles que tiene que desempeñar la persona es básico en la socialización. Según el niño crece, aprende la conducta que se espera de él en diferentes posiciones: como hijo, hermano, estudiante, compañero de juego, etc. Internaliza esas expectativas y se comporta de acuerdo a las demandas de los grupos a que pertenece. A veces se crean conflictos de *roles* cuando él y otras personas no perciben las expectativas de igual forma. Puede crearse conflicto entre el discípulo y el maestro por discrepancias en cuanto a los roles. Igualmente surgen conflictos entre padres e hijos.

## FUNCIONES DEL GRUPO SOCIAL

Los grupos sociales ejercen varias funciones para el individuo y la sociedad. Algunos tienen específicamente una tarea principal que realizar. Otros responden a un número variado de funciones.

Los grupos sociales son los formadores de la personalidad; son un ingrediente importantísimo en su desarrollo. Si no fuera por la interacción en el grupo social el niño nunca alcanzaría la categoría de ser humano.

Los grupos sociales por medio de la presión que ejercen en el hombre, controlan la conducta e imponen la disciplina de sus miembros. A estos les preocupa grandemente tener y conservar la aprobación del grupo. Por esta razón ajustan su vida a las demandas del grupo social.

Los grupos ayudan al hombre a satisfacer su deseo de intimidad. Produce gran satisfacción el pertenecer a un grupo social. La seguridad que produce el formar parte de un grupo primario no puede proporcionarla ningún otro grupo.

La unión de las personas en grupos sociales facilita el que se pueda hacer cierto trabajo o lograr cierto objetivo que no podrían realizar los individuos aisladamente. No produce el mismo efecto el que un individuo aislado demande cierto servicio como el que este sea solicitado por un grupo organizado. El grupo ejerce en esta forma una función de defensa y protección. La organización de los hombres en grupos aumenta su poder de acción.

El grupo es un medio de educación para sus miembros. La mayor parte de nuestros conocimientos los adquirimos en los grupos a que pertenecemos. Empezamos a adquirir conocimientos en la familia y luego, según crecemos y aumentan nuestros contactos con los diversos grupos, se va enriqueciendo la educación.

## CARACTERÍSTICAS

La principal característica del grupo social es la relación que existe entre sus miembros, la comunicación que se establece entre ellos, la orientación de los unos hacia los otros. Estas son condiciones imprescindibles en el grupo para que este pueda realizar sus propósitos.

El grupo se caracteriza por un *esprit de corps*, un sentido de pertenencia. Se refiere al sentimiento de bienestar asociado con la comunidad de ideas, valores y actividades compartidas por los miembros del grupo. La persona se acostumbra a la manera de actuar de los compañeros de su grupo, prefiere la forma en que ellos hacen las cosas, siente orgullo por compartir la vida del grupo y sabe que los demás miembros se sienten igual que él.

La lealtad es otra característica de los miembros del grupo. El grupo debe funcionar unido o de lo contrario se desintegra y deja de ser una necesidad.

Otra característica es el etnocentrismo —sentimiento de preferencia que los individuos sienten hacia los de su mismo grupo. Existe una tendencia a ver nuestro grupo como el mejor, la cultura propia como la mejor de todas y nuestra comunidad como la preferida. La mejor organización es siempre la nuestra. Todos los hombres del mundo tienden a estar orgullosos de su grupo y de la cultura de su grupo.

El etnocentrismo puede ser beneficioso para el grupo. Aumenta la lealtad de los individuos hacia el grupo. El orgullo hacia el grupo puede estimularles a hacer el máximo. El grupo se mantiene más unido y funciona mejor. En momentos en que el grupo se siente amenazado por fuerzas externas, el etnocentrismo puede ser beneficioso para la existencia del mismo.

No queremos decir por esto que el etnocentrismo sea siempre una cualidad humana positiva; puede también tener sus limitaciones. El etnocentrismo envuelve solidaridad de grupos y antagonismo hacia los grupos de afuera. Los miembros de estos grupos también se sienten superiores, lo que puede producir conflictos y rivalidad. Visto de este modo, el etnocentrismo reduce la comunicación y aumenta la distancia social entre los miembros de los diferentes grupos.

La escuela trata de fomentar el etnocentrismo que se manifiesta en la reputación académica, los honores que conquistan los alumnos o las victorias en los deportes. La escuela también usa otros recursos para hacer a los estudiantes conformarse a los objetivos e ideales de la misma.

## CLASIFICACIÓN

Hay varias maneras de clasificar los grupos sociales. Una de las más corrientes en la clasificación de estos a base de su función o actividad principal, pero esta forma es muy simple y vaga. Responde a este modo la clasificación de los grupos en políticos, económicos, recreativos, educativos y religiosos.

Se han empleado otras maneras, como por ejemplo, aquellas que clasifican los grupos en permanentes y temporeros. A veces estrechamos la mano de una persona y no volvemos a verla nunca más; en cambio, otras relaciones duran toda la vida. Otras veces clasificamos los grupos a base de la edad, el sexo o la raza. Algunos sociólogos nos hablan de grupos visibles, que llevan a cabo sus funciones abiertamente, y de grupos invisibles, que trabajan ocultamente, como las sociedades secretas o las agencias de espionaje. Otros autores hablan de grupos verticales y horizontales. Una sección vertical de la sociedad incluye grupos tales como comunidades o naciones, mientras que si cortamos horizontalmente estas grandes unidades obtendremos las clases sociales como estratos horizontales. Hay grupos no formales, como los de compañeros; y grupos formales, como los sindicatos. También se puede hablar de grupos urbanos y rurales. Hay quien habla del intragrupo y del extragrupo. Los primeros son los grupos a los cuales uno pertenece, los segundos, a los que no pertenece. Lo que es intragrupo para una persona puede ser extragrupo para otra.

Muchas de estas clasificaciones son de poca utilidad. Son demasiado simples o demasiado arbitrarias. Veamos lo que dicen Ogburn y Nimkoff,[2] al respecto. "La clasificación según el interés (político, educativo o recreativo) es demasiado simple. Muchas de las otras clasificaciones, como se habrá notado, son dicotomías, dividen a los grupos sociales en dos tipos, considerando que se excluyen mutuamente. Así se coloca a los grupos sociales la etiqueta de permanentes o no permanentes, sancionados o no sancionados, públicos o privados, sacros o profanos, cuando lo cierto es que estos conceptos son sólo extremos de una serie."

Para fines de nuestro estudio vamos a clasificar los grupos teniendo en cuenta el grado de intimidad que existe entre sus miembros. Hablamos entonces de grupos primarios y de grupos secundarios. Algunos textos incluyen un tercer tipo, el grupo terciario o marginal. Veamos ahora las diferencias entre unos grupos y otros basados en el grado de intimidad.

## Grupos primarios

Los grupos sociales de asociación íntima y de mayor cooperación se llaman primarios. Son los grupos que aparecen primero en la vida del niño y son los más influyentes en el desarrollo de la personalidad.

*Definición.* La definición de grupo primario la dio Charles H. Cooley[3] hace muchos años. Definió el grupo primario como una unidad de íntima asociación y cooperación cara a cara, e indicó que este tipo de interacción es básica a la naturaleza humana. Los grupos primarios son para Cooley la cuna de la naturaleza humana. Para él el grupo primario es el resultado de una interacción larga e íntima bajo condiciones informales y espontáneas. Pertenecemos a grupos primarios porque nacemos en una familia; y vivimos en un vecindario en particular.

Según Cooley la interacción que surge en el grupo primario produce un sentido de compañerismo y de identificación con el grupo, lo que él llama en inglés *we-feeling*. La persona se envuelve emocionalmente con

2. William F. Ogburn y Meyer F. Nimkoff. *Sociología*. Traducción de la segunda edición americana. Madrid: Aguilar, 1959, p. 151.
3. Charles Horton Cooley. *Social Organization*. New York: Charles Schribner's Sons, 1909.

el grupo como una entidad y con los símbolos que surgen de la interacción grupal. Es a través de contactos íntimos y estrechos con su grupo primario que el ser humano se socializa y se humaniza. Como resultado de la interacción del grupo primario es que la persona madura y adquiere las actitudes, creencias y valores de la sociedad.

La proximidad no hace primario al grupo. A veces tenemos más intimidad con nuestros amigos que con nuestros familiares. En este caso, la relación que se establece con los amigos es primaria, no así la que se establece con los familiares. Lo mismo ocurre muchas veces con nuestros vecinos. A pesar de la proximidad, no existe esa relación íntima para clasificar al grupo como primario. Así son en muchas ocasiones las relaciones entre los vecinos en las urbanizaciones de la clase media y en los edificios de apartamientos.

El grupo primario se establece por la seguridad, la intimidad y la satisfacción de una necesidad emocional que nos proporciona el asociarnos con personas iguales a nosotros, que se preocupan por nosotros, que sienten igual que nosotros. No nos asociamos en grupos primarios con el propósito de elevar nuestra posición social ni de rivalizar con nuestros vecinos. Lo hacemos porque necesitamos esa espontaneidad, informalidad y solidaridad que nos proporcionan nuestros íntimos allegados.

*Ejemplos de grupos primarios.* La familia y los grupos de juego del niño son primarios. También son primarios la pandilla de niños y jóvenes, tanto las que persiguen propósitos sociales como antisociales, las "cliques" de los adolescentes, la pareja que lleva relaciones amorosas, los amigos íntimos de la unidad militar y algunos grupos de amistad entre los adultos. Los vecinos, especialmente en los pueblos pequeños y en las zonas rurales, pueden ser primarios; no lo son en las comunidades urbanas ni en las grandes ciudades.

Los grupos de los amigos íntimos en la adolescencia proveen el escenario en el cual se aprenden muchas pautas de conducta, tales como modas, canciones, vocabulario, deportes, bailes y las relaciones con el sexo opuesto. En este sentido el grupo de amigos desempeña, mejor que la familia, su función socializadora. Ayuda, además, a desarrollar en el joven la independencia emocional de su familia que tanto necesita. Toda la evidencia recogida demuestra que el adolescente depende más de su grupo íntimo que de su familia. Incorpora los valores de su grupo primario y mira a sus compañeros para obtener el apoyo moral que necesita.

*La interacción en el grupo primario.* La importancia de los grupos primarios estriba en las relaciones que se establecen entre sus miembros. Lo más importante no es el número de personas envueltas, sino el tipo de relaciones entre ellas. En el grupo primario, las personas se aceptan como individuos con unas características particulares. Merrill y Eldredge[4] dicen que cada una de las personas del grupo vale por sus características personales. Una persona no puede sustituirse por otra sin cambiar el tipo de relación. Cada miembro del grupo es único, lo que quiere decir que cada amigo íntimo, compañero o esposo o esposa juega su propio papel en un grupo primario. Esto no quiere decir que cada miembro es igualmente im-

---

4. Francis E. Merrill y H. Wentworth Eldredge. *Society and Culture. An Introduction to Society.* New Jersey: Prentice-Hall Inc., 1957, p. 71.

portante en el grupo. Lo que quiere decir es que cada uno tiene una personalidad separada en esta que es la más humana de todas las relaciones.
La interacción social depende de la comunicación. En el grupo primario, la comunicación es informal. Muchas veces no se requieren palabras para la comunicación; los gestos y el tono de voz bastan. Utilizan medios de comunicación que otras personas fuera del grupo no comprenden.

En el grupo primario la interacción se caracteriza por la espontaneidad, que no se encuentra en los grupos formales.

*Funciones del grupo primario.* En el libro antes citado, Merrill y Eldredge [5] señalan las funciones del grupo primario que tratamos de resumir a continuación.

La primera función es proveer una organización para las actividades que realiza el grupo. Este lleva a cabo muchas actividades de interés para sus miembros, que les producen satisfacción y placer.

La segunda función es proveer un escenario en el cual la persona se siente protegida. A medida que la sociedad se hace más impersonal, el individuo necesita el apoyo moral y emocional que le proporcionan sus íntimos relacionados.

La tercera función es ofrecer al niño un lugar acogedor en el cual se desarrolla su personalidad. La personalidad surge en un grupo primario y en ese escenario es donde el niño empieza a aprender la cultura de la sociedad. La persona necesita contactos con grupos similares para mantenerse como persona bien ajustada socialmente.

La cuarta función tiene que ver con la comunicación en el grupo. Ante el impacto de la comunicación masiva —prensa, radio, cine televisión— no todas las personas reaccionan de igual forma. La información que les llega de diversos medios se comparte en el grupo primario. De esta manera la persona adquiere muchas de sus actitudes sobre asuntos de interés general.

El grupo primario es esencial en un mundo que se está haciendo más impersonal cada día. Los movimientos poblacionales y el desarrollo urbano han tenido mucho que ver con esta situación cambiante. La gente de la ciudad echa de menos los grupos primarios que les ofrecen seguridad emocional. Sin embargo, toda la vida de la ciudad no puede llevarse a cabo en los grupos primarios. También hacen falta los grupos secundarios para que otras actividades en que está envuelto el hombre se realicen en forma impersonal y eficiente.

### Grupos secundarios

Este tipo de grupo se caracteriza por unas relaciones menos íntimas y personales; la interacción entre sus miembros es casual, no es primaria, ni tan íntima como en los grupos primarios. Es la relación que caracteriza a los miembros de un club social, una logia, un grupo político, un grupo religioso, o una fraternidad. El grupo secundario refleja la vida cultural de la comunidad. Surge como resultado de nuestras diversas actividades humanas: políticas, económicas, recreativas y educativas.

El grupo secundario es formal; tiene por lo general una organización

---

5. *Ibid.*, pp. 73-75.

definida y un programa de actividades delineadas, muchas veces conocidas por todos de antemano La organización del grupo secundario tiene una vida más larga que la de sus miembros. Estos entran y salen, como puede pasar con un club recreativo, pero el grupo persiste. La directiva del grupo puede cambiar de cuando en cuando, y también cambian sus miembros, pero el grupo perdura.

Debido al grado menor de intimidad entre sus miembros, los grupos secundarios tienen menos influencia en la conducta de sus componentes que los grupos primarios. Sin embargo, el pertenecer a los grupos secundarios satisface el deseo de reconocimiento del hombre, eleva su posición estimulando de este modo la competencia entre unas y otras personas. Por todas estas razones, las personas tienden a formar grupos secundarios y a pertenecer a ellos. Con el crecimiento y la complejidad de la comunidad y con la reducción de los grupos primarios, la persona tiende a pasar más tiempo en estos grupos de relación impersonal. No pueden ejercer estos grupos el mismo grado de control que ejercen sobre la conducta del hombre los grupos primarios.

Muchas veces es difícil distinguir entre los grupos primarios y los secundarios, debido a que las relaciones humanas no siempre se llevan a cabo de manera formal y rígida. En varias ocasiones las relaciones formales asumen características de informalidad y los miembros desarrollan cierto grado de intimidad, característica de los grupos primarios. El grupo de compañeros de trabajo, por ejemplo, establece relaciones informales y dedica parte de su tiempo en actividades sociales. Igual pasa con los grupos recreativos y religiosos. Se trata de establecer entre ellos actitudes de grupo primario, parecidas a las que se establecen en la familia.

## Grupos terciarios

En la mayor parte de los textos de sociología, los grupos que se clasifican de acuerdo con la intimidad son primarios o secundarios; no se mencionan los grupos terciarios. Algunos libros de sociología, como el de Brown,[6] por ejemplo, hablan de grupos terciarios o marginales, que son aquellos grupos estrictamente casuales, transitorios, de corta duración, que en un momento dado persiguen cierto objetivo común. Son los grupos que se reúnen a presenciar un juego u otro actividad cualquiera. Son los que hacen un viaje, los que trabajan en el mismo edificio. Mientras dura la actividad nos relacionamos en alguna forma con los componentes del grupo, especialmente con los que están más próximos a nosotros. Cuando termina la actividad, cesa también la relación social. En un viaje en avión o barco, establecemos relaciones con los que van a nuestro lado, sin haberlos visto ni conocido antes. La relación casi siempre termina cuando concluye la actividad, aunque puede darse el caso de que esa relación persista y llegue a convertirse en primaria.

En épocas de crisis, el grupo terciario puede, por un corto período de tiempo, cobrar características de grupo primario. Ayudamos o socorremos

---

6. Francis J. Brown. *Educational Sociology. Segunda edición.* New York: Prentice-Hall, Inc., 1954, pp. 107-109.

al que está en peligro, muchas veces exponiendo nuestra propia vida; pero ahí termina, por lo general, esa relación. Después de ese momento, lo más natural es que continúe la relación terciaria que anteriormente caracterizó a esos individuos.

## LA EDUCACIÓN Y LOS GRUPOS SOCIALES

Como ya hemos dicho, todos los seres humanos en el transcurso de sus vidas, están envueltos en una variedad de grupos sociales. El maestro no es una excepción. Veamos, como estudiantes de sociología, el interés que el maestro puede tener en los grupos.

### El maestro y los grupos sociales

El maestro es miembro de una profesión. Como tal, le interesa el bienestar de su profesión. Se une a grupos profesionales para luchar por su bienestar —sueldos, seguridad de empleo, vacaciones, licencia y condiciones favorables de trabajo. Se preocupa igualmente por la libertad para enseñar y por la libertad de sus alumnos para aprender. De esta manera el maestro forma parte de un grupo de presión que lucha ante el gobierno por la defensa de sus derechos. Preocupado también por el bienestar de sus alumnos, presiona ante los organismos gubernamentales por mayores asignaciones presupuestarias que aseguren una mejor educación para sus discípulos.

Los educadores tienen igualmente que tener en cuenta los diferentes grupos que comparten la función educativa con la escuela. De esos grupos se requiere colaboración. Anteriormente, muy pocos grupos, además de la familia, compartían la responsabilidad educativa con la escuela. Hoy en día, sin embargo, han surgido innumerables grupos que también educan.

Los grupos más importantes, desde el punto de vista del maestro, son aquellos que surgen en la escuela.

### Los grupos en la escuela

Como estudiantes de sociología de la educación, nos interesan los grupos que se forman en la escuela. Este es un mundo social, compuesto de personas que forman diferentes grupos. Maestros y estudiantes tienen experiencias diarias con los diversos grupos.

La escuela, en su empeño por lograr los objetivos de la educación, estimula la participación en los grupos escolares. Medimos el ajuste a la vida de la escuela en términos de participación de los alumnos en los diferentes grupos.

Existe una diversidad de grupos en la sociedad de la escuela, al igual que en la universidad. Estos grupos están basados en factores como el sexo, la edad, los intereses curriculares, y muchos otros. El más constante de estos es el grupo del salón de clases. Este es un grupo obligatorio; la mayoría de los demás grupos escolares son voluntarios. Algunos son grupos dirigidos por la escuela y el maestro, otros son grupos de los estudiantes, con poca o ninguna supervisión de los profesores. Veamos algunos de estos grupos.

*El grupo del salón de clases.* Talcott Parsons [7] describe el salón de clases como una colectividad, un subsistema del sistema social mayor, que es la escuela. La escuela a su vez es un subsistema de un sistema social mayor. El criterio que se emplea para identificar la colectividad del salón de clases es una matrícula definida y la orientación a una tarea común.

El grupo del salón de clases es un microcosmo social. Su principal propósito es el aprendizaje y este se logra mediante un proceso social, que envuelve interacción de estudiante y maestro, de estudiante y estudiante y hasta del estudiante con la materia que estudia. Esta última forma de interacción puede depender de las experiencias previas del alumno, al igual que de la forma en que la pequeña sociedad se organiza para llevar a cabo el aprendizaje. No cabe duda que mucho de lo que se aprende depende del tipo de relaciones humanas que se establecen en el salón de clases. La pequeña sociedad puede estimular al estudiante a aprender; puede igualmente desalentarlo. Lo puede llevar al éxito o al fracaso. Es en este sentido que decimos que la pequeña sociedad de la escuela selecciona a los que van a seguir a niveles más altos de educación. A algunos los dirige hacia niveles inferiores. Todavía estamos concediendo mucho peso al aprovechamiento académico del alumno para retenerlo en el grado o promoverlo. El poder llegar a la escuela superior o a la universidad depende del aprovechamiento académico, y en especial de la forma de medir ese aprovechamiento.

*Otros grupos.* Además del grupo del salón de clases, existen muchos otros grupos que surgen en la escuela y que participan de la vida social de la misma. Existen grupos de juego, cliques, fraternidades y sororidades, pandillas, clubs académicos, grupos de actividades e infinidad de grupos más pequeños, consistentes de dos o tres miembros que se mantienen activos en la vida de la escuela. Los adolescentes por sí solos constituyen un grupo social definido.

El grupo de juego existe en todas las escuelas. Es un grupo informal, temporero, que puede romperse fácilmente, especialmente en los primeros años de la escuela elemental. A medida que los niños crecen, los grupos de juego son menos informales.

La clique es un grupo informal, relativamente pequeño con intereses en común y de relaciones muy estrechas. Al igual que la clique, las fraternidades y las sororidades son grupos exclusivos, con la excepción de que son formales y aceptan miembros de un solo sexo. La pandilla es un grupo pequeño casi siempre del mismo sexo y de la misma edad. Tienen una organización definida. Los clubs académicos, como por ejemplo, el club de ciencias o de matemáticas, se organizan alrededor de las materias del currículo. Sirven para fomentar el interés en una disciplina en particular.

Hay muchos otros grupos escolares, que comparten intereses en común. Algunos se organizan para llevar a cabo ciertas actividades, como por ejemplo, la directiva de la clase, el salón hogar, el Consejo de Estudiantes, la sociedad atlética y los futuros maestros. Existen también muchos otros pe-

---

7. Véase artículo de Talcott Parsons, *The School Class as a Social System: Some of its Functions in American Society.* En *Harvard Educational Review,* Vol. 29, No. 4, Fall, 1959, pp. 297-318.

queños grupos de amistad, de dos o tres personas, que exhiben un alto grado de unidad y solidaridad y se caracterizan por la intimidad entre sus miembros.

En los próximos capítulos discutiremos detalladamente la influencia de los diversos grupos en el desarrollo de la personalidad del niño y del adolescente.

## RESUMEN

El niño nace en un grupo social y a través de este y otros grupos es que se convierte en un ser humano. Por esta razón es que el concepto de grupo social es de tanto interés a la sociología de la educación.

La interacción de dos o más personas unidas por propósitos comunes da lugar a la formación de un grupo social. Lo importante en la definición del concepto no es el número de personas, sino el proceso de interacción que se establece entre ellos.

Los grupos ejercen varias funciones para el individuo y la sociedad. Son los formadores de la personalidad, los controles para la conducta humana y un medio de educación para sus miembros. También satisfacen las necesidades del ser humano y facilitan el que se pueda realizar cierto trabajo que los individuos aisladamente no podrían ejecutar.

El grupo social exhibe ciertas características. Entre ellas están las siguientes: el tipo de relación que se establece entre sus miembros, el sentido de pertenencia, la lealtad y el etnocentrismo, que es la preferencia que los individuos sienten hacia su grupo.

Hay muchas maneras de clasificar los grupos; una de ellas es la clasificación de acuerdo con el grado de intimidad. Así se clasifican en primarios, secundarios y terciarios. El grupo primario es una unidad de íntima asociación y cooperación, cara a cara. La familia, el grupo de juego y los amigos íntimos son primarios. El grupo secundario se distingue del primario por el grado de contacto entre sus miembros y por su organización formal. Es un grupo más grande y más formal que el primero. La logia, un club social, un grupo político o religioso se clasifican como secundarios. El grupo secundario refleja la vida cultural de la comunidad. Los grupos terciarios son casuales, transitorios y de corta duración.

La educación tiene especial interés en el estudio de los grupos sociales. El maestro es miembro de una profesión. Como tal, se une a otros compañeros para luchar por el bienestar de su profesión. Lo que más debe interesar al maestro, sin embargo, es el análisis de aquellos grupos que surgen en la escuela. Hay una diversidad de grupos en la sociedad de la escuela: el grupo del salón de clases, el de juego, las cliques, las fraternidades y sororidades, las pandillas, los clubs académicos e infinidad de pequeños grupos. Con todos esos grupos tiene que trabajar el maestro porque todos son significativos en la socialización del educando.

## LECTURAS

Biesanz, John y Marvis Biesanz. *La sociedad moderna: Introducción a la sociología*. México: Editorial Letras, S. A., 1958, Capítulo 7.

Broom, Leonard y Philip Selznick. *Sociology: A Text with Adapted Readings.* Segunda edición. Evanston: Row, Peterson and Co., 1958, Capítulo 5.

Brown, Francis J. *Educational Sociology.* Segunda edición. New York: Prentice-Hall, Inc., 1954, Capítulo 5.

Gillin, John L. y John Philip Gillin. *Cultural Sociology.* New York:: The Macmillan Co., 1948, Capítulo 8.

Green, Arnold W. *An Analysis of Life in Modern Society.* Tercera edición. New York: McGraw-Hill Book Co., Inc., 1960, Capítulos 2 y 3.

Johnson, Harry M. *Sociology: A Systematic Introduction.* New York: Harcourt, Brace and World, Inc., 1960, Capítulos 1 y 2.

Koenig, Samuel. *Sociology: An Introduction to the Science of Society.* New York: Barnes and Noble, Inc., 1957, Capítulo 15.

Linton, Ralph. *Estudio del hombre.* México: Fondo de Cultura Económica. 1959, Capítulo 8

Mercer, Blaine E. y Edwin R. Carr. *Education and the Social Order.* New York: Rinehart and Co., Inc., 1957, páginas 32-36.

Merill, Francis E. y H. Wentworth Eldredge. *Society and Culture.* New Jersey: Prentice-Hall, Inc., 1957, Capítulos 2, 3, 4 y 5.

Ogburn, William F. y Meyer O. Nimkoff. *Sociología.* Traducción de la segunda edición americana. Madrid: Aguilar, 1959, Capítulo 6.

Rodehaver, Myles W. y otros. *The Sociology of the School.* New York: Thomas Y. Crowell Co., 1957, Capítulo 4.

Stanley, William O. y otros. *Social Foundations of Education.* New York: The Dryden Press, Inc., 1956, Capítulo 4.

Westby-Gibson, Dorothy. *Social Perspectives on Education.* New York: John Wiley and Sons, 1965, Capítulo 6.

Wilson, Everett K. *Sociology: Rules, Roles, and Relationships.* Illinois: The Dorsey Press, 1966, Capítulos 2, 3 y 4.

# CAPÍTULO XIII

## LA FAMILIA

La familia probablemente es y ha sido la principal institución social. Es en la familia donde nacen los hijos y, por lo general, donde se les socializa para convertirlos en adultos útiles a la sociedad, para que ellos, a su vez, puedan establecer sus propias familias.

A pesar de los muchos cambios ocurridos en la familia, esta sigue siendo una importante institución social. Habrá perdido parte de sus funciones o se habrán modificado sus funciones tradicionales, pero la familia persiste como la unidad encargada de la reproducción, al igual que de la socialización de los niños y del afecto entre los miembros.

Para poder profundizar en el estudio de la influencia de la familia en el desarrollo de la personalidad es necesario comenzar con la definición del concepto, los tipos de familia, las formas de organización, sus funciones y los cambios ocurridos. Luego, pasaremos al análisis de la familia como sistema social, con énfasis en los patrones de interacción.

De especial interés en el desarrollo de la personalidad es la importancia de la familia en los primeros años de vida del niño, el clima emocional y social del hogar y las situaciones en éste que pueden crear problemas. Por último discutiremos la relación entre la familia y la escuela, destacando el hecho de que el hogar y la escuela deberán trabajar unidos para proveer la máxima educación del niño.

### DEFINICIÓN

Como la familia es una institución universal, es difícil definir el concepto para que abarque todas las posibles formas de familia. Corrientemente se define la familia como un grupo compuesto de marido, mujer e hijos. Esta definición no incluye todas las variaciones familiares. También es familia el grupo que forman marido y mujer sin hijos, o uno solo de los padres y sus hijos. En el caso de la familia extendida, otros miembros, además del marido, la mujer y los hijos, forman parte de la familia. En algunas culturas primitivas, la familia consiste de más de un marido o de más de una esposa. Para nosotros, sin embargo, al hablar de la familia nos estamos refiriendo a esa asociación más o menos duradera, con ciertos propósitos definidos; entre ellos, la intimidad y la seguridad, que forman marido y mujer, si no tienen hijos, o marido, mujer e hijos. Esta es la familia conyugal moderna. La interacción que se establece entre los miembros de esa asociación y los papeles que cada una desempeña son muy importantes desde el punto de vista sociológico. Vista en esta forma, la familia, la familia es un sistema social.

## Tipos

Nosotros estamos acostumbrados a presenciar en nuestra sociedad el matrimonio de un hombre con una mujer. Este es el matrimonio monógamo típico de nuestra familia. Es la forma de matrimonio que más abunda en el mundo, incluso entre los salvajes.

La familia en diversas partes del mundo también puede tener otras formas, aparte de la monogamia. Nos referimos a la poligamia, o pluralidad de cónyuges. La poligamia incluye tres tipos de familia: 1) poliandria, el matrimonio de una mujer con dos o más hombres; 2) poligenia, el matrimonio de un hombre con dos o más mujeres y 3) el matrimonio de grupo, o cenogamia, en que un grupo de hombres —hermanos, por ejemplo— pueden tomar colectivamente varias esposas. Este último tipo de matrimonio es muy poco común hoy día.

Después de esta breve introducción haremos un análisis de las funciones de la familia como institución social. Al analizar sus funciones consideraremos principalmente nuestra familia conyugal moderna.*

## La organización de la familia

La estructura de la familia varía dependiendo de la forma en que se ejerce la autoridad. En la familia patriarcal, el padre es la autoridad máxima, su palabra es como si fuera una ley para su mujer y sus hijos. En la familia matriarcal, la madre ejerce el control, aunque el padre sigue siendo el principal proveedor. Hay familias centradas en los adultos, donde las decisiones principales se hacen entre el marido y la mujer. En algunas tareas, como en la crianza de los niños, ambos participan. Existe también la familia democrática, donde las decisiones y las responsabilidades importantes son compartidas por todos —esposo, esposa e hijos.

En una cultura pueden existir uno o más de estos tipos de familia. En nuestra sociedad existen todas las formas, pero raras veces en su forma pura. A veces creemos que la autoridad descansa en un miembro específico, cuando en realidad no es así. El padre puede aparentar ser el jefe de la familia, cuando realmente la autoridad la ejerza su esposa o un hijo en particular. Muchos factores pueden influir a que esta sea la situación. Es cierto que la autoridad del padre ha variado, que él ha cedido autoridad a su mujer y sus hijos. A pesar de que el padre sigue siendo el principal proveedor, las decisiones se comparten.

## Funciones de la familia como institución social

Justificamos la existencia de una institución social en términos de las funciones que esta desempeña. Ha sido reconocido por todos que la familia desempeña importantes funciones en la sociedad. En todos sitios se comenta sobre las funciones que corresponden a la familia y se hacen juicios en cuanto a la forma en que está llevando a cabo sus funciones.

Se han enumerado en distintas épocas las funciones de la familia. Una ojeada a los libros de sociología comprueba esta afirmación. Las funciones se han clasificado en diversas formas: algunas como básicas, muy necesarias, o más importantes; otras como secundarias o menos importantes. Un estudio de esas listas de funciones, sin que se llegue a conclusiones en cuanto a cuáles son más importantes o menos importantes, revela que entre las funciones de la familia se mencionan las siguientes: reproducción, crianza y socialización de los niños, educación, economía, control social, protección, recreación, religión, afecto, *status* familiar, intimidad, seguridad y expresión emocional.

## Cambios en las funciones de la familia

Las funciones de la familia no han quedado inalteradas. Las fuerzas de cambio, principalmente la industrialización y la urbanización, han operado una serie de transformaciones en la familia, que han puesto a muchos a especular sobre la posible desaparición de esta institución social.

La familia moderna de las ciudades es la que más ha cambiado. No se han producido cambios solamente en el número de divorcios, en el tamaño de la familia, en las relaciones entre sus miembros, en la posición de la mujer y en sus aspectos materiales. Se han producido cambios en casi todos los aspectos de la familia.

Veremos la forma en que una gran parte de los textos de sociología trata los cambios que han ocurrido en las funciones de la familia. Al final haremos ciertos comentarios sobre este asunto. Analizaremos algunos de estos cambios en funciones, especialmente aquellos operados en los aspectos económico, educativo, religioso, recreativo y protectivo.

*Función económica.* La función económica ha variado considerablemente, especialmente en la fase de la producción. La familia moderna, de modo especial en las ciudades, ha dejado de ser una unidad de producción. El padre trabaja fuera y depende de un jornal o salario para atender las necesidades de su familia. La esposa posiblemente también trabaje fuera para contribuir a la familia. Marido y mujer participan en una serie de actividades de la comunidad. Queda entonces poco tiempo para que los miembros principales de la familia se encarguen de producir aquello que antes producían en el hogar y terminan por comprar fuera los servicios y bienes indispensables.

En el pasado se realizaba una serie de tareas económicas en la casa. Se preparaban los alimentos, se lavaba la ropa, se planchaba, se cosía, se enlataban productos y se hacían muebles. En cambio, hoy día han surgido otras agencias que llevan a cabo estas actividades. Por todas partes en la ciudad vemos surgir restaurantes, tiendas, panaderías, lavanderías y mueblerías, que emplean un número considerable de hombres y mujeres para prestar servicio a la familia. En resumen, la familia de la zona rural que vive en la finca retiene todavía algunas de las funciones económicas tradicionales.

*Función educativa.* La educación formal e informal del niño correspondía en el pasado a la familia. Con el desarrollo de la escuela, la educación formal del niño ha traspasado los límites de la familia. Como resultado, la escuela ha venido a asumir esta importante función.

La escuela empieza a ejercer su función mucho antes de la edad señalada para el inicio formal. Con el trabajo de los padres fuera de la casa han surgido numerosas escuelas maternales y jardines de infancia, que reciben al niño a veces desde la temprana edad de uno o dos años. Los jardines de infancia se van convirtiendo en una parte del sistema regular de instrucción pública.

En la sociedad rural, agrícola y simple del pasado, el hombre podía depender de la familia para el aprendizaje de las destrezas que necesitaba desarrollar para ajustarse a la vida. Hoy día, con la compleja sociedad moderna en que vivimos, todas esas enseñanzas no pueden impartirse en el hogar. Por esta razón es que comienza tan temprano la educación escolar y se extiende hasta la universidad. Para la adquisición de este tipo de educación especializada, la familia no puede competir con la escuela ni el padre puede competir con el maestro.

Deseamos hacer referencia a un último punto con relación a la función educativa. En el pasado fue la familia la principal institución educativa. Esta responsabilidad pasó luego a la escuela. Hoy día, la escuela recibe la ayuda de un número de agencias e instituciones que también comparten la responsabilidad educativa. Me refiero a la Iglesia, al cine, la prensa, la televisión y las agrupaciones de jóvenes.

Se demuestra de este modo que la función educativa de la familia ha sido alterada considerablemente y que la escuela ha venido a asumir gran parte de esa responsabilidad. Muchas veces oímos a los maestros quejarse de que ellos están haciendo gran parte del trabajo que corresponde a los padres. Mencionan la responsabilidad de la escuela y del maestro en la formación del carácter del niño, el deber de impartir le educación sexual, prepararlos para la vida familiar y velar por su salud. Según estos maestros, la familia ha perdido casi por completo su función educativa.

*Función religiosa.* De todas las funciones de la familia, la función religiosa es una de las que más se ha perdido. Como resultado de la secularización de la sociedad, la familia también se ha secularizado, y la importancia de la religión organizada se ha reducido para un gran número de personas. Como consecuencia de este cambio, la familia, especialmente en las ciudades, está haciendo muy poco por la educación religiosa de sus miembros. Esta responsabilidad se ha trasladado casi completamente a la Iglesia. La lectura de la Biblia, los rezos en la casa, las oraciones a la hora de las comidas y las otras actividades religiosas de la familia han ido decayendo considerablemente.

*Función recreativa.* La recreación era función de la familia del pasado. Hoy, en cambio, la familia siente la competencia de la recreación comercializada. Abundan los cines, teatros, parques, clubs, salones de baile y balnearios, que atraen a los diferentes miembros de la familia. Se ofrecen en todos estos lugares una serie de facilidades que el hogar no podría proporcionar. Con el mejoramiento de las condiciones económicas aumenta el patrocinio de estas facilidades. La adquisición del automóvil ha contribuido al uso de las facilidades recreativas fuera del hogar.

En la mayoría de los casos, la familia como grupo no hace uso de estas facilidades. Los jóvenes se divierten por su cuenta; los niños tienen sus grupos y a veces el esposo se divierte separadamente de la esposa, y ella participa en actividades en compañía de otras mujeres. A pesar del aumento de las facilidades recreativas, la familia no está disfrutando de la recreación como grupo, como se hacía en el pasado. Algunos esperaban que la radio y el automóvil corrigieran esta situación, pero parece que no pudieron. Ahora algunos creen que la televisión puede ser un remedio. Puede que sea muy tarde para cambiar patrones de recreación que ya están arraigados en la familia moderna.

*Función de protección.* La familia del pasado asumía la responsabilidad total en la protección de sus miembros, desde el nacimiento hasta la muerte. Velaba por la protección de los infantes, los niños, los jóvenes y los ancianos. En el presente, la mayor parte de esa función de protección la están asumiendo las agencias fuera de la familia. Son muy conocidas por nosotros las funciones que desempeñan el Seguro Social Federal, las compañías de seguro privadas y las agencias de bienestar, tanto públicas como privadas.

## Comentarios en torno a los cambios en las funciones de la familia

No deseamos en forma alguna dar la impresión de que han ocurrido tantos cambios en la familia que la han expuesto a desaparecer. La familia sigue siendo una importante institución social, quizá la más importante, a pesar de estos cambios.

Es cierto que la familia ha perdido gran parte de la función económica que desempeñaba en el pasado. Se ha reducido grandemente la producción de bienes; pero, en cambio, los diversos miembros de la familia salen a trabajar fuera y reciben unos ingresos que pueden utilizar para proporcionarse una vida mejor y posiblemente más rica para todos.

En cuanto a la función educativa, la familia no ha perdido enteramente su responsabilidad, si definimos especialmente la educación en términos mucho más amplios que la mera adquisición de destrezas y conocimientos formales reservados a la escuela. La educación del niño comienza y continúa en la familia. El interés que se toma la familia en las actividades escolares es indicativo de que no ha perdido totalmente esta responsabilidad y de que la comparte con la escuela.

En lo que respecta a la función religiosa de la familia, esta se ha perdido casi por completo. La Iglesia ha asumido esta responsabilidad. La familia no deja, sin embargo, de ver que los niños formen el hábito de asistir a la iglesia y de cumplir con la religión.

Es cierto que la recreación se está desarrollando principalmente fuera de la familia. La familia democrática moderna hace esfuerzos para que el grupo familiar pueda disfrutar de actividades recreativas comunes. Es corriente ver a las familias asistir como grupo a las playas, al cine al aire libre y a otras actividades recreativas.

La protección está casi completamente en manos del gobierno y de las agencias privadas. La familia no puede, sin embargo, trasladar a otros el completo bienestar y la protección de sus miembros. La familia sigue asumiendo responsabilidad en cuanto a la protección.

Ante este impacto de las fuerzas de cambio, con su consiguiente efecto en la familia, algunos auguraban la posible desaparición de la familia como institución social. La familia está en medio de todas esas fuerzas de cambio y tiene inevitablemente que recibir ese impacto.

Se han alterado las funciones de la familia, han surgido otras instituciones que realizan todas o parte de las funciones de ésta y han aumentado considerablemente los divorcios. Pero la familia no ha desaparecido, ni está en camino de desaparecer, y posiblemente nunca desaparecerá. Las importantes funciones de reproducción o nacimiento de los niños, la socialización y afecto, siempre se han realizado en la familia y seguirán lográndose en ella, por lo menos por muchos años más. Los niños siguen naciendo y socializándose en la familia. El prodigar afecto no se puede encomendar a ninguna otra institución social. El papel de la familia en la formación de la personalidad del infante y del niño continúa siendo principal.

Lo que no puede negarse es que la familia ha ido perdiendo ese carácter de institución formal para convertirse en un grupo institucional menos formal y más democrático, pero rico en afecto, compañerismo y expresión emocional. Mientras esta transición ocurre, es inevitable que surjan problemas transitorios también. La familia, sin embargo, ha perdurado y perdurará. Es nuestra institución social más importante. No deseamos terminar esta parte de nuestro trabajo sin antes recomendar el examen del libro de Brown,[1] en el que se discute el futuro de la familia.

## La familia como sistema social

La familia no es otra cosa que un sistema social: un grupo de personalidades en interacción, en el que cada miembro tiene un papel definido, aunque no fijo. Los diversos miembros asumen papeles, bien de padre, esposo, madre, esposa, hijos o hermanos, y existen además relaciones entre esos papeles.

Comparada con otros sistemas sociales, la familia es un grupo pequeño, de mucha intimidad entre sus miembros, caracterizado por un tono emocional y por las relaciones directas. Este sistema social proporciona afecto, compañerismo e intimidad entre sus miembros.

### Los papeles sociales en la familia

Como dijimos anteriormente, los diferentes miembros de la familia asumen sus papeles dentro de ese sistema social. El hombre es padre y es esposo; la mujer es madre y es esposa, y los niños son hijos y son hermanos.

Los papeles sociales de los diferentes miembros pueden variar. El padre, por lo general, es el jefe de la familia, el representante de la unidad familiar en la comunidad. Hay, en cambio, casos en que la madre es jefe, aunque el padre viva y esté cerca. Hay otros casos en los que la madre tiene que asumir el papel principal porque el padre ha muerto, porque ya

---

1. Francis J. Brown, *Educational Sociology*. Segunda edición. New York: Prentice Hall, Inc., 1954, pp. 107-109.

no forma parte de la familia o porque trabaja fuera casi todo el tiempo y no regresa a casa todos los días. En muchos casos, la madre comparte con el padre el papel de proveedor, ya que ella también trabaja fuera del hogar. Con la muerte del padre, hay casos en que un hijo asume el papel de jefe de la familia, tanto en autoridad como en cuestiones económicas. Las diferencias en los papeles sociales de la familia pueden tener su origen en diferencias étnicas, religiosas o de clase social. En el mismo grupo social pueden haber diferencias en los papeles entre una familia y otra. No todos los miembros del mismo grupo social desempeñan papeles iguales.

El cambio en los papeles sociales también puede verse desde otro punto de vista. Como el padre pasa la mayor parte de su tiempo fuera de la casa, en su trabajo, asume hoy día menos responsabilidad en la crianza y disciplina de los niños. Podrá cambiar ese papel social del padre, pero no ha cambiado su influencia sobre los hijos. Con el desarrollo de la democracia en las relaciones familiares, el padre es menos autoritario y ha establecido mejores relaciones con sus hijos, lo que ha resultado en un mayor grado de compañerismo y afecto entre padres e hijos. Igualmente ha pasado con el papel de la esposa. Los cambios sociales han dado a la esposa una posición de igualdad junto al hombre. El papel de los hijos también ha cambiado, hasta el punto de que éstos son consultados en muchos casos antes de que se tomen decisiones sobre problemas familiares.

## Interacción social en la familia

En el sistema social de la familia, la interacción se presenta en tres formas: relación entre los padres y los hijos, relación entre el marido y la mujer y relación entre los hermanos. Veamos separadamente estas tres formas de interacción.

*Interacción entre los padres y los hijos.* A través de todos los tiempos los hijos han estado subordinados a los padres y la relación social ha sido mayormente de padres a hijos en vez de hijos a padres. En el pasado, los hijos eran tratados con injusticia y crueldad. No se les permitía hablar cuando llegaban visitas y se les servía en último lugar.

Al niño se le enseñaba a tener miedo a su padre. Los padres controlaban totalmente la vida del niño. Muchos intervenían hasta en la selección del futuro cónyuge de su hijo. Esta situación daba lugar a que hubiera poca comunicación entre el padre y su hijo. El niño veía a su padre como superior y el hijo era visto y se veía él mismo como inferior. Aunque quedan hoy día casos como los descritos anteriormente, la situación ha ido cambiando considerablemente. En la familia moderna, los padres retienen la autoridad, pero se ha establecido una relación mucho más democrática y humana entre padres e hijos, ayudando de esta forma en el desarrollo de la personalidad del niño.

Existen hoy día conflictos entre los padres y sus hijos, pero estos se resuelven con la debida consideración a las personas envueltas. Las diferencias en experiencias culturales dan lugar muchas veces a conflictos entre padres e hijos. El mundo ha cambiado tanto que muchas veces los padres quieren criar a sus hijos como si todavía viviéramos en el siglo pasado. Esta situación da lugar a problemas entre padres e hijos.

El interés de los padres en que los hijos estudien una carrera determinada puede también crear problemas. Muchas veces, el padre, que anheló ser médico y no pudo serlo, se empeña en que su hijo, con fuertes inclinaciones hacia la ingeniería, se haga médico.

Otros problemas tienen su origen en el uso del automóvil de la familia, la selección de amistades, el uso de la llave de la casa y el llegar tarde de noche.

Pero no todo es oposición en la relación entre padres e hijos. También hay muchas oportunidades para la cooperación, que bien dirigidas pueden ayudar al niño a desarrollar independencia, a desempeñar mejor sus papeles sociales y a ganar confianza y respeto y sobre todo responsabilidad social.

*Interacción entre el marido y la mujer.* Las relaciones entre el marido y la mujer han variado considerablemente a través de diferentes épocas. Ha habido épocas en que el hombre ha ejercido un control absoluto sobre la conducta de la esposa, asignándole a esta una posición de completa sumisión e inferioridad.

En el presente, la posición social ha cambiado notablemente. Ella goza de una posición de igualdad junto al hombre. Hoy día no solo asume la autoridad en el hogar, sino también en la comunidad. Trabaja fuera del hogar y muchas veces ocupa puestos de tanta o mayor responsabilidad que el marido.

Muchos creían que esa mayor libertad concedida a la mujer traería serios problemas a la familia y que afectaría adversamente las relaciones entre el marido y la mujer. La situación no ha resultado así. Ambos han hecho sus ajustes a esta situación y en muchos casos las relaciones han mejorado. Además, ella se siente importante y él siente que ella hace una contribución a la organización familiar. El marido, la mujer y sus hijos pueden disfrutar entonces de esa aportación.

La familia es el sitio ideal para practicar la cooperación. Un matrimonio en constante actitud de cooperación puede sentar las bases para una vida de familia feliz y duradera.

Por supuesto que los problemas y conflictos son inevitables. Estos, por lo general, aparecen lo mismo estando la mujer en la casa que trabajando fuera. Los problemas se pueden deber a muchas razones: diferencias en patrones culturales, diferencias en cuanto a la forma de criar a los hijos y diferencias en gustos e intereses. Las parejas que se respetan y que han formado un hogar donde predomina el afecto y el compañerismo pueden resolver sus problemas sin mayores consecuencias.

*Interacción entre los hermanos.* Otra esfera importante de interacción social en la familia es la de las relaciones entre los hermanos. Cuando existen otros hijos en la familia, esta relación entre ellos comienza desde bien temprano. Generalmente empieza en el juego y con la responsabilidad que el mayor puede tener en el cuidado y crianza del menor. Así comienza a depender uno del otro para la seguridad física, social y emocional.

Los padres deben tener extremo cuidado en dirigir inteligentemente las relaciones entre sus hijos, especialmente cuando éstos van creciendo. Estas deben surgir espontáneamente; nunca debe ser el resultado de la compulsión. Los padres deben evitar que se cree la rivalidad entre los hermanos. Es conveniente evitar la comparación entre ellos: no conviene alabar frente al otro al que obtiene buenas notas, se porta bien y conserva la ropa limpia, y ridiculizar al que no hace las cosas que su hermano hace. Esta situación no conduciría a las mejores relaciones entre hermanos y sí al conflicto y la competencia. Convendría en cambio estimular la cooperación y proveer un clima hogareño democrático que ayude al pleno desarrollo de la personalidad.

### INFLUENCIA DE LA FAMILIA EN EL DESARROLLO DE LA PERSONALIDAD

De todas las influencias sociales en el desarrollo de la personalidad, la de la familia es la más importante. La familia es la primera y la más importante agencia socializadora para casi todos los seres humanos. En la familia el niño aprende sus papeles sociales: a ser un hijo y a ser hermano. Aprende a relacionarse con los miembros de su familia y con otras personas que en una forma u otra tienen alguna relación con él. Aprende la conducta que se espera de él como miembro de un sexo o de otro; aprende los papeles basados en el sexo. Aprende a vivir y a organizar su vida dentro de las demandas de un grupo social, el grupo familiar.

La familia puede influir en el niño de varias formas. Como organismo inmaduro al fin, el niño es muy dependiente durante unos cuantos años. Depende de otros para satisfacer sus necesidades primarias y también sus necesidades de afecto y cariño. La familia está en la mejor condición de ayudar y enseñar al niño durante ese período de dependencia e inmadurez. El grupo familiar proporciona ese ambiente de cariño y afecto tan necesario para el desarrollo del niño. La forma en que los aprendizajes se lleven a cabo en la familia, especialmente en los primeros años de vida, será muy significativa para el desarrollo de la personalidad del niño.

### Importancia de la familia en los primeros años

Todos reconocemos que la influencia que ejercen los primeros cinco años es decisiva en el desarrollo de la personalidad. Cuando el niño va a la escuela tiene una personalidad ya establecida y ha aprendido muchos patrones, hábitos y valores que afectarán su desarrollo futuro. Ha comenzado a aprender los rasgos de la cultura y de su subcultura: lenguaje, hábitos del vestir y del comer y también a comportarse como un niño rico o pobre, de la ciudad o del arrabal, protestante o católico. No queremos en forma alguna decir que la personalidad se forma completamente en esos primeros años y que no cambia luego. Las bases de la personalidad se sientan en esos primeros años. Las experiencias de los próximos años y hasta de la vida adulta pueden afectar la personalidad, pero no tan decisivamente como las primeras experiencias. Podría decirse también que el impacto que tendrán en el individuo las experiencias de los próximos años y de la vida adulta depende grandemente de las experiencias vividas por éste en sus primeros años. La infancia es la etapa de mayor aprendizaje para el niño. El tipo y la calidad de las experiencias y aprendizaje vividos en la infancia deja una huella que afecta las experiencias futuras.

En casi todas las culturas el cuidado del niño desde la tierna infancia depende de la madre. Por tanto, la madre juega un papel importantísimo en los primeros años de vida de éste. Será significativa entonces la clase de relación que el niño establezca con su madre desde bien temprano. En esta relación, el niño encontrará la seguridad que es tan necesaria para su ajuste normal. Igualmente importantes serán las relaciones entre los padres y con los demás miembros de la familia, ya que éstas se reflejarán en la conducta y en las actitudes del niño.

Para un estudio más detallado sobre la importancia de los primeros años, recomendamos el examen del libro de Ogburn y Nimkoff.[2]

## Los aprendizajes más significativos

Los primeros años en la vida de todo niño son años de grandes e importantes experiencias. En esta etapa aprende las lecciones de más significación. Lo que aprende y la forma cómo lo aprende tendrán un marcado efecto en el resto de su vida.

Enumeraremos algunos de los aprendizajes más significatios que se adquieren en la edad preescolar.

Las disciplinas básicas. El niño aprende primero, antes que nada, las disciplinas básicas. Nos referimos a las formas de satisfacer las necesidades de nutrición y de eliminación, al igual que el control de sus emociones. En cuanto a la nutrición aprenderá qué alimentos debe comer, cuándo debe hacerlo y con quien. Dependiendo de su condición social y económica y de la educación de sus padres, aprenderá también la etiqueta relacionada con el comer. Todo niño aprenderá asimismo las normas sociales relacionadas con la eliminación. La nutrición y la eliminación dejarán de ser simples necesidades biológicas para convertirse en necesidades socializadas. Ligada a la satisfacción de su necesidad de alimentos puede aprender además a hacer uso de las rabietas, la sumisión y el aislamiento entre otros medios.

El concepto de sí mismo. Desde bien temprano el niño empieza a desarrollar un concepto de él como persona, distinto a las demás personas. Este concepto no se forma en el aislamiento, sino en el grupo social, en su relación con los demás. El niño desarrolla este concepto a la luz de las reacciones que percibe de las personas significativas en su vida, como también de sus propias reacciones a esas personas. Capta la reacción de los otros y desarrolla un concepto de niño bueno o malo, querido o no querido, aceptado o no aceptado. No produce el mismo efecto el que se le trate de "diablito" o de "angelito" o el que oiga a otros hacer referencia a sus buenos o malos hábitos o a su buena o mala educación. Así el niño va formando el concepto de sí mismo que lleva a la escuela. Como se ha señalado, el concepto del yo es un fenómeno de percepción tanto de uno mismo como de los demás.

Las destrezas y los conocimientos. El niño empieza desde pequeño a desarrollar destrezas y a adquirir conocimientos. Aprende a hablar el lenguaje de sus padres, con todas las posibles ventajas y limitaciones. El hecho de poseer un lenguaje y de poderse comunicar con los demás facilita-

---

2. William F. Ogburn y Meyer O. Nimkoff. *Sociología*. Traducción de la segunda edición americana. Madrid: Aguilar, 1959, pp. 305-313.

rá otros aprendizajes. Corresponde a la escuela la responsabilidad de seguir mejorando y enriqueciendo el vocabulario que el niño trae a ella.

Además de adquirir un vocabulario el niño aprenderá también a manejar un número de objetos y herramientas, como los clavos y el martillo, el papel y la crayola, y la cartulina y las tijeras. Estos objetos y herramientas son necesarios en sus juegos y en los períodos de trabajo en la escuela maternal y kindergarten.

La adquisición de destrezas y conocimientos variará de acuerdo con las oportunidades que se le ofrezcan al niño y de acuerdo con el tipo de comunidad en que viva. El ambiente rural, por ejemplo, ofrece al niño algunas ventajas, pero también tiene sus limitaciones. Lo mismo puede decirse en cuanto a la comunidad urbana. El niño del arrabal estará expuesto a las limitaciones que imponen las condiciones poco favorables en que vive. Las condiciones de su ambiente limitado afectarán el aprendizaje de las destrezas y los conocimientos.

*Las diferencias entre las personas y los grupos.* De la misma manera que cuando el niño viene a la escuela trae consigo unos conocimientos ligados a las disciplinas básicas de alimentación y nutrición, trae un concepto de sí mismo y ha adquirido ciertas destrezas de comunicación. Asimismo trae el conocimiento de las diferencias que existen entre él y las demás personas que ocupan una posición igual a él y otras que ocupan posiciones que él considera inferiores o superiores. "No juegues con Fulanito porque no es igual a ti" o "Puedes jugar con Zutanito porque es igual a ti" son expresiones que el niño oye y va asimilando. Se pueden dar muchísimos ejemplos más para ilustrar la forma en que los adultos inculcan estas diferencias en los niños. Algunas veces hacen referencia a los hábitos de limpieza de un niño, su vocabulario, sus modales, su sentido de honradez, su condición económica y la clase social a que pertenece. Puede darse el caso de que hagan referencia hasta al color de la piel, su origen o su religión. Así es que el niño aprende las diferencias entre unos y otros. El grado de desarrollo de estas diferencias guarda estrecha relación con su nivel de aspiraciones. Serán más bajas las aspiraciones de aquellos que ocupan posiciones inferiores en la escala social.

Muchas personas creen que los niños pequeños están libres de prejuicios raciales y religiosos. Lo cierto es que nacen sin ellos, pero desde temprana edad los aprenden de sus padres, de otros adultos y de sus amigos. En los Estados Unidos se ha encontrado mediante estudios que tanto los niños negros como los blancos poseen prejuicios raciales. La madre de color, consciente del trato desigual que recibe de los blancos, enseña a su hijito a mantenerse segregado y a buscar seguridad entre los de su mismo grupo. Igualmente, el niño judío aprende su identidad religiosa como un medio de protección y seguridad.

Entre ese conjunto de diferencias que el niño capta están las diferencias entre los sexos. Desde que nace se le enseña que los varones son diferentes a las niñas y que deben comportarse de manera diferente. Se les inculcan aquellos valores que en nuestra cultura se consideran propios de los niños, como la valentía, la agresividad y las malas palabras. No deben jugar con niñas ni con muñecas. A las niñas se les inculcan los valores femeninos: la modestia, la obediencia, la corrección en su conducta y a veces hasta la sumisión ante el varón, porque "el hombre es superior". La niña hace trabajos propios de su sexo. Ayuda a su mamá en la casa y cuida a sus hermanitos. Se le trata con afecto, ternura y mayor considera- ción. Los padres, por otro lado, son más fuertes y estrictos con los varones.

Los aprendizajes del niño durante esos primeros años, en parte, con- dicionan la significación de sus experiencias futuras. Las experiencias de los próximos años y hasta de la vida adulta pueden afectar la personalidad, pero no tan decisivamente como las primeras experiencias.

## Importancia del clima emocional y social del hogar

Es muy importante para el desarrollo del niño la calidad del clima que se establece en el hogar y la forma en que este clima puede afectarle. El niño pequeño es muy suceptible a todas las influencias que le rodean. Para que las experiencias que el niño vive en su hogar sean verdadera- mente positivas, estas deben proveerse en un ambiente caracterizado por el respeto, el cariño, el afecto y la aceptación. Algunas autoridades señalan que este tipo de clima o ambiente psicológico es lo más trascendental en la educación de seres humanos mentalmente saludables. Este tipo de clima propicia el aprendizaje. Cuando el ambiente hogareño se caracteriza por la tensión, la ansiedad y los sentimientos de culpa, el aprendizaje se afecta adversamente. El niño reflejará en su conducta el mismo estado emocional que ve en sus padres. Padres tensos y ansiosos crean tensión y ansiedad en sus hijos. Muchos casos de delincuencia juvenil han revelado que los delincuentes provienen de hogares llenos de tensiones, problemas e infeli- cidad. Por otro lado, padres seguros y felices propician la manifestación de estos sentimientos.

Dada la importancia de la calidad del clima en el hogar, los padres deben preocuparse por establecer hogares caracterizados por la seguridad emocional, donde el niño sienta que lo aceptan como él es. Los padres deben profesar amor incondicional por sus hijos, esto es, amor que no de- pende de cuán bien se comporta el hijo. Los padres deben recordar que ellos deben aceptar a sus hijos y que el aceptarlos implica que están per- mitiendo a su hijo ser como él desea ser. Esta es la base para cualquier cambio que se considere recomendable.

Además de la familia como fuente de seguridad emocional, debe seña- larse que las relaciones entre padres e hijos deben caracterizarse por la sensitividad. Los padres sensitivos pueden detectar con facilidad las nece- sidades emocionales de simpatía, aprobación o estímulo que pueda estar sintiendo alguno de sus hijos. La satisfacción de estas necesidades será más posible cuando prevalece este tipo de relación.

Igualmente importante es la calidad del clima social del hogar. Este debe caracterizarse por las relaciones democráticas entre los esposos y en- tre estos y sus hijos.

El niño debe sentir que se respeta su personalidad, que él verdadera- mente cuenta como un ser humano y que tiene oportunidad de expresarse. La democracia se va aprendiendo en el hogar desde bien temprano.

## Situaciones problemáticas en el hogar

Estamos conscientes de que no todos los hogares proveen a sus miembros el tipo de clima emocional y social de que hemos hablado. Es quizás esta una de las realidades con que se enfrenta la escuela en el caso de muchos niños. Consideremos algunas situaciones hogareñas que pueden producir un clima indeseable.

*Presión para que el niño logre más de lo que puede.* La expectativa de los padres puede exceder las capacidades físicas, intelectuales o sociales del niño. Al no satisfacer las demandas de sus padres, el niño puede sentirse ansioso, inseguro e inferior.

*Comparación de un hermano con otro.* Aquí podemos mencionar el caso de los padres que constantemente ponen a alguno de sus hijos de ejemplo para que los demás hijos imiten sus ejecutorias. Esta comparación puede resultar en una situación de rivalidad entre los hermanos. La comparación puede estar basada en la inteligencia, las habilidades especiales, el temperamento o la apariencia personal.

*Rechazo del niño por parte de sus padres o por alguno de estos.* El niño percibe los efectos del rechazo. El rechazo se puede deber a muchas causas: puede que los padres esperaban un niño y no una niña, puede que lo desearan inteligente y les saliera torpe, puede que el papá de tipo atlético esperara tener un hijo atleta y no un niño enclenque o un "gusano de libros", o puede que los padres no desearan que el niño naciera. El rechazo puede manifestarse en diversas formas, pero la forma más perjudicial es cuando los padres humillan a sus hijos frente a los demás. La reacción del niño rechazado también puede variar: algunos recurren a llamar la atención en su esfuerzo por ganarse el afecto de sus padres, otros se tornan hostiles y rebeldes y esta hostilidad les crea más problemas. El hechazo resulta en ansiedad, timidez e introversión y esto afecta el desarrollo positivo de la personalidad. Existe evidencia que indica que el rechazo puede resultar en retardación fisiológica, mental y social.

*Ausencia de afecto y de calor en el grupo familiar.* Todo ser humano necesita la intimidad y la seguridad que le proporciona el ser querido y aceptado. Muchos niños son tratados con indiferencia por parte de sus padres; a otros no se les respeta y se les castiga frecuentemente, a veces se les hace sentirse culpables por asuntos de los cuales no son responsables. Este tipo de relación entre el niño y los miembros de su grupo familiar no propicia que se le capacite para establecer buenas relaciones con las demás personas. Puede que se convierta en un ser desconfiado, que siempre está a la defensiva.

*Alabanza excesiva del niño.* Este caso ocurre en ocasiones cuando el niño ha exhibido ciertas habilidades especiales. Se le pide que demuestre sus habilidades cada vez que llega una visita y se le aplaude y alaba por sus ejecutorias. Este niño puede llegar a gustar de las alabanzas y tenderá a buscarlas. Puede que cuando no lo alaban se sienta infeliz y forme un concepto devaluado de sí mismo. Esto puede convertirlo en un ser exhibicionista y llevarlo a desarrollar sentimientos de superioridad que afecten adversamente su desarrollo futuro.

*Dependencia excesiva o sobreprotección.* Existen hogares donde los padres no hacen esfuerzos por ayudar a sus hijos a crecer, a independizarse. Por el contrario, algunos estimulan la dependencia prodigando cuidado y atención excesivos. Algunos padres asumen la responsabilidad de vestir a sus hijos para ir a la escuela, les ponen los zapatos y les preparan los materiales que necesitan. Algunos los acompañan a la escuela y permanecen en ella para cuidarlos a las horas de recreo y de salidas. Esta actitud de los padres priva a los hijos de la satisfacción que se obtiene cuando se hacen algunas cosas por cuenta propia o con un mínimo de dirección y de supervisión por parte de los adultos.

*Autoritarismo.* Se manifiesta el autoritarismo cuando se disciplina al niño excesivamente y se le castiga frecuentemente por cualquier desviación. Este patrón de interacción entre padres e hijos puede contribuir al desarrollo de un ser dependiente de sus padres, pero igualmente puede hacerlo desafiante y agresivo.

Todas estas situaciones que se han mencionado pueden tener resultados negativos en el desarrollo de la personalidad.

### Otras formas en que la familia puede influir en la personalidad

Ya hemos mencionado unas cuantas formas en que la familia puede afectar la personalidad. Dimos especial atención a la influencia de la familia durante los primeros años de vida. Hay otras formas en que la familia puede influir. Entre estas puede mencionarse la conducta de los padres con relación a la disciplina de los hijos. Otra influencia la pueden ejercer los padres al servir de modelo a sus hijos. Analicemos rápidamente estas dos influencias.

Un determinado tipo de conducta de los padres puede ejercer su influencia en la personalidad de los hijos. Nos referimos a la forma en que los padres administran recompensas y castigos. Si el niño se vale de las rabietas para lograr una cosa, puede que recurra a ellas cada vez que sienta necesidad de conseguir algo. Igual puede pasar con el llanto. Estos recursos que el niño aplica en las relaciones con sus padres también se trasladan a sus relaciones con otras personas en la vida adulta.

En último instancia, los padres también ejercen su influencia sirviendo de modelo a sus hijos. Los hijos aprenden de ellos muchos elementos de conducta por observación e imitación. Adoptan estos modelos y se comportan de acuerdo con ellos. De este modo, los niños toman muchos rasgos de personalidad de sus padres.

## LA FAMILIA Y LA ESCUELA

Hemos descrito a través de esta exposición el papel de la familia en el desarrollo del individuo. En este capítulo y en capítulos anteriores hemos hecho claro que la socialización, aunque comienza en la familia, no es tarea exclusiva de esta. Otras agencias también desempeñan una función importante en este respecto. Para nosotros, al igual que para todo el mundo civilizado, la escuela tiene una gran responsabilidad que cumplir en lo que respecta a la educación y formación del ser humano.

Ya a la edad de cinco o seis años, y a veces antes, el niño asiste en nuestra sociedad a la institución escolar. Desde este momento comienza la escuela a compartir con la familia la socialización del niño: a influir en su desarrollo social y a ayudarlo a convertirse en un adulto.

Las responsabilidades de la escuela han ido aumentando cada día. Ya comentábamos al comenzar a tratar este tema que a medida que se complica nuestra sociedad y las personas, incluyendo a las madres, asumen responsabilidades fuera de la casa, ciertas funciones que antes desempeñaba la familia han pasado a ser descargadas por la escuela. Por esta razón, la responsabilidad de la escuela en el desarrollo del niño es mayor cada día.

La escuela ha sido reconocida por todos como la institución que mejor puede encargarse de la transmisión de la cultura. Transmite al niño las destrezas y los conocimientos formales: lectura, escritura, aritmética, etc., y también le enseña su papel en la sociedad en general y especialmente en la sociedad de la escuela. El niño aprende los nuevos papeles que tiene que desempeñar en esta. Aprende a convivir con un grupo mucho más grande que el grupo familiar con el cual él ha estado relacionado. Tiene que aprender a funcionar dentro de este grupo, a compartir con otros, a trabajar con otros, a seguir cierto sistema de trabajo, a obedecer ciertas reglas, a respetar a otros, tanto los iguales a él, sus compañeros, como los maestros, directores y demás personal adulto de la escuela que tienen un *status* superior al suyo.

## Relación entre la familia y la escuela

Desde el momento en que el niño ingresa en la escuela, esta institución empieza a compartir con la familia la responsabilidad de la socialización. De ahí en adelante los modelos que se le presentan al niño no van a ser sólo sus padres, sino también sus maestros y el director de la escuela. El niño empezará muy temprano a advertir diferencias entre los papeles que desempeñan los padres y los que desempeñan los maestros y entre las maneras de actuar en la familia y en la escuela.

Desde el momento en que el niño llega a la escuela, el maestro debe tener presente el hecho en que el niño ha pasado un número de años en la familia y que lo que él es hasta ese instante es un resultado de su vida familiar. Las actitudes, ideas y experiencias que resumen su conducta han sido moldeadas por la familia. El maestro posiblemente note diferencias obvias entre unos niños y otros, y a base de estas diferencias puede concretar ciertos juicios con relación a la clase de familia de donde vienen sus discípulos. Nos referimos a las diferencias en el vocabulario, en el vestir, en los hábitos de comer y en el conocimiento o desconocimiento de las reglas elementales de cortesía, entre otras características.

El maestro puede también notar diferencias en el concepto de los valores que tienen unos y otros. Estos son también producto de la influencia de la familia. Los valores que los niños exhiben son muchas veces contrarios a los valores en los cuales el maestro cree y a base de los cuales la escuela debe educar. El cambiar estos valores no es cosa fácil, porque son los valores que el niño ha aprendido en la familia y los valores que sustentan sus padres. En este caso surge un conflicto entre los valores de la escuela y los de la familia.

Conviene dar algunos ejemplos de discrepancias en los valores. Se crea un problema cuando la escuela trata de enseñar al niño el valor de la honradez y castiga al niño que roba, mientras que la familia, en cambio, lo estimula a robar. Este puede ser el caso de una familia pobre que se vale del robo del niño para aumentar sus ingresos. Otro ejemplo es el siguiente: la escuela no estimula las peleas entre los niños y, en cambio, inculca a sus discípulos el utilizar distintos medios para zanjar sus diferencias. El hogar, en cambio, estimula especialmente al varón a usar los puños para resolver sus problemas. También puede darse el caso de que los padres de muy poca preparación no aprecien el trabajo que la escuela hace ni sientan gran interés por que sus hijos permanezcan en la escuela por mucho tiempo. En casos como estos, la actitud de los padres contrarresta la labor de la escuela.

El maestro tiene que darse cuenta de que él no puede educar solo. El niño ha pasado y está pasando la mayor parte del tiempo en la familia, y la influencia de esta es poderosa. El maestro debe conocer el trasfondo familiar del niño para poder ayudarlo mejor. Se debe valer de distintos medios tales como visitas, conferencias, cartas, programas escolares, proyectos, etc., para conocer a los padres y convertirse en su aliado en la formación del niño. No cabe duda de que será más fácil esta relación con la familia en las comunidades pequeñas y rurales, pero aun en las ciudades se puede hacer un esfuerzo por unir el hogar y la escuela. El maestro debe tener presente que ambos tienen que trabajar unidos si desean lograr el máximo en el mejor desarrollo del niño. Este objetivo no podrá realizarse bien si el hogar y la escuela funcionan como instituciones separadas.

## RESUMEN

La familia es la principal institución social y el grupo que mayor influencia ejerce en el desarrollo del ser humano. En ella nacen los hijos y se les comienza a socializar para convertirlos en adultos útiles a la sociedad, para que ellos, a su vez, puedan establecer sus propias familias.

La familia desempeña importantes funciones en la sociedad. Entre estas funciones están las siguientes: reproducción, crianza y socialización de los niños, educación, economía, control social, protección, recreación, religión, afecto, *status* familiar, intimidad, seguridad y expresión emocional. La forma cómo se desempeñan estas funciones en la familia de hoy difiere de la forma como se cumplían en el pasado. Esto es, estas funciones han sido alteradas. Las fuerzas de cambio, principalmente la industrialización y la urbanización, han operado una serie de transformaciones. Por esta razón, muchos han llegado a especular sobre la posible desaparición de la familia como institución social. A pesar de estos cambios, la familia moderna permanece como principal grupo social y ninguna otra institución puede reemplazarla totalmente. Esta sigue cumpliendo con las funciones de proveer afecto y compañerismo y velar por el desarrollo de la personalidad de los niños.

Analizada en términos sociológicos, la familia es un sistema social, un grupo de personalidades en interacción, en el que cada uno de los miembros desempeña un papel definido, aunque no necesariamente fijo. Dentro de ese sistema social ocurren tres formas principales de interacción: 1) entre padre e hijos; 2) entre marido y mujer y 3) entre hermanos.

La familia influye en varias formas en el desarrollo de la personalidad del niño. Los primeros años de vida, los cuales el niño pasa en la familia, son de vital importancia. Las bases para la personalidad se sientan en esos primeros años. Por esta razón es tan importante la clase de clima social y emocional del hogar. Es esencial el clima social caracterizado por el respeto, el cariño, el afecto y la aceptación. Pueden crearse una serie de problemas en la personalidad del niño, tales como el de la rivalidad, timidez, ansiedad y tensiones cuando el clima de la familia no es el más adecuado. Estos problemas pueden tener efecto en el futuro del niño y en sus relaciones como adulto.

La familia sola no puede encargarse de la formación del niño. Cuando el niño tiene de cinco a seis años de edad, la familia empieza a compartir la educación con la escuela. Lleva a la escuela una serie de aprendizajes adquiridos antes de ingresar en las aulas.

La escuela, como la primera institución formal que comparte con la familia sus funciones, no puede permanecer ciega a las situaciones presentes en los hogares de algunos de los estudiantes. Por el contrario, puede anticipar que muchas de las situaciones problemáticas ya mencionadas forman parte de las experiencias de vida de los niños que asisten a ella. Estas situaciones deberán ser un reto para el maestro.

Deberá hacer esfuerzos para que el niño encuentre en la escuela un clima emocional y social deseable, donde siente que pertenece y que se le estima, un ambiente que propicie el aprendizaje. Debe ser un ambiente en que el niño se sienta aceptado y respetado, donde vea que el maestro demuestra interés en él como persona y que se esfuerza por entenderlo.

La escuela deberá ver también como una de sus responsabilidades el establecer y mantener buenas relaciones con los padres. No pretendemos implicar que la escuela ha de intervenir en la solución de las dificultades familiares. La escuela debe aspirar a conocer la condición hogareña como un requisito indispensable, si es que desea proveer al niño experiencias que por lo menos contrarresten en parte las influencias negativas que algunos encuentran en sus hogares. La labor educativa de la escuela no se limita a la educación de los niños, en muchos casos se justifica que eduquemos también a los padres.

## LECTURAS

Azevedo, Fernando de. *La sociología de la educación.* Cuarta edición en español. México: Fondo de Cultura Económica, 1958, páginas 147-160.

Banks, Olive. *The Sociology of Education.* New York: Schocken Books, 1968, Capítulos 4 y 5.

Bartky, John A. *Social Issues in Public Education.* Houghton Mifflin Co., 1963, Capítulo 9.

Biesanz, John y Marvis Biesanz. *La sociedad moderna: Introducción a la sociología.* México: Editorial Letras, S. A., 1958, Capítulos 13 y 14.

Boocock, Sarane S. *An Introduction to the Sociology of Learning.* New York: Houghton Mifflin Co., 1972, Capítulo 7.

Brembeck, Cole S. *Social Foundations of Education: Environmental Influences in Teaching and Learning.* New York: John Wiley and Sons, Inc., 1971, Capítulo 5.

Bowman, Henry A. *Marriage for Moderns.* Quinta edición. New York: McGraw-Hill Book Co., 1965, Capítulo 16.

Broom, Leonard y Philip Selznick. *Sociology: A Text with Adapted Readings.* Segunda edición. Evanston: Row, Peterson and Co., 1958, Capítulos 5 y 10.

Brown, Francis J. *Educational Sociology.* Segunda edición. New York: Prentice-Hall, Inc., 1954, Capítulo 9.

Burgess, Ernest W. y Harvey J. Locke. *The Family, from Institution to Companionship.* Segunda edición. New York: American Book Co., 1953, Partes III y IV.

Cáceres, Ana C. *Education y orientación.* Tercera edición revisada. Río Piedras: Colegio de Pedagogía, Universidad de Puerto Rico, 1972, Capítulo XII.

Chilcott, John H. y otros. *Readings in the Socio-cultural Foundations of Education.* Belmont, California: Wadsworth Publishing Co., Inc., 1968, Capítulo 7.

Cole, William E. y Roy L. Cox. *Social Foundations of Education.* New York: American Book Co., 1968, Capítulo 8.

Cook, Lloyd A. y Elaine F. Cook. *A Sociological Approach to Education.* Tercera edición. New York: McGraw-Hill Book Co., 1960, Capítulo 9.

Cox, Philip W. L. y Blaine E. Mercer. *Education in Democracy: Social Foundations of Education.* New York: McGraw-Hill Book Co., 1961, Capítulo 4.

Elkin Frederick. *El niño y la sociedad.* Buenos Aires: Editorial Paidos, 1964, Capítulo 4.

Goode, William J. *The Family.* New Jersey: Prentice-Hall, Inc., 1964.

Graham, Grace. *The Public School in the New Society.* New York: Harper and Row, 1969, Capítulo 9.

Green, Arnold W. *An Analysis of Life in Modern Society.* Tercera edición. New York: McGraw-Hill Book Co., Inc., 1960, Capítulos 17 y 18.

Halsey, A. H. y otros (ed.). *Education, Economy and Society: A Reader in the Sociology of Education.* New York: The Free Press of Glencoe, 1961, páginas 414-420.

Havighurst, Robert J. y Bernice L. Neugarten *Society and Education.* Tercera edición. Boston: Allyn and Bacon, 1967, Capítulo 6.

Hettlinger, Richard. *Sex isn't that Simple: The New Sexuality on Campus.* New York: The Seabury Press, 1973.

Hymes, J. L. *Effective School-Home Relations.* New Jersey: Prentice-Hall, Inc., 1953.

Kallenbach, W. Warren y Harold Hodges, Jr. *Education and Society.* Columbus, Ohio: Charles E. Merrill Books Inc., 1963, páginas 148-158.

Koenig, Samuel y otros. *Sociology: A Book of Readings.* New Jersey: Prentice-Hall, Inc., 1956, páginas 152-157.

Lehner, George F. y Ella Kube. *The Dynamics of Personal Adjustment.* Segunda edición. New Jersey: Prentice-Hall, Inc., 1964, Capítulo 8.

Linton, Ralph. *Estudio del hombre.* Cuarta edición en español. México: Fondo de Cultura, 1959, Capítulos X y XI.

Margolin, Edythe. *Sociocultural Elements in Early Childhood Education.* New York: Macmillan Publishing Co., Inc., 1974, Capítulo 4.

Martin, William F. y Celia B. Stendler. *Child Behavior and Development.* Edición revisada y ampliada. New York: Harcourt Brace and Co., 1959, Capítulo 10.

Meltzer, Bernard N., y otros. *Education in Society: Readings.* New York: Thomas Y. Crowell Co., 1958, páginas 118-121.

Merrill, Francis E. y H. Wentworth Eldredge. *Society and Culture.* New Jersey: Prentice-Hall, Inc., 1957, Capítulos 4 y 17.

Miller, Daniel R. y Guy E. Swanson. *The Changing American Parent.* New York: John Wiley and Sons, Inc., 1959.

Miller, Harry L. y Roger R. Woock. *Social Foundations of Urban Education.* New York: Holt, Rinehart and Winston, Inc., 1973, Capítulo 4.

Ogburn, William F. y Meyer O. Nimkoff. *Sociología.* Traducción de la segunda edición americana. Madrid: Aguilar, 1959, Capítulos 12 y 23.

Ritchie, Oscar W. y Marvin R. Koller. *Sociology of Childhood.* New York: Appleton Century Crofts, 1964, Capítulos 6, 9, 10.

Robbins, Florence G. *Educational Sociology.* New York: Henry Holt and Co., 1953, Capítulos 5 y 6.

Sánchez Hidalgo, Efraín y Lydia A. de Sánchez Hidalgo. *La psicología de la crianza.* Río Piedras: Editorial Universitaria, 1973.

Stanley, William O. y otros. *Social Foundations of Education.* New York: The Dryden Press, Inc., 1956, páginas 102-119.

Westby-Gibson, Dorothy. *Social Perspectives on Education.* New York: John Wiley and Sons, Inc., 1965, Capítulo 7.

# CAPÍTULO XIV

## LOS GRUPOS DE ACTIVIDADES

Las relaciones sociales del niño durante los primeros dos o tres años de vida se limitan principalmente a los miembros de su familia inmediata. Ya a la edad de tres o cuatro años el niño amplía sus relaciones sociales para incluir niños de su misma edad, primero en sus juegos y luego en otras actividades propias de su etapa de crecimiento. Debido a la importancia que tienen, tanto paar el niño como para el adolescente y el adulto, las relaciones sociales con otros de su misma edad, dedicaremos un capítulo de este trabajo al estudio de los grupos de actividad.

El mismo empezará con una discusión en torno a la naturaleza de estos. Se incluirá bajo este tema la definición de los grupos de actividad y sus funciones. Después pasaremos a estudiar los tipos de grupos de actividad. Finalmente estudiaremos la influencia de estos grupos en el desarrollo de la personalidad y la relación entre ellos y la escuela.

### LA NATURALEZA DE LOS GRUPOS DE ACTIVIDADES

Hace relativamente poco tiempo que los sociólogos y los psicólogos han venido a preocuparse por los grupos de actividades de los niños, los jóvenes y los adultos. En el pasado, las actividades de juego de los niños no se veían con buenos ojos. El niño no tenía mucho tiempo libre para dedicarlo al juego. Existía la creencia de que el tiempo libre incitaba a la maldad y al vicio. Esa actitud de la sociedad hacia el juego impedía que los científicos sociales se interesaran en el estudio de esta importante actividad humana. Los científicos sociales de hoy día, sin embargo, ven el juego y las demás actividades que los grupos llevan a cabo como medios de interacción social, muy importantes en el desarrollo de la personalidad humana. Estas actividades satisfacen el deseo de intimidad del niño y le permiten hacer cosas que él no puede realizar solo.

Como dijimos anteriormente, el niño tiene que socializarse en un grupo mayor que su familia. Su vida futura no se va a limitar exclusivamente a ella. Por esta razón, ya a la edad de tres o cuatro años tiene relaciones con otras personas fuera del círculo familiar. A esta edad comienzan sus actividades de juego, primero con los vecinos de su mismo edad, y luego, cuando va a la escuela, con sus vecinos y con otros niños. Así se van ampliando los contactos del niño con otros y empiezan estos grupos a tener significación para él; él, en cambio, va afectando a los otros niños de los grupos de juego.

Estos grupos satisfacen necesidades que la familia no puede satisfacer. No queremos en forma alguna implicar que él no necesite de la familia ni que los grupos de niños de su edad la sustituyan. Ambos grupos, los miembros de su familia y los niños de su misma edad, son importantes e imprescindibles. Los sociólogos colocan a los grupos de actividad como segundos en importancia después de la familia, en la formación de la personalidad del niño. Por esta razón es que deseamos estudiar más a fondo todo lo relacionado con estos grupos.

## Definición

Para propósitos de este trabajo hemos preferido el término general de grupos de actividad antes que referirnos a grupos específicos con funciones recreativas como grupos de juego, pandillas o clubs. Más adelante, para fines de análisis, tendremos que referirnos a estos grupos por separado. Havighurst [1] y Bossard [2] usan el término *peer group*,[3] grupo compuesto por personas de la misma edad y del mismo *status* social, para referirse a lo que aquí llamamos grupos de actividad. Brown,[4] en cambio, prefiere usar el término *activity groups*.

Cuando hablamos de grupos de actividad nos referimos a la asociación voluntaria, de naturaleza recreativa, que forman niños, jóvenes y adultos. Por lo general, se incluyen bajo este término las agrupaciones recreativas de los niños y los adolescentes solamente, pero lo cierto es que los adultos también forman grupos con estos propósitos. Para fines de este trabajo, al hablar de grupos de actividad nos estamos refiriendo a los grupos que forman los niños y los jóvenes. No incluimos el estudio de los grupos de actividad de los adultos, ya que nos preocupa más en este trabajo el desarrollo de la personalidad de los niños y los adolescentes que de los adultos.

Los grupos de actividad de los niños y los jóvenes excluyen por lo general a los adultos, los maestros o los padres, con los cuales ellos no pueden asociarse de igual a igual. El adulto es un extraño en el grupo y se le rechaza. El niño encuentra seguridad y confianza en el mundo de sus iguales. Hasta en aquellos grupos en los que hay supervisión de los adultos y donde estos han sido aceptados por los jóvenes, muchas áreas de comunicación e interacción son vedadas para los adultos. De acuerdo con los jóvenes, hay muchas cosas que los adultos no pueden comprender; solo los del grupo de actividad las comprenden.

Los grupos de actividad tienen un propósito definido, y para lograr ese propósito los miembros asumen ciertas responsabilidades y establecen entre sí relaciones de intimidad y de pertenencia al grupo. Por la relación íntima entre sus miembros, la mayor parte de los grupos de actividad, es-

---

1. Robert J. Havighurst. *Human Development and Education.* New York: Longmans, Green and Co., 1953, p. 47.

2. James H. S. Bossard. *The Sociology of Child Development.* New York: Harper and Brothers, 1948, pp. 493-494.

3. En español, *grupo de pares.*

4. Francis J. Brown. *Educational Sociology.* Segunda edición. New York: Prentice-Hall, Inc., 1954, p. 252.

pecialmente aquellos que funcionan sin la supervisión y el control de los adultos, pueden clasificarse como grupos primarios.

Los grupos de actividad pueden analizarse sociológicamente al igual que cualquier otro grupo social. Son sistemas sociales compuestos por personas en interacción. Sus miembros cuentan con la aprobación de otros. La familia y la escuela desaprueban con frecuencia la formación de los grupos de actividad, especialmente cuando se organizan durante la adolescencia. Es en esta etapa cuando los jóvenes luchan por independizarse de la familia y se identifican plenamente con los grupos de actividad.

## Características

Los grupos de actividad son sistemas sociales que tienen una organización social definida en la que las personas desempeñan determinados papeles sociales. Consisten de personas de igual posición social. Los miembros de mueven entre iguales. No ocurre como en el caso de la familia o de la escuela, en la que hay una persona de *status* superior, el padre o el maestro, que controla la conducta de sus miembros y en la que el niño asume la posición inferior. Debido a las semejanzas entre sus miembros, sus intereses comunes y las actividades que agradan a todos, presentan una serie de características que permiten que estos se describan como un mundo social aparte, una subcultura. En esta subcultura se dan costumbres, tradiciones, normas y valores propios del grupo.

Otra característica del grupo de actividad es la de que debido al carácter voluntario del mismo y a la inmadurez de los miembros, las personas no se unen a estos grupos permanentemente. La composición de los grupos cambia; las personas cambian de grupo. No existe ese apego a la conducta de sus miembros. Los padres y los maestros pueden dar fe de esta condición. Los niños quieren ser y comportarse como los demás miembros del grupo, especialmente como aquellos a quienes más admiran. A medida que los niños van creciendo, imitan más a los miembros del grupo; estos influyen más en su comportamiento. La adolescencia es quizá la etapa en la que mejor puede percibirse la influencia de unos miembros del grupo en otros. Después de esta etapa, ya los miembros se sienten por lo general con mayor seguridad y madurez para hacer sus propias decisiones.

El grupo de actividad guarda estrecha relación con la estructura social de la comunidad. En casi todos los grupos de actividad los miembros pertenecen a la misma clase social. Esta situación puede deberse a la influencia de los padres y también al tipo de comunidad. Los niños pequeños escogen sus amistades, por lo general, de entre sus vecinos. Si la comunidad consiste de gentes de una misma clase social, no es extraño que el grupo de actividad también consista de niños de la misma clase.

No queremos dejar de mencionar una última característica. Los grupos de juegos satisfacen necesidades específicas de niños y jóvenes. Estos grupos sirven para escapar de la supervisión y el control de los adultos, para independizar al niño del control de la familia. Produce gran satisfacción a los niños realizar las actividades que ellos seleccionan. También les produce satisfacción participar en un mundo de iguales. En ese sentido, el grupo de actividad satisface una necesidad y sirve una importante función en la socialización del niño.

## Funciones

Como agente socializador, el grupo de actividad tiene importantes funciones que desempeñar. Todos los libros que tratan sobre el desarrollo de la personalidad dedican una parte al estudio de los grupos de actividad. Quizá la función más importante del grupo sea que enseña al niño a desenvolverse en otros grupos fuera de su familia, especialmente en un grupo distinto a aquel en que ha pasado los primeros años de su vida. En el grupo de actividad, el niño aprende a participar con otros de su misma edad, a respetar los derechos de otros y también a conocer los suyos. De esta forma aprende a controlar su propia conducta a través de los esfuerzos del grupo.

En este grupo el niño aprende con sus amigos y a través de ellos la cultura de su sociedad y la de los mayores. También aprende a ser un niño y hacer las cosas que los demás niños hacen en relación con los otros niños. En el grupo de actividad se entrena para desempeñar nuevos papeles sociales que no tenía que desempeñar en la familia, como, por ejemplo, a ser líder a veces y seguidor otras veces.

El grupo de actividad es una importante fuente de información para el niño. En él aprende mucha información que no adquiere en la familia. Casi toda la información sobre el sexo la adquiere en sus grupos de amigos. También adquiere otra información, como, por ejemplo, aquella que se relaciona con deportistas distinguidos, inventores y aventureros en el caso de los niños, e información sobre actrices y mujeres famosas en el caso de las niñas.

En el grupo de actividad, el niño aprende la conducta propia de un niño. La niña aprende la conducta propia de una niña; en otras palabras: aprenden los papeles sociales determinados por el sexo.

El grupo de actividad también sirve la importante función de ayudar en el desarrollo del sentido de independencia del niño, de la familia y de los demás adultos, tan necesaria en una persona madura y bien ajustada.

### TIPOS DE GRUPOS DE ACTIVIDAD

Para que se nos facilite el estudio de los grupos de actividad vamos a dividirlos en dos tipos: los informales y los formales. Entre los grupos informales incluiremos el grupo de juego, las pandillas y las cliques. Estos son grupos formados por niños, en los que solamente ellos son miembros y las actividades son dirigidas por ellos. Son grupos formales los grupos de niños y jóvenes que funcionan bajo la dirección y supervisión de una institución o de personas mayores, como los Niños y las Niñas Escuchas. También son grupos formales los clubs, las fraternidades y las sororidades.

Pasemos ahora a analizar estos grupos separadamente.

## Grupos informales

A pesar de que todos son grupos de actividad y persiguen los mismos fines, podemos señalar diferencias entre unos grupos informales y otros.

a) *El grupo de juego.* Este es el más informal de todos los grupos de actividades y también el primero que se organiza. Consiste en niños pequeños, que viven cerca. Es un grupo pequeño compuesto de dos, tres o cuatro niños, que se reúnen a jugar en los patios de sus casas. En este grupo, los niños y las niñas juegan juntos hasta los seis o siete años. Después de esa edad, los niños comienzan a jugar con los niños y las niñas con las otras niñas.

El grupo informal de juego es un grupo de carácter imaginativo. Una mera sugestión de un miembro es suficiente para cambiar de actividad o para que un miembro desempeñe un papel distinto. Este grupo no tiene un líder reconocido por todos. Todos los miembros asumen actitudes de líderes en diferentes ocasiones. La oposición es frecuente entre los miembros de este grupo, pero también termina rápidamente. Los tirones de cabellos, los pellizcos y las peleas son corrientes, pero prontamente se olvidan y el grupo continúa su actividad como si nada hubiera pasado.

El grupo de juego es un grupo temporero, que se rompe fácilmente. Se forma con el fin de realizar cierta actividad y se desintegra tan pronto ésta termina.

En el grupo de juego el niño aprende la cooperación y las reglas de este, cómo debe tratar a un miembro del sexo opuesto y cómo debe tratar y comportarse con los amigos que juegan con él en el patio de su casa.

Las actividades de juego de los niños toman este carácter informal durante los años preescolares y los primeros años de la escuela elemental. Los años que corresponden a la escuela elemental son en cambio años en que las actividades de juego del niño van tomando un carácter mucho más formal y organizado. Existe la diferenciación de sexo en las actividades recreativas de esta etapa. El niño o niña selecciona a sus compañeros de juego. Ya no es cosa de jugar solamente con los vecinos. Otros niños, aunque no sean vecinos, que tengan intereses comunes, se unen al grupo de juego. En esta etapa el grupo de juego se va convirtiendo en lo que llamamos una pandilla.

b) *Pandillas.* No podemos analizar las pandillas sin referirnos a los estudios sociológicos sobre este grupo que hizo Thrasher y que aparecen en su libro *The Gang.*[5] Thrasher es una autoridad en esta materia. Sus escritos están basados en un estudio de 1,313 pandillas de la ciudad de Chicago. Para él, la pandilla es un grupo primario que surge espontáneamente por una estrecha asociación y que logra solidaridad como resultado de algún tipo de conflicto o antagonismo en su ambiente. La pandilla puede surgir como resultado de un grupo de juego, pero se distingue de este grupo por la solidaridad motivada por el conflicto. Como muchas veces los miembros de la pandilla no cuentan con el debido respaldo y la aprobación de los mayores, la solidaridad entre sus miembros es mayor y lo es también el conflicto con los grupos de afuera.

---

5. Frederic M. Thrasher. *The Gang.* Chicago: University of Chicago Press, 1936.

La pandilla es un grupo pequeño, de cinco o seis miembros, casi siempre del mismo sexo y de la misma edad. Puede también haber algunas pandillas mixtas, de niños y niñas, como también pueden existir pandillas compuestas exclusivamente por niñas. Debido a las normas sociales relacionadas con la crianza de las niñas, estas tienden mucho menos que los varones a unirse en pandillas. Por lo general, los niños de siete u ocho años empiezan a formar pandillas, pero estas casi siempre abundan más en la etapa preadolescente. Es en esta etapa cuando los niños tienen una mayor tendencia a unirse en pandillas. Es una etapa de lucha por la emancipación, de aventuras, de experimentación social y de nuevas experiencias; la pandilla, por lo general, satisface estas necesidades en la vida del preadolescente y del adolescente.

Las pandillas tienen una organización definida. Tienen por lo general un líder, y los miembros desempeñan diferentes papeles sociales, de acuerdo con sus habilidades. El líder tiene que ganarse el puesto demostrando su competencia en ciertas áreas. Los miembros de la pandilla tienen muchas veces que pelear para ganarse un sitio en ella. En otras palabras: la adaptación a la pandilla se adquiere casi siempre mediante la oposición o el conflicto.

Los miembros de la pandilla establecen una relación muy estrecha y funcionan como equipo en todas sus actividades. De este modo se protegen de los grupos de afuera, a los cuales persiguen y atacan. La pandilla funciona como un grupo de defensa de sus miembros y de las cosas en las cuales cree.

Existen algunos medios que sirven para unir a los miembros de la pandilla. Estos son los símbolos formales: los nombres, la consigna o palabra clave, el modo de darse la mano, el vocabulario y la manera de vestir. Estos son detalles que comparten todos los miembros de la pandilla, que les sirven de identificación y que los distinguen de otros grupos.

Las pandillas, por lo general, se desintegran en la adolescencia, pero no todas se rompen en esta etapa. Algunas pandillas continúan en la adolescencia y hasta en la vida adulta. Las que continúan en la vida adulta pueden exhibir características antisociales. La pandilla empieza como un grupo muy poco definido y organizado que a veces se integra y cobra cohesión y luego vuelve a desintegrarse. Más tarde se establece formalmente y entra en una etapa de completa integración y solidaridad. Esta es la etapa en que el miembro de la pandilla se debe totalmente a su grupo. Su primera lealtad en esta etapa es a su pandilla. Finalmente va perdiendo esa solidaridad de grupo, va alterando un poco sus actividades y se convierte en un grupo convencional, como un club social o un club atlético. Este es el comienzo del fin de la pandilla.

Es natural que según van creciendo los jóvenes pierdan interés en las actividades de la pandilla. Surgen otras actividades que generalmente interfieren con su vida de la pandilla: los estudios formales, el interés por el sexo opuesto primero y luego los compromisos con sus novias y el trabajo. Todas estas cosas ayudan a que el adolescente, por lo general, pierda interés en las pandillas y las mismas se desintegren en esta etapa.

Cuando el vulgo oye el término *pandilla*, piensa por lo general en un grupo de niños malos que se dedica a actividades antisociales. Esta no es la mejor manera de ver las pandillas. Estas no son necesariamente antisociales. Muchas pandillas realizan actividades completamente sociales —esencialmente recreativas— y se valen de medios lícitos para llevar a cabo las mismas. La conducta de la pandilla depende casi siempre del ambiente en que ésta se desarrolla. Las comunidades estables, bien organizadas e integradas, que proveen las facilidades y los medios adecuados para las actividades de grupos de niños y adolescentes, ayudan a que las pandillas se dediquen a actividades sociales. En cambio las comunidades inestables y en proceso de desintegración, que no pueden ofrecer buenas facilidades para la recreación de los jóvenes, hacen que éstos se dediquen a actividades antisociales. En estos casos, las pandillas se convierten en grupos delincuentes. Otros factores que pueden conducir a la pandilla a actividades antisociales son los siguientes: los desajustes en la vida familiar, el bajo nivel económico, el bajo *status* social, el desempleo, las inadecuadas oportunidades educativas, la inestabilidad producida por los patrones culturales cambiantes y el conflicto de valores entre los diferentes grupos con los cuales los adolescentes establecen contacto.

Las pandillas que se forman en los sectores menos privilegiados de la comunidad, cerca de los muelles, los prostíbulos, los salones de baile de bajo nivel y los arrabales, tienden por lo general a realizar actividades antisociales, como el robo y las peleas con otras pandillas. Estos son sectores de la comunidad caracterizados por una alta proporción de delincuentes. En un capítulo anterior comentábamos el crecimiento de la ciudad con su compleja organización social y la falta de controles efectivos y mencionamos el origen de los problemas sociales como secuela. Se pierde la intimidad, se debilitan los controles sociales, faltan las facilidades necesarias para hacer frente a los problemas y surge inevitablemente la delincuencia.

Los padres han tratado muchas veces de evitar que sus hijos se unan en pandillas. Preocupa a los padres el estrecho lazo que sus hijos establecen con los miembros de la pandilla, cómo se adaptan a las actividades y patrones y cómo descuidan sus estudios y se despreocupan de sus responsabilidades como miembros de la familia. En estos casos existe oposición entre la pandilla y la familia. Como dijimos anteriormente, la oposición tiende a mantener a la pandilla más sólida y unida. La sociedad ha considerado perjudiciales las actividades antisociales de las pandillas y ha tratado por varios modos de resolver este problema. La Policía los ha perseguido y algunos miembros han sido arrestados. Se ha cambiado de escuela a algunos miembros y se ha enviado a otros a escuelas reformatorias. Esto lo que ha hecho es unir más firmemente a los miembros de la pandilla y aumentar el conflicto con los grupos de afuera; no ha resuelto el problema.

Los padres, los maestros y la sociedad en general tienen que darse cuenta de que las pandillas satisfacen una necesidad en la vida de los adolescentes. Si la comunidad ha fallado en atender adecuadamente esta necesidad, los jóvenes la satisfacen a su manera. La comunidad tiene la obligación de proveer facilidades recreativas a los niños y a los jóvenes. Debe estimularlos para que tengan sus grupos, pero también deben interesarse en esas agrupaciones ofreciéndoles dirección y orientación. La comunidad no puede coartar el deseo de compañerismo e intimidad de los jóvenes. Tampoco puede privarles de oportunidades para el juego, la excitación y las aventuras y tiene la obligación de encauzar las actividades de los niños y los jóvenes por canales saludables y adecuados. Esa será una forma efectiva de combatir la delincuencia juvenil.

En la formulación de un programa comunal que trate de atender las necesidades de los jóvenes hay que darles oportunidad de expresar sus puntos de vista, sus intereses y sus problemas. Ellos deben tomar parte en la elaboración de ese programa para que puedan asumir sus responsabilidades. Las organizaciones de la comunidad tales como el hogar, la escuela y la iglesia deben ofrecer a los jóvenes la oportunidad de colaborar en los asuntos de la comunidad y de participar en proyectos y campañas. La escuela en particular tiene la responsabilidad de proveer el ambiente más adecuado para el mejor desarrollo del niño. Debe también contar con el personal especializado que ayude a atender los casos más difíciles. Debe antes que nada ofrecer un currículo atractivo e interesante, ofrecer actividades recreativas, promover oportunidades para la formación de grupos en la escuela y trabajar en cooperación con el hogar y las demás instituciones de la comunidad.

*c*) *Cliques.* Una de las personas que mejor ha discutido la clique es Hollingshead en su libro *Elmtown's Youth,*[6] el cual recomendamos que se consulte para un estudio detallado sobre este tipo de grupo.

La clique es un grupo pequeño, de relaciones primarias, compuesto por personas del mismo *status* social, generalmente adolescentes, y que se caracteriza por su exclusivismo y estabilidad. Es un subgrupo que funciona dentro de un grupo mayor. Sus miembros deben lealtad al subgrupo antes que al grupo grande. La clique escolar promedio, la que surge en la escuela, consiste por lo general de unos cinco miembros. Esta clase de cliques variaba en el estudio de Hollinsghead desde dos hasta nueve miembros para las cliques de varones y de dos hasta doce para las cliques de niñas. Puede también haber cliques mayores que éstas.

La clique se forma cuando dos o más personas se unen en íntima asociación que envuelve el estar juntas, ir a sitios juntas, intercambiar confidencias, lo que produce la completa aceptación de la otra persona. Los asuntos estrictamente personales y confidenciales se tratan entre los miembros de la clique. Nadie comprende mejor que un compañero de la clique el asunto, la confidencia o el problema que se trata. Se solicita el consejo del compañero y puede anticiparse que la solución que se tome será respaldada por la clique.

Al definir las cliques se recalca el grado de solidaridad, la interacción íntima y primaria entre sus miembros y el elemento emocional que caracteriza esas relaciones sociales. Los miembros de la clique sienten la dedicación y lealtad a ella antes que a su familia o a otros grupos. Es un grupo cerrado, del cual se excluye totalmente a los que no pertenecen al mismo. La clique desarrolla un alto sentido de conciencia de grupo, de pertenencia, lo que da lugar a que surjan actitudes, valores y sentimientos propios de ese grupo.

El pertenecer y ser aceptado por una clique ofrece seguridad al adolescente. Se siente importante cuando sabe que pertenece al grupo, que hace una contribución a él y que es aceptado por este. Esto lo ayuda a elevar el concepto que tiene de sí.

La clique guarda estrecha relación con la estructura de clases de la comunidad. Los miembros de una clase social tienden a formar cliques entre

---

6. August B. Hollingshead. *Elmtown's Youth.* New York: John Wiley and Sons, 1949.

sí, de la misma manera que los adultos de la misma clase social forman agrupaciones que perpetúan su clase. Es posible que los miembros de la clase alta se unan a los de la clase media en una clique, o viceversa. No es común, sin embargo, que los miembros de la clase baja pertenezcan a las cliques de los adolescentes de la clase alta. Son más comunes las cliques entre los adolescentes de las clases alta y media que entre los de la clase baja. Estos parecen no tener el tiempo, ni las facilidades, ni los intereses que ayudan a la formación de cliques. Las cliques surgen mayormente por las actividades escolares, sociales y atléticas de los jóvenes.

Las cliques, al igual que las pandillas, satisfacen una necesidad en la vida del adolescente. Estos grupos surgen en una etapa en que el adolescente necesita emanciparse de la familia y de los mayores. La clique les ofrece seguridad y satisfacción a través de las actividades sociales, aprobadas por la sociedad. En la clique no ocurre, como en la pandilla, que el niño se satisface al dedicarse a las actividades antisociales, muchas veces destructivas. Por esta razón es que la clique nunca desarrolla como la pandilla conflicto con la sociedad.

Muchos padres y maestros no reconocen el verdadero valor que las cliques tienen para el adolescente. Se oponen a las cliques y tratan de que los jóvenes rompan los lazos con estas, porque no reconocen su importancia como agencias socializadoras. Se crean entonces conflictos, porque los jóvenes no están dispuestos a abandonar sus grupos. Como resultado, los adolescentes se unen más firmemente a su clique y tratan de todos modos de permanecer en sus grupos.

En el próximo capítulo, cuando se discuta la escuela como sistema social, tendremos la oportunidad de tratar específicamente el tema de las cliques escolares.

2.  ## Grupos formales

Como dijéramos anteriormente, los grupos de actividades pueden clasificarse en formales e informales. Los grupos informales ya fueron discutidos. Pasemos ahora a analizar los grupos formales. Se incluyen en esta clasificación los grupos que funcionan bajo la dirección de una institución y tienen alguna supervisión de adultos, como los clubs, las fraternidades y las sororidades.

a) *Grupos de jóvenes que funcionan bajo la supervisión de los adultos.* Las diversas instituciones y organizaciones de la comunidad han reconocido la tendencia natural de los jóvenes a formar grupos. También se ha reconocido el hecho de que antes que tratar de romper grupos como las pandillas es mejor dirigir sus actividades y tratar de sustituir por medio de las sociales las antisociales y ofrecer no solamente facilidades físicas sino también el respaldo y la cooperación de los adultos. Así han surgido las agrupaciones de jóvenes bajo la supervisión de los adultos, pero reconociendo el liderato de los jóveens, su iniciativa y su libertad para organizarse y dirigir sus grupos. Ha surgido un crecido número de grupos, muchos de los cuales sirven no sólo a los jóvenes, sino también a la comunidad. A través de estos grupos se ha provisto una forma aceptada y saludable para que los jóvenes lleven a cabo sus actividades. En vez de dedicarse a actividades antisociales.

los jóvenes han formado un sinnúmero de grupos formales, con el respaldo y el estímulo de los adultos.

Hallamos algunos de estos grupos funcionando en casi todas nuestras comunidades. Hay grupos mixtos de niños y niñas y grupos compuestos solamente por miembros de un sexo. Algunas de estas agrupaciones tienen carácter nacional y hasta universal. Entre los más conocidos e importantes grupos están los siguientes: La Cruz Roja Juvenil, los Niños Escuchas, las Niñas Escuchas, los Clubs 4-H, los Futuros Agricultores de América, las Futuras Amas de Casa y la Asociación Cristiana de Jóvenes. En muchos lugares, estos grupos se organizan en un Consejo Comunal con el fin de integrar sus esfuerzos para atender mejor las necesidades de la gente de la comunidad. De esta forma se convierten en verdaderos grupos de servicio.

b) *Clubs.* Los clubs son también grupos formales. Podríamos dividir los clubs, en dos tipos: clubs sociales, los que persiguen principalmente un propósito recreativo, y los clubs académicos, los que surgen en la escuela como consecuencia del currículo que siguen los niños y jóvenes. El primer tipo de club no surge necesariamente en la escuela; el segundo es siempre un grupo escolar.

Los clubs sociales sirven las necesidades de recreación además de otras necesidades psicológicas de los jóvenes. Los clubs académicos también satisfacen el deseo de los jóvenes de reunirse con otros, pero también persiguen otros propósitos como aumentar e intensificar los intereses de los estudiantes, enriquecer el currículo y desarrollar actitudes, ideas y hábitos deseables. Todas las asignaturas del programa escolar se prestan para la formación de clubs. Muchos clubs sociales tienden a ser exclusivos, es decir, solamente cierto tipo de personas puede pertenecer a ellos. En los clubs escolares no ocurre así. Todos los estudiantes, sin importar su condición social y económica, pueden unirse en clubs. Por lo general, el principal requisito para pertenecer a un club académico es tener interés en las asignaturas y ser aprovechado en ellas.

c) *Fraternidades y sororidades.* Esta clase de grupos funciona principalmente en los colegios y universidades. Se ha escrito mucho en los últimos años con relación a las fraternidades y las sororidades, ya que se ha estado cuestionando el valor de estos grupos. Se han aducido ventajas y desventajas para justificar o combatir la existencia de las fraternidades y las sororidades.

Entre las ventajas se señalan las siguientes: estimulan la amistad y el compañerismo, ofrecen actividades sociales y culturales, ayudan en el ajuste del estudiante nuevo al colegio, desarrollan habilidades para él relacionarse con la gente y ofrecer servicios a la comunidad. Entre las críticas que se hacen corrientemetne a las fraternidades y sororidades están su carácter exclusivista, la segregación, la vida social, la extravagancia, el problema psicológico que le crean a la persona que no es aceptada y el efecto negativo en el aprovechamiento de los miembros. Debido al apego emocional que sienten los miembros hacia las fraternidades y las sororidades, muchos colegios y universidades, a pesar de que tienen serias dudas sobre los valores positivos de estas, no pueden abolirlas arbitrariamente. Se nota la preocupación de las instituciones educativas por reexaminar la organización y el funcionamiento de las fraternidades y las sororidades y de integrar sus actividades a aquellas de la matrícula estudiantil en general.

INFLUENCIA DE LOS GRUPOS DE ACTIVIDAD
EN LA PERSONALIDAD DE SUS MIEMBROS

A través del capítulo deseamos recalcar la importancia que tienen los grupos de actividad en el desarrollo de la personalidad de los niños y los jóvenes. Hemos dicho que probablemente para casi todos los niños y los jóvenes los grupos de actividad son de importancia secundaria. Reservamos el primer lugar a la familia por las razones que explicamos en el capítulo anterior.

Desde bien temprano en su vida comienza el niño a tener relaciones con otros niños, a crear con ellos grupos informales de juego, y luego, según pasa el tiempo, se va uniendo a grupos más formales. Despµés según crece, el niño se va uniendo a las pandillas y luego a las cliques, a los grupos de servicio, los clubs y las fraternidades. A medida que la educación escolar llega a más y más personas, y a medida que se complica la vida urbana, se crea un mayor número de grupos de actividades. Los niños y los jóvenes tienen entonces mayores oportunidades de pertenecer a uno o más de estos grupos. Dado el número e importancia de estos grupos de actividades y de los niños y jóvenes que son afectados por estos grupos, debemos detenernos a analizar su influencia en la personalidad de sus miembros.

Hemos dicho anteriormente que el niño no nace con una personalidad humana, sino que esta se desarrolla en el curso de su vida. En este proceso de socialización tienen una gran importancia sus relaciones con otras personas y las experiencias a las que es sometido. Los grupos de juego empiezan a aparecer desde temprano en la vida del niño. Lo que la persona es como adulta se debe en gran parte a la influencia que sobre ella han ejercido los grupos de actividad.

*Algunas formas en que los grupos de actividad pueden afectar la personalidad*

El pertenecer a un grupo de actividad y ser aceptado por sus miembros y compañeros ofrece seguridad al niño y al adolescente. En este mundo complejo, de relaciones impersonales, el ser humano necesita más que nunca de las relaciones de intimidad que le proporcionan los grupos primarios. Son estos grupos los que mejor garantizan la seguridad del ser humano. En el caso de los niños y los jóvenes, los grupos de juego, las pandillas, las cliques y los clubs satisfacen esta necesidad. Como miembro de estos grupos, entre otros de igual *status*, el niño adquiere seguridad no solamente porque se le acepta, sino porque se reconoce su papel y se afianza en él el sentido del *yo*.

Los grupos de actividad ayudan al niño y al adolescente en la importante tarea de lograr la independencia de los adultos. Por lo general, según se identifica más con los compañeros de su grupo, va ganando esa independencia de los padres y de los maestros. Para identificarse con sus compañeros tiene que ajustarse a las demandas de su grupo, pero él lo hace con orgullo y placer.

El grupo de actividad también influye en el niño, controlando su conducta. Para seguir perteneciendo al grupo, el niño tiene que ajustarse a las normas de éste y actuar como los demás. La presión que ejerce el grupo sobre el individuo es poderosa. Es preciso observar un grupo de adolescentes para captar las semejanzas en el vestido, el peinado, el lenguaje y hasta en los valores.

En énfasis que dan los adolescentes al hecho de ser populares en el grupo de ser aceptados, de parecerse más y más a sus compañeros en todos sus actos, es resultado de la influencia de esa presión del grupo. Las observaciones en cuanto a los intereses de los adolescentes en la música y el baile, sus actividades sociales y sus relaciones con el sexo opuesto, demuestran también la influencia del grupo. El adolescente tiene mucho cuidado de no desviarse de las normas de su grupo y correr el riesgo de ser criticado o rechazado. En cambio, la crítica de los padres y los maestros no le preocupa tanto. Produce más satisfacción al adolescente el ser popular o ser buen atleta que el ser un estudiante aprovechado en términos académicos. Sus valores van a ser los valores que el grupo considere buenos.

Una influencia efectiva del grupo de actividad, especialmente de los grupos que rinden algún servicio, como los Niños Escuchas, los 4-H, los Futuros Agricultores, etc., es el desarrollo del sentido de responsabilidad en el niño y el adolescente. Como miembros de estos grupos, los niños generalmente asumen la responsabilidad ante algún problema o necesidad de la comunidad. El llevar el problema a feliz solución inspira el sentido de logro en el niño y desarrolla su responsabilidad y conciencia de estos problemas. A través de estas actividades enseñamos al niño la importancia del vivir en grupos y de la cooperación como medio de resolver los problemas de la comunidad.

El grupo de actividad es una importante fuente de adquisición de conocimientos. El niño no adquiere todos sus conocimientos en la casa ni en la escuela. Tiene mucho que aprender de sus compañeros. Sus compañeros de juego ejercen también la función de maestros.

El grupo de juego ejerce una importante influencia en la socialización al ofrecer al niño los modelos que él puede imitar. El niño tiene que aprender a ser niño y a comportarse como tal a través de la observación de la conducta de los otros. Estos modelos los ejemplarizan sus compañeros.

La influencia que ejerce el grupo de actividad en sus miembros no es siempre positiva. Como dijimos anteriormente, el grupo de actividad ofrece los modelos que el niño imita, pero puede ser que no ofrezca los mejores modelos. El niño también imita esos malos modelos. En este punto podemos mencionar el efecto que tiene sobre el niño la pandilla que se dedica a actividades antisociales. El niño encuentra satisfacción en ese tipo de actividades e imita los modelos que se le presentan. De continuar en ese grupo realizando ese tipo de actos, el niño puede convertirse en un delincuente. Aquí comienzan los conflictos con sus padres y con el resto de la sociedad, que se siente amenazada por las actividades destructivas de la pandilla. Los miembros de la pandilla funcionan como un equipo para realizar sus actividades. El grupo ha enseñado a sus miembros el valor de la cooperación, pero la cooperación entre ellos es empleada para lograr sus propósitos, afectando adversamente a la sociedad. Se emplea en este caso la cooperación *dentro* de su grupo, pero *no se coopera* con la sociedad.

También es negativa la forma en que afecta al niño el ser rechazado

por un grupo, el no ser aceptado. Ese niño, por lo general, no logra independizarse como aquel que es aceptado. El niño que es rechazado en un
grupo de actividad tendrá que seguir dependiendo de los adultos. Como
los grupos de juego de los niños pequeños son informales, estos niños no
se dan tanta cuenta del rechazo. Los que más se perjudican y los que más
sienten el rechazo son los adolescentes.

Hay un último aspecto, que no queremos dejar de mencionar, relacionado con el efecto positivo o negativo que puede tener el grupo de actividad.
Es muy arriesgado formar juicios en cuanto a la buena o la mala influencia
de un grupo de actividad. Solo podemos hacer afirmaciones de esta índole
cuando estudiamos un grupo y una persona en particular.

### LOS GRUPOS DE ACTIVIDAD Y LA ESCUELA

A través de esta parte de nuestro trabajo hemos recalcado el hecho de
que la personalidad humana no es innata, de que esta se forma en constante interacción con la sociedad y la cultura. Desde el momento de nacer,
comienza el niño a convertirse en un ser social como las demás personas
que le rodean. En el proceso de socialización todas las agencias sociales
—el hogar, la escuela, la iglesia y la comunidad— juegan un papel importante. Entre estas agencias socializadoras tenemos que incluir a los grupos
de actividad que tienen funciones importantes y específicas que realizar en
la socialización. No puede analizarse el proceso de socialización del niño
sin estudiar los grupos de actividad. Estos, en cambio, no existen sin la
influencia de la escuela. Los miembros de los grupos de actividad, salvo
excepción hecha de los niños muy pequeños, que todavía no están bajo la
influencia de la escuela y de los mayores que ya la han abandonado, son a
la vez miembros de un grupo escolar y sienten la influencia de la escuela.
Veamos entonces la relación entre estos grupos y la escuela.

### Relación entre los grupos de actividad y la escuela

Tenemos que ver los grupos de actividad y la escuela como dos agencias
complementarias en la socialización del niño y del adolescente; nunca como
dos agencias opuestas o en conflicto. De igual modo explicamos en el capítulo
anterior la relación entre el hogar y la escuela.

Cuando consideramos estos grupos como complementarios, reconocemos
el hecho de que uno de ellos realiza ciertas funciones y el otro realiza otras,
que aunque parezcan diferentes, van encaminadas a lograr el mismo propósito: la socialización del niño. Ningún otro grupo, a excepción del grupo
de sus iguales, puede enseñar al niño tan bien su cultura, su conducta de
niño. El niño que llega a la escuela por primera vez ha sentido, además
de la influencia de su familia, la de sus compañeros de juego. La escuela,
actuando sobre estas influencias, continúa su labor de ayudar a adaptar al
niño a un grupo. En esta primera etapa apenas si existen conflictos entre
las normas de la escuela y las del grupo de actividad.

Los conflictos pueden surgir cuando el niño crece y se une a pandillas
o cliques. En su esfuerzo por lograr una mayor independencia, resiente la

autoridad de la familia y de la escuela. Entonces es que hace falta con mayor urgencia un programa educativo interesante y retador, un maestro comprensivo e inteligente y buenas actividades de grupo.

El maestro necesita reconocer que los grupos de actividad desempeñan una función importante y que sus discípulos, en mayor o menor grado, están sintiendo la influencia de estos grupos. El maestro tiene que trabajar con ellos como miembros de un grupo escolar y como miembros de las pandillas, las cliques y los clubs. Tiene que reconocer el efecto que esos grupos ejercen en los niños y que es más importante para ellos complacer a su grupo antes que al maestro. Lo que el maestro trata de enseñarles puede que les importe poco comparado con lo que les importa la influencia de su grupo. Es debido a la influencia de sus contemporáneos que al niño le preocupa más ser popular y ser aceptado en su grupo o ser un buen atleta que sobresalir en sus estudios. Es la etapa en que le interesa más a los adolescentes el último paso de baile y el último *hit* musical que las actividades académicas.

La escuela no puede ignorar los grupos a los cuales pertenecen los estudiantes. Tampoco puede oponerse a esos grupos. Como dijimos anteriormente, el antagonismo y la oposición de los padres y maestros resulta en una mayor solidaridad entre los miembros de las pandillas. La escuela puede ayudar al niño a desarrollar las destrezas necesarias para mantener su *status* en el grupo de juego. En estas descansa la importancia de las actividades de grupo en la escuela. Entre esas actividades de grupo no deben faltar las actividades recreativas. La escuela se convierte de este modo en un lugar para desarrollar muchas de las destrezas sociales que los jóvenes necesitan para lograr desenvolverse en los grupos.

Existe otro detalle muy importante que no debe perderse de vista. Los niños y los jóvenes que asisten a la escuela están haciendo esfuerzos por madurar y por emanciparse; pero en ese proceso de maduración y emancipación los adultos no deben perderlos de vista. Estos jóvenes son todavía dependientes de los adultos en una gran variedad de aspectos. No puede valerse en todos. Aunque parezca paradójico, necesitan el apoyo de los adultos para terminar de independizarse. La escuela tiene entonces que salir en auxilio de los jóvenes. Puede aprovechar esta oportunidad para estimular la formación de clubs, concilios de estudiantes y otras agrupaciones propias de estos. Necesitarán la ayuda del maestro para la organización de clubs, pero una vez organizado debe dárseles suficiente libertad para funcionar en grupo. No debe, sin embargo, cesar la función del maestro como consejero. Igualmente, los líderes de la comunidad pueden aprovecharse de ese deseo del niño de trabajar con otros niños para ayudarlos a organizarse en grupos como los de los Niños y Niñas Escuchas, los 4-H, etc. En todos estos grupos los niños y jóvenes aceptan el consejo y orientación de los adultos, pero no aceptan que estos gobiernen su grupos.

La escuela y la comunidad tienen la obligación de cambatir la delincuencia y otras actividades antisociales de los niños y los jóvenes. Tenemos entonces que darles oportunidad para que estos se expresen constructivamente y puedan dirigir sus pasos por los mejores caminos, siempre con el estímulo, respaldo y orientación de los padres, los maestros y la ciudadanía en general.

## RESUMEN

Desde temprano en su vida comienza el niño a tener relaciones sociales con otras personas fuera de los miembros de su familia inmediata. Se une primeramente a grupos de juego del vecindario y luego va haciendo nuevas amistades y uniéndose a los grupos de actividad en la escuela y en la comunidad. Los grupos de actividad son grupos voluntarios, de naturaleza recreativa, que ejercen importantes funciones en la socialización del niño. Estos grupos satisfacen el deseo de intimidad del niño y lo ayudan a desarrollar independencia de su familia y de los demás adultos. A través de estos grupos el niño aprende la cultura de la sociedad. Los grupos de actividad son también fuente importante para la adquisición de conocimientos.

Para fines de este trabajo hemos dividido los grupos de actividad en dos tipos: formales e informales. En los grupos informales los niños dirigen sus actividades, sin la supervisión de los adultos. Son informales los grupos de juego, las pandillas y las cliques. Los grupos formales tienen por lo general alguna supervisión de parte de los adultos, sean estos padres, maestros u otras personas. Entre los grupos formales incluimos ciertas agrupaciones de niños y de jóvenes como los Niños y Niñas Escuchas, los Futuros Agricultores de América, los clubs, las sororidades y las fraternidades.

A través de este capítulo hemos recalcado la importancia que tienen los grupos de actividad en el desarrollo de la personalidad de los niños y de los jóvenes. No toda la influencia es positiva. Algunas influencias son también negativas. El grupo dirige y controla la conducta de sus miembros. La presión del grupo de actividad es poderosa. Son muchas las semejanzas entre los adolescentes que pertenecen a un mismo grupo. Ellos cuidan de no desviarse de las normas aceptadas y aprobadas por su grupo. Les preocupa mucho más la aprobación de su grupo que las de sus padres y maestros.

La escuela tiene que reconocer la importancia que tienen los grupos de actividad en la vida de los niños y los adolescentes. Tiene que reconocer que estos grupos son también importantes agentes socializadores. El niño que asiste a la escuela es también miembro de un grupo de actividad. Está sintiendo la influencia de ese grupo, además de sentir la influencia de la escuela y de la familia. El maestro tiene que darse cuenta de que el niño siente más deseo de complacer a su grupo que al maestro. Por esta razón es que el niño no da a los estudios académicos la importancia que el maestro quisiera que le diera.

La escuela no puede oponerse a estos grupos de actividad. Puede, sin embargo, ayudar al niño a desarrollar las destrezas que luego utilizará en su grupo. Nos referimos a la organización de actividades escolares de grupo tales como la formación de clubs, concilios de estudiantes y otras agrupaciones propias de los jóvenes. Estas actividades ofrecen oportunidades para canalizar constructivamente las energías de los niños y de los jóvenes y desviarlos de actividades antisociales y negativas.

## LECTURAS

Bell, Robert R. (ed.). *The Sociology of Education*. Illinois: The Dorsey Press, Inc., 1962, páginas 106-109.

Brembeck, Cole S. *Social Foundations of Education: Environmental Influences in Teaching and Learning*. Second edition. New York: John Wiley and Sons., 1971, Capítulo 6.

Bossard, James H. S. *The Sociology of Child Development*. New York: Harper and Brothers, 1948, Capítulo XXI.

Brown, Francis J. *Educational Sociology*. Segunda edición. New York: Prentice-Hall, Inc., 1954, Capítulo 10.

Chilcott, John H. y otros. *Readings in the Sociocultural Foundations of Education*. Belmont, California: Wadsworth Publishing Co., 1968, Capítulo 7.

Clark, Burton R. *Educating the Expert Society*. San Francisco: Chandler Publishing Co., 1962, Capítulos 6 y 7.

Cole, William E. y Roy L. Cox. *Social Foundations of Education*. New York: American Book Co., 1968, Capítulo 9.

Coleman, James S. *The Adolescent Society*. New York: Free Press, 1961.

Coleman, James S. *Youth: Transition to Adulthood*. Chicago: University of Chicago Press, 1974.

Conant, James B. *Slums and Suburbs*. New York: McGraw-Hill Book Co., Inc., 1961.

Cook, Lloyd A. y Elaine F. Cook. *A Sociological Approach to Education*. Tercera edición. New York: McGraw-Hill Book Co., 1960.

Gottlieb, David y John Reeves. *Adolescent Behavior in Urban Areas*. New York: The Free Press, 1963.

Grambs, Jean D. *Schools, Scholars and Society*. New Jersey: Prentice-Hall, Inc., 1965, Capítulo 9.

Havighurst, Robert J. y Bernice L. Neugarten. *Society and Education*. Third edition. Boston: Allyn and Bacon, 1967, Capítulo 7.

Havighurst Robert J. *Human Development and Education*. New York: Longmans, Green and Co., 1963, Capítulos 5, 6 y 9.

Hollingshead, August B. *Elmtown's Youth*. New York: John Wiley and Sons, Inc., 1949.

Kallenback, W. Warren y Harold M. Hodges, Jr. *Education and Society*. Columbus: Charles E. Merrill Books, Inc., 1963, Capítulo 6.

Martin, William F. y Celia B. Stendler. *Child Behavior and Development*. Edición revisada y ampliada. New York: Harcourt Brace and Co., 1959, Capítulo 12.

Meltzer, Bernard N. y otros. *Education in Society: Readings*. New York: Thomas Y. Crowell, Co., 1948, páginas 82-87.

Musgrave, P. W. *The Sociology of Education*. Second edition. New York: Harper and Rowe Publishers, 1971, Capítulo 6.

Ritchie, Oscar W. *Sociology of Childhood*. New York: Appleton-Century-Crofts, 1964, Capítulos 12 y 14.

Robbins, Florence G. *Educational Sociology*. New York: Henry Holt and Co., 1953, Capítulo 7.

Stnley, William O. y otros. *Social Foundations of Education*. New York: The Dryden Press, Inc., 1956, páginas 123-127.

Strang, Ruth. *Group Activities in College and Secondary School*. Edición revisada. New York: Harper and Brothers, 1946, Capítulos 5 y 7.

Trasher, Frederic M. *The Gang*. Chicago. University of Chicago Pres, 1936.

Westby-Gibson, Dorothy. *Social Perspectives of Education*. New York: John Wiley and Sons, Inc., 1965, Capítulos 8 y 9.

Whyte, William F. *Street Corner Society*. Chicago: University of Chicago Press, 1943.

# CAPÍTULO XV

## LA ESCUELA

En esta parte del trabajo hemos estudiado la influencia de ciertos grupos sociales en el desarrollo de la personalidad. Ya analizamos la influencia de la familia y de los grupos de actividad. En este capítulo nos toca considerar el grupo que más influye en el niño durante determinadas horas del día: la escuela o el grupo escolar. La escuela empieza a ejercer su influencia sobre los niños desde la edad de cuatro o cinco años. La influencia de la escuela se extiende por un número de años, dependiendo de las oportunidades y las facilidades que se ofrezcan, del interés, del aprovechamiento del niño y de la importancia que concedan los padres y la comunidad a la educación.

Repasaremos brevemente el origen y la importancia de la escuela como una institución social, aspecto que ya habíamos discutido anteriormente. Luego estudiaremos la escuela como un sistema social, como un mundo social, recalcando lo que los sociólogos llaman la cultura de la escuela. Este es el modo particular de vivir dentro de la sociedad de la escuela. Este modo de vivir surge como resultado de la interacción entre todas las personas envueltas en la función educativa de la institución.

En el resto del capítulo daremos atención a la estructura social de esta institución y al proceso de interacción social dentro de ese mundo social. Discutiremos la influencia de la escuela y del maestro en el desarrollo de la personalidad de los niños, dando énfasis a dos asuntos: al maestro como un modelo en la socialización y al clima social de la escuela y su efecto en la conducta de los niños. Finalmente estudiaremos la relación de la escuela con las demás agencias sociales y su responsabilidad en la socialización del niño y del adolescente.

### LA ESCUELA COMO UNA INSTITUCIÓN SOCIAL

Al estudiar antes la relación entre la cultura y la educación presentamos la escuela como una importante institución social. La escuela es nuestra principal institución educativa, la que tiene a cargo la educación formal del niño, especialmente en lo que se refiere al desarrollo de las destrezas fundamentales: leer, escribir y hacer operaciones numéricas.

Originalmente, la familia y la iglesia atendían la importante responsabilidad de la educación formal del niño. A medida que la sociedad se iba haciendo más compleja y aumentaba la acumulación cultural, la iglesia y la familia no podían seguir cumpliendo a cabalidad con su responsabilidad de ofrecer una educación formal. Fue entonces que surgió la escuela como una institución educativa. La comunidad empezó entonces a asumir la responsabilidad de la educación formal del niño. Se proveyeron las facilidades físicas y se nombraron los maestros que se harían cargo de la educación de los niños. Es a través de la escuela que el niño viene a adquirir en forma organizada y sistemática una gran parte de la cultura de la sociedad, necesaria para su convivencia en el grupo social.

Como hemos dicho, la escuela surge por una necesidad de la comunidad. Surge cuando la comunidad se da cuenta de que era necesario llevar los conocimientos a un mayor número de personas y que las instituciones existentes —iglesia y familia— no podían realizar eficazmente esa tarea. Así empezó la escuela a ganar importancia como una institución educativa de la comunidad. Sin embargo, la escuela no funciona independientemente de las demás instituciones sociales de la comunidad. Comparte, con las demás instituciones —familia, iglesia, radio, prensa, televisión, grupos de juego, entre otras— la tarea de la educación del niño.

## LA ESCUELA COMO SISTEMA SOCIAL

El término *sistema social* ha sido popularizado por Talcott Parsons y sus asociados.[1] Un sistema social es una unidad de interacción social, además de la base física y cultural que la apoya. Parsons cree que en la estructura de un sistema social operan dos factores importantes: la personalidad del actor y los elementos de la cultura que afectan y que dan forma a su conducta.

Cole y Cox,[2] siguiendo la orientación de Parsons, definen el sistema social de esta forma: constelación de gente, símbolos, rasgos culturales, conducta, metas, valores, patrones de autoridad, estructuras de roles y *status* y relaciones que el hombre desarrolla para satisfacer sus necesidades. Los sistemas, como las instituciones y las sociedades, tienen una vida más larga que sus miembros, porque responden a necesidades comunes del hombre como parte de la sociedad y no de un individuo en particular. Los miembros del sistema social pueden cambiar, pero no el sistema, que tiene continuidad en su estructura y en su función. Los roles y el *status* de un miembro del sistema pueden cambiar, pero los conceptos rol y *status* perduran.

### *Los elementos de la escuela como un sistema social*

Aplicando estos conceptos a la escuela, Cole y Cox[3] describen la misma como un sistema social. Ellos enumeran unos once elementos y dan ejemplos de los mismos, como podemos ver a continuación:

---

1. Talcott Parsons. *The Social System.* Glencoe, Ill.: The Free Press, 1951, y Charles P. Loomis. *Social Systems: Essays on Persistence and Change.* Princeton, N. J.: Van Nostrand, 1960.
2. William E. Cole y Roy L. Cox. *Social Foundations of Education.* New York: American Book Co. 1968, p. 1.
3. *Ibid.*, p. 13.

1. *Gente o actores* — maestros, administradores, estudiantes, personal de custodia.

2. *Interacción, acciones, conducta* — planear, estudiar, discutir, tomar exámenes, jugar, disciplinar.

3. *Propósitos u objetivos* — a corto y a largo piazo. Dominio de destrezas y conocimientos. Buena ciudadanía. Buen miembro del hogar La satisfacción de necesidades individuales y de grupo.

4. *Normas que regulan la conducta en el sistema* — Normas de conducta para tomar los exámenes, para pasar de grado. Reglas que gobiernan la participación de los estudiantes en los deportes y en otras actividades extracurriculares. Reglas relacionadas con la asistencia a clases.

5. *Creencias* — Creencias relacionadas con la buena ciudadanía y el valor económico de la educación. Creencia en la bondad de un sistema de escuelas públicas. Creencia en la separación de iglesia y estado en materia educativa. Libertad de los grupos privados para establecer escuelas.

6. *"Status" y relaciones de status entre los actores del sistema* — *Status* de los administradores y maestros. Diferencia de *status* entre las clases. *Status* social de los alumnos. Movilidad social. Proyección de *status* de los padres.

7. *Relaciones de rol y expectativas* — Roles de los maestros, administradores y estudiantes. Rol de los líderes estudiantiles. Expectativas de rol de parte de los padres y los estudiantes. Expectativas de los grupos de pares versus expectativas de los padres y la escuela.

8. *Autoridad* — la autoridad del sistema. Autoridad institucionalizada en los actores principales del sistema. Autoridad para fijar controles y ejercer disciplina. Autoridad de maestros, administradores y estudiantes. Los derechos de los estudiantes versus los derechos de los maestros y los administradores en el ejercicio de la autoridad.

9. *Elementos culturales simbólicos* — Canción de la escuela, ceremonias, banderas, letras, colores, uniformes.

10. *Elementos culturales no simbólicos que ayudan a lograr las metas.* — Ómnibus escolar, libros, escritorios, laboratorios, recursos bibliotecarios y audiovisuales, parque atlético.

11. *Ambiente — campus*, estructura escolar que representa el sistema.

## *Características de la escuela como sistema social*

Waller encontró que la escuela posee características que la hacen una unidad social aparte. Algunas de estas características son las siguientes: 1) una población definida de niños, jóvenes y adultos, según sea el caso; 2) una estructura política; 3) particulares relaciones sociales; 4) un sentimiento de intimidad entre los componentes de esa unidad y 5) una cultura distinta a la cultura de las otras unidades sociales.

Las escuelas difieren unas de otras en la forma en que ejemplarizan esas características y en la manera en que éstas están combinadas. Se pueden señalar claramente diferencias entre una escuela privada de niños internos, y una pública. En la primera existe una población relativamente estable y homogénea, asociación íntima entre los internos, experiencias comunes, organización política claramente definida y reglas precisas.

Las características antes mencionadas no necesitan mucha explicación para entenderse adecuadamente. Las mismas se explican por sí solas.

1 . *Población definida.* Una escuela sirve por lo general a una población específica. Una escuela elemental en Puerto Rico sirve a los niños entre las edades de seis a doce años; una escuela intermedia, a los de trece a quince; una superior, a los de dieciséis a dieciocho. Además del factor edad, hay características diversas entre los estudiantes de una escuela y otra, teniendo en cuenta las características socioculturales de la comunidad. Si comparamos la matrícula de una escuela privada con la de una pública en la zona metropolitana de San Juan, hallamos diferencias; igualmente existen diferencias entre las escuelas de pueblos pequeños y de ciudades, y entre las escuelas de arrabal y las de comunidades de clase media.

Los maestros, que también forman parte de la población escolar, exhiben características propias, especialmente cuando comparamos el cuerpo docente de dos tipos de escuelas diferentes, como por ejemplo, los maestros de una escuela secundaria de tipo académico y los de una de tipo vocacional. No hay, sin embargo, tanta diferencia entre los maestros de la misma escuela. Podemos señalar diferencias entre los maestros del sistema de instrucción pública y los profesores universitarios.

Entre los maestros y los estudiantes también hay otras diferencias, además del factor edad. Las perspectivas de la vida que ambos grupos tienen, sus valores y sus responsabilidades para con la sociedad, son elementos diferentes. Los maestros son los responsables a la sociedad por la educación que reciben los niños.

La población escolar exhibe otra característica que no debemos dejar de mencionar. Nos referimos a los administradores. Estos vienen siempre del propio sistema educativo. Cuando vienen de afuera es porque han sido antes partes del establecimiento escolar. Esto hace de la administración escolar un mundo cerrado.

2. *Estructura política.* La organización política de la escuela pone al maestro en una posición de autoridad sobre sus discípulos. Así lo espera la sociedad, que ha encomendado al maestro la función de enseñar ciertas destrezas y conocimientos. El discípulo desempeña hasta cierto punto una función pasiva —la de recibir la instrucción; el maestro, sin embargo, al impartirla ejerce una función activa, que debe desempeñar con autoridad en bien del proceso de enseñanza y aprendizaje. De ahí que las relaciones entre el maestro y el discípulo no sean siempre de lo más amigables.

Típicamente, la escuela no está organizada en forma democrática. Casi todo el poder está en manos de los maestros y de los administradores. Los estudiantes no siempre aceptan pasivamente la autoridad del maestro y del administrador. A veces se rebelan y amenazan de ese modo su autoridad. La escuela también ofrece a los educadores los medios para mitigar la rigidez de la estructura. Uno de los principales medios son las actividades extracurriculares o eocurriculares, como también se les llama. Nos referimos a las actividades atléticas, el coro, los clubs, el arte dramático y las organizaciones estudiantiles.

Las actividades extracurriculares forman parte de la cultura de la escuela. Las encontramos en casi todas las escuelas. Para algunos estudiantes las actividades son la parte más importante y van a la escuela tras las mismas. Las actividades, además de ofrecer la oportunidad de enriquecer el programa escolar, unen a las personas en la escuela.

Es muy importante que las actividades se mantengan en manos de los estudiantes y no de los maestros, los administradores o personas ajenas a la instrucción. Esto es necesario para que se mantengan siendo actividades espontáneas de los alumnos.

3 · *Relaciones sociales.* En la escuela se da un gran número de relaciones sociales recíprocas. Hay dos grupos principales, los estudiantes y los maestros, cada uno con sus características propias y actitudes hacia otros grupos y hacia ellos mismos. Entre los maestros como grupo, hay sus diferencias y divisiones; también las hay entre los estudiantes.

Waller[4] describe las relaciones sociales en cuatro categorías: 1) entre la comunidad y la escuela, incluyendo no solamente la comunidad en general, sino también grupos e individuos en particular; 2) entre estudiante y estudiante, incluyendo tanto los individuos como los grupos, relaciones que son necesariamente no afectadas por la presencia del maestro; 3) entre maestro y estudiante, incluyendo tanto los individuos y los grupos como la clase en general, afectado por la presencia del maestro y 4) entre maestro y maestro, incluyendo un maestro con otro, los grupos de maestros, sus relaciones con los administradores y con otro personal escolar.

Todas estas categorías de relaciones sociales son recíprocas.

4 · *Sentimiento de intimidad.* Entre los miembros de esta unidad social surge un sentimiento espontáneo que se enriquece por la relación misma entre los participantes de la vida en la institución. Existe la tendencia entre los miembros de esta unidad a sentirse que pertenecen a ella y a referirse a ella como *mi* escuela. Esto puede apreciarse en las competencias atléticas. También se habla de *mis* discípulos, *mis* maestros, *mi* salón o *mi* grupo. Este sentimiento de intimidad puede extenderse a los padres y a la comunidad. Lo llevan los alumnos al abandonar la institución. Puede apreciarse claramente en las escuelas privadas, especialmente la de internos, donde toda la matrícula escolar es una familia.

5 · *Cultura distinta.* Como consecuencia de la interacción de las personalidades envueltas en la escuela, tratando de lograr el objetivo de la educación, surge una forma de vida propia de esta institución. En otras palabras, surge una cultura de escuela, que es diferente a la cultura de otros sistemas sociales. Los niños y los jóvenes han sido segregados por una porción considerable de tiempo y puestos bajo la influencia de la escuela. Esto da lugar a que surja un tipo de cultura particular.

La cultura de la escuela no es solo producida por los estudiantes. Es natural que estos, en su esfuerzo por romper con el orden impuesto por los maestros y para protegerse de ellos, creen una cultura. Los maestros, por su parte, para controlar a los estudiantes y dirigir su conducta, también crean cultura. La comunidad asimismo ejerce su influencia y espera

---

4. Willard Waller. *Sociology of Teaching.* New York: John Wiley and Sons, Inc., Science editions, 1965, pp. 12-13.

que la escuela cumpla su misión a cabalidad. Se encuentra en la escuela cultura creada por los tres grupos: estudiantes, maestros y comunidad.

Esta cultura consiste de aquellas pautas de conducta propias de la escuela: costumbres, tradiciones, ceremonias, rituales y hábitos de vestir y de hablar. Los estudiantes cometen travesuras que no se consideran aceptables en el mundo de los adultos: se ausentan de clases sin permiso, se copian en los exámenes o se apropian de cierto equipo de la escuela.

Los maestros son por lo general mayores que los discípulos, porque se espera que los viejos enseñen a los jóvenes. Entre el maestro y el discípulo existe un grado de distancia social. Este no se dirige al maestro por su primer nombre. Le llama "usted". Se espera que el discípulo respete al maestro. Se condena el favoritismo de parte del profesor hacia algunos estudiantes. Debe dar igual trato a todos sus alumnos, sin preferencia hacia uno u otro. Se espera, además, que el maestro controle el grupo, imponiendo orden. El buen maestro tiene buena disciplina.

Existe un código de moral del estudiante. No debe tener mucha familiaridad con el maestro. Los estudiantes se deben lealtad unos a otros. No acusan al que comete una falta. El "chota" es mal visto y, por lo general, el grupo lo castiga o lo rechaza. Los maestros también tienen su código moral, en lo que respecta a las relaciones entre ellos o con los estudiantes. No acusan al compañero que no se comporta bien, que pierde el tiempo o que no hace el máximo en el salón de clases. Son fieles a su ética. Los maestros veteranos esperan un trato especial, tanto de sus compañeros como de la administración. El director debe respaldar a sus maestros, ante los padres y ante los estudiantes. El que no respalda a sus maestros no es bien aceptado por ellos.

## LA CULTURA DE LA ESCUELA

En términos sociológicos, la escuela es un mundo social compuesto por personalidades en interacción. Estas personalidades — niños, maestros, administradores y otro personal escolar — al tratar de lograr el objetivo común de la educación, producen un modo de vivir y de comportarse típico de esa unidad social. Llamamos *cultura de la escuela* a ese modo particular de vivir y de comportarse en esta institución.

El concepto *cultura de la escuela* no es un término nuevo. Aunque aparece con frecuencia en los libros recientes de sociología educativa, el término había sido usado anteriormente por Waller en su libro *Sociology of Teaching*.[5] Waller viene a ser el primero en presentarnos una descripción de la cultura de la escuela. El libro de Waller puede considerarse como un clásico en el estudio de la sociología de esta.

Los sociólogos de la educación ven la escuela como una unidad social dentro de la cultura de la sociedad. En otras palabras: dentro de la cultura de la sociedad la escuela viene a ser una subcultura. En esta subcultura surge un número de patrones de conducta, creencias, valores y tradiciones; nace una cultura propia de la escuela. Esta cultura emerge como resultado del hecho de que los niños y los jóvenes están segregados de los adultos por una porción considerable de tiempo y son puestos con un propósito

5. *Ibid.*, Cap. 2.

determinado bajo la influencia de esta institución. Es una relativamente formal que tiene la obligación de someter a los niños y a los jóvenes a ciertas influencias, ya que la sociedad le ha encomendado responsabilidades específicas.

Los estudiantes constituyen el mayor número entre la sociedad de la escuela. Se establecen entre ellos relaciones sociales de diversa índole. Están en continua interacción. Como resultado de estas relaciones sociales surge una serie de patrones de conducta propios de los estudiantes: maldades, hábitos de vestir y de hablar, normas y valores. Surgen otros elementos de cultura, entre los cuales están los ritos y las ceremonias. Estos son una consecuencia de la función educativa que la escuela realiza.

## Patrones culturales

A pesar de que hay diferencias de escuela a escuela y de región a región existe una serie de patrones de cultura que comparten en común todos los estudiantes de todas las escuelas. Existen otros patrones que comparten un grupo limitado de estudiantes. Veamos este asunto más detalladamente. El sistema educativo ha alcanzado cierto grado de desarrollo que ha creado patrones o pautas de conducta, mejor conocidas como la cultura escolar. A pesar de que la escuela guarda íntima relación con la cultura de la sociedad en general, posee características propias de una subcultura. Son características aceptadas por todas las personas que interactúan en la escuela. Se han desarrollado costumbres, tradiciones, normas escolares, valores y creencias relacionadas con esta institución.

A pesar de que hay diferencias de escuela a escuela y de región a región, existe una serie de pautas de cultura que comparten en común todos los estudiantes. Existen otros patrones que comparten un grupo limitado de estudiantes.

Patrones culturales comunes. Son muchos los patrones que comparten en común todas las escuelas. El más conocido de los elementos comunes es el currículo o el programa de estudios. Aunque hay diferencias entre los tipos de currículo de una y otra escuela y de uno a otro grado, todas las escuelas siguen un currículo a través del cual realizan los objetivos educativos que persiguen. Unas escuelas secundarias, por ejemplo, siguen un currículo preparatorio para colegios; otras un currículo comercial y varias más un currículo de industrias y oficios; pero todas siguen un currículo al cual exponen su matrícula.

El horario de trabajo es un patrón cultural común a todas las escuelas. Las clases comienzan a una hora fija y terminan a otra. Las asambleas estudiantiles son también actividades comunes, al igual que las ceremonias escolares como, por ejemplo, las ceremonias de promoción o de graduación. Existen también normas sociales relacionadas con el proceso de aprendizaje, comunes a todas las escuelas. En todas se exige cierto grado de orden y se requiere buena disciplina. El maestro controla la situación de la enseñanza. Los alumnos por lo general se someten al tipo de disciplina que exige el maestro.

También hay *folkways*, propios de la escuela. Los *folkways* son los usos corrientes en la escuela, la conducta que se da por sentado, que se espera ue los estudiantes y también de los maestros. Entre los *folkways* están las maneras propias de hablar y de vestir de los estudiantes en una escuela secundaria. La conversasión de los adolescentes incluye una serie de términos desconocidos por los adultos. Los varones visten mahones y las niñas faldas y blusas. El no vestir ni comportarse como los demás puede afectar adversamente la posición social del adolescente y su ajuste al grupo. Las canciones escolares, ciertos programas tradicionales, el día de los deportes, las leyendas y tradiciones y ciertos conceptos estereotipados de las relaciones entre los maestros y sus discípulos forman también parte de los *folkways* de la escuela.

*Patrones culturales especiales.* Además de los patrones culturales comunes entre los escolares existen otros patrones que solamente comparte un grupo limitado de estudiantes que asume papeles particulares o especiales en la escuela. En toda escuela existen grupos que exhiben patrones de conducta que no han sido adoptados por otros estudiantes fuera de esos grupos. Nos referimos a los patrones culturales especiales relacionados con los atletas, los miembros de la orquesta, de la banda escolar o del coro, el grupo de arte dramático, la directiva de las organizaciones estudiantiles, las sororidades y las fraternidades si las hay. Por el hecho de pertenecer a estos grupos, sus miembros exhiben ciertos modos particulares de actuar que conocemos como la cultura especial de la escuela.

Uno de los mejores ejemplos de la cultura especial de la escuela lo constituyen los atletas. Se han desarrollado patrones de conducta definidos que caracterizan a los atletas. Estos son admirados por todos los estudiantes y hasta por la comunidad, especialmente cuando el equipo de la escuela resulta victorioso. Los buenos atletas son especialmente admirados en aquellas escuelas en las que se considera imprescindible tener un equipo atlético de primera categoría. Los atletas gozan de una serie de privilegios: se les excusa de ciertas clases para que puedan jugar o practicar y también se les exime de ciertas reglas de la escuela. Se les otorgan becas y se les hacen otras concesiones especiales. Para muchos estudiantes el atleta es un héroe, y esto hace que los estudiantes no critiquen que se les concedan favores o privilegios especiales.

Como resultado de los privilegios y las consideraciones, no es raro que el atleta crea que es un estudiante especial, diferente de los demás estudiantes. Muchas veces llega a creer que su contribución a la escuela es algo especial y que por eso tiene derecho a los privilegios, al trato particular y a otras consideraciones. Cree que ha ganado todos estos privilegios y los ve como un derecho, como una obligación de la escuela con él. Por eso encontramos en ocasiones a uno que se apropia de algunas piezas del equipo, tales como medias, camisetas y toallas. La posición social alta de que goza entre el estudiante hace difícil al administrador escolar cambiar esta actitud, ya que los demás estudiantes, en la mayoría de los casos, apoyan al atleta.

Brookover, en la primera edición de su libro *A Sociology of Education*, hace una exposición detallada de los patrones culturales comunes y especiales de la escuela; recomendamos que se lea para una mejor comprensión de este tema.[6] Robbins [7] también discute este asunto en una forma muy interesante.

La escuela como un sistema social ha sido estudiada científicamente por Fichter,[8] Gordon,[9] Coleman [10] y Clark,[11] entre otros. Se recomienda la lectura de estos estudios para lograr una mejor comprensión del tema.

⟶ ## La escuela como un sistema cultural

El antropólogo norteamericano John H. Chilcott [12] hace un estudio muy interesante de la cultura de la escuela. Él dice que el antropólogo, en el estudio de la escuela, puede aplicar los mismos métodos que usaría en el estudio de la cultura de un pueblo primitivo en una isla del Pacífico.

Cuando el antropólogo llega a esa isla remota tiene que resolver el problema de la comunicación. Lo mismo le pasa cuando llega a la escuela con propósitos de investigación. Encuentra que existe un vocabulario propio de la escuela. Los niños emplean diferentes patrones de comunicación para dirigirse a los maestros y a sus amigos.

De la misma forma que el antropólogo estudia las condiciones de vida y de vivienda de los primitivos, estudiará la escuela, que es la casa de los estudiantes. Encontrará diversos tipos de salones y facilidades: asientos, mesas, con sus usos particulares. El escritorio del maestro, por lo general, estará al frente.

En cada salón encuentra a los niños agrupados por edad y grado. Esta es la base de la estructura social de !a escuela. Según los niños crecen, y pasan de grado, ganan más *status* y posiblemente algunos privilegios.

Hay mecanismos sociales (*rites de passage*) para celebrar la promoción de grado, conocidos como graduaciones. También se celebran ceremonias para iniciar a los novatos.

El sistema de clases de la sociedad se refleja en la escuela. Los niños de las clases altas tratan de mantener su *status*, sino en las actividades de la escuela, en las que celebran fuera. Los niños de las clases bajas están excluidos de algunas actividades de *status* alto, con excepción de los deportes.

Al igual que en las sociedades primitivas, el recién llegado a la escuela, lo mismo maestro que estudiante, debe aprender cierto tipo de conducta que corresponde a su rol. Un ejemplo es la manera de vestir, o el uso del uniforme si lo hay. Otros ejemplos son el levantar la mano para que le llamen a participar, la puntualidad y el arreglo de los asientos.

---

6. Wilbur B. Brookover. *A Sociology of Education.* New York: American Book Co., 1955.
7. Florence Greenhoe Robbins. *Educational Sociology.* New York: Henry Holt and Co., 1953, cap. XIV.
8. Joseph H. Fichter, S. J. *Parochial School: A Sociological Study.* South Bend: University of Notre Dame Press, 1958.
9. C. Wayne Gordon. *The Social System of the High School.* Glencoe: Free Press, 1961.
10. James S. Coleman. *The Adolescent Society.* Glencoe: Free Press, 1961.
11. Burton R. Clark. *The Open Door College.* New York: MacGraw-Hill Book Co., 1960.
12. John H. Chilcott. *The School as a Cultural System.* En John H. Chilcott, Norman C. Greenberg y Herbert B. Wilson. *Readings in the Socio-Cultural Foundations of Education.* Belmont, Calif.: Wadsworth Publishing Co., 1968, pp. 245-248.

El antropólogo que describe las actividades cotidianas de la escuela encontrará que se presta mucho énfasis a horarios, cambios de clases y timbres. Este patrón se repite durante todo el día. Las actividades docentes están divididas en clases o asignaturas. La tradición antes que la función determina lo que se hace.

Como en otras sociedades, la escuela tiene un calendario que señala los acontecimientos más importantes: comienzo del curso escolar, fecha de los exámenes, días festivos, períodos de vacaciones, época de graduación y actividades atléticas. Hay ritos periódicos para intensificar la lealtad de los estudiantes: asambleas, actividades deportivas y canciones escolares. Hay día de logros: aquí se hacen reconocimientos y se entregan premios. En esta ocasión no faltan los discursos del director y del superintendente.

Al igual que en las sociedades primitivas, el estudiante debe someterse a una serie de pruebas para determinar si puede ser promovido a un *status* superior o grado. Las pruebas determinan los conocimientos que los estudiantes poseen y el no pasarlas a satisfacción, implica que no será promovido.

Las pruebas, ceremonias, ritos y usos proveen un medio de controlar la conducta de los estudiantes. La mayoría se ajusta a estas normas de control. El no cumplir con las normas, puede resultar en castigo, fracaso, expulsión o rechazo.

Una de las características más interesantes de la cultura es el proceso de cambio. Como gran parte de la cultura de la escuela está basada en la tradición, el cambio es lento. Los padres se sienten más cómodos cuando se somete a sus hijos a experiencias en la escuela similares a las que ellos tuvieron. La escuela da mucha importancia a la conformidad y a la regimentación. De ahí que tanto maestros, como administradores y padres, y a veces hasta los estudiantes, resistan el cambio.

Después de la Segunda Guerra Mundial se iniciaron muchos esfuerzos por hacer las escuelas más funcionales y adaptables a los cambios que se estaban operando. Los innovadores no han tenido mucho éxito. Un estudio reciente ha demostrado que desde que se origina una nueva idea hasta que se implementa transcurren 25 años; en algunos casos el lapso de tiempo ha llegado a los 60 años. A pesar de todo esto, se puede afirmar que la cultura de la escuela está cambiando.

En conclusión, el estudio de una institución educativa por analogía con un sistema cultural provee una experiencia estimulante. El antropólogo escolar puede buscar las explicaciones a los programas vigentes y a la conducta de los estudiantes y maestros. Se puede dar cuenta por qué algún estudiante cuyo trasfondo cultural es diferente del de la escuela, mira a la escuela, los maestros y al director con hostilidad. Este niño puede ser un niño con problemas, un caso de disciplina, puede trabajar bajo el nivel de su capacidad y, finalmente, será un desertor, a menos que la cultura de la escuela se modifique para que coincida con su trasfondo. Se porta mal y repudia la escuela porque no entiende las expectativas o porque da más importancia a las recompensas de su propia cultura que a las de la escuela.

## LA ESTRUCTURA SOCIAL DE LA ESCUELA

La escuela exhibe su propia cultura y una organización característica de ese sistema social. Al igual que cualquier otro sistema social, puede estudiarse en términos de las posiciones que ocupan las diferentes personas dentro de ese sistema. Al estudiar la estructura social de la escuela examinaremos la naturaleza de algunas de las posiciones en la sociedad de la escuela y de las relaciones entre las personas que ocupan esas posiciones.

En términos generales hay dos niveles en la estructura social de la escuela: el de los adultos y el de los estudiantes. Analicemos cada uno de estos niveles separadamente.

## La estructura social de los adultos

Esta estructura social la forman los administradores, los maestros y otro personal no docente de la escuela.

*Los administradores.* Los administradores son los dirigentes del sistema. Incluyen a los administradores de alta jerarquía y también a los superintendentes, supervisores y directores. Están en posiciones de responsabilidad y autoridad sobre los maestros, aunque no necesariamente actuando siempre como dirigentes autoritarios, sino que, por lo general, se toman las decisiones y se formula la política escolar por el proceso democrático. Mientras más pequeños son los sistemas escolares, más estrechas son las relaciones entre maestros y administradores. En los sistemas grandes la interacción se hace más formal e impersonal y la comunicación se lleva a cabo por medio de memorandos.

*Los maestros.* Entre los maestros surge una organización formal y otra informal. El maestro a veces es el director de un departamento, el presidente de un comité o supervisor de una actividad. Así ocupa una posición formal, que está relacionada con las tareas que tiene que desempeñar como profesional. La estructura informal no está necesariamente relacionada con sus funciones como profesional, pero que es para él tan significativa como la formal.

Las relaciones sociales entre los maestros no siempre ocurren en un plano de completa igualdad. Los miembros del grupo reconocen las diferencias entre unos y otros y se comportan de cierta manera, de acuerdo con la forma en que reconocen o perciben estas diferencias. Algunos maestros se tutean. Esta situación puede deberse a diferencias en edad o al tiempo que llevan en la escuela. También puede deberse a otras razones. Igualmente ocurre con las relaciones entre maestros y administradores. Raras veces los maestros tutean al director. Este tutea a algunos maestros y a otros no. Existe cierto grado de distancia social en las relaciones no solo entre maestros y administradores sino también entre unos maestros y otros.

Si observamos una escuela en función podemos notar cómo opera la estructura informal entre los maestros. Todos no funcionan como un grupo compacto, unido y uniforme. Los maestros se asocian en grupos informales de amistad o cliques. Muchos factores pueden explicar la formación de estas camarillas entre los maestros. Algunos de esos factores son el sexo, la edad, el estado civil, la experiencia profesional, los intereses comunes, las materias que enseñan o los niveles o grados que tienen a su cargo.

Los maestros jóvenes forman sus cliques con los maestros jóvenes; también los forman los viejos, los solteros y los que enseñan las materias vocacionales. En muchas ocasiones actúan como grupos de presión. Si observamos una reunión de la facultad podemos ver estos grupos en función. Se sientan juntos y asumen la misma posición frente al problema que se discute. Actúan como grupo y es difícil dejarlos de notar. También podemos observar estos grupos funcionando fuera de la escuela, en sus relaciones sociales. Participan como grupos de las actividades de la comunidad y en sus hogares. Funcionan como grupo cerrado, nadie más fuera de su pequeño mundo participa de sus actividades.

*Los adultos que no son maestros de salón de clases.* Hay algunos adultos en la organización de la escuela, que aunque no tienen grupos de estudiantes a su cargo, son maestros y gozan de los mismos derechos y privilegios de estos. Nos referimos al orientador, al registrador, el trabajador social y al maestro bibliotecario. Otros adultos, como los empleados de la limpieza y del comedor escolar, la secretaria y la enfermera constituyen el personal no docente. Estas personas ocupan posiciones subordinadas a los administradores y maestros. Generalmente ejercen poca influencia sobre las decisiones que conciernen a la política escolar. Pero este no es siempre el caso. La secretaria del superintendente o del director, un conserje o un chófer pueden convertirse en personas influyentes en la escuela, no por sus posiciones formales, sino por sus relaciones informales con los maestros y con la comunidad. Estas personas, por vivir en la comunidad y desempeñar funciones en ellas, tienen más oportunidad que los maestros de relacionarse socialmente con los miembros de la comunidad. Los maestros y los administradores, conscientes de esa situación, a veces dan a estas personas más importancia que la que oficialmente poseen.

## La estructura social de los estudiantes

Es obvio el sistema de rango y prestigio que forman los administradores y los maestros. La comunidad está consciente de la estructura social que forman estos adultos. No ocurre así en el caso de los estudiantes, a pesar de que contituyen el mayor número en la escuela. No es que no existan diferentes posiciones basaads en rango y prestigio entre los estudiantes. Existen, pero estas posiciones son solamente conocidas dentro de la escuela. Fuera de ella se sabe muy poco de la estructura social de los estudiantes, excepto en casos verdaderamente significativos, como el del capitán del equipo de baloncesto o el presidente de clase graduanda.

Existen factores que elevan la posición social de algunos alumnos dentro de la sociedad y de la escuela y que hacen descender la de otros. Uno de los factores más importantes es la edad, otro es el grado o año que cursan, el grupo a que están asignados, las materias que estudian, las actividades en que participan, las habilidades atléticas y el origen social de sus padres. Existen puestos en la escuela que se reservan a los estudiantes de los grados superiores. El presidente del Consejo es, por lo general, un miembro de la clase graduanda. El ser candidato a graduación produce prestigio. Los estudiantes de grados superiores tienen una posición superior en la sociedad de la escuela, comparados con los de los grados inferiores. Los de grados bajos tratan con deferencia a los de grados altos y así lo esperan éstos. Son bien conocidas las iniciaciones de los frescos, dirigidas por los mayores, los conocedores de la cultura de la escuela. Los frescos son novatos, no conocen la cultura y por eso hay que iniciarlos.

El maestro puede percatarse de la existencia de una estructura social estudiantil en la escuela. Puede utilizar técnicas sociométricas para descubrir las relaciones sociales en su salón de clases. Se le pide al alumno que escriba el nombre de un compañero con quien le gustaría trabajar en un comité, ir al cine o realizar cualquier otra actividad. También se le puede pedir que mencione el nombre de la persona con quien no le gustaría realizar algún trabajo. El análisis de esta información y su presentación en un sociograma, un diagrama de relaciones sociales, demuestra la atracción y el rechazo entre los alumnos.

El análisis de los sociogramas o una observación cuidadosa de las relaciones sociales de los alumnos revelará, además, la formación de "cliques", o camarillas, que son grupos informales de amistad. Factores tales como los intereses comunes, la clase social de los padres y la participación en las actividades extracurriculares, influyen en la formación de cliques.

[La clique] es un grupo pequeño, de relaciones íntimas, compuesto por personas del mismo *status* social, generalmente adolescentes. Es un subgrupo que funciona dentro de un grupo mayor. Sus miembros deben lealtad al subgrupo antes que al grupo grande. La clique se forma cuando dos o más personas se unen en íntima asociación que envuelve el estar juntas, ir a sitios juntas, intercambiar confidencias, lo que resulta en la completa aprobación de la conducta de la otra persona. Los asuntos estrictamente personales y confidenciales se tratan entre los miembros de la clique. Los miembros sienten lealtad a la clique, antes que a cualquier otro grupo. Es un grupo cerrado, del cual se excluye al que no pertenece al mismo. La clique desarrolla un alto sentido de conciencia de grupo, de pertenencia, que da lugar a que surjan actitudes, valores y sentimientos propios de ese grupo.

El pertenecer a una clique ofrece seguridad al adolescente. Se siente importante, cuando sabe que pertenece al grupo y que es aceptado por éste. La clique satisface una necesidad en la vida del adolescente. Estos grupos surgen en una etapa en que necesita emanciparse de la familia y de los mayores. La clique le ofrece seguridad y satisfacción a través de las actividades en que participa.

Hay una gran variedad de cliques en la escuela secundaria. Los atletas forman sus cliques. Los más inteligentes también las tienen, al igual que los que solo van a la escuela a divertirse y no a estudiar. Según Coleman[13] y Gordon[14] las cliques orientadas por valores atléticos y sociales son las que dominan la escuela superior norteamericana. Le importa mucho al estudiante la aceptación que reciba de su grupo, antes que de los adultos. Los valores académicos, según ellos, sufren ante el impulso que exhiben los atléticos y sociales. En la escuela primaria, sin embargo, predominan los valores académicos.[15]

Hay grupos de la élite, los de más alta posición social, que se ven a menudo en la oficina del director o del orientador. Los estudiantes de grupos minoritarios, los de la clase baja, a quienes se les ha asignado una

13. James S. Coleman. *The Adolescent Society*. Glencoe: Free Press, 1961.
14. C. Wayne Gordon. *The Social System of the High School*. Glencoe: Free Press, 1957.
15. Brookover. *Op. cit.*, págs. 269-270.

posición inferior, también forman sus cliques. Al hallarse aislados del resto de la sociedad estudiantil, optan por formar sus propios grupos. Las actividades de este último grupo no son siempre bien aceptadas por la administración de la escuela. Este es el grupo que, por lo general, da lugar a que surjan casos de conducta antisocial o delincuente. Se rebela ante la autoridad de la escuela y las pautas impuestas por los adultos.

Muchos padres y maestros no reconocen el verdadero valor que las cliques tienen para el adolescente. Se oponen a ellas y tratan de que los jóvenes rompan los lazos con estas, porque no reconocen su importancia como agencias socializadoras. Se crean entonces conflictos, porque los jóvenes no están dispuestos a abandonar sus grupos. Como resultado, los miembros se unen firmemente y se protegen más.

Deseamos recalcar que la estructura social de los estudiantes no es enteramente de carácter informal. Estos también tienen sus grupos formales, como por ejemplo, los clubs académicos, las sociedades de honor, los grupos de música y teatro, Futuras Amas de Casa, Futuros Líderes del Comercio y el Consejo de Estudiantes. Como se dijo anteriormente, estos grupos mitigan la rigidez de la institución y hacen más atractiva la vida escolar del estudiante. Enriquecen el programa de la escuela, estimulan la participación del estudiante, propician el desarrollo de buenas actitudes ciudadanas y fomentan el liderato estudiantil. Ha crecido en los últimos años el interés por ofrecer a los estudiantes algún tipo de colaboración y participación en el gobierno interno de la escuela. Por esta razón, se está dando más importancia a la organización de Consejos de Estudiantes.

Los grupos informales o subculturas de los estudiantes no se encuentran solamente en la escuela superior. También abundan en colegios y universidades. Clark [16] identifica cuatro subgrupos en la sociedad colegial: los que solamente van tras la vida social; los que se preocupan por los valores intelectuales; los que solo interesan un diploma o certificado, no necesariamente conocimientos, y finalmente, los inconformes o rebeldes con la institución. Cada uno de estos grupos tiene sus seguidores en el colegio, lo que quiere decir que los valores de los estudiantes y las actividades que realizan determinan en parte la vida de la institución educativa. Un estudio que realizó Jacob [17] demostró que los intereses de los estudiantes de colegio guardan más relación con los valores de sus compañeros que con los de sus profesores. Según él, la estructura informal de los estudiantes influye más en su conducta que la estructura de los adultos.

### La escuela como una red de interacción social

El sociólogo de la educación reconoce la existencia de los diferentes niveles en la estructura de la escuela, pero no puede ver a unos componentes independientes de los otros. La escuela no consiste de administradores, maestros y estudiantes, actuando separadamente, sino de administradores, maestros y estudiantes, en continua interacción produciendo un sinnúmero de relaciones recíprocas, o una red compleja de interacción social que se

---

16. Burton R. Clark. *Educating the Expert Society*. San Francisco: Chandler Publishing Co., 1962, págs. 202-214.

17 Philip F. Jacob. *Changing Values in College*. New York: Harper, 1957.

sucede simultáneamente y que afecta la organización de la escuela y por
ende al educando. La forma en que se desarrollan estas relaciones determina el éxito o el fracaso de la función educativa.

Los administradores tienen que establecer relaciones con la comunidad
que pueden afectar el grado de cooperación que ésta brinde a la tarea
educativa. Los administradores establecen relaciones con los maestros, éstos
entre ellos y también con los estudiantes. Estos también establecen relaciones recíprocas que pueden afectar la forma en que se ejerce la autoridad
en la escuela y el grado de aprendizaje de los alumnos.

Es muy importante para el éxito del proceso educativo el tipo de relaciones que se establece entre los administradores y los maestros. Estos
se sienten más felices y satisfechos con su trabajo cuando las relaciones
son más satisfactorias y los administradores ejercen sus funciones más democráticamente.

Nadie puede negar que la escuela funciona de este modo como un sistema social. La existencia de una gran variedad de interacciones sociales
complica grandemente la labor que han de realizar, no solo los maestros,
sino también los directores y demás personal. El éxito de estos dependerá
en gran medida de sus conocimientos de la sociología de la escuela y su
habilidad para llevar a cabo estas relaciones adecuadamente.

## LOS ROLES DEL MAESTRO EN LA ESCUELA

El rol social es la conducta que se espera de todas las personas que
ocupan una misma posición o lugar en la sociedad. Así, por ejemplo, se
espera que todos los maestros se comporten de cierta manera dentro del
salón de clases, sin importar cómo pueden actuar fuera cuando desempeñan
otros roles, como padre, esposo o hijo.

### Diversidad de roles

Los roles del maestro son de diversa índole. Cubren una gama de subroles que dependen de la época y el sitio donde les toca actuar como tales. El
maestro desempeña roles en la escuela y fuera de ella.

En su desempeño en la escuela, particularmente dentro del aula de
clase, el maestro tiene la mayor responsabilidad como director del proceso
enseñanza-aprendizaje. Otros subroles se derivan de su rol principal, íntimamente unidos a él, tales como la disciplina, el control de la conducta de
los estudiantes, la organización de experiencias, la motivación y la orientación de los alumnos.

### Roles del maestro de acuerdo con Ana Cáceres [18]

Las actividades del maestro en la escuela son muchas y variadas, entre
las que incluimos las siguientes: planificar las actividades a llevarse a cabo
en el salón, participar en actividades cocurriculares, atender y dirigir el sa-

---

18. Ana C. Cáceres. *Educación y Orientación*. Tercera edición. Puerto Rico: Universidad de Puerto Rico, División de Impresos, 1972, pp. 66-67.

lón hogar, trabajar en los expedientes acumulativos de los alumnos, evaluar la labor que éstos realizan y participar en actividades de crecimiento profesional.

Todas estas actividades son importantes, pero están subordinadas a la tarea primaria del maestro, que es la de enseñar. El maestro que desea cumplir a cabalidad con su función primaria realizar cuatro tareas importantes. Estas son:

1. Conocer a sus estudiantes como individuos y como miembros de grupos

2. Basar la enseñanza en el conocimiento de los alumnos

3. Identificar y utilizar los recursos de la escuela y la comunidad

4. Evaluar su contribución al desarrollo de los estudiantes. Estas cuatro tareas lo convierten en un maestro-orientador.

Como hemos visto, la orientación es otro rol importante en la labor del maestro, la cual se deriva de su función principal, la enseñanza. Contribuye a que el maestro trascienda su función primaria y se convierta en un guía inteligente del alumno, en un investigador y canalizador de sus intereses y en un descubridor de potencialidades. Cuando el maestro asume esta responsabilidad, trata al alumno como un ser distinto a los demás alumnos y no como un número.

## Roles del maestro de acuerdo con Grambs [19]

Grambs presenta los siguientes roles o funciones del maestro:

1. Juzga el aprovechamiento de los estudiantes
2. Imparte conocimientos
3. Mantiene la disciplina
4. Da consejos y recibe confidencias
5. Establece un ambiente de moralidad
6. Es miembro de la institución
7. Es modelo para los jóvenes
8. Participa de los asuntos de la comunidad
9. Es un servidor público
10. Es miembro de una profesión.
11. Lleva los expedientes de los alumnos

Los críticos de la educación moderna, dicen que una sola persona no puede realizar bien todas estas funciones. Es demasiado esperar que los maestros hagan todo esto. Por tal razón, se contrata personal especializado que realiza algunas de las tareas del maestro.

Los consejeros orientan y son más expertos en estas tareas que el maes-

19. Jean den Grambs. *Schools, Scholars and Society.* Englewood Cliffs, N. J.: Prentice-Hall, , 1965, p. 128.

tro. Las secretarias, además de realizar funciones de su cargo, ayudan a llevar algunos expedientes. No obstante, la mayoría de los maestros todavía tienen que hacer muchas de las tareas que se han indicado.

Los estudiantes tienen opiniones diversas en cuanto a la percepción de las tareas del maestro. Para algunos lo más importante que el maestro puede hacer es recibir confidencias y respetarlas. Otros, ven al maestro solo en su rol de erudición sobre diversas cosas, es decir, en cuanto a la función de instructor.

Hay diferencias individuales en el desempeño de los roles. Algunos maestros tienen mejor talento para organizar el conocimiento de modo que aparezca interesante y comprensible, otros saben trabajar bien con grupos pequeños, otros orientan mejor los intereses creadores de los estudiantes. Algunos han empezado a aceptar la idea de que no todos los maestros son igualmetne capaces.

Los roles del maestro son diversos, pero, por lo general, el rol principal es el de dirigir el proceso de enseñanza y aprendizaje en el salón de clase. Por ello se dice que una de las tareas del maestro es establecer el control de los alumnos, aunque muchas veces no enseñen mucho contenido en sus cursos, por mantener el orden. El desorden es visto como símbolo de incompetencia.

En el desempeño de sus roles, el maestro se enfrenta a situaciones cruciales. Es difícil recibir las confidencias de los estudiantes y al mismo tiempo juzgar objetivamente su conducta. Asimismo es una tarea ingente percibir el fracaso de un alumno cuando se ha hecho el mayor esfuerzo para que alcance el éxito.

Por lo expresado se puede ver cómo son de numerosas y difíciles las tareas del maestro para cumplirlas conscientemente. En adición a la enseñanza propiamente, el maestro tiene que cumplir con otros papeles no solo en el ambiente de la escuela, sino aún en su propia casa. Al respecto dice Grambs: [20] "Cada maestro consciente va a su casa diariamente sintiendo que la tarea no está terminada, que no está perfecta. No es el maestro como el ingeniero, el cirujano, el poeta o el mecánico. El maestro nunca puede juzgar su trabajo y decir, "ese es un trabajo bien hecho". El maestro nunca puede ver el producto terminado, y aunque un estudiante logre éxito, siempre cabe la pregunta: ¿Cuál de los muchos maestros merece el crédito, si alguno?

## Roles del maestro de acuerdo con Havighurst [21]

Havighurst clasifica los roles del maestro en tres grandes categorías: unos roles que tienen que ver con el desempeño del maestro en la comunidad y otros que se circunscriben a la actividad del maestro en la escuela y, por último, como profesional. Para propósitos de este trabajo, nos interesa, por el momento, describir los roles en la escuela.

20. Grambs. *Ibid.*, p. 130.
21. Robert Havighurst. *La sociedad y la educación en América Latina.* Segunda edición. Buenos Aires, Argentina: Editorial Universidad de Buenos Aires, 1966, Capítulo 16.

En la sala de clases, el profesor tiene una serie de subroles, de los cuales enumeramos los siguientes:

_ *El profesor como instructor.* De acuerdo con este papel, el profesor trasmite al alumno una serie de conocimientos y dirige el proceso de aprendizaje.

*El profesor como organizador de una situación de aprendizaje.* Este papel es mucho más complejo que el del profesor como instructor e incluye a este último. En este papel el profesor tiene en su mente otros objetivos aparte del de desarrollar habilidades intelectuales. El maestro emplea la escuela y el día escolar como medio de inculcar ciertos hábitos y actitudes de carácter y de civismo. El maestro puede organizar su clase en forma de comités para realizar un proyecto de trabajo, puede fundar una cooperativa escolar o puede planear un juego con los niños, todo ello con el propósito de crear situaciones en que el niño pueda aprender tales hábitos y actitudes al mismo tiempo que las destrezas que enseña la escuela.

*Mantenedor de la disciplina.* El maestro debe ordenar el comportamiento agresivo de los niños y debe ser capaz de mantenerlos ocupados en sus tareas escolares.

_ *Sustituto de los padres.* Los maestros de escuela elemental deben aprender a desempeñar el papel de sustitutos de los padres, ayudar al niño a vestirse, consolarlo, mostrarle afecto, elogiar o censurar los variados tipos de comportamiento.

*Juez.* El maestro actúa como juez. Tiene que emitir un juicio sobre el trabajo del niño. Asigna notas y promueve o fracasa al niño. También dictamina qué es bueno o malo en la conducta del niño.

*Confidente.* Al mismo tiempo que es juez representante de la disciplina, es también amigo y confidente del niño. Le brinda cariño, simpatía y ayuda, confía en él y le quiere.

## LA ESCUELA Y EL DESARROLLO DE LA PERSONALIDAD

En esta parte del trabajo hemos estudiado las agencias que influyen en la socialización del niño. Primero estudiamos la influencia de la familia y los grupos de actividades. Ahora estudiamos la escuela. En el próximo capítulo nos ocuparemos de la comunidad.

Sociológicamente hablando, el niño no nace ser social. Desde el momento de su nacimiento empieza a socializarse a través del contacto con los otros seres humanos. Aprende de ellos el tipo de conducta que se espera, no solamente de él, sino también de los demás miembros de la sociedad. Luego se sigue socializando a través de la influencia de todas las agencias de la comunidad. La escuela, por supuesto, es una de estas agencias.

Nuestra sociedad reconoce la escuela como la más importante agencia influyente en la educación formal del niño. Aquí aprende no solo a leer y a escribir, sino también a convivir con las demás personas y a adquirir valores deseables. Desde la edad de cuatro o cinco años el niño empieza a recibir la influencia de la escuela y de las personas que participan en ella. Esta influencia se extiende por un número de años cada día mayor, según mejora nuestra condición social y económica y según aumenta la necesidad de alcanzar una mayor educación formal.

En este capítulo estudiaremos dos aspectos importantes de la socialización en la escuela: el del maestro como un agente socializador y como un modelo y el efecto del clima social de la escuela sobre la conducta de los niños.

## El maestro como modelo en la socialización

El maestro es la figura clave en la educación formal del niño. El está en la mejor posición para enseñar al niño los valores y las actitudes, además de la información y los conocimientos. Ejerce de este modo su función como agente socializador del niño, desde el momento en que éste llega a la escuela por primera vez.

De la misma manera que la familia trata de inculcar al niño aquellos patrones de conducta aceptados por la sociedad y la cultura, la escuela trata de transmitir al niño los mismos patrones y valores. En la familia, los padres sirven de agentes socializadores; en la escuela, el maestro desempeña esta función. Es un modelo que los niños pueden imitar; que se les presenta entre muchos otros modelos que encuentran en la familia y en la comunidad.

Además de servir de modelo, el maestro tiene ante sí otros medios de influir en la socialización del niño. Selecciona ciertas experiencias y materiales de enseñanza que utiliza para ilustrar aquellos valores y actitudes que quiere que sus alumnos desarrollen. En este proceso de socialización el maestro premia a algunos alumnos que se destacan en el desarrollo de ciertos patrones de conducta. Igualmente castiga a otros niños por otros patrones de conducta.

Ejerce su función como modelo de muchas maneras. Desde que el niño llega a la escuela empieza a imitar rasgos de conducta de su maestro. Los niños imitan la conducta de aquellos que respetan y admiran.

Es interesante la conducta de los niños pequeños al jugar a la escuela: uno de ellos hace el papel de maestro. El pequeño maestro imita una serie de gestos, manerismos y el vocabulario de su maestro. En su juego aplica los mismos castigos y otorga las recompensas que ofrece su maestro. Los estudiantes aprenden rápidamente y repiten las palabras y frases favoritas de su profesor. Las niñas se peinan como su maestra y los varones imitan a un maestro a quien admiran, como, por ejemplo, al instructor atlético.

Los niños no solo imitan estas rasgos visibles de conducta, sino que también aceptan las actitudes y los valores de sus maestros. La influencia diaria del maestro sobre sus discípulos deja sentir su efecto en la conducta del niño. El maestro que exhibe sus prejuicios, sus preferencias y sus intereses, no tardará en transmitir esos mismos sentimientos a sus discípulos. No es difícil para los alumnos seguir el ejemplo del maestro que rechaza a un niño o maltrata o ridiculiza a otro. Lo más probable es que los niños también rechacen, maltraten o ridiculicen a ese niño. Lo mismo ocurre cuando el maestro acepta y reconoce las diferencias entre seres humanos y exhibe actitudes de tolerancia y comprensión. Lo más probable es que sus discípulos también adopten esa misma actitud y desarrollen respeto y admiración por los grupos minoritarios.

Como dijimos anteriormente, el niño imita mejor a aquellos a quienes respeta y admira. También imita a aquellos con quienes ha establecido buenas relaciones y a aquellos que le demuestran cariño. El grado de aceptación que el maestro demuestre al niño, al igual que la naturaleza de sus relaciones recíprocas, afectarán la imitación y la función del maestro como un modelo en la socialización.

Antes de terminar la explicación del aspecto del maestro como modelo, creemos conveniente hacer algunas observaciones adicionales. El maestro no es el único modelo que se le presenta al niño en su proceso de socialización. No es tampoco el que necesariamente el niño va a aceptar. En nuestra compleja sociedad se le presenta al niño una gran variedad de modelos: sus padres, sus amigos, sus vecinos, los atletas, los artistas, los gobernantes, y así una infinidad de modelos que él puede imitar. El maestro no es, pues, el único modelo; quizá no es el mejor ni el modelo que el niño quisiera imitar. El niño no tiene necesariamente que tomar el modelo que le ofrece el maestro.

Se nos ocurre ahora otra pregunta. En una sociedad de tantos modelos, ¿cómo verá el alumno, especialmente el joven y el adolescente, el modelo que le ofrece el maestro? Este es un asunto que merece investigación. Todos sabemos que el maestro no tiene en la comunidad el *status* que tienen otros profesionales. Muchos ven el magisterio como una profesión dominada por las mujeres; un gran número de ellas, solteras. ¿Cómo verá el alumno el modelo que le presenta el maestro? No cabe duda de que el niño tiene hoy día mejor que antes una magnífica oportunidad para seleccionar de entre los muchos modelos que se le presentan.

Se nos ocurre otra pregunta sobre este mismo tema. ¿Serán los maestros los mejores modelos a ser imitados por el niño de la clase baja que tanto abunda en nuestra sociedad y que es el que principalmente nutre la matrícula de nuestras escuelas públicas? El maestro es, por lo general, un modelo de la conducta de la clase media y ese es el tipo de conducta que generalmente caracteriza la situación de la escuela y del salón de clases. ¿Cómo se sentirá el niño en ese ambiente y ante el modelo que el maestro le ofrece? ¿Cómo reaccionará el niño ante los modelos en conflicto? Este puede ser el caso de su madre y de su maestra. Ambas son mujeres. El concepto que él tiene de su mamá es el de una mujer sumisa, dominada e inferior. Sin embargo, cuando va la escuela encuentra a una mujer que controla la situación del salón de clase, una mujer que puede ser muy distinta a su madre. Puede ser este el caso de la maestra dominante, autoritaria y superior. Esto plantea un caso de modelos en conflicto. ¿Qué efectos tendrá ese conflicto en la conducta del niño? Esta y otras preguntas se prestan para interesantes investigaciones.

## El efecto del clima social de la escuela en la conducta de los estudiantes

Como el niño pasa gran parte de su tiempo en la escuela bajo la influencia del maestro, es de especial interés para sociología educativa estudiar el clima social de la escuela y la influencia de ese clima en la personalidad del niño. Si observamos la situación del salón de clases, encontramos que casi todas las veces es el maestro el que domina la situación. Casi siempre hallamos al maestro frente a su grupo, dando explicaciones, instrucciones y órdenes. El maestro es la figura de autoridad en el salón de clases; ejerce esa autoridad de muchas maneras. Unas veces es muy autoritario en las relaciones con sus alumnos y otras mucho menos autoritario; unas veces es más democrático y a veces menos. A pesar de estas variaciones en la personalidad de un maestro y otro, él es la autoridad.

Se han hecho estudios para determinar el efecto de los climas democráticos y autoritarios sobre los miembros de un grupo. Uno de los estudios más conocidos es el realizado por Lewin, Lippitt y White [22] en el 1939; aunque no es un estudio de una situación escolar, muy bien podría relacionarse con una situación parecida a la del salón de clase. En el estudio de Lewin, los clubs de niños fueron puestos a trabajar bajo la dirección de líderes que usaban métodos democráticos, autoritarios y *laissez-faire;* se observó el efecto del uso de estos métodos en la conducta de los miembros. Al analizar los resultados del estudio, se encontró que la conducta de los miembros varió de acuerdo con el método usado.

Por efecto del uso del método democrático, la cooperación entre los miembros fue marcada. Las relaciones sociales fueron mucho más amistosas. Los miembros del grupo participaron en las decisiones y el líder fue simplemente un miembro más de este. Bajo el método autoritario la cooperación entre los miembros fue menor; las relaciones sociales fueron inferiores caracterizándose principalmente por la agresión. El líder autoritario determinaba todo lo que se iba a hacer y cómo se iba a hacer. Bajo la situación caracterizada por el método *laissez-faire,* el grupo tenía completa libertad de acción, sin la participación del líder. El líder solamente contestaba preguntas, si eran hechas por los miembros del grupo. La moral de este grupo fue baja y realizó menos trabajo que los demás. Este experimento demostró que los niños exhibían diferencias en conducta bajo cada uno de los tres métodos.

En 1943, [23] Anderson realizó otro estudio sobre los estilos de vida democrático-integrador y autoritario-dominante, aplicados esta vez a la situación del salón de clases de un grupo de niños de los grados inferiores de la escuela elemental. Este estudio demostró que la conducta de los niños variaba en relación con la conducta y el liderato que ejercía el maestro, dependiendo de si este era integrador o dominante. El grupo dirigido por el maestro integrador se caracterizó por una mayor espontaneidad, por la libertad para actuar y el estímulo de la iniciativa. Por el contrario, el dirigido por el maestro dominante fue controlado totalmente en su conducta. La reacción hostil que produjo el maestro que usaba métodos antidemocráticos, según Anderson, afectó el buen ajuste y la seguridad del niño, condiciones indispensables en una buena situación escolar. El maestro democrático

---

22. Citado en Wilbur B. Brookober y David Gottlieb. *A Sociology of Education* Segunda edición. New York. American Book Co., 1964, páginas 407-410.

23. *Ibid.,* pp. 410-411.

24. Wilbur B. Brookover y David Gottlieb. *A Sociology of Education.* Segunda edición. New York: American Book Co., 1964, pp. 430-433.

ayudó más al desarrollo y al ajuste personal del niño; lo ayudó a ser más independiente, más cooperador y mejor miembro del grupo. La calidad de la enseñanza fue superior en el grupo democrático. Los niños trabajan y aprenden más en un ambiente donde se respetan y son respetados.

Brookover [24] realizó un estudio sobre la interacción entre el maestro y el discípulo y su efecto en el aprendizaje. El estudio incluyó 66 maestros de historia, en Indiana, y a sus discípulos. Se les pidió a los estudiantes que evaluaran a sus maestros e indicaran la relación de estos con sus alumnos. Fueron evaluados más favorablemente los maestros que mantenían relaciones amigables con los estudiantes: los acompañaban en actividades recreativas y les ayudaban en el trabajo escolar. Los maestros menos amigables con los estudiantes fueron evaluados menos satisfactoriamente. El estudio revela que la evaluación que hacen los estudiantes del maestro depende de las relaciones que han establecido con él.

El estudio reveló otros hallazgos aún más interesantes. El análisis estadístico del mismo demostró que los maestros menos amigables o autoritarios trasmitían más información. Brookover concluye que los estudiantes prefieren a los maestros amigables, pero que aprenden más cuando son enseñados por maestros que gozan menos de sus simpatías. Aparentemente, cuando se trata de adquirir conocimientos para pasar unas pruebas, los estudiantes prefieren al maestro autoritario.

Los estudios antes mencionados no son los únicos que se han efectuado. Conocemos, entre otros, uno que dirigió Ruth Cunningham [25] en el 1951. Ella estudió cinco patrones distintos de interacción social entre el maestro y el discípulo, en situaciones reales del salón de clases, y observó las reacciones del grupo a los diferentes patrones. Los maestros más efectivos, según Cunningham, eran los que usaban una variedad de patrones de interacción, dependiendo de la situación. Hay ocasiones en que el maestro tiene que ser autoritario, como ocurre en una situación de emergencia. Otras veces puede ser mucho más democrático. En este estudio también se encontró que la conducta de los niños variaba de acuerdo con la clase de liderato que ejercía el maestro.

Estos estudios demuestran que el tipo de liderato que ejerce el maestro y la atmósfera que logra producir en el salón de clases son muy significativos y determinantes de la conducta de los niños. El niño asume la conducta característica del grupo en el cual es situado. La mayoría de los estudios demuestra la superioridad del método democrático sobre el autoritario cuando se trata de lograr un determinado tipo de conducta en los alumnos. Tampoco se descarta completamente el posible empleo, y hasta ventajas, a veces, del uso del método autoritario. Desde el punto de vista del desarrollo de la personalidad, es esencial que el maestro tenga siempre presente la atmósfera que él puede ayudar a crear en su salón de clases.

Aunque estos estudios reconocen las ventajas del método democrático, no queremos indicar que este deba usarse siempre y que el autoritario no deba usarse. El buen maestro usa uno y otro método, dependiendo de la situación.

Hay que tener en cuenta un detalle adicional. Señalamos la bondad del

25. Ruth Cunningham *et al. Understanding Group Behavior of Boys and Girls.* New York: Teachers College, Columbia University, 1951.

método democrático y creemos en un ideal democrático de vida. Sin embargo, muchas situaciones diarias y muchas experiencias vitales se rigen por el método autoritario. Tendremos inevitablemente que hacernos una pregunta importante: ¿cómo va el niño educado en una situación escolar democrática a ajustarse a situaciones de vida que sean más bien caracterizadas por la autoridad y la autocracia? También tendremos que preguntarnos sobre la clase de conducta que exhibirá un niño educado en una situación autoritaria con un maestro autoritario al tratar de ajustarse a situaciones de la vida que requieran el uso de métodos democráticos. Las situaciones de la vida requieren que nos enfrentemos a toda clase de experiencia, tanto democrática como autoritaria.

## La escuela y las demás agencias socializadoras

A través de este trabajo hemos insistido en el hecho de que la escuela no es el la única institución que educa, no es la única institución responsable del desarrollo de la personalidad de los estudiantes. Hacia el logro de este importante objetivo es que se dirigen todas las instituciones de la sociedad, incluyendo los grupos de niños y jóvenes como el grupo de juego, las cliques y las pandillas. La socialización del ser humano es, pues, un proceso en el que participan cooperativamente todos los grupos y todas las agencias sociales. La escuela es solamente una de esas agencias. Como explicáramos anteriormente, la socialización comienza por lo general en la familia, se va extendiendo a los grupos y demás agencias con las cuales el ser humano tiene contacto; así, la persona aprende la cultura de la sociedad.

Como dijimos en un capítulo anterior, la familia tenía antes la principal responsabilidad en la educación de los niños. Esta responsabilidad, por necesidad, tuvo que ser más tarde encomendada a la escuela y al maestro. Con el desarrollo de la democracia había la urgencia de llevar la educación a mayores números, y con el desarrollo de la ciencia y la tecnología había mayor cantidad de conocimientos que transmitir. La familia y la Iglesia no podían realizar esta función a cabalidad. Entonces la escuela vino a convertirse en una importante institución educativa. Hoy la comunidad espera que la escuela realice esta responsabilidad a satisfacción de todos. Justa o injustamente, cuando surgen fallas en la socialización, cuando surgen problemas y desajustes, existe la tendencia a culpar a la escuela y al maestro. A diario nos tropezamos con situaciones como esta. Si aumenta la delincuencia juvenil, la escuela tiene la culpa. Aumentan los problemas de familia y el divorcio, y se culpa a la escuela. Aumentan los accidentes de automóviles, y también culpamos a la escuela; y así sucesivamente, achacamos nuestros males sociales a la educación.

La escuela no tiene la culpa de todos los problemas de la sociedad. No se quiere librar a la escuela de alguna responsabilidad ante esos problemas. Puede que la escuela tenga alguna culpa, pero no la tiene toda. Ha asumido responsabilidades que originalmente no le pertenecían y sus funciones se han ampliado. No debemos, sin embargo, olvidar el hecho de que cuando el niño viene a la escuela ha pasado un número de años, quizá los más importantes para su desarrollo, bajo la dirección y el cuidado de la familia. Lleva a la escuela inevitablemente muchos patrones de conducta, sociales o antisociales, que aprendió en la familia y no pueden cambiarse de la noche a la mañana. Además el niño pasa solamente un número limitado de horas bajo la influencia directa del maestro y de la escuela; pueden ser cuatro, cinco o seis o más, dependiendo de muchos factores. El resto del tiempo está expuesto a las influencias de la familia y de los demás grupos de la comunidad. Lo que la escuela haga puede ser además contrarrestado por lo que los padres hagan una vez el niño llegue a su casa. Puede que el niño llegue a un hogar vacío, porque el padre y la madre trabajen fuera. Puede que se quede en la calle. La comunidad también tiene una gran responsabilidad en la educación del niño y debe ofrecer a este facilidades que propicien, antes que impidan, un desarrollo socialmente deseable.

En su función de educar, la escuela no puede trabajar sola. Tiene necesariamente que contar con el respaldo y el apoyo tanto de los padres como del resto de la comunidad. Por esta razón es que la escuela se relaciona con los padres a través de las asociaciones de padres y maestros y de muchos otros medios, y se relaciona con la comunidad a través de su participación en un concilio de agencias comunales. Para que esta relación entre la escuela y la comunidad sea efectiva tiene que ser recíproca.

## RESUMEN

Dedicamos este capítulo al estudio de la escuela como una de las instituciones que más influyen en el desarrollo de la personalidad del niño. La escuela es hoy día la más importante en lo que respecta a la transmisión de la educación formal. Surgió para satisfacer una necesidad que no podían cumplir a cabalidad otras instituciones sociales.

Desde el punto de vista sociológico tenemos que ver la escuela como un mundo social compuesto por personalidades en interacción. Estas personalidades en interacción son los maestros, los administradores, los estudiantes y demás personal que en una u otra forma participan en la tarea educativa. Como resultado de la interacción entre estas personalidades y de sus esfuerzos por lograr los objetivos de la escuela, surge un modo de vivir propio de esta, que se conoce como la cultura de la escuela.

La escuela posee características que la hacen una unidad social peculiar. Estas características son las siguientes: tiene una población definida, una organización definida, unas particulares relaciones sociales y un sentimiento de intimidad; tiene además una cultura distinta a la cultura de ótras unidades sociales.

En cuanto a la cultura de la escuela podemos formular dos conclusiones importantes: existen patrones culturales que comparten en común todos los estudiantes de todas las escuelas y existen patrones culturales que comparte solamente un número limitado de estudiantes. Entre los patrones culturales comunes pueden señalarse entre otros: el currículo, el horario, las asambleas estudiantiles y las ceremonias y tradiciones escolares. Los atletas, los miembros del coro, de la banda y del grupo de arte dramático exhiben patrones culturales especiales.

La escuela no exhibe solo su propia cultura; tiene también una organización social característica de ese sistema social. Existen dos niveles en la estructura social de la escuela: el de los adultos y el de los estudiantes. La estructura social de los adultos la constituyen los administradores, los maestros y demás personal adulto de la escuela. Todos los adultos tienen responsabilidades específicas y distintos niveles de autoridad en la escuela. Las relaciones sociales entre los maestros tampoco se desarrollan en un plano de completa igualdad. Entre ellos también existen diferencias sociales.

Los estudiantes desarrollan una estructura social menos formal que la de los adultos, pero entre ellos también existe una estructura social definida. Existen posiciones de rango y prestigio entre los estudiantes, lo que da lugar a que unos se consideren diferentes frente a otros y se unan en pequeños grupos informales de amistad conocidos como cliques. Hay diversos tipos de cliques estudiantiles en la sociedad de la escuela. Su formación obedece a un sinnúmero de factores: la edad, el año que cursan, los intereses, la posición social de los padres y la participación en las actividades extracurriculares.

Describimos los roles del maestro. Este desempeña una gran variedad de roles, tanto dentro como fuera de la escuela. Discutimos solamente sus roles en la escuela; dando énfasis a su rol principal — como instructor o como director del aprendizaje. Los demás roles, igualmente importantes, están íntimamente relacionados con su rol principal.

También consideramos la influencia de esta institución en el desarrollo de la personalidad de los niños. Estudiamos dos aspectos principales: primero el maestro como modelo y luego el clima social de la escuela. Desde que el niño llega a la escuela empieza a recibir la influencia del maestro. Este ofrece un modelo que el niño puede imitar. No es el único y quizá tampoco sea el mejor. A diario observamos a los niños imitando la conducta de sus maestros. En este mundo complejo, se le presenta al niño una variedad de modelos que él puede imitar. Sobre el clima social de la escuela presentamos los resultados de unos estudios que demuestran que el tipo de liderato que ejerza el maestro y la atmósfera que él logre crear en su salón de clases tendrán efectos significativos en la conducta y la personalidad de los niños. En la mayor parte de estos estudios se advierten las ventajas que tiene el método democrático sobre el autoritario.

El capítulo terminó con la explicación de la relación que existe entre la escuela y las demás agencias socializadoras. Todas las agencias sociales, la escuela entre ellas, tienen una importante función que desempeñar en la educación del niño. La escuela no es la única agencia que educa. Esta no puede realizar efectivametne su función a menos que establezca una relación de colaboración y cooperación con las demás agencias sociales: la familia, la Iglesia, la prensa, la radio y los grupos de juego, entre otras.

## LECTURAS

Anderson, Harold H. y Joseph E. Brewer. *Studies of Classroom Personality*. I, II, III, Applied Psychology Monographs. Stanford, California: Stanford University Press, 1945, 1946.

Banks, Olive *The Sociology of Education*. New York: Shocken Books, 1968.

Bany, Mary A. y Lois V. Johnson. *Classroom Group Behavior: Group Dynamics in Education*. New York: The Macmillan Co., 1964.

Bartky, John A. *Social Issues in Public Education.* Boston: Houghton Mifflin Co., 1963, Capítulo 9.

Becker, Howard S. *Social Class Variations in the Teacher-Pupil Relationship.* En *Journal of Educational Sociology.* XXV, abril de 1942, 451-465.

Bell, Robert R. y Holger R. Stub. *The Sociology of Education: A Sourcebook.* Revised edition. Homewood, Ill.: Dorsey Press, 1968.

Biddle, Bruce J. y William J. Ellena. *Contemporary Research on Teacher Effectiveness.* New York: Holt, Rinehart and Winston, 1964.

Boocock, Sarane S. *An Introduction to the Sociology of Learning.* New York: Houghton Mifflin Co., 1972.

Bossard, James H. S. *The Sociology of Child Development.* New York: Harper and Brothers, 1948, Capítulo 20.

Brembeck, Cole S. *Social Foundations of Education: Environmental Influences in Teaching and Learning.* Second edition. New York: John Wiley and Sons, Inc., 1971, Capítulos 3, 4, 10, 12, 15, 16, 17 y 18.

Brookover, Wilbur B. y David Gottlieb. *A Sociology of Education.* Segunda edición. New York: American Book Co., 1964, Capítulos 7, 10, 11, 12, 13, 14, 15, y 16.

Brookover, Wilbur B. y Edsel L. Erickson. *Society, Schools and Learning.* Boston: Allyn and Bacon, Inc., 1969.

Brookover, Wilbur B. y otros. *Elementary School Social Environment and School Achievement.* East Lansings, Michigan: Michigan State University, 1973.

Brophy, Jere E. y Thomas L. Good. *Teacher-Student Relationships: Causes and Consequences.* New York: Holt, Rinehart and Winston, Inc., 1974.

Brown, Francis J. *Educational Sociology.* Segunda edición. New York: Prentice-Hall, Inc., 1954, Capítulo 12.

Bush, Robert N. *The Teacher-Pupil Relationship.* Englewood Cliffs: Prentice-Hall, 1954.

Cáceres, Ana C. *Educación y orientación.* Tercera edición revisada. Río Piedras: Universidad de Puerto Rico, Colegio de Pedagogía, 1972.

Cáceres, José A. *La escuela como un sistema social.* En *Pedagogía,* Vol. XIII, Núm. 2, julio-diciembre de 1964, 81-90.

Charters, W. W. y N. L. Gage (ed.) *Readings in the Social Psychology of Education.* Boston: Allyn and Bacon, 1963. Secciones 4 y 5.

Chilcott, John H., Norman C. Greenberg y Herbert S. Wilson. *Readings in the Socio-cultural Foundations of Education.* Belmont, California: Wadsworth Publishing Co., Inc., 1968.

Clark, Burton P. *The Open Door College.* New York: McGraw-Hill Book Co., 1960.

Clark, Burton R. *Educating the Expert Society.* San Francisco: Chandler Publishing Co., 1962.

Cole, William E. y Roy L. Cox. *Social Foundations of Education.* New York: American Book Co., 1968, Capítulos 1, 2, 7, 14.

Coleman, James S. *The Adolescent Society.* Glencoe: Free Press, 1961.

Coleman, James S. *Academic Achievement and the Structure of Competition.* En *Harvard Educational Review,* XXIX, Fall, 1959, 339-351.

Cook, Lloyd A. y Elaine F. Cook. *A Sociological Approach to Education.* Tercera edición. New York: McGraw-Hill Book Co., Inc., 1960, Capítulos 10 y 15.

Corwin, Ronald G. *A Sociology of Education.* New York: Appleton-Century-Crofts, 1965, Capítulos 8, 9 y 10.

Corwin, Ronald G. *Militant Professionalism.* New York: Appleton-Century-Crofts, 1970.

Corwin, Ronald G. *Education in Crisis: A Sociological Analysis of Schools and Universities in Transition.* New York: John Wiley and Sons, Inc., 1974.

Cox, Phillip W. L. y Blaine E. Mercer. *Education in Democracy: Social Foundations of Education.* New York: McGraw-Hill Book Co., 1961, Capítulos 7 y 8.

Cunningham, Ineke. *Modernity and Academic Performance: A Study of Stu-*

*dents in Puerto Rican High Schools.* Río Piedras: University of Puerto Rico, Social Science Research Center, 1972.

Cunningham, Ruth, *et al. Understanding Group Behavior of Boys and Girls.* New York: Teachers College, Columbia University, 1951.

Elkin, Frederick. *El niño y la sociedad.* Buenos Aires: Editorial Paidos, 1964.

Fichter, Joseph H. S. J. *Parochial School: A Sociological Study.* South Bend: University of Notre Dame Press, 1958.

Gessel, Arnold y otros. *Youth: The Years form Ten to Sixteen.* New York: Harper and Brothers, 1956.

Gordon, Wayne C. *The Social System of the High School.* Glencoe, Illinois: Free Press, 1957.

Goslin, David A. *The School in Contemporary Society.* Chicago: Scott, Foresman and Co., 1965.

Gottlieb, David y John Reeves. *Adolescent Behavior in Urban Areas.* New York: Free Press, 1963.

Grambs, Jean D. *Schools, Scholars and Society.* New Jersey: Prentice Hall, Inc., 1965, Capítulos 8, 9, 10, 11, 12 y 13.

Gross, Carl H., Stanley P. Wronski y John W. Hansen. *School and Society: Readings in the Social and Philosophical Foundations of Education.* Boston: D.C. Heath and Co., 1962, Capítulos 6 y 13.

Havighurst, Robert J. e Hilda Taba. *Adolescent Character and Personality.* New York: Wiley, 1949.

Havighurst, Robert J. y Bernice L. Neugarten. *Society and Education.* Tercera edición. Boston: Allyn and Bacon, 1967, Capítulos 8 y 16-20.

Havighurst, Robert J. y colaboradores. *La sociedad y la educación en América Latina.* Buenos Aires: Editorial Universitaria de Buenos Aires, 1962.

Hollingshead, August B. *Elmtown's Youth.* New York: John Wiley and Sons, Inc., 1949.

Jackson, Philip W. *Life in Classrooms.* New York: Holt, Rinehart and Winston, Inc., 1968.

Johnson, David W. *The Social Psychology of Education.* New York: Holt, Rinehart and Winston, Inc., 1970.

Lewin, Kurt. *Resolving Social Conflicts.* New York: Harper and Brothers, 1948.

Lloyd-Jones, Esther M. y Herman A. Estrin. *The American Student and his College.* New York: Houghton Mifflin Co., 1967.

Martin, William F. y Celia B. Stendler. *Child Behavior and Development.* Edición revisada y ampliada. New York: Harcourt Brace and Co., 1959.

Meltzer, Bernard N. y otros. *Education in Society: Readings.* New York: Thomas Y. Crowell, Co., 1958, Parte 9, 1959.

Moreno, J. L. *Who Shall Survive?* New York: Nervous and Mental Disease Publishing Co., 1934, páginas 233-242.

Musgrave, P. W. *The Sociology of Education.* Second edition. New York: Harper and Rowe, 1972

National Society for the Study of Education. *The Dynamics of Instructional Groups: Sociopsychological Aspects of Teaching and Learning.* The Fifty-ninth Yearbook of the National Society for the Study of Education. Parte II. Chicago: The University of Chicago Press, 1960, Capítulos 2, 4, 5 y 8.

National Society for the Study of Education. *Uses of Sociology of Education.* The Seventy-third Yearbook of the N.S.S.E. Part II. Chicago: University of Chicago Press, 1974.

Parsons, Talcott. *The School Class as a Social System. Some of its Functions in American Society.* En *Harvard Educational Review.* XXIX, Fall, 1959, 297-318.

Pavalko, Ronald M. *Sociology of Education.* Itasca, Ill.: F.E. Peacock Publishers, Inc., 1968.

Raths, James D. y Jean D. Grambs. *Society and Education: Readings.* New Jersey: Prentice-Hall Inc., 1965.

Reisman, David. *The Lonely Crow.* New Haven: Yale University Press, 1950.

Robbins, Florence G. *Educational Sociology*. New York: Henry Holt and Co., 1953, Capítulos 11, 12, 13 y 14.

Rodehaver, Myles W. *et. al. The Sociology of the School*. New York: Thomas Y. Crowell, Co., 1957, Capítulos 4, 7, 9 y 10.

Ryans, David G. *Characteristics of Teachers*. Washington, D.C.: American Council on Education, 1960.

Sexton, Patricia Cayo. *The American School: A Sociological Analysis*. New Jersey: Prentice-Hall Inc., 1967.

Sieber, Sam D. y David F. Wilder (ed.). *The School in Society: Studies in the Sociology of Education*. New York: The Free Press, 1973.

Stanford, Gene y Albert E. Roark. *Human Interaction in Education*. Boston: Allyn and Bacon, Inc., 1974.

Strom, Robert D. (ed.). *Teachers and the Learning Process*. New Jersey: Prentice-Hall, Inc., 1971.

Symonds, Percival M. *Education for the Development of Personality*. En *Teachers College Record*. L., December, 1948, 163-169.

Taba, Hilda. *School Culture*. Washington, D,C.: American Council on Education, 1955.

Taba, Hilda. *With Perspectives on Human Relations*. Washington, D.C.: American Council on Education, 1955.

Waller, Willard. *The Sociology of Teaching*. New York: John Wiley and Sons, Science editions, 1965.

Yee, Albert H. (ed.). *Social Interaction in Educational Settings*. New Jersey: Prentice-Hall, Inc., 1971.

# PARTE VI

## La Escuela y la Comunidad

Dedicaremos la última parte de nuestro trabajo al estudio de las relaciones entre la escuela y la comunidad.

En diversas secciones de este hemos recalcado el hecho de que la escuela no puede funcionar separadamente de la comunidad y que esta tampoco puede funcionar independientemente de la primera. En la educación del ser humano, la escuela y la comunidad son dos instituciones complementarias.

Por esta razón, empezamos estudiando el efecto de la comunidad en el desarrollo de la personalidad humana. Examinaremos la influencia de la comunidad en general y, luego, la influencia específica que ejercen algunas instituciones y agencias sociales: la iglesia, las instituciones económicas y políticas, la recreación y los medios de comunicación en masa.

En los distintos períodos de nuestra historia hemos visto los diferentes modos de relación entre la escuela y la comunidad. Ha habido épocas en que estas dos importantes instituciones han estado divorciadas. En el presente reconocemos la necesidad de mantener y estrechar esa relación que creemos se logra mejor a través de lo que conocemos como la escuela de la comunidad.

La escuela de la comunidad reconoce plenamente la necesidad de esa importante conexión para poder servir adecuadamente a los niños y a la sociedad en general. Es un centro educativo para todos —niños,·jóvenes y adultos— que funciona a todas horas del día y parte de la noche por el bien de todos. Ofrece sus facilidades a la comunidad y esta corresponde de igual manera contribuyendo al desarrollo del programa educativo a través del servicio que prestan los recursos que posee. Estos recursos se utilizan plenamente en el desarrollo del programa escolar.

La escuela no existe en una comunidad con el solo propósito de ofrecer la instrucción formal a los niños y a los jóvenes. Tiene que educarlos para servir mejor a la comunidad. Por esta razón se preocupa por ayudar a la gente a resolver sus problemas, por mejorar su vida y por engrandecer la comunidad. Esta es la razón fundamental de su existencia como tal.

Los problemas de la comunidad son parte integrante del currículo de la escuela. Los estudiantes aprenden a ser mejores ciudadanos a través de su participación en la solución de los problemas de la comunidad. Los niños y los adultos trabajan unidos por el logro de importantes propósitos comunes. Solo mediante la coordinada participación de la escuela y la comunidad se desarrollará plenamente la personalidad del educando.

# CAPÍTULO XVI

## LA COMUNIDAD

En los capítulos anteriores hemos estudiado algunos grupos sociales y la forma en que ellos afèctan el desarrollo de la personalidad. Estudiamos la familia, los grupos de actividades y la escuela. Además de estos grupos existen otras agencias de la comunidad que también influyen en la formación y el desarrollo del ser humano. Entre estas agencias comunales están las instituciones y las agencias religiosas, económicas, políticas, culturales y recreativas y los medios de comunicación en masa. Este capítulo se dedicará al estudio de estas instituciones y agencias de la comunidad y a la forma en que ellas influyen en el desarrollo de la personalidad.

Empezaremos estudiando la evolución de la comunidad, la definición sociológica del término y la clasificación de las comunidades. Presentaremos una descripción de los distintos tipos de comunidad. También estudiaremos las instituciones sociales más importantes de .esta. El conocimiento de las instituciones nos da una idea de las actividades y los procesos de los hombres que viven en la comunidad.

La influencia de la comunidad en el desarrollo de la personalidad es el tema principal del capítulo. Veremos primero la influencia de la comunidad en general y después la influencia específica que ejercen algunas instituciones y agencias sociales.

Finalmente estudiaremos la relación entre la comunidad y la escuela y la forma en que estas dos agencias tienen que trabajar unidas para lograr los objetivos de la educación. La escuela es la principal institución de la comunidad que está a cargo de la educación formal. Las demás instituciones comunitarias desempeñan también importantes funciones educativas. Para poder desempeñar su misión a cabalidad, la escuela tiene que trabajar en coordinación con las demás agencias de la comunidad. Solo así la educación propenderá al mejor desarrollo del ser humano.

### LA NATURALEZA DE LA COMUNIDAD

La vida social se lleva a cabo en un ambiente físico determinado. En la comunidad esta se desarrolla en su forma más típica. La comunidad es el escenario de la actividad humana y el de las instituciones sociales. Es un foco de interacción social. El hombre desarrolla su personalidad en la comunidad en relación con las demás personas. Por estas razones es importante para el sociólogo el estudio de la comunidad.

## La evolución de la comunidad

La formación de las comunidades y la vida en comunidades son casi tan antiguas como la misma vida social del hombre. Desde sus comienzos, el hombre se dio cuenta de que era necesario vivir en grupos para poder llevar a cabo una vida social más completa. Los primeros grupos humanos, sin embargo, no estaban permanentemente establecidos en comunidades organizadas. Los cazadores, al igual que otros grupos nómadas que tenían que hacer grandes esfuerzos por conseguir sus alimentos, no establecían comunidades permanentes y estables. El tipo de vida en que participaban les obligaba a estar en constante movimiento. No es hasta que surge la agricultura como medio de subsistencia que las verdaderas comunidades comienzan a tomar forma, ya que los grupos llevan a cabo una vida más o menos sedentaria.

Las comunidades fueron al principio simples y sencillas aldeas o poblados agrícolas. El poblado agrícola es la más antigua comunidad de tipo permanente. El hombre que cultivaba la tierra tenía una vida estable. La agricultura ataba al hombre a la tierra. Por muchos siglos, la vida fue mayormente rural y agrícola. Predominaron las comunidades agrícolas. Luego surgieron las ciudades. Las primeras tenían muchas dificultades para atender las necesidades de sus habitantes, especialmente aquellas relacionadas con el transporte de los alimentos y los materiales. Por esta razón, las primeras ciudades fueron pequeñas y limitadas en número. Según el hombre va venciendo los principales problemas y alcanzando progreso en su ambiente, se va complicando la vida social ·y surgen grandes ciudades como las de hoy día. La verdadera ciudad, con sus típicos modos de vida urbana, es, sin embargo, cosa de los tiempos modernos.

Recomendamos examinar la obra de Ogburn y Nimkoff[1] para un estudio más detallado de la comunidad.

## Definición del término comunidad

El término comunidad ha sido definido de muchas maneras por los diferentes sociólogos. Es preciso examinar los diferentes libros de sociología para advertir las muchas maneras que hay de definir el término. Casi todas estas definiciones recalcan el hecho de que la comunidad es un grupo de personas que habita cierta área o región, que comparte ciertos intereses en común, que vive o trabaja unido y que participa de una vida social común. Las comunidades tienen una serie de elementos comunes: lenguaje, valores, normas, *mores*, actitudes y sentimientos.

Existe una definición del término comunidad que se menciona... ...temente en los libros de sociología. Me refiero a la definición de la comunidad que nos dan Cook y Cook.[2] Para Cook y Cook, la comunidad es: 1)

1. William F. Ogburn y Mever F. Nimkoff. *Sociología*. Traducción de la segunda dición americana. Madrid: Aguilar, 1959, páginas 371-377.
2. Lloyd A. Cook y Elaine F. Cook. *A Sociological Approach to Education*. New ork: McGraw-Hill Book Co., Inc., 1960, páginas 26-28.

un agregado poblacional; 2) que habita cierta área delimitada; 3) comparte una herencia histórica; 4) posee una serie de instituciones básicas; 5) participa de una vida común; 6) está consciente de su unidad local y 7) es capaz de actuar como grupo para resolver o tratar de resolver algún problema de interés público.

Esta definición señala una serie de características y recoge los puntos sobresalientes que hacen de la comunidad un verdadero foco de interacción social organizado. Se recalca en esta definición el hecho de que toda la comunidad humana consiste en un agregado de gente que vive en un área delimitada y que lleva a cabo una vida social en común. Tiene una historia, no necesariamente real y verídica, que todos conocen y pasan a los más jóvenes. Todas las comunidades tienen instituciones sociales o instituciones de servicio que satisfacen las necesidades de la gente. Entre estas agencias de servicio están las escuelas, tiendas, talleres, iglesias, mercados, medios de comunicación y transportación y facilidades de recreación. En un momento de crisis o de desorganización social, la comunidad tiene que actuar como una unidad para poder sobrevivir. Para muchos, esta es la verdadera prueba de la vida comunal. El éxito de una actividad o proyecto da mayor unidad a la comunidad; el fracaso produce mayor desorganización social.

Lo más importante al definir una comunidad no es la clase de gente que la habita, sino la relación social que existe entre esa gente, los lazos psicológicos entre sus miembros, la actividad humana, el uso que hace de las instituciones básicas y la vida en común que se establece. A esa entidad que se plasma en la mente de todas las personas que llevan a cabo una vida común, y a la cual todas pertenecen con orgullo, se le llama la comunidad.

## TIPOS DE COMUNIDAD

Los libros de sociología clasifican las comunidades en varias formas. A veces las clasifican en comunidades rurales y urbanas, de acuerdo con el número de habitantes. Otras veces las clasifican por su extensión territorial en comunidades locales, regionales, nacionales e internacionales. También las clasifican en agrícolas, comerciales e industriales, teniendo en cuenta la actividad económica principal. Estas tres formas de clasificar las comunidades —de acuerdo con el número de habitantes, la extensión territorial y la actividad económica— no son las únicas que se consideran. Estas son las formas más corrientes. Su clasificación se determina también a base de la densidad poblacional —habitantes por milla cuadrada—, la complejidad de la organización social y el tipo de relación social que se establece entre sus miembros. Así hablamos de comunidades primarias o secundarias, conocidas también por los nombres de *Gemeinschaft y Gesselscchaft*, términos inventados por el sociólogo alemán Tonnies.[3] Otros simplemente clasifican las comunidades en términos de aldea, villa, pueblo, ciudad, y así sucesivamente según van aumentando los límites de la comunidad y va complicándose su organización social. No es raro que algunos

---

3. Ferdinand Tonnies. *Gemeinschaft und Gesselschaft*. Berlín, 1926. Citado por Francis E. Merrill y H. Wentworth Eldredge, *Society and Culture*, New Jersey: Prentice-Hall, Inc., 1957, páginas 396-397.

sociólogos hablen también de la comunidad educativa o de la comunidad religiosa, implicando que la función principal de la estructura y las relaciones que se establecen entre las gentes con el fin de realizar esa función producen una comunidad.

Analicemos las tres formas más corrientes de clasificar las comunidades: de acuerdo con el número de habitantes, la extensión territorial y la actividad económica.

### De acuerdo con el número de habitantes

A esta clasificación pertenecen las comunidades rurales y las urbanas. Las comunidades metropolitanas, aunque también son urbanas, merecen mencionarse aparte debido a la importancia que están cobrando.

*La comunidad rural.* De acuerdo con la oficina del Censo de los Estados Unidos, las comunidades con menos de 2,500 habitantes se consideran rurales. La comunidad rural no debe necesariamente definirse a base del número de habitantes, ya que hay comunidades con más de 2,500 habitantes que aunque pertenezcan a la clasificación de urbana, en términos sociológicos llevan a cabo una vida social típicamente rural.

La comunidad rural consiste de gente que vive en fincas o predios dispersos o en aldeas que son el centro de sus intereses y actividades comunes. Debido a la forma simple de vida de esta comunidad y al hecho de que todos hacen uso de las mismas facilidades en términos políticos, económicos, educativos, religiosos y de salud, la interacción social entre los habitantes es estrecha e íntima. La habilidad del grupo para trabajar unido en las cosas importantes de la vida y sus intereses y sus propósitos en común hacen la verdadera comunidad rural. La comunidad rural depende, por lo general, de la agricultura y exhibe características propias de este tipo de economía: gran apego a los patrones y normas tradicionales, resistencia al cambio, creación de familias numerosas en las que el padre ocupa una posición de gran autoridad, el bajo nivel social de la mujer y de los hijos, las facilidades educativas, sanitarias y recreativas limitadas y la posición influyente de la religión.

*La comunidad urbana.* Las comunidades con 2,500 habitantes o más son consideradas urbanas por la oficina del Censo de los Estados Unidos. Los habitantes de nuestras urbanizaciones —los radicados en los suburbios— forman también parte de la población urbana, ya que estas son, por lo general, áreas densamente pobladas. Son muchos los que creen que, en lo que concierne a la comunidad urbana, no debe dársele tanta importancia al número de habitantes como a la densidad poblacional. Otros creen que 2,500 habitantes son pocos para considerar a una comunidad urbana y creen que debe tener una población mayor, como, por ejemplo, 10,000 personas, para que pueda darse una verdadera vida de ciudad. Como dijimos anteriormente, muchas comunidades de 2,500 habitantes viven al estilo rural. La comunidad urbana consiste de una gran masa poblacional que vive en un área pequeña y que tiene un gobierno local, con instituciones e intereses comunes.

La interacción social entre los habitantes de la comunidad urbana no es tan íntima como en la rural. Gran cantidad de gente que comparte las mismas instituciones sociales comunales se conoce solo superficialmente. El número de comunidades urbanas sigue en aumento de acuerdo con la información que arroja cada censo en Puerto Rico. Aproximadamente el 30 por ciento de la población era urbana en Puerto Rico en 1940, comparado con el 40 por ciento en 1950 y más del 50 por ciento en el presente. La economía se va haciendo menos agrícola y más industrial. Aumenta la complejidad de la ciudad, con mayores y mejores facilidades educativas, recreativas y sanitarias. El cambio social se deja sentir en todos los aspectos de la vida urbana: en las relaciones entre el marido y la mujer, en el *status* de los hijos, en las familias pequeñas y en el aumento del divorcio.

*Las comunidades metropolitanas.* Como dijimos anteriormente, las comunidades metropolitanas son comunidades urbanas, altamente complejas y con características propias, que merecen una clasificación aparte. La comunidad metropolitana consiste en un grupo de comunidades urbanas alrededor de una ciudad central. La metrópoli viene a ser el centro, y agrupados alrededor están otras pequeñas comunidades urbanas, poblados, urbanizaciones, áreas industriales y pueblos. Para fines del censo de los Estados Unidos, las áreas metropolitanas se componen de un municipio o grupo de municipios, que abarcan a lo menos una ciudad de 50,000 o más habitantes o ciudades gemelas, con una población combinada de por lo menos 50,000 habitantes. En Puerto Rico existen cuatro de estas áreas metropolitanas clasificadas según el criterio del número de habitantes. Estas son San Juan, Ponce, Mayagüez y Caguas.

La comunidad metropolitana es altamente compleja en todos los aspectos, especialmente en las facilidades de empleo y los medios de transportación y comunicación. También se caracteriza por la impersonalidad de las relaciones sociales que surge como consecuencia de las grandes masas poblacionales que disfrutan de la gran variedad de instituciones, agencias y servicios.

### La extensión territorial como criterio de clasificación

Usando este criterio como base para la clasificación, se señalan las comunidades como locales, regionales, nacionales e internacionales.

*La comunidad local.* La comunidad local es la más próxima, la más inmediata al hombre. Es la comunidad más pequeña, desde el punto de vista de la extensión; es el lugar donde el hombre tiene sus relaciones más íntimas, donde ha establecido sus grupos primarios. La comunidad local puede ser el pueblo o la aldea, el vecindario o parte del pueblo o de la aldea.

*La comunidad regional.* La comunidad regional le sigue en tamaño a la comunidad local. Esta comunidad puede identificarse en términos geográficos, pero también a base de factores tanto económicos como culturales. En los Estados Unidos los sociólogos han clasificado las regiones agrícolas como comunidades regionales. Así, hablan de la comunidad de la región del algodón, del trigo o del maíz. En Puerto Rico podemos hablar también de la región de la caña de azúcar, del café o del tabaco, según los estudios hechos por Steward [4] y sus colaboradores.

*La comunidad nacional.* Bajo esta clasificación estamos incluyendo a la nación como comunidad. Estados Unidos y Puerto Rico vienen a ser comunidades nacionales para los habitantes de estos países. A pesar de las diferencias entre unas regiones y otras dentro de la nación, existen muchos elementos que caracterizan la vida de esa comunidad nacional. Cada nación tiene su historia, su cultura, sus patrones, sus características particulares. De este modo hablamos de aquellas características o valores que toda nación atesora: democracia, ciencia, educación, libertad, igualdad y dignidad, entre otras cosas.

*La comunidad internacional.* Esta es la unidad mayor en que puede dividirse la comunidad. Hay más de cien naciones en el mundo, y todas juntas forman la comunidad internacional. Las Naciones Unidas son parte de esa comunidad internacional.

El mundo se considera una comunidad porque sus habitantes tienen muchos intereses en común. Los adelantos científicos han achicado el mundo; hoy día todos somos vecinos. Cualquier acontecimiento mundial nos afecta. La interdependencia entre los pueblos del mundo es hoy día mayor que nunca. El comercio, la transportación la comunicación y la ciencia han ayudado a esta interdependencia.

## La actividad económica como criterio de clasificación

Al hacer esta clasificación estamos pensando en la función económica principal que realizan los miembros de la comunidad. Hablamos entonces de comunidades agrícolas y de comunidades industriales.

*Las comunidades agrícolas.* Como su nombre lo indica, la agricultura es la principal fuente de vida de la gente de esta comunidad, lo que da lugar a esta clasificación. Existen diversos tipos de comunidad agrícola: la cañera, la tabacalera y la cafetalera.

La comunidad agrícola exhibe, por lo general, características propias. Existe una relación íntima entre sus miembros, tiene una organización social simple, el ritmo de cambio es menor y las actividades del grupo no son tan diversas como las de las comunidades industriales.

*La comunidad industrial.* La actividad industrial, acompañada por la aplicación de la ciencia y la maquinaria, la producción en gran escala y la división de trabajo, es lo que da vida a este tipo de comunidad. La industrialización trae como consecuencia cambios en los medios de transportación y de comunicación, acelera el movimiento poblacional y la urbanización. Las relaciones sociales se hacen más impersonales y abundan los problemas sociales y los conflictos.

De la misma forma que hablamos de comunidades agrícolas e industriales, podríamos hablar de comunidades semiagrícolas y semindustriales, dependiendo del grado de desarrollo por la actividad económica principal.

---

4. Julián H. Steward. *The People of Puerto Rico.* Urbana: University of Illinois Press, 1955.

### LAS INSTITUCIONES SOCIALES DE LA COMUNIDAD

En toda comunidad grande o pequeña existe un número de instituciones sociales a través de las cuales los miembros satisfacen sus necesidades y deseos. Las instituciones sociales son los patrones de conducta que se agrupan en torno a las necesidades del hombre en la sociedad. La necesidad de los pueblos de procrear, criar y educar a sus hijos produce una serie de patrones de conducta organizados que se conocen como la institución de la familia.

Pasemos a examinar algunas de las instituciones más importantes de la comunidad.

#### La familia

Esta es la primera y más importante de todas las instituciones sociales de la comunidad. En casi todos los pueblos del mundo encontramos a la familia funcionando como una institución formal y organizada. Es quizá la institución que más funciones sociales ejerce: la económica, recreativa, religiosa, educativa y protectora. En las sociedades complejas, sin embargo, gran parte de estas funciones está pasando a otras instituciones de la comunidad. La familia no pierde estas funciones completamente, más bien las comparte con otras instituciones. Así, comparte con la escuela la función educativa, con la iglesia la función religiosa y con el Estado la función de protección. La familia no ha desaparecido como una importante institución social. A pesar de los cambios ocurridos en esta, conserva para sí las funciones de proveer afecto y compañerismo y de velar por el desarrollo de la personalidad de los niños. Ninguna otra institución podría ejercer estas funciones tan efectivamente como la familia.

#### La escuela

La escuela es la principal institución educativa de la comunidad. La sociedad ha encargado a la escuela y a los maestros la importante función de la educación formal de los niños. Hoy día, la escuela ha asumido la responsabilidad de lograr la educación de los niños, de los jóvenes y de los adultos a través de la instrucción formal en el salón de clases y de medios tales como la prensa, la radio, el cine y la televisión. El tipo de escuelas y la calidad de sus programas y de sus maestros, al igual que los logros alcanzados por los educandos, son motivo de orgullo para las comunidades.

#### El gobierno

Todas las comunidades tienen alguna estructura gubernamental o algún sistema de gobierno que da unidad a la vida social. En las comunidades democráticas existen unos individuos elegidos por el pueblo que ejercen la función de gobierno. El gobierno, que originalmente era cosa informal, de *folkway* y *mores*, es hoy día una unidad formal sustanciada por leyes u otras estructuras formales.

La institución del gobierno ha evolucionado grandemente. El gobierno abarca hoy día un vasto campo de funciones. Ha asumido un crecido número de funciones que antes correspondían a la familia, a las instituciones económicas y a la Iglesia. Ejerce la protección de las viudas, los inválidos, enfermos, ancianos y huérfanos. Provee compensación por desempleo, regula los precios y los salarios e interviene en las disputas obrero-patronales. El gobierno también ha regulado el matrimonio y el divorcio y ha tomado parte activa en la educación formal de los niños.

## La economía

Las instituciones económicas velan por las necesidades físicas y materiales de la sociedad. Se incluyen aquí actividades tales como la producción, la distribución y el consumo de los bienes y servicios que son necesarios para la existencia del grupo social.

La actividad económica ha evolucionado mucho. La actividad agrícola se reduce, pero se mecaniza a la vez. La industria ha pasado a ocupar un lugar prominente.

Con la introducción de la máquina, las funciones económicas se han complicado grandemente. Surge la división del trabajo. Un detalle interesante es el de la participación activa de la mujer en esta nueva producción industrial.

## La religión

La religión es otra importante institución de la comunidad. Existe en forma organizada en casi todas las comunidades del mundo. Hay sitios de adoración e individuos con responsabilidades específicas en lo que respecta a esta función.

La religión da sentido a la vida del hombre, provee una base para su conducta y controla sus actos. No podemos negar el hecho de que, a pesar de la importancia de la institución de la religión, esta se está haciendo más secular cada día y parece ejercer una fuerza menos poderosa que la que ejercía en el pasado. Las fuerzas de la industrialización, la urbanización, el materialismo y el desarrollo científico han dejado sentir su afecto en la religión. Hoy día, el hombre se siente con mayor libertad para actuar y con mayor independencia de pensamiento y rechaza el control rígido que le impone la religión.

## La recreación

Hoy todos reconocemos que la recreación es una necesidad fundamental no solo de los hombres y mujeres que trabajan, sino también de los niños y los jóvenes. El hombre ha alcanzado tal grado de progreso, que tiene tiempo libre, para recrearse. La Revolución Industrial y el desarrollo de la democracia han permitido que todos los grupos puedan aprovecharse de las ventajas y las facilidades de recreación.

Las formas de recreación son variadísimas en nuestra sociedad moderna: se goza de los deportes, parques, campamentos, clubs, automóviles, televisión, radio, teatro, cine, literatura, arte y música, entre otras. Las facilidades de recreación no están siendo propiciadas únicamente por los ciudadanos o entidades privadas. En un esfuerzo por proveer mayores y mejores oportunidades para todos los ciudadanos, los organismos de la comunidad están ocupándose activamente de la recreación.

Hemos presentado una breve explicación de las principales instituciones sociales de la comunidad: la familia, la escuela, la iglesia, la economía, el gobierno y la recreación. Debemos recalcar el hecho de que, desde el punto de vista sociológico, lo más importante son las relaciones sociales que se establecen entre los miembros de la comunidad según estos hacen uso de estas instituciones. Nos interesa conocer los esfuerzos colectivos que se hacen para saitsfacer necesidades económicas, políticas, religiosas, educativas y recreativas en la comunidad. En su lucha por satisfacer estas necesidades, los hombres se relacionan y establecen vínculos de amistad que caracterizan la vida en la comunidad. Al trabajar juntos, los miembros desarrollan el sentido de pertenencia y unidad. El empeño por resolver como grupo sus problemas revela la verdadera unidad de los miembros de la comunidad. Esta unidad no nace con la comunidad. La van logrando los hombres según van participando en todas las actividades de la comunidad y van laborando juntos en la solución de sus problemas.

### LA COMUNIDAD Y LA PERSONALIDAD

El niño no solo se socializa en la escuela y en la familia. La comunidad también desempeña una importante función en el desarrollo de la personalidad del niño. Algunas instituciones de la comunidad ejercen una influencia mayor que otras. Unas instituciones influyen más sobre los niños que sobre las niñas. Otras influyen más sobre los miembros de un grupo que sobre los de otro, pero todas ejercen su influencia en una u otra forma, según podemos ver más adelante.

*Influencia de la ccmunidad en el desarrollo de la personalidad*

Desde muy temprano en su vida el niño comienza a tener contactos con la comunidad, sus agencias y sus representantes. La socialización, que había empezado en el hogar bajo la influencia de los padres, hermanos y demás familiares, se extiende ahora a la comunidad. Este contacto con la comuni·lad empieza desde antes de ir el niño a la escuela. Cuando va a la escuela comienza a tener relaciones con esta institución y tiene la oportu:nidad de ampliar aún más sus contactos con la comunidad. Empieza a tener relaciones sociales con las personas que operan los servicios que él utiliza como alumno de una escuela. En el ir y venir a ella se presenta al niño la oportunidad de ver y observar algunos detalles de la vida de la comunidad, que va asimilando poco a poco: los valores, las normas y las actitudes que caracterizan la vida de la sociedad. Estos son los ingredientes de la vida de la comunidad que el niño va aprendiendo y que van a moldear en parte su personalidad.

Según el niño crece, se le permite, por lo general, mayor libertad para tener contacto con la comunidad e ir ampliando sus experiencias. Así es que comienzan los contactos con una gran parte de los servicios de la comunidad y con la gente envuelta en el rendimiento de estos servicios. Así va aprendiendo la cultura de la sociedad y adquiriendo las influencias de la comunidad, tan importantes en el desarrollo de la personalidad.

La influencia que ejerza la comunidad en el desarrollo del niño depende del número y variedad de sus contactos. Algunos niños tienen mucha más libertad que otros para explorar la comunidad por su cuenta y ponerse en contacto con ella. Algunos padres suelen permitir esa libertad a sus hijos. Los niños y los jóvenes, faltos de la supervisión de los padres, se mueven libremente por la comunidad y se ponen en contacto con todas sus dependencias. Es muy posible que los cambios ocurridos en las comunidades —las nuevas instituciones sociales, las facilidades educativas, los nuevos tipos de empleos, el trabajo de la mujer fuera de la casa, el aumento en las facilidades de transportación y comunicación— expongan al niño desde más temprano y por más tiempo que antes a contactos con las agencias de la comunidad. Todos estos contactos y experiencias amplían hoy más que ayer el horizonte social del niño.

Las diferencias de sexo pueden también limitar los contactos del niño en la comunidad. En nuestra cultura, los varones tienen mayor oportunidad que las niñas de salir fuera y explorar libremente la comunidad. A las niñas se las cría en la intimidad de la familia, son bien guardadas y se les supervisan más sus actividades que al varón. "Las niñas son de la casa; los varones son de la calle", se dice corrientemente en Puerto Rico. No puede negarse, sin embargo, el hecho de que las niñas y las mujeres están teniendo hoy día mucha más oportunidad que antes para moverse físicamente en su ambiente.

Puede que el tamaño y la complejidad de la comunidad también influyan en la extensión de los contactos sociales de los niños. Las grandes ciudades no pueden ser fácilmente conocidas por todos los niños y los jóvenes. Estas comunidades ofrecen al niño un número mayor de experiencias que una comunidad sencilla. Debido a la complejidad y tamaño de la comunidad urbana, el niño no puede, sin embargo, vivir directamente todas estas experiencias. Algunas las experimenta indirectamente o las vive desde afuera. Mientras hablamos de la riqueza de las experiencias en la comunidades urbanas, tenemos que tener presente otro hecho. La ciudad es también un foco de influencias negativas. Abundan en ella los riesgos y los peligros, el vicio y la maldad, los desajustados y los enfermos, los problemas y la desorganización social. Así, el niño se socializa en el mundo de la ciudad. Se socializa a través de sus contactos con todas estas experiencias y situaciones buenas y malas. Las comunidades rurales y pequeñas, por otro lado, ofrecen al niño el conocimiento directo del ambiente. No existe en este tipo de comunidades la complejidad de las agencias y servicios de la ciudad, pero existe la intimidad y la relación personal, tan importantes en la socialización.

A través de sus contactos en la comunidad, el niño va ganando distintas experiencias. Tendrá muchas y variadas experiencias, que pueden ir haciendo su impacto en la conducta del niño. Irá captando los valores de la comunidad, las cosas en las cuales creemos. Podrá formular juicios en cuanto a las diferencias o semejanzas entre estos valores y los que sustenta su familia o su grupo de amigos y los valores que se tratan de inculcar en la escuela. A través de estas experiencias podrá notar las diferencias entre unas clases sociales y otras y los prejuicios a que son sometidos ciertos grupos por su condición social, racial o religiosa. A través de sus relaciones con la comunidad es que el niño aprende aquellos modos de conducta que no le enseñan en su familia o en la escuela. También irá examinando aquellos que aprende en la familia o en la escuela. El niño tendrá ante sí buenos y malos modelos, que aceptará o rechazará. Se enfrentará con los sectores más o menos privilegiados de la comunidad. Tendrá relaciones con distintos grupos de personas y se enfrentará con distintos tipos de conducta en estos lugares. El estímulo que reciba de esos grupos de personas y la clase de relaciones que establezca con ellas influirán grandemente en el tipo de conducta que el niño aprenda.

A través de la interacción social se va convirtiendo en un ser social. La interacción con los grupos, agencias y fuerzas de la comunidad, unida a los demás grupos sociales— la familia, la escuela, el grupo de juego, entre otros—, es lo que produce cierto tipo de personalidad. Si los demás grupos han realizado bien su tarea de socialización, la influencia de las fuerzas de la comunidad puede que no sea tan decisiva. Si, por el contrario, esos grupos han fallado, la comunidad puede tener un efecto mucho más decisivo.

Estamos implicando claramente que ni la comunidad, ni la escuela, ni la familia hacen solas al ser humano. El ser humano es un producto de la interacción de todas estas influencias sociales. De esta forma es que podemos explicarnos en el niño el origen de ciertos tipos de conducta, tanto sociales como antisociales. El delincuente, por ejemplo, no es solamente el producto de las fuerzas operantes en la familia, la escuela o el grupo de juego. Puede ser el producto de una de estas fuerzas o de todas ellas, como también de las fuerzas y condiciones que operan en la comunidad.

*La influencia específica que ejercen algunas instituciones y agencias de la comunidad*

Hemos presentado una explicación en torno a la influencia que puede ejercer la comunidad en el desarrollo de la personalidad. En capítulos anteriores explicamos la influencia de la familia, la escuela y los grupos de actividades. Veamos cuál es o puede ser la influencia de otras instituciones o agencias de la comunidad.

*La Iglesia.* No cabe duda de que la Iglesia, al igual que la escuela y la familia, es una importante agencia socializadora. La Iglesia utiliza diversos medios para ejercer su influencia en los niños. Algunas sectas religiosas operan sus propias escuelas y esperan que los hijos de los miembros asistan a ellas. En estos casos se ofrece la instrucción religiosa como una asignatura del currículo, y este, a la vez, está influido por las creencias religiosas. Estas escuelas están mayormente dirigidas por personal religioso.

La principal influencia de la Iglesia es la que ejerce en el desarrollo moral del niño. Enseña al niño las creencias y las prácticas religiosas, perpetuando así una cultura religiosa. A través de sus líderes, la Iglesia también ofrece al niño una serie de modelos de conducta que él puede imitar.

Se hacen esfuerzos para preparar adecuadamente al niño como miembro de la Iglesia desde la primera infancia. Esta trata de lograr que los contactos del niño con ella sean lo más agradables posibles para que él goce su relación con esta institución y desarrolle cierto grado de lealtad religiosa.

*Las instituciones económicas.* Una de las responsabilidades principales de la socialización es preparar al niño para asumir su puesto como adulto en la sociedad. Una de las del adulto es el desempeño de sus funciones económicas: prepararse para un empleo u oficio, desempeñarlo eficazmente y sostenerse y sostener a su familia. Todas las instituciones económicas de la sociedad van encaminadas hacia el logro de esta importante función.

Los niños empiezan desde edad temprana a llevar a cabo actividades económicas en la familia, en la escuela y en la comunidad en general. Realizan transacciones económicas, se prestan dinero, compran y venden artículos. Estas operaciones tienen muchas veces mayor significado para el niño que las clases formales de aritmética que recibe en el salón de clases.

Muchos niños empiezan desde pequeños a desempeñar algún trabajo en su tiempo libre. Así se van preparando para asumir mayores responsabilidades en el futuro. En el pasado, el niño desde pequeño, tenía mucho más contacto que ahora con el mundo del trabajo y se preparaba para un oficio en el trabajo mismo. En nuestro mundo complejo, el adiestramiento no puede recibirse todo directamente en el oficio. Las escuelas, los colegios y las universidades ayudan a las instituciones económicas en la socialización del niño en sus aspectos económicos, en lo que influye no solo el aprender un empleo u oficio, sino también el desarrollo de un punto de vista o ideología económica.

*Las instituciones políticas.* Uno de los objetivos del proceso de socialización es preparar buenos ciudadanos. La escuela tiene una gran responsabilidad en este sentido. Las instituciones políticas y gubernamentales también desempeñan un papel importantísimo en la socialización política y en el desarrollo de una ideología política.

Desde edad temprana, el niño empieza a tener contactos con el alcalde, el juez, los policías, los bomberos y demás personal del gobierno local. Estos oficiales del gobierno vienen a ser maestros y modelos que el niño puede imitar. En contacto con estas personas es que el niño va adquiriendo las actitudes políticas. En este proceso de aprender las actitudes, la escuela también ayuda a través de la instrucción formal y de la oportunidad de participación que ofrezca al niño en el gobierno de los grupos a los cuales él pertenece. El maestro es una persona clave en el desarrollo de actitudes políticas. Si ejerce bien su función puede ayudar al niño a desarrollar actitudes políticas objetivas. Esto puede lograrse en la etapa de la escuela secundaria. Los estudios sociales proveen una magnífica oportunidad para el desarrollo de estas actitudes.

*La recreación y los medios de comunicación en masa.* Las agencias de recreación, al igual que los medios de comunicación en masa, ejercen también una función socializadora. La influencia de estas agencias y medios dependerá del contacto que el niño tenga con ellos y del modo en que los emplea, ya que algunas de estas agencias son accesibles a algunos niños. El uso de ciertas agencias recreativas depende de la condición económica del niño. Hay facilidades recreativas, especialmente las privadas, que solamente pueden ser disfrutadas por los niños de las clases alta y media. Las otras facilidades recreativas, especialmente los sitios de recreación comercializada, llegan a mayores números, incluyendo a los niños de las clases bajas. Este tipo de recreación da lugar a la formación de grupos y pandillas que no siempre responden a los mejores intereses de la sociedad.

Se ha hablado y se ha escrito mucho acerca de los efectos que pueden tener los medios de comunicación en masa en la conducta del niño: el cine, la radio, la televisión y la literatura. La mayor parte de las veces se presenta lo que se cree o se opina que es el efecto de los medios de comunicación en masa sobre la personalidad de los niños, en vez de presentarse la evidencia de esos efectos sostenida por los resultados de la investigación científica. Hacen falta verdaderos trabajos de investigación que estudien los efectos de los medios de comunicación en masa sobre la conducta de los niños.

No cabe duda de que cada día aumenta el contacto de los niños y los jóvenes con los medios de comunicación en masa. En el presente, la televisión es el medio más reciente y sobre el cual se especula más. En el pasado eran la radio, el cine y la literatura, especialmente las tirillas cómicas, las que eran motivo de más especulación sobre su efecto en la conducta de los niños. Muchos asociaban la conducta negativa y antisocial de los niños con los efectos de estos medios de comunicación. Si el niño era un delincuente y se hallaba que leía tirillas cómicas sobre crímenes, que escuchaba programas de radio altamente estimulantes o veía películas de crímenes, horror y robos, se asociaba generalmente la delincuencia con el medio de comunicación en masa que el niño utilizaba.

Nadie puede negar que estos medios de comunicación pueden tener su efecto en la conducta del niño, pero no podemos decir categóricamente que son la causa de la delincuencia. Es cierto que muchos niños delincuentes hacen uso de estos medios de comunicación, pero es igualmente cierto que grandes números de niños que usan estos medios nunca llegan a ser delincuentes.

La delincuencia es producto de un número de factores, unos más decisivos que otros. El efecto de estos medios tiene que depender también del tipo de las experiencias previas que ha tenido el niño y muy especialmente de la forma en que se ha socializado. Es muy posible que los malos medios de comunicación en masa tengan un mejor efecto en los niños que no han tenido esas fallas. El hecho de que el niño se identifique con los villanos de la película no se puede deber necesariamente a que haya tomado ese modelo de la película. No debemos olvidar que en la película se le presentan muchos modelos además del villano. El hecho de que él tome al villano como modelo se puede deber a muchas otras causas y no necesariamente a haber visto una película en particular.

Como hemos dicho anteriormente, tenemos que reconocer la importancia y la influencia de los diversos medios de comunicación en masa sobre la conducta de los niños. Debido a la accesibilidad de estos medios, más y más niños se exponen a ellos cada día. Estos medios absorben la mayor parte de su tiempo libre. A diario vemos su efecto en ellos: en la manera de hablar, de peinarse, de vestirse y en la imitación de papeles y modelos. Hasta que no se realicen verdaderos trabajos de investigación no podremos llegar a conclusiones definitivas sobre el efecto específico de estos medios en la conducta y la personalidad de los niños.

## LA COMUNIDAD Y LA ESCUELA

El fin de la educación es preparar un ciudadano eficiente y responsable que pueda servir bien a la sociedad en que vive. Hacia el logro de este objetivo es que las instituciones educativas dirigen sus esfuerzos. La escuela, como principal institución a cargo de la educación formal, tiene una responsabilidad grandísima, pero no puede realizar sola esta función a cabalidad. Para ello necesita la ayuda de las demás agencias educativas: la familia, el grupo de actividad y la comunidad. La comunidad es, pues, una importante agencia educativa que funciona en combinación con las demás.

### Relación entre la escuela y la comunidad

Todas las instituciones de la comunidad son agencias educativas, porque todas, en una u otra forma, ejercen una función de educación. La escuela comparte con la comunidad su responsabilidad educativa. A pesar de que la escuela hoy día ha asumido mayores responsabilidades, gran parte de la función educativa es realizada todavía por otras agencias de la comunidad. La familia, el vecindario, la Iglesia, el trabajo y el juego, educan. También educan la tienda, el banco, el correo, los salones de recreación, la cancha, la calle, la ciudad y los medios de transportación y de comunicación. Todas estas son agencias educativas de la comunidad. Las personas que dirigen estas agencias y las que hacen uso de ellas también ejercen una función educativa. La educación es un proceso en el que participan todas las agencias de la comunidad.

La escuela es solo una de las instituciones educativas de la comunidad. Si a la escuela se le ha asignado esa responsabilidad principal, tiene que trabajar en unión a todas las demás agencias para poder realizar mejor su función en bien de la sociedad. El maestro tendrá que conocer la comunidad y sus agencias y trabajar en coordinación con sus representantes si desea realizar su función educativa eficazmente. La escuela no puede funcionar independientemente de las demás agencias sociales que también educan. Cuando la escuela trabaja sola, como si fuera la única agencia educativa de la comunidad, surgen los malos entendidos, los ataques y los conflictos. La comunidad que funciona aislada de la escuela tiende a culpar a esta por los males sociales. Si la escuela trabaja en coordinación con las demás agencias, estas tendrán que aceptar los aplausos, las felicitaciones, las críticas y los ataques, cuando estos vienen.

La escuela y la comunidad, trabajando unidas, pueden velar mejor por el desarrollo de la personalidad de los niños. El maestro debe conocer bien la comunidad para comprender aquellas lagunas o fallas de la comunidad que no satisfacen el desarrollo de la personalidad de los estudiantes, con el fin de dirigir mejor los esfuerzos de la escuela y de otras instituciones sociales para contrarrestar esas fallas e imperfecciones. A la larga, la socialización del niño y el buen ajuste de su personalidad van a ser el objetivo central tanto de la escuela como de la comunidad.

En fin, se justifica aún más el que la escuela y la comunidad trabajen unidas. Lo bueno que la escuela haga no debe ser contrarrestado por la comunidad, ni lo bueno que la comunidad haga debe ser contrarrestado por la escuela. La coordinación de sus esfuerzos y la mejor dirección de sus objetivos resultará en beneficio del niño y de toda la sociedad.

## Resumen

En ese capítulo hemos estudiado la comunidad y la forma en que ella influye en el desarrollo de la personalidad. Empezamos con una breve exposición sobre la evolución de la comunidad, desde la simple aldea o población agrícola hasta la moderna ciudad.

Hay muchas maneras de definir el término comunidad. Para fines de este trabajo preferimos la definición que nos dan Cook y Cook en su libro *A Sociological Approach to Education*. La comunidad es: 1) un agregado poblacional; 2) habita cierta área delimitada; 3) comparte una herencia histórica; 4) posee una serie de instituciones básicas; 5) participa de una vida común; 6) está consciente de su unidad local y 7) es capaz de actuar como grupo para resolver un problema de interés público. Esta definición recoge las principales características que debe poseer la comunidad.

Clasificamos las comunidades de la siguiente manera: 1) de acuerdo con el número de habitantes, en rurales y urbanas; 2) de acuerdo con su extensión territorial, en locales, regionales, nacionales e internacionales y 3) de acuerdo con la actividad económica principal, en agrícolas e industriales. También se mencionan otras maneras de clasificar las comunidades.

Luego pasamos a describir las instituciones de la comunidad. Definimos las instituciones como los patrones de conducta que se producen a tono con las necesidades del hombre en la sociedad. Presentamos algunos aspectos sobresalientes relacionados con las siguientes instituciones: la familia, la escuela, el gobierno, la economía, la religión y la recreación. Insistimos en que lo importante no es la existencia de la institución en sí, sino las relaciones sociales que se establecen entre los miembros de la comunidad, según hacen uso de estas instituciones para satisfacer sus necesidades económicas, políticas, educativas, religiosas y recreativas.

La influencia de la comunidad en el desarrollo de la personalidad del niño fue discutida primero en términos generales; luego presentamos la influencia específica que pueden ejercer algunas instituciones sociales. La comunidad coopera con la escuela en la función educativa. Es, pues, una institución educativa. Desde edad temprana empieza el niño a establecer contactos con la comunidad. La socialización, que había comenzado en el hogar, se extiende a la comunidad. Aquí el niño empieza a observar patrones de conducta, normas, valores y actitudes, algunas semejantes, pero otras diferentes a las de su familia y su grupo. También observa diferentes modelos y papeles sociales. El niño va aprendiendo los diferentes modos de conducta y va moldeando su personalidad.

La influencia de la comunidad en el desarrollo de la personalidad depende de los contactos que el niño logre en la comunidad y de la forma en que la comunidad lo afecte a él. Algunas instituciones ejercen mayor influencia que otras. Unas instituciones influyen más sobre los niños y otras sobre las niñas. Unas afectan más a los miembros de un grupo que a los de otro, pero todas ejercen su influencia en una u otra forma. Analizamos la influencia específica de algunas instituciones, pero insistimos en el hecho de que la comunidad sola no hace al niño. Tampoco lo hace la familia ni la escuela sola. El ser humano es un producto de la interacción de todas las influencias sociales. Insistimos en el hecho de que hacen falta más trabajos de investigación para poder llegar a conclusiones definitivas sobre la influencia de las distintas instituciones y agencias sociales en la personalidad.

Finalmente presentamos la relación que debe existir entre la escuela y la comunidad, si es que ambas van a lograr a cabalidad su función educativa en bien del niño y de la sociedad. El maestro está en la obligación de conocer la comunidad y de trabajar en coordinación con las agencias sociales. La escuela y la comunidad tienen que trabajar unidas para realizar mejor su función educativa y velar por el pleno desarrollo de la personalidad del niño.

## LECTURAS

Bartky, John A. *Social Issues in Public Education*. Boston: Houghton Mifflin Co., 1963, Capítulo 12.

Bernard, Jessie. *American Community Behavior*. New York: The Dryden Press, 1949.

Biesanz, John y Marvis Biesanz. *Modern Society: An Introduction to Social Science*. Segunda edición. New Jersey: Prentice-Hall, Inc., 1959, Capítulos 8 y 14.

Bossard, James H. S. *The Sociology of Child Development*. New York: Harper and Brothers, 1948, Capítulo 22.

Brembeck, Cole S. *Social Foundations of Education: Environmental Influences in Teaching and Learning*. Second edition. New York: John Wiley and Sons, 1971, Parte V.

Brown, Francis J. *Educational Sociology*. Segunda edición. New York: Prentice-Hall, Inc., 1954, páginas 397-408, Capítulos 15 y 17.

Brunner, Edmund de S. y Wilbur C. Hallenbeck. *American Society: Urban and Rural Patterns*. New York: Harper and Brothers, 1955, Capítulos 7, 11 y 12.

Cole, William E. y Roy L. Cox. *Social Foundations of Education*. New York: American Book Co., 1968, Capítulo 15.

Conant, James B. *Slums and Suburbs*. New York: McGraw-Hill Book Co., Inc., 1961.

Consejo Superior de Enseñanza. *Estudio del sistema educativo de Puerto Rico*. Río Piedras, Universidad de Puerto Rico, 1960, Capítulo 26.

Cook, Lloyd A. y Elaine F. Cook. *A Sociological Approach to Education*. Tercera edición. New York: McGraw-Hill Book Co., Inc., 1960, Capítulo 2, 11 y 13.

Elkin, Frederick. *El niño y la sociedad*. Buenos Aires: Editorial Paidos, 1964, Capítulo 5.

Grambs, Jean D. *Schools, Scholars and Society*. New York: Prentice-Hall, Inc., 1965.

Green, Arnold W. *Sociology: Analysis of Life in Modern Society*. Tercera edición. New York: McGraw-Hill Book Co., Inc., 1960, Capítulos 13, 15 y 16.

Hallenbeck, Wilbur C. *American Urban Communities*. New York: Harper and Brothers, 1951.

Hart., J. K. *Education in the Human Community*. New York: Harper and Brothers, 1951.

Havighurst, Rober J. *Education in Metropolitan Areas*. Boston: Allyn and Bacon, Inc., 1966.

Havighurst, Robert J. y Bernice L. Neugarten. *Society and Education*. Third edition. Boston: Allyn and Bacon, Inc., 1967, Capítulos 9 y 10.

Hiemstra, Roger. *The Educative Community*. Lincoln. Nebraska: Professional Educators Publications, Inc., 1972.

Kolb, J. H. y Edmund de S. Brunner. *A Study of Society*. Cuarta edición. Boston: Hougthon Mifflin Co., 1952.

Margolin, Edythe. *Sociocultural Elements in Early Childhood Education*. New York: Macmillan Publishing Co., 1974, Capítulo 3.

Martin, William F. y Celia B. Stendler. *Child Behavior and Development*. Edición revisada y ampliada. New York: Harcourt, Brace and Co., 1969, Capítulo 13.

Merrill, Francis E. y H. Wentworth Eldredge. *Society and Culture*. New Jersey: Prentice-Hall, Inc., 1957, Capítulos 16, 18 y 19.

Miller, Harry L. y Roger R. Woock. *Social Foundations of Urban Education*. Second edition. New York: Holt, Rinehart and Winston, Inc., 1973, Capítulo 10.

Mumford, Lewis. *The Culture of Cities*. New York: Harcourt, Brace and Co., 1938.

Musgrave, P. W. *The Sociology of Education*. New York: Harper and Rowe Publishers, Inc., 1971, Capítulo 7.

Ogburn, William F., y Meyer F. Nimkoff. *Sociología*. Traducción de la segunda edición americana. Madrid: Aguilar, 1959, Capítulos 15, 19, 20 y 22.

Ritchie, Oscar W. y Marvin R. Koller. *Sociology of Childhood*. New York: Appleton-Century-Crofts, 1964, Capítulo 5.

Robbins, Florence G. *Educational Sociology*. New York: Henry Holt and Co., 1953, Capítulos 4, 8 y 9.

Stanley, William O. y otros. *Social Foundations of Education*. New York: The Dryden Press, Inc., 1956, páginas 50-52 y 57-60.

Stalcup, Robert J. *Sociology and Education*. Columbus, Ohio: Charles E. Merrill Publishing Co., 1968, Capítulo 3.

Steward, Julian H. *The People of Puerto Rico*. Urbana: University of Illinois Press, 1955.

Sumption, Merle R. e Ivonne Engstrom. *Schol-Community Relations: A new Approach*. New York: McGraw-Hill Book Co., 1966.

Thomas, Donald R. *The Schools next Time*. New York: MacGraw-Hill Book Co., 1973, Capítulos 2 y 5.

Westby-Gibson, Dorothy. *Social Perspectives of Education*. New York: John Wiley and Sons, Inc., 1965, Capítulos 10 y 11.

Wieber, Sam D. y David E. Wilder. *The School in Society: Studies in the Sociology of Education*. New York: Free Press, 1972, Parte VI.

# CAPÍTULO XVII

## LA RELACIÓN ENTRE LA ESCUELA Y LA COMUNIDAD

En diversas ocasiones hemos hecho la afirmación de que la escuela y la comunidad son dos importantes agencias educativas que tienen que trabajar unidas para lograr efectivamente los propósitos de la educación en bien del niño y de la sociedad. Este capítulo se dedicará a estudiar más a fondo esa relación entre la escuela y la comunidad.

Empezaremos estudiando distintos conceptos de educación para determinar cómo han evolucionado las relaciones entre estas dos agencias educativas. Estudiaremos el énfasis que recibió la comunidad en las escuelas tradicionales o académicas y en las progresistas y el énfasis que recibe ahora en la escuela de la comunidad o escuela comunal. También analizaremos las características de este tipo de escuela.

Para poder funcionar eficazmente en una escuela comunal, es necesario que el maestro adquiera un buen conocimiento de la comunidad. Este conocimiento puede adquirirse de varias maneras. Una de esas maneras es a través del estudio de la comunidad. En este capítulo veremos las formas de analizarla, lo que incluye un estudio, lo que estas observaciones revelan y el uso que puede hacerse de esta información, que es a la larga la tarea más importante.

Estudiaremos la forma de trabajar con los problemas de la escuela y la comunidad y el modo de relacionar mejor estas dos instituciones educativas. Finalmente discutiremos cómo evaluar los resultados de esta tarea cooperativa entre la escuela y la comunidad.

### DISTINTOS CONCEPTOS DE LA EDUCACIÓN

Antes de entrar en el estudio de la relación entre la escuela y la comunidad es necesario tener una idea de los distintos conceptos de la educación que han imperado en diferentes épocas. Para lograr este conocimiento vamos a referirnos a tres tipos de escuela: la académica o tradicional, la progresista y la de la comunidad. Estudiaremos cada una de ellas separadamente para ver cómo se han relacionado con la comunidad.

### La escuela académica o tradicional

La escuela académica o tradicional prevaleció durante el siglo XIX. Para la escuela académica, la escuela y la comunidad eran dos entidades separadas. La escuela se mantenía aislada de la comunidad y esta no intervenía en aquella. La escuela existía en la comunidad exclusivamente para transmitir la educación formal a los niños y daba énfasis a la adquisición de las destrezas fundamentales —lectura, escritura y aritmética— y a las destrezas vocacionales. Se creía que como mejor se lograba esa función era manteniéndola separada del resto de la comunidad. La función de la escuela se limitaba a la enseñanza de los otros niños dentro de las cuatro paredes del salón de clases.

Ofrecía al estudiante una educación estrictamente intelectual. Su currículo giraba alrededor de la enseñanza libresca. El interés del maestro era que los niños dominaran el currículo rígido de esta escuela a través de un énfasis marcado en la memorización y la práctica. Los problemas y las necesidades de la comunidad no recibían atención en el currículo escolar. La comunidad se ignoraba completamente, como si la escuela funcionara en un vacío. El maestro era, por lo general, autoritario y el niño era un adulto en miniatura a quien se castigaba si no aprendía lo que se le enseñaba.

A pesar de los cambios ocurridos en la educación, la escuela tradicional no ha desaparecido totalmente. Todavía quedan hoy día algunos educadores que defienden el valor intelectual de las asignaturas sobre cualquier otro punto de vista y critican el enlace entre la escuela y la comunidad.

## La escuela progresista

La escuela progresista surgió como una reacción contra el énfasis académico y la disciplina rígida de la escuela tradicional. Da énfasis al niño como centro de toda actividad educativa y no a los libros de texto. El maestro se interesa por el desarrollo individual de cada niño a través de un currículo flexible que toma en cuenta los intereses de los educandos. Esta escuela emplea mejores métodos de enseñanza que la escuela académica y da oportunidad al niño para expresarse y participar en la solución de sus problemas. Es una escuela caracterizada por un variado programa de actividades. El niño pasa un día escolar muy activo. Participa en clubs, comités y proyectos.

La escuela progresista hizo algunos intentos de relacionar la escuela con la comunidad. Para los progresistas, la escuela era una comunidad en miniatura. El niño deberá prepararse para su vida adulta aprendiendo primero a vivir dentro de esta comunidad de la escuela. Estas experiencias le prepararían para vivir dentro de esta comunidad de la escuela. Estas experiencias le prepararían para vivir luego su vida de adulto en una comunidad.

## La escuela de la comunidad

Hace relativamente poco tiempo —aproximadamente de 1930 al presente— que los educadores se dieron cuenta de que la escuela progresista tampoco se integraba totalmente a la comunidad. Surge entonces la escuela de la comunidad con el objetivo de educar al niño para la vida misma a través de su participación conjunta con los adultos en el mejoramiento de la vida comunal. Se reconoce el hecho de que toda comunidad, por avanzada que sea, tiene algunas fallas y limitaciones que pueden corregirse. Los niños y los maestros pueden realizar esta obra de mejoramiento si laboran juntos en estrecha vinculación con la comunidad.

Se estudian los problemas de la comunidad y se hace a los alumnos conscientes de ellos. Puede que se necesite establecer un centro de recreación, organizar una biblioteca o conseguir los servicios de tal o cual funcionario. Mediante la acción concertada de la escuela y la comunidad, estas actividades y servicios pueden llevarse a cabo felizmente. Es así cómo los alumnos aprenden a servir a la comunidad y a interesarse por su bienestar. Es de este modo que los alumnos se convierten en ciudadanos útiles.

La escuela de la comunidad puede realizar mejor su trabajo de verdadera agencia social en un área rural. Esta es, por lo general, más pequeña, el maestro y los alumnos conocen bien la comunidad y la escuela es el centro de toda actividad humana. No existen en la comunidad rural otras instituciones que ofrezcan competencia a la escuela.

La escuela y la comunidad constituyen una sola entidad. La comunidad tiene los recursos que la escuela puede utilizar, y la escuela, a su vez, debe servir a toda la sociedad, sin limitarse a los niños de edad escolar. El currículo de esta escuela es flexible y se basa en las necesidades y los problemas de la comunidad. Se trata de inculcar al niño, además del aprecio y respeto por la comunidad, la responsabilidad ante sus problemas y necesidades. Esta escuela recalca la cooperación que todos podemos brindar para el mejoramiento de la comunidad. Las necesidades humanas son el centro de la actividad escolar.

Recomendamos el estudio de los libros de Olsen,[1] en los que presentan unas tablas excelentes para contrastar los tipos de escuela que hemos descrito aquí.

## LA ESCUELA DE LA COMUNIDAD

Como hemos dicho antes, la escuela de la comunidad es la que mejor integra ambas agencias. El niño es miembro de la escuela y de la comunidad. Por esta razón estudia en la escuela aquellas áreas de vida que lo preparan mejor para vivir en la comunidad, tanto ahora como en el futuro. La escuela participa activamente en la vida de la comunidad y se ocupa de ayudar a resolver sus problemas. Reconoce que su campo de acción es la comunidad inmediata y el mejoramiento de la vida comunal. La comunidad, por otro lado, reconoce su obligación para con la escuela. Hace esfuerzos por tener buenas escuelas y proveer las mejores facilidades educativas y los mejores programas para los educandos.

Para realizar su trabajo, la escuela comunal utiliza los recursos de la comunidad, basa su currículo en los principales procesos y problemas de la vida y trabaja en coordinación con la comunidad para el mejoramiento de esta.

Detallaremos ahora algunas de las características más importantes de este tipo de escuela.

---

1. Edward G. Olsen. *School and Community*. Segunda edición. New York: Prentice-Hall, Inc., 1954, página 12, *The School and Community Reader: Education in Perspective*. New York: The Macmillan Co., 1963, página 325.

*Las características de la escuela de la comunidad*

1. La escuela de la comunidad sirve no solamente a los niños de edad escolar, sino a toda la población de niños, jóvenes y adultos. Por tanto, un programa de educación de adultos es parte del programa que se organiza para los niños y los jóvenes.

2. La escuela de la comunidad vela por el mejoramiento de la calidad de la vida en el aspecto físico, social y emocional. La responsabilidad de este tipo de escuela es grande. Para realizar su función tiene que trabajar en cooperación con todas las demás agencias sociales. Coordina su tarea con la familia, la iglesia, las instituciones económicas y políticas; en resumen, con todas las agencias de la comunidad.

3. La escuela tiene que descubrir las necesidades y los problemas de la comunidad y desarrollar un programa para atenderlos. Para llevar a cabo esta tarea, la escuela no puede funcionar sola. Son los ciudadanos de la comunidad y la escuela, trabajando unidos, los que descubren los problemas y formulan los planes para laborar juntos en la solución de éstos.

4. La escuela debe iniciar su trabajo de mejoramiento comunal afrontando los problemas de la comunidad local, ya que ésta es la más inmediata a la comunidad y a la gente, la que más les afecta.

5. El currículo de la escuela es amplio, flexible y dinámico. Este se basa en los procesos y los problemas fundamentales de la comunidad: la utilización del ambiente, las formas de ganarse la vida, el mantenimiento de la salud y el mejoramiento de la vida familiar.

6. La escuela utiliza todos los recursos disponibles y hace estudios de la comunidad local, lleva a los niños en excursiones y los pone en contacto con todos los recursos locales: bibliotecas, museos, industrias, fincas, hospitales, centros de recreo, bancos y el correo. No deben olvidarse los recursos humanos de la comunidad, las diversas personas que hacen o que han hecho una contribución. Estos también tienen mucho que enseñar a los niños.

7. El programa de la escuela no puede ser fijo ni estático. Este tiene que cambiar para atender a las nuevas necesidades que surjan en la comunidad. El énfasis en cierto aspecto determinado debe cesar cuando la amenaza del problema haya dejado de existir. Del mismo modo se debe dar énfasis a otros aspectos de la vida comunal cuando estos constituyan un problema.

8. La escuela evalúa constantemente su trabajo en término de los logros obtenidos, de las actividades realizadas, del mejoramiento de la vida de los niños y demás miembros de la comunidad y de los cambios logrados en la conducta de todas las personas envueltas en su programa.

9. Mantiene relaciones democráticas entre los niños, los maestros y los administradores y entre este personal y la comunidad. Se gobierna democráticamente y los niños participan en este gobierno a través de los concilios de estudiantes. De este modo aprenden a tomar parte activa en el gobierno de la comunidad.

10. Reconoce las capacidades y las potencialidades del niño. Tiene un programa variado que permite algún tipo de participación a todos los niños de la escuela no importa su grado o nivel de desarrollo.

11. Es un verdadero centro educativo de la comunidad. Ofrece sus recursos y sus facilidades físicas para el uso de todos: los salones, talleres, bibliotecas, laboratorios y canchas.

12. El maestro de la escuela comunal se integra a la vida comunal y participa en todas las actividades. Por lo general vive en la comunidad.

13. La escuela de la comunidad debe proyectarse hacia la comunidad local, la nación y posiblemente al mundo. Así el niño irá logrando un concepto más amplio de la comunidad.

14. La escuela comunal usa la comunidad como laboratorio para el aprendizaje. No puede limitarse al salón de clases. Pone a los estudiantes en contacto con la comunidad a través de las personas recursos, las excursiones, las experiencias de trabajo y los proyectos de servicio.

Recomendamos que se examine el libro de Olsen,[2] donde puede estudiarse una lista más completa de las características de la escuela de la comunidad. También puede estudiarse con este mismo propósito el libro de Robbins[3] y el trabajo de Hanna y Naslund.[4]

### ROLES DEL MAESTRO EN LA COMUNIDAD

En el Capítulo XV presentamos los roles del maestro en la escuela. Ahora nos toca contestarnos la pregunta: ¿Qué papeles desempeña el maestro en la comunidad o qué espera la comunidad del maestro? Veamos cómo contesta esta pregunta una de las personas que más ha estudiado este problema en los Estados Unidos y en el exterior.

*Roles del maestro, según Havighurst* [5]

El papel del maestro en la comunidad, incluye una serie de sup-papeles, algunos de los cuales pasamos a discutir:

*El participante en los asuntos de la comunidad.* Como persona educada que posee ciertos conocimientos y habilidades, se espera que el maestro realice aquellas tareas para las cuales se le considera preparado.

*La persona erudita.* Se supone que el profesor sabe más que la mayoría de los miembros de la comunidad y que es, en cierto sentido, un intelectual.

---

2. Edward G. Olsen. *School and Community Programs.* New York: Prentice-Hall Inc., 1949, páginas XII-XIV.

3. Florence G. Robbins. *Educational Sociology.* New York: Henry Holt and Co., 1953, páginas 379-80.

4. Paul R. Hanna y Robert A. Naslund. *The Community School Defined.* En National Society for the Study of Education, *The Community School: Fifty-second yearbook.* Parte II, Chicago: University of Chicago Press, 1953, páginas 49-62.

5. Robert J. Havighurst y colaboradores. *La sociedad y la educación en la América Latina.* Buenos Aires: Editorial Universitaria de Buenos Aires, 1962, páginas 315-316.

*La persona de cultura.* Se espera que el profesor haya leído más y tenga gustos más refinados que el promedio de las personas.

*El representante de la moralidad de la clase media.* Los padres esperan con frecuencia que el profesor sea un modelo de conducta para sus hijos.

*El forastero sociológico.* Al mismo tiempo que se desea que el maestro participe en las actividades de la comunidad, se espera que sea "forastero" en ella y no se entere de los chismes en la comunidad ni participe en las rivalidades locales.

### EL CONOCIMIENTO DE LA COMUNIDAD

Es requisito indispensable que el maestro conozca la comunidad, si es que la escuela va a funcionar como verdadera escuela comunal. Muchos maestros conocen bastante bien la comunidad porque han vivido o viven en ella en el presente. Sin embargo, hoy día muchos maestros no viven en la comunidad donde enseñan. Los rápidos cambios en los medios de transportación facilitan que el maestro viva en una comunidad y trabaje en otra. Se hace más necesario entonces un buen conocimiento de la comunidad en la que el maestro trabaja.

Los niños también deben conocerla. Muchos tienen contacto solamente con el área que rodea su casa o su escuela. Es a través del estudio de la comunidad que ellos vienen a darse cuenta de lo que realmente la constituye: su extensión, sus instituciones, su gente, sus necesidades y sus problemas.

### Los estudios de comunidades

Muy pocas veces tenemos la suerte de encontrar que se ha hecho el estudio de la comunidad que interesamos conocer. Cuando no se ha llevado a cabo ese estudio, los maestros tienen que realizarlo valiéndose de métodos como la observación, la entrevista y el cuestionario.

Muchas veces no contamos con los recursos ni el tiempo necesario para hacer un estudio completo de la comunidad. Podemos entonces dedicar el tiempo a estudiar aquellos aspectos de la comunidad que más nos preocupan, como, por ejemplo, los problemas de la vivienda, la recreación, la vida económica y la salud. El estudio de estos aspectos proporciona alguna información muy valiosa para realizar la labor que se espera del maestro y la comunidad.

Hay varios medios de conseguir información sobre esta. Se ha hecho un número limitado de estudios de comunidades en Puerto Rico. Falta mucho por hacer. Entre los estudios hechos podemos mencionar el de *Comerío: A Study of a Puerto Rican Town,* por Charles Rogler; *The People of Puerto Rico,* por Julian Steward, que incluye el estudio de cuatro comunidades rurales en la zona de la caña de azúcar, el café y el tabaco y una comunidad en la zona metropolitana; *The Study of a Planned Rural Community in Puerto Rico,* por Pablo Vázquez Calcerrada; *Tropical Childhood,* por David Landy; *Slums, Projects and People,* por Kurt W. Back, *La ciudad que rebasó sus murallas*, por la División de Educación de la Comunidad del Departamento de Instrucción Pública, *Interacción social y personalidad en una comunidad de Puerto Rico*, por E. Seda Bonilla y *Sociología rural de Cayey*, por Serapio Fernández de Encinas.

Además de estos estudios de comunidades hechos con el asesoramiento y la participación de los científicos sociales, hay algunos departamentos del gobierno estatal, como Instrucción Pública, Salud, Trabajo, y la Corporación de Renovación Urbana y Vivienda, que también hacen estudios de toda la comunidad o de partes de ella. El censo federal es también fuente valiosa de información y no debe dejarse de consultar cada vez que se deseen datos sobre la comunidad.

### Algunos aspectos que pueden incluirse en el estudio de la comunidad

No hay completo acuerdo en cuanto a la forma de hacer un estudio de la comunidad ni de la información que puede recopilarse. Algunos autores prefieren agrupar la información de la siguiente manera:

1. La estructura física de la comunidad: se presenta toda la información relativa al ambiente geográfico: el tamaño, la topografía, el clima, el suelo y los recursos naturales.

2. Los recursos humanos: se recoge la información relacionada con la población: la cantidad, su composición de edad y sexo, preparación, ocupación y la estructura de clases.

3. Los procesos y problemas de la comunidad: se incluye información relacionada con todas las actividades que realiza la gente. También se incluyen los problemas que se presentan cuando las necesidades y las actividades de la comunidad no funcionan satisfactoriamente. Se incluyen también las actividades y problemas relacionados con la economía, el trabajo, la vida familiar, la salud, el gobierno, la recreación y la religión.

4. Las agencias comunales clasificadas en gubernamentales, comerciales y privadas no comerciales. La legislatura, el correo, la policía y la escuela pública son agencias del gobierno. Las tiendas, las fábricas, los salones de belleza y la cámara de comercio son agencias comerciales. Entre las agencias privadas no comerciales están las iglesias, los partidos políticos y las asociaciones profesionales.

Un bosquejo parecido a este, pero mucho más detallado, es el que recomienda Olsen[6] en su libro *School and Community*.

Otros autores, como Brown,[7] por ejemplo, en vez de presentar áreas amplias, como en el caso anterior, incluyen una larga lista de los asuntos sobre los cuales se puede recoger información. En esa lista no faltan por lo general temas como los siguientes:

---

6. Edward G. Olsen. *School and Community. Op. cit.*, páginas 51-83.
7. Francis J. Brown. *Educational Sociology*. Segunda edición. New York: Prentice-Hall, Inc., 1954, páginas 418-419.

1. Población: tendencias poblacionales, movilidad, comparación de la población.
2. Economía y trabajo.
3. Vivienda.
4. Agencias de servicio: iglesias, escuelas, bibliotecas, cines, farmacias, sitios de reunión, transporte y comunicación.
5. El gobierno local y su relación con el gobierno estatal.
6. Salud: enfermedades más comunes, accidentes y mortalidad.
7. Uso del tiempo libre.
8. Organización social: diferentes tipos de grupos sociales, formales e informales.
9. Actitudes sociales.
10. Los recursos naturales y su relación con los recursos humanos y sociales.

Se podría también recoger información relacionada con la historia de la comunidad, su sistema de valores y de poder y la relación de la comunidad local con la región, la nación y el resto del mundo.

Sobre cada uno de los temas antes mencionados se puede acopiar diversa información. En el caso de la población, por ejemplo, se puede recoger información como la siguiente: la cantidad de habitantes, composición por sexo y edad, preparación académica, salud, enfermedades y causas de muerte, tendencias poblacionales y clases sociales, entre otros datos. En cuanto al factor economía, se podría reunir información sobre los recursos naturales, producción, facilidades de empleo, desempleo, ingresos, gastos, condición de salud, condiciones de trabajo, organizaciones obreras y protección del obrero. Del mismo modo se podrá obtener información de gran utilidad sobre cada una de las agencias sociales: servicios que presta, organización, personas afectadas por el servicio, su relación con otras agencias y los problemas que presentan.

Es difícil pensar que las personas que no tienen una vasta experiencia y adiestramiento en la investigación social —el maestro, por lo general, no lo tiene— puedan recoger información sobre todos esos aspectos de la comunidad que hemos mencionado antes. No es necesario recoger toda esa información para conocer la comunidad. Esa información tampoco se recoge en todas las comunidades. Para realizar el estudio de la comunidad el maestro puede conseguir la ayuda de algunos padres y de otros ciudadanos. Los niños de los grados superiores también pueden ayudar a recoger y tabular alguna información.

Hay comunidades pequeñas en las que bastaría el estudio informal acompañado de la observación, la entrevista y la conversación con la gente de la comunidad. Los niños que asisten a la escuela también son una fuente de información. Luego de este estudio informal, de ser necesario, se podría hacer un estudio más detallado de algún aspecto de la comunidad. Ese aspecto propicio para el estudio detallado y amplio podría ser, por ejemplo, la recreación, la salud, la condición económica o la vivienda, dependiendo del asunto que se desee atender primero.

UTILIZACIÓN DE LA INFORMACIÓN SOBRE LA COMUNIDAD

La información que se recoja a través del estudio de la comunidad puede tener varios usos. Es de suponer que la información se recoge con cierto propósito determinado. Puede ser que el propósito principal sea el conocimiento de la comunidad. La información podría usarse también para mejorar o para enriquecer el currículo. La escuela de la comunidad, sin embargo, tiene una función específica, que es la de mejorar la vida de la gente. El maestro que tiene como objetivo el mejorar la calidad de la vida utilizará la información que recoja con ese propósito. Un buen estudio de la comunidad revelará los problemas o aquellas áreas de vida que deban atenderse.

Con el fin de que se sirvan mejor las necesidades de la comunidad es pertinente que se formule un plan de trabajo. El maestro y los niños de una escuela en una comunidad pequeña, o el director, la facultad y los alumnos de la escuela en una comunidad mayor, pueden reunirse con los padres y los ciudadanos para presentar los hallazgos del estudio e interesarlos en un plan de mejoramiento comunal. De esta reunión puede surgir la idea de celebrar una reunión con las agencias de la comunidad para determinar la cooperación que ellos pueden prestar. Puede surgir también la formación de un comité conjunto de agencias de la comunidad, el personal escolar, los alumnos, los padres y los ciudadanos particulares.

En el caso específico de Puerto Rico, aquellas agencias de la comunidad que no deben faltar en esta organización son las siguientes: Servicios Sociales, Extensión Agrícola, Fomento Cooperativo, la Administración de Programas Sociales, el Departamento de Salud, la Administración de Parques y Recreo Públicos, el Departamento de Instrucción Pública, la División de Educación de la Comunidad, la Administración Municipal, los clubs locales y los líderes cívicos y religiosos, entre otros. La escuela, como agencia de servicio social no debe quedarse fuera de este comité ni tampoco debe perder de vista las actividades del mismo. Durante la primera o primeras reuniones de este comité será conveniente que los representantes de cada agencia expliquen al grupo el trabajo que esa agencia realiza. Muchas veces la comunidad desconoce las funciones que llevan a cabo las diferentes agencias. Conviene celebrar reuniones frecuentes de este comité para discutir los problemas que van surgiendo y para mantenerlo en constante actividad.

*Plan de acción*

Los problemas y las necesidades de la comunidad se expondrán ante el comité que se organice. El comité decidirá qué problema o problemas se atenderán como prioridad y luego trazará planes para empezar a trabajar en esa dirección. Posiblemente tengan que formarse subcomités para trabajar en los diversos problemas que se han seleccionado. Estos subcomités consistirán de personas con intereses comunes en la solución de un problema en particular. Puede haber un comité de recreación y pueden haber subcomités que atiendan diversos aspectos de ese mismo problema. Un subcomité puede ocuparse de los problemas relacionados con la recreación de los adultos. De este modo habrá varias personas atendiendo los diversos aspectos de un problema mayor.

Los problemas que han de atenderse pueden variar de una comunidad a otra. Puede que en una comunidad haga falta atender el problema de la salud, cosa corriente en una comunidad rural en Puerto Rico, o el problema de la alimentación, que es igualmente importante. Otra comunidad puede tener necesidad de atender los problemas relacionados con la recreación, la vida familiar, el mejoramiento de la vivienda, la condición económica, la tierra o la escuela.

No podemos explicar todo lo que las comunidades interesadas en estos problemas han hecho, pero queremos dar una idea de la forma en que una comunidad en interacción con la escuela se ha organizado para ayudar a mejorar la condición del comedor escolar.[8] Se reparó y pintó el equipo y el plantel y se proveyeron suficientes mesas y bancos para atender la matrícula. Se aumentó el número de niños que recibía los servicios de comida. Se hicieron arreglos para proveer agua potable todos los días. Se sembraron flores en los alrededores y se pusieron flores en las mesas. Se preparó un huerto escolar que sirvió como demostración para la comunidad; además, los productos vinieron a enriquecer la dieta de los niños en el comedor.

Un aspecto importante de este proyecto fue el desarrollo de hábitos y actitudes en los niños. Se les enseñaron buenos modales en el comedor, a lavarse las manos antes de almorzar, a consumir los alimentos que se sirven, a mantener el salón limpio, a hacer filas, esperar su turno y a cooperar con las empleadas del comedor escolar.

La escuela y los niños se beneficiaron de este proyecto; la comunidad también se benefició de muchas maneras. El comedor escolar fue un centro de demostración de la comunidad. Las madres asistían al comedor y aprendieron prácticas como el balancear la dieta, esterilizar los utensilios, hábitos de nutrición, almacenamiento de alimentos, arreglo del salón y sus alrededores y la disposición de los desperdicios y basuras. Los padres aprendieron prácticas agrícolas a través del huerto escolar: el modo de combatir la erosión, la aplicación de abonos fertilizantes, la selección de semillas, el cuidado del huerto y los procedimientos utilizados en la recolección de la cosecha. Muchos padres hicieron sus propios huertos en sus casas.

En este proyecto intervinieron una serie de agencias de la comunidad: la División de Comedores Escolares, Extensión Agrícola, los padres de la comunidad y todo el personal escolar. Mediante la acción coordinada de estas agencias se pudo llevar a feliz realización un proyecto de grandes alcances.

En otro caso la escuela logró interesar a la comunidad en el problema de mejorar la vivienda. Según el estudio hecho, los niños y los maestros se convencieron de que la vivienda era uno de los principales problemas. El estudio reveló las condiciones insatisfactorias y poco higiénicas de las casas y sus alrededores, sus muebles y la falta de interés de parte de la comunidad en las actividades de la escuela.

Por iniciativa de la escuela se celebró una reunión con los represen-

---

8. Véase: Institute of Field Studies, Teachers College, Columbia University. *Public Education and the Future of Puerto Rico*. New York. Bureau of Publications, Teachers College Columbia University, 1950, Capítulo 14.

tantes de las diferentes agencias de la comunidad. Se logró interesar a estas agencias en el problema del mejoramiento de la vivienda. El Servicio de Extensión Agrícola organizó un club de niñas de la comunidad que realizó un número de actividades muy interesantes que ayudaron a mejorar la vivienda. Este grupo de niñas construyó muebles sencillos para sus casas, arregló y decoró sus casas. También tuvieron a su cargo el embellecimiento de los alrededores de sus casas y participaron en otras actividades como la siembra de huertos, el arreglo de su ropa y el arreglo personal. Muchos hogares de la comunidad recibieron el impacto de las actividades de este grupo de niñas.

Se pueden mencionar numerosos ejemplos en los que la escuela, actuando en coordinación con la comunidad, ha realizado importantes proyectos de beneficio para las dos instituciones. En muchos casos, la escuela ha llevado la comunidad a comprender que el gobierno estatal no lo puede hacer todo y que las comunidades tienen la responsabilidad de organizarse para ayudar a solucionar sus problemas. Así se han logrado levantar estaciones de leche, centros de recreo y bibliotecas con la ayuda de los padres de la comunidad. De este mismo modo se han preparado salones de clases, se han pintado otros, se ha reparado el equipo escolar, se ha construido y se ha equipado botiquines y se han construido verjas y parques de recreo.

No queremos terminar esta sección sin mencionar otro ejemplo de colaboración entre la escuela y la comunidad en el cual ha participado el personal del Colegio de Pedagogía de la Universidad de Puerto Rico. Este se lleva a cabo en el sector Las Monjas, de la Parada 27, Zona de Martín Peña.[9] El Proyecto de Las Monjas, como se le conoce generalmente surgió como consecuencia de la Conferencia sobre la Niñez, de Casa Blanca. Como actividad previa a la Conferencia se celebró en Puerto Rico el Tercer Congreso del Niño. Una de las ponencias presentadas en este Congreso giró alrededor de *La educación y los servicios escolares*, y contenía un plan para atender el problema que presentan los niños que están fuera de la escuela.

Se decidió instrumentar en una comunidad algunas de las ideas de dicho plan. Se seleccionó la comunidad de Las Monjas y el proyecto se inició en 1960 bajo los auspicios del Colegio de Pedagogía de la Universidad de Puerto Rico, con la colaboración del Departamento de Instrucción Pública y otras agencias públicas y privadas, incluyendo los habitantes de la comunidad. La Escuela Emilio del Toro Cuebas, de ese sector, fue escogida como el centro de operaciones, ya que a través de la escuela se podía llegar a casi todos los hogares de la comunidad. La escuela era además una institución de la comunidad, reconocida por todos como una importante agencia de servicio. Tanto la directora de la escuela como la facultad se interesaron en el programa que se deseaba realizar en la comunidad y dedicaron todos sus esfuerzos a colaborar con las demás agencias para lograr el éxito del plan.

En el transcurso del tiempo que lleva funcionando el Proyecto Las Monjas se han realizado importantes actividades de beneficio para toda la comunidad. Mencionaremos algunas de las más sobresalientes:

---

9. Véase: Wilfredo Miranda. *Proyecto comunal del sector Las Monjas*. En *Educación*, XII, agosto de 1962, páginas 59-62.

1. El Departamento de Instrucción nombró una trabajadora social para que dedicara todo su tiempo a la escuela y la comunidad.

2. La Escuela de Trabajo Social de la Universidad de Puerto Rico ha establecido allí un centro de práctica de trabajo social.

3. Los líderes de la comunidad se organizaron en comités para atender los problemas de educación, salud y recreación y realizaron un número de actividades.

4. El Departamento de Economía Doméstica de la Universidad de Puerto Rico estableció un proyecto de mejoramiento del hogar que incluía clases de costura, relaciones familiares y cuidado de niños y enfermos.

5. El Departamento de Instrucción organizó un programa nocturno de clases para jóvenes y adultos.

6. La acción combinada de todos permitió que se estableciera una biblioteca.

Estas y otras muchas actividades han contribuido al logro de un mayor acercamiento entre la escuela y la comunidad de Las Monjas. Se han desarrollado líderes que han asumido una mayor responsabilidad en la solución de los problemas. Tanto la comunidad como la escuela han mejorado como consecuencia de su participación en este importante proyecto, que continúa hoy en pleno desarrollo.

## PROGRAMAS ESCOLARES QUE RESPONDEN A LAS NECESIDADES DE LA COMUNIDAD

Como agencia social, la escuela tiene la obligación de integrar su programa educativo a las necesidades de la comunidad. Debe capacitar a los educandos para participar provechosamente en la vida comunal. Los programas educativos deben reflejar las exigencias de la sociedad a la cual la escuela está llamada a servir.

Veamos la forma en que algunos de los programas del Departamento de Instrucción Pública responden a las necesidades de la comunidad.

### Los programas vocacionales

Al esfuerzo por preparar los hombres y mujeres que Puerto Rico necesita para su progreso industrial contribuyen los programas vocacionales del Departamento de Instrucción Pública. Se incluyen entre estos programas los siguientes: agricultura vocacional, artes industriales, educación comercial, educación distributiva, oficios e industrias y economía doméstica. Se ofrecen cursos vocacionales en el programa general escolar y cursos para adultos.

Debe entenderse que el futuro empleado no necesita solamente destrezas vocacionales. Necesita también una amplia preparación académica. Para la obtención de esta contribuyen no solo los cursos vocacionales, sino todo el programa regular de Instrucción.

## El programa de estudios sociales

El programa de estudios sociales, además de responder a las necesidades de la comunidad, contribuye a proveer la preparación cultural que se necesita. El énfasis de este programa está en el hombre y sus problemas de convivencia. La relación de este programa con la vida de la comunidad es directa y clara. Los estudios sociales responden a la necesidad de desarrollar en los alumnos una conciencia social alerta, no solo a los problemas de la comunidad inmediata, sino a los problemas nacionales e internacionales.

## El programa de extensión educativa

Otro programa que responde a las necesidades de la comunidad es el de extensión educativa, en especial, el programa de alfabetización, el inglés para adultos, los cursos vocacionales para este nivel y la educación secundaria.

### SERVICIOS PARA ATENDER DEFICIENCIAS EN LOS RECURSOS DE LA COMUNIDAD

La escuela puertorriqueña ha establecido servicios auxiliares y especiales con el fin de facilitar el aprendizaje de los estudiantes, hacer posible la asistencia a clases a los que no cuentan con recursos económicos y estimular a los jóvenes de talento a continuar sus estudios. En esta forma la escuela atiende las necesidades de la comunidad.

Entre estos programas se encuentran los siguientes:

## Comedores escolares

Este programa se propone mejorar el crecimiento físico, mental y social de los alumnos y desarrollar en ellos buenos hábitos de alimentación. Se sirve un almuerzo balanceado a los niños que asisten a las escuelas.

## Programa de transporte escolar

Funciona un programa gratuito de transporte escolar, que se ha extendido a todos los pueblos, en la medida en que lo han permitido los recursos económicos.

## Becas para estudiantes sobresalientes

Se ofrece ayuda económica a estudiantes sobresalientes para estimularlos a proseguir sus estudios. Las becas se conceden a base de necesidad económica y aprovechamiento escolar.

*Programa de bibliotecas*

Las bibliotecas son un instrumento de avance cultural, a la vez que proveen oportunidades de distracción. Además de las bibliotecas organizadas en pueblos y ciudades, se han establecido bibliotecas en las urbanizaciones públicas, en la zona rural y bibliotecas rodantes, que se trasladan de un lugar a otro.

### OTRAS FORMAS DE RELACIONAR LA ESCUELA Y LA COMUNIDAD

Como hemos dicho antes, la escuela comunal se caracteriza por su estrecha vinculación con la comunidad. El maestro puede comenzar sus relaciones con la comunidad, desde antes de empezar el curso escolar, por medio de las visitas que haga a la escuela y a la comunidad. En el caso del maestro rural, estas visitas son necesarias y muy importantes para ir conociendo la comunidad, los padres y los alumnos a la vez que se anuncia el comienzo de las clases.

Las reuniones con los padres para ir identificando los problemas, el estudio de la comunidad, la formación de comités de trabajo y la participación en proyectos son formas de relación entre la escuela y la comunidad. Estos no son los únicos medios de interacción; existen otros que discutiremos a continuación.

*Medios de llevar la escuela a la comunidad*

Hay muchas formas de llevar la escuela a la comunidad. Mencionaremos algunas de éstas.

*Excursiones a sitios de interés.* Entre los muchos sitios que pueden visitar los niños y los maestros con propósitos de conocer la comunidad y de enriquecer el currículo están los siguientes: fincas, industrias, vaquerías, tiendas, bancos, correo, hospitales y otros centros de actividad comunal. Estas visitas deben ser debidamente planeadas de antemano para obtener de ellas el mayor provecho posible.

*Visitas a los hogares.* Las visitas a los hogares pueden tener como objetivo el observar las condiciones de vida, conocer a los padres y observar el comportamiento del niño. El maestro debe hacer esfuerzos por realizar estas visitas durante el año.

*Reuniones con los padres.* Estas reuniones pueden tener varios propósitos: conocer a los padres, informarles sobre el trabajo de los hijos, explicarles el programa de la escuela. En estas reuniones se pueden presentar a los padres los problemas de la escuela y de la comunidad y lograr su participación en la solución de los mismos.

*Entrevistas.* El maestro, al igual que los niños, puede tener entrevistas con personas recursos con el propósito de obtener información sobre la comunidad y sobre la labor que ellos realizan. La escuela puede utilizar varias personas como recursos, entre ellas las personas más antiguas de la comunidad, las personas con ciertas habilidades especiales, las que han viajado al extranjero y los profesionales, entre otros.

*Experiencias de trabajo.* Los alumnos de los cursos vocacionales, por ejemplo, pueden tener la oportunidad de poner en práctica en la comunidad los conocimientos que van adquiriendo en el salón de clases. Muchos estudiantes trabajan en las tiendas, fábricas, salones de belleza, oficinas y bancos mientras asisten a la escuela. Estos estudiantes, por lo general, asisten a las clases medio día y trabajan el resto del tiempo. El personal de la escuela comparte la supervisión del trabajo que estos estudiantes realizan.

*Proyectos.* Algunas escuelas estimulan a sus discípulos a realizar algún proyecto de beneficio a la comunidad: reparar muebles para familias pobres, limpiar y arreglar patios, atacar criaderos de mosquitos, arreglar y pintar casas, reparar carreteras y caminos y hacer instalaciones de agua y luz eléctrica.

Además de estos medios se podrían utilizar otros como los programas de radio y televisión, el periódico escolar y los carteles para llevar la escuela a la comunidad.

## Medios de llevar la comunidad a la escuela

Se pueden igualmente señalar muchísimos medios para traer la comunidad a la escuela. Mencionaremos algunos.

*Visitantes recursos.* Entre los visitantes que pueden usarse como recursos para enriquecer el currículo o para participar en los programas de mejoramiento de la escuela pueden mencionarse los agricultores, los comerciantes, las enfermeras, los médicos, los policías, los extranjeros, los artistas y las personas que han viajado al exterior. Estas personas poseen unas experiencias que el maestro no tiene. Utilizado efectivamente, estos recursos pueden suplementar la labor del maestro y el material que se estudia en los libros. Vistas de este modo, las personas recursos son maestros adicionales que enriquecen el programa escolar.

En uno de sus libros, Olsen [10] presenta un material de gran valor relacionado con el empleo de los recursos de la comunidad para enriquecer el currículo. Recomendamos la lectura de este material.

*Visita de los padres.* Se puede estimular a los padres a visitar la escuela con varios propósitos: conocer a los maestros, observar el trabajo que sus hijos realizan, relacionarse con el programa de la escuela e inspeccionar los recursos con que se cuenta. Se pueden preparar programas especiales para el día en que los padres visitan la escuela, pero no siempre debe hacerse así. Es muy conveniente que ellos vean la escuela funcionando normalmente, como funciona en cualquier día regular de trabajo. Las madres también pueden derivar grandes ventajas de las visitas a la escuela. Una escuela bien organizada, un salón de clase bien dirigido, una biblioteca ordenada y un comedor escolar bien organizado tienen mucho que enseñar a las madres de la comunidad.

---

10. Edward G. Olsen. *The School and Community Reader. Op. cit.*, páginas 155-159, 164-167.

*Educación de adultos.* Una escuela comunal debe tener un buen programa de educación de adultos. Este programa no siempre tiene que depender de clases formales de literatura, inglés o instrucción vocacional; puede incluir cursillos, charlas o conferencias sobre temas de interés para los jóvenes y los adultos. Es de gran valor el que la comunidad pueda utilizar para su programa de educación de adultos todas las facilidades de la escuela: los salones de clases, los laboratorios, la biblioteca, los talleres y el patio.

*La Asociación de Padres y Maestros.* Un medio magnífico para atraer la comunidad a la escuela es la Asociación de Padres y Maestros. Una buena asociación de padres y maestros, bien dirigida, puede realizar una labor de gran provecho, tanto para la escuela como para los niños y la comunidad en general. Las asociaciones de padres y maestros pueden atraer un gran número de padres a la escuela. Pueden recaudar fondos para una actividad escolar, interesarse en superar el nivel de la enseñanza, ayudar a mejorar el currículo, hacer un estudio de los niños que van a entrar en la escuela el próximo año. Pueden llevar a cabo programas educativos, recreativos y culturales.

*Celebraciones especiales.* Hay muchas otras actividades que pueden ayudar a acercar la escuela y la comunidad. Entre esas actividades se pueden mencionar el Día de las Madres, la Fiesta de Navidad, el Día del Maestro, el Día de Juegos y la graduación. Las actividades atléticas que se celebran durante el año también sirven para relacionar la escuela y la comunidad. Existen agrupaciones escolares, como el coro, el arte dramático, la banda escolar y los clubs, que celebran durante el año actividades, que pueden tener el respaldo y el patrocinio de la comunidad.

### EVALUACIÓN DEL TRABAJO REALIZADO

Mencionamos anteriormente que una de las características de la escuela de la comunidad es la continua evaluación que hace de la labor que realiza y del progreso que ha alcanzado, con el fin de corregir fallas y trazar planes para lo que falte por hacer. En el proceso de evaluación deben participar los niños, los maestros, los administradores, los representantes de las agencias sociales y la comunidad en general.

El maestro no puede esperar a que termine el proyecto o actividad para evaluar. La evaluación debe comenzar con la actividad misma y debe proceder a medida que esta se desarrolla. Debe ser continua, a través de cualquier proyecto que se lleve a cabo. Esta es la mejor forma de asegurar el éxito, ya que se puede planificar para lo que queda por hacer y se pueden corregir fallas, si las hay, a medida que se progresa.

Al evaluar tenemos que tener presente cuál es el objetivo o propósito de la actividad que se somete a evaluación. Debemos contestarnos la pregunta: ¿Qué nos proponemos lograr con esta actividad?, ¿Qué actitudes, valores, conocimientos, hábitos o destrezas nos interesa desarrollar? Luego debe recogerse toda la evidencia que sea posible, formular conclusiones a base de esa evidencia y trazar planes futuros, si es necesario.

El hecho de que un proyecto se evalúe continuamente no quiere decir que no haya necesidad de evaluarlo también al concluirlo. Esta evaluación final es importantísima. El maestro se hará preguntas como las siguientes: ¿Qué se logró? ¿Cuán efectivamente se trabajó ¿Qué aprendimos de esta experiencia que nos pueda ayudar para el futuro?

La evaluación del trabajo realizado en un programa de interacción de la escuela y la comunidad no siempre puede expresarse cuantitativamente. Hay muchos detalles subjetivos, como la actitud de las personas envueltas, que son significativos y que no son fáciles de evaluar. También es difícil de evaluar objetivamente la calidad de vida que han alcanzado los niños y los habitantes de la comunidad como resultado de un buen programa de acción comunal. Es igualmente difícil evaluar los cambios en la conducta de los niños y de los adultos. Hay, sin embargo, una serie de detalles que son más fáciles de evaluar que otros y que pueden expresarse en términos objetivos. Nos referimos al número de actividades realizadas, los servicios prestados y el trabajo académico que realizan los estudiantes.

Hay muchos otros aspectos adicionales que también pueden evaluarse objetivamente. Se puede expresar cuantitativamente el número de reuniones celebradas, la asistencia a estas reuniones y la participación en ellas. Se puede conocer el ingreso de las personas que participaron en algún proyecto de adiestramiento. También se puede saber cómo ha mejorado la salud de la comunidad y hasta qué punto se han resuelto algunos problemas.

Los maestros que deseen evaluar los cambios en la conducta de sus alumnos como resultado de un buen programa de acción comunal deben hacer observaciones cuidadosas. Estas observaciones deben ser continuas. Convendría que el maestro llevara apuntes anecdóticos de sus alumnos que le ayudaran a enjuiciar objetivamente los cambios. El maestro debe estar atento a los comentarios y reuniones de sus alumnos en torno a las discusiones que se llevan a cabo en el salón.

La evaluación proyectada para la escuela de la comunidad debe revelar que existe una mejor forma de vida para todas las personas envueltas: niños, maestros, padres y demás ciudadanos. Esa mejor vida se refleja en los aspectos sociales, morales, físicos, mentales e intelectuales. Por el hecho de vivir una vida plena, las personas se sienten más felices y contentas. El maestro se integra plenamente a la vida de la comunidad y participa en todas las actividades. Los niños establecen buenas relaciones con los otros niños y con los maestros, gustan de la escuela, se quedan en ella por más tiempo y realizan mejor trabajo académico. Se convierten en buenos ciudadanos a través de su participación en todas las actividades.

Se espera también que los miembros de la comunidad desarrollen un profundo sentido cívico a través de las actividades cooperativas. Es de esperar que la escuela se convierta en un centro de continua actividad, tanto para los niños y los maestros como para los habitantes de la comunidad. Sólo así se justifica la existencia de la verdadera escuela de la comunidad.

## RESUMEN

Para funcionar efectivamente, la escuela tiene que trabajar en estrecha relación con la comunidad. A pesar de que se reconoce la importancia de esta afirmación, las escuelas y las comunidades no han funcionado en estrecha colaboración. Primero la escuela académica y luego la escuela progresista se mantuvieron alejadas de la comunidad. La primera daba énfasis principal al dominio de las materias del currículo y la segunda recalcaba los intereses y necesidades del niño y el desarrollo de su personalidad. El currículo· giraba alrededor de los intereses de él. Se estudiaba la comunidad, pero sus recursos se usaban en forma incidental.

No fue hasta hace relativamente poco tiempo que surgió la escuela de la comunidad, con énfasis en las necesidades humanas. Este tipo de escuela utiliza plenamente los recursos de la comunidad. La comunidad es un laboratorio donde los niños y los maestros, en cooperación con los adultos y con las agencias sociales, participan en actividades y proyectos de mejoramiento comunal y de gran valor educativo.

La escuela comunal exhibe una serie de características. Entre ellas mencionaremos las siguientes: 1) mejora la calidad de la vida de la comunidad; 2) utiliza la comunidad como laboratorio; 3) se convierte en un centro de la comunidad; 4) organiza su currículo alrededor de los procesos y problemas de vida; 5) funciona en relación con todas las demás agencias que también tratan de mejorar la vida de la comunidad y 6) practica la democracia en sus relaciones humanas.

El maestro y los estudiantes de la escuela comunal tienen que conocer la comunidad en todos sus aspectos. Como no siempre se cuenta con estudios ya realizados sobre comunidades, el maestro tiene que hacer o dirigir el estudio de la comunidad. Hay muchas formas de hacer un estudio de la comunidad y muchos aspectos dignos de estudio. No falta generalmente el estudio de diversos aspectos como los siguientes: 1) la estructura física; 2) los recursos humanos; 3) los procesos y problemas y 4) las agencias comunales. Se puede también recoger información más específica, en términos de número de habitantes, la vida económica, la clase de vivienda, las oportunidades de empleo, la condición de salud y las agencias de servicio, entre otros.

La información que se recoja a través del estudio puede tener varios usos. Sirve para enriquecer el currículo y también para señalar los problemas y las necesidades de la comunidad que la escuela y ésta, conjuntamente, deben atender. Este último punto es muy importante, ya que la escuela comunal debe mejorar la vida de la comunidad. El estudio puede revelar la existencia de un problema de salud, un problema económico, o de falta de facilidades recreativas, de pobres relaciones de familia, falta de interés de los padres en los problemas de la escuela y la comunidad, entre otros muchos problemas. Es muy importante atender estos problemas. La escuela y la comunidad, trabajando estrechamente y en forma coordinada, crean conciencia de estos problemas entre los ciudadanos, forman comités y formulan un plan de acción. Son muchos los casos en que estos problemas se han atenuado o se han resuelto, lo que ha redundado en una mejor vida para toda la comunidad, gracias al interés que se ha tomado la escuela.

Hay muchas otras formas de relacionar la escuela y la comunidad. La escuela se puede llevar a la comunidad mediante: 1) excursiones; 2) visitas a los hogares; 3) reuniones de padres; 4) entrevistas; 5) experiencias de trabajo y 6) proyectos de servicio. De otro lado, la comunidad se puede llevar a la escuela por medio de: 1) visitantes recursos; 2) visitas de los padres; 3) la educación de adultos; 4) las asociaciones de padres y maestros y 5) las celebraciones especiales.

El programa de relación entre la escuela y la comunidad debe evaluarse continuamente. En esta evaluación deben participar los niños, los maestros, los administradores, los representantes de agencias y la comunidad en general. El programa debe evaluarse en término de las actividades realizadas, los servicios prestados y el trabajo académico de los estudiantes; también en términos de la calidad de vida, las relaciones humanas y los cambios ocurridos en la conducta de todas las personas envueltas.

## LECTURAS

Back, Kurt W. *Slums, Projects and People*. Durham: Duke University Press, 1962.

Biddle, William J. *Encouraging Community Development*. New York: Holt, Rinehart and Winston, Inc., 1968.

Brown, Francis J. *Educational Sociology*. Segunda edición. New York: Prentice-Hall, Inc., 1954, Capítulo 14.

Campbell, Ronald F. y John A. Ramseyer. *The Dynamics of School-Community Relationships*. New York: Allyn and Bacon, Inc., 1961.

Clapp, Elsie R. *Community Schools in Action*. New York: The Viking Press, Inc., 1939.

Consejo Superior de Enseñanza. *El estudio del sistema educativo de Puerto Rico*. Río Piedras: Universidad de Puerto Rico, 1969, Capítulo 26.

Cook, Lloyd A. y Elaine F. Cook. *A Sociological Approach to Education*. Tercera edición. New York: McGraw-Hill Book Co., Inc., 1960, Capítulo 16.

Cordasco, Francesco y otros. *The School in the Social Order. A Sociological Introduction to Educational Understanding*. Scanton, Pennsylvania: International Textbook Co., 1970, Capítulo 7.

Dapper, Gloria. *Public Relations for Educators*. New York: The Macmillan Co., 1964.

Departamento de Instrucción Pública, División de Educación de la Comunidad. *San Juan: la ciudad que rebasó sus murallas*. San Juan, 1957.

Fernández de Encinas, Serapio. *Sociología rural de Cayey*. Río Piedras: Editorial Universitaria, 1972.

Grambs, Jean D. *Schools, Scholars and Society*. New Jersey: Prentice-Hall, Inc., 1965, Capítulo 6.

Grinnell, J. E. y Raymond J. Young. *The School and the Community*. New York: The Ronald Press Co., 1955, Capítulos 1, 3, 4 y 8.

Hanna, Paul R. *Youth Serves the Community*. New York: Appleton-Century-Crofts, 1936.

Hart, Joseph K. *Social Interpretation of Education*. New York: Henry Holt and Co., 1929.

Havighurst, Robert J. y Bernice L. Neugarten. *Society and Education*. Tercera edición. Boston: Allyn and Bacon, 1967, Capítulos 9 y 10.

Havighurst, Robert J. *Education in Metropolitan Areas*. Boston: Allyn and Bacon, Inc., 1966.

Havighurst, Robert J. *La sociedad y la educación en América Latina*. Buenos Aires: Editorial Universitaria de Buenos Aires, 1962, Capítulo XIII.

Hickey, Hovard W. y otros. *The Role of the School in Community Education*. Midland, Michigan: Pendell Publishing Co., 1969.

Hiemstra, Roger. *The Educative Community*. Lincoln, Nebraska: Professional Educators Publications, Inc., 1972.

Landy, David. *Tropical Childhood*. Chapel Hill: The University of North Carolina Press, 1959.

Miranda, Wilfredo. *Proyecto comunal del sector Las Monjas*. En *Educación*, XII, agosto de 1962, páginas 59-62.

Moore, Clyde B. y William E. Cole. *Sociology in Educational Practice*. Boston: Houghton Mifflin Co., 1952, Capítulo 8.

National Society for the Study of Education. *The Community School: Fifty-Second Yearbook*. Parte II. Chicago: University of Chicago Press, 1953.

Olsen, Edward G. *School and Community Programs*. New York: Prentice-Hall, Inc., 1949.

Olsen, Edward G. *School and Community*. Segunda edición. New York: Prentice-Hall, Inc., 1954, Capítulos 1, 3, 6, 7, 11 y 17.

Olsen, Edward G. *The School and Community Reader: Education in Perspective*. New York: The Macmillan Co., 1963.

Robbins, Florence G. *Educational Sociology*. New York: Henry Holt and Co., 1953, Capítulos 15 y 16.

Rodehaver, Myles W. y otros. *The Sociology of the School*. New York: Thomas Y. Crowell Co., 1957, Capítulo 12.

Rogler, Charles C. *Comerío: A Study of a Puerto Rican Town*. Lawrence: University of Kansas, 1940.

Seda Bonilla, Eduardo. *Interacción social y personalidad en una comunidad puertorriqueña*. San Juan, Puerto Rico: Ediciones Ponce de León, 1964.

Stanley, William O. y otros. *Social Foundations of Education*. New York: The Dryden Press, Inc., 1956, páginas 452-459.

Steward, Julian H. *The People of Puerto Rico*. Urbana. University of Illinois Press, 1956.

The Institute of Field Studies, Teachers College, Columbia University. *Public Education and the Future of Puerto Rico* New York: Bureau of Publications, Teachers College, Columbia University, 1950, Capítulo 14.

Thomas, Donald R. *The Schools next Time*. New York: MacGraw Hill Book Co., 1973, Capítulo 5.

Vázquez-Calcerrada, Pablo. *The Study of a Planned Rural Community in Puerto Rico*. Río Piedras: Agricultura Experiment Station, University of Puerto Rico, 1953.

# PARTE VII

## Innovación y Cambio

Cada día estamos más consciente de las fallas de nuestro sistema educativo y de las críticas que hacen al mismo los maestros, los estudiantes y los padres. Es necesario realizar innovaciones para contestar esas críticas y atender las fallas.

Hemos añadido una nueva parte a nuestro libro en relación con las innovaciones y el proceso de cambio planeado. Esta parte consta de cuatro capítulos.

En el Capítulo XVIII estudiamos las innovaciones relacionadas con la nueva tecnología: los desarrollos logrados en este campo, los diversos recursos tecnológicos y cómo aplicarlos a la educación y la función del maestro ante estos desarrollos.

El Capítulo XIX trata sobre las innovaciones en la organización para un mejor aprendizaje. Aquí discutimos la individualización del aprendizaje, en sus varias manifestaciones, el horario flexible, el calendario escolar continuo, el uso diferenciado de la facultad y la enseñanza en equipo, entre otras innovaciones.

El Capítulo XX analiza los distintos tipos de alternativas que se proponen para reformar el sistema educativo.

Finalmente, en el Capítulo XXI discutiremos el proceso de cambio planeado. Se consideran los siguientes aspectos: la definición del proceso, los blancos de cambio, los agentes, las estrategias, la implementación, la evaluación y la institucionalización del cambio. También hacemos algunos comentarios sobre el proceso de cambio en la educación puertorriqueña.

# CAPÍTULO XVIII

## LA NUEVA TECNOLOGÍA EDUCATIVA

Todos estamos de acuerdo en que la educación debe responder a los cambios sociales y a los resultados de la investigación científica. Aparentemente esta afirmación no se ha hecho realidad, ya que muchos padres y muchos ciudadanos particulares no están plenamente satisfechos con la educación que reciben los niños y los jóvenes y demandan una calidad mejor.

Vivimos en una época de rápidos cambios sociales que afectan nuestro sistema de vida. La presente es una era de grandes desarrollos científicos y tecnológicos. Los conocimientos se han multiplicado, la población aumenta a pasos agigantados y la gente se sigue concentrando en las áreas urbanas, creando mayor demanda por buenos servicios educativos. La matrícula escolar sigue aumentando en todos los niveles, desde el pre-escolar hasta el universitario. Contamos con nuevos hallazgos sobre la inteligencia humana y con nuevos descubrimientos sobre el proceso de aprendizaje. Las ciencias de la conducta han hecho grandes progresos en esta dirección.

A pesar de la trascendencia de todos estos adelantos, los mismos no se han incorporado plenamente a la educación. Los programas educativos siguen siendo inflexibles y se continúan aplicando métodos tradicionales. La ciudadanía, insatisfecha con los resultados, sigue demandando una educación que responda a esta sociedad cambiante. Es necesario, por lo tanto, realizar cambios en la escuela, sin pérdida de tiempo. Una de las formas de efectuarlos es introduciendo aquellas innovaciones educativas que han probado ser de valor, tales como la tecnología, la individualización de la enseñanza, el horario flexible, la escuela sin grados y otras.

Asimismo los programas para la preparación de maestros deben sufrir cambios, con el propósito de garantizar que los nuevos educadores salgan capacitados para aplicar las nuevas prácticas educativas. Solamente así podremos asegurarnos de que el maestro rendirá una labor más creadora, edificante y efectiva a tono con las necesidades de los alumnos y las demandas de una sociedad cambiante. La aplicación que el maestro haga de estas innovaciones en la dirección del proceso de enseñanza-aprendizaje harán de la escuela de hoy un lugar muy diferente a la escuela del pasado. De igual manera la escuela del futuro tendrá que ser diferente a la escuela de hoy.

En este capítulo estudiaremos las innovaciones relacionadas con la tecnología educativa: los desarrollos logrados en este campo, los diversos recursos tecnológicos y su aplicación a la educación y la función del maestro ante estos desarrollos.

### EL DESARROLLO DE LA NUEVA TECNOLOGÍA

En una época como la presente, en que la ciencia y la tecnología han tenido un desarrollo significativo, era esperable que la tecnología llegara a los salones de clases y se usara para facilitar el aprendizaje en los alumnos. La tecnología no es una recién llegada; llegó a la escuela hace mucho tiempo en su forma más elemental y sencilla. Sin embargo, es en los últimos años, y especialmente en el último cuarto de siglo, que ha hecho su aparición una tecnología más compleja y costosa, pero de grandes posibilidades en la creación de métodos de aprender y de enseñar. En consecuencia, para funcionar efectivamente en la nueva escuela, el maestro tendrá que aprender nuevas destrezas que resulten en un aprendizaje más eficaz para sus alumnos.

En los comienzos de la educación formal, correspondía al maestro transmitir los conocimientos en forma directa al estudiante. El maestro poseía la cantidad limitada de conocimientos que existía, y los transmitía oralmente al alumno para que este los usara en su vida diaria. Hoy día, como resultado de la explosión del conocimiento, ningún maestro —ni todos los maestros que tengan los niños y los jóvenes en sus vidas de estudiantes— pueden poseer todos los conocimientos que el educando necesita para vivir su vida. No obstante, el maestro deberá poseer las destrezas necesarias para motivar a los alumnos a continuar aprendiendo por su cuenta, lo que necesitan mientras están en la escuela y lo que necesiten e interesen una vez la hayan abandonado.

Una mirada retrospectiva al pasado nos hace consciente de los muchos adelantos alcanzados que facilitan la labor del maestro. Con la invención de los sistemas de escritura y de lectura se abrieron nuevas avenidas al conocimiento. El estudiante podía entonces leer por su cuenta; ya no tenía que depender del maestro exclusivamente para adquirir los conocimientos. Luego, con la invención de la imprenta, el estudiante tuvo un recurso adicional para ampliar aún más sus horizontes educativos. Al presente, para adquirir ese gran caudal de conocimientos que está disponible, el alumno cuenta con la prensa, el cine, la radio, la televisión, las cintas magnetofónicas, las diapositivas, las vistas fijas, las transparencias, la computadora, las máquinas de enseñar, los libros programados y los centros de recursos. Toda una nueva tecnología ha invadido el campo educativo. Ya el alumno no depende exclusivamente del maestro para adquirir conocimientos, pero sigue dependiendo de él para que lo estimule y le ayude a hacer uso de los nuevos recursos tecnológicos.

Por la importancia que está teniendo la tecnología en el proceso educativo, al construir nuevos edificios escolares se tendrá que tener en cuenta el uso que se va a hacer de estos nuevos recursos para proveer el espacio que los mismos requieren. No es suficiente la construcción de salones cómodos, seguros y atractivos en que se tomen en consideración las condiciones de la acústica, la luz y la ventilación, sino que es importante también el que las nuevas facilidades ofrezcan la flexibilidad que las innovaciones necesitan.

## LOS RECURSOS TECNOLÓGICOS

A pesar de que la escuela ha sido más lenta que instituciones como la industria, el comercio y el hogar en aceptar la tecnología, esta ha ido llegando poco a poco a los predios educativos. No solamente se han introducido nuevos aparatos, sino que también se han refinado notablemente los existentes. Uno de los mejores ejemplos de este refinamiento es el proyector. Contamos hoy día con varios tipos de proyectores, para diversos usos, que son más eficientes, más atractivos y más fáciles de manejar. También se ha progresado significativamente en la producción de equipo tecnológico para grabar el sonido. Los diversos tipos de grabadoras están teniendo mucho uso en los salones de clases.

Veamos cómo se han ido proliferando los recursos tecnológicos y el uso que de ellos se está haciendo.

### La prensa

Bajo este epígrafe incluimos todo tipo de material impreso que llega a manos de los lectores — principalmente periódicos, libros y revistas. Estos medios son hoy por hoy el recurso principal que utiliza el maestro para dirigir el proceso de enseñanza-aprendizaje. El material impreso es una especie de récord permanente disponible al estudiante, que puede usar cuantas veces quiera. Puede ser altamente individualizado, ya que bien dirigido sirve para atender las necesidades individuales del alumno.

Es difícil determinar el grado en que estos diversos medios afectan la conducta, las actitudes y los valores de los alumnos. Hace falta buenos trabajos de investigación. Todos sabemos, sin embargo, que sus potencialidades como fuerza social —para bien o para mal— son enormes. Los maestros deben evaluar cuidadosamente los materiales que tienen a su disposición y usarlos constructivamente.

### La radio [1]

La radio nunca ha tenido el impacto educativo que de ella se esperaba, a pesar de que ha sido usada por los maestros por muchos años. Sin embargo, con la llegada de la televisión, ha disminuido el uso de la radio en el salón de clases, a pesar de ser más económica y estar más accesible que el televisor. La radio se usa todavía para cierto tipo de programas, como música, drama, narraciones, historia, etc.

El maestro puede usar el programa radial para suplementar la enseñanza. También hay programas especiales, con propósitos definidos, preparados por las radioemisoras comerciales y la del sistema educativo de Puerto Rico que van dirigidos no solo a los niños, sino también a los jóvenes y a

---

1. Recomendamos ver el Capítulo XVIII, *Radio y televisión educativas*, en *Estudio del sistema educativo de Puerto Rico*, Consejo Superior de Enseñanza, 1960.

los adultos. Los estudiantes pueden también preparar programas para presentar en la estación de radio, aumentando así la participación y el interés.

## La televisión

La televisión tiene muchos usos en la escuela moderna. Resulta ventajosa en la enseñanza de grupos grandes, aunque también puede usarse con grupos pequeños. Hoy día, con el desarrollo del *videotape* * esta puede usarse en la enseñanza individual, como en el caso de la microenseñanza en la preparación de maestros. En la microenseñanza se filma una lección corta de cinco a diez minutos de duración, se graba y critica la misma. Luego, individualmente o en pequeños grupos, el maestro puede evaluar sus ejecutorias y planificar para su mejoramiento.

La televisión se usa ampliamente en la enseñanza de idiomas extranjeros, ya que puede presentarse el mejor modelo posible a los estudiantes —un maestro que hable el idioma a perfección y que posea habilidad especial en la enseñanza. El maestro encargado del grupo de alumnos tendrá la responsabilidad de preparar a los estudiantes para la lección que van a ver. Después de terminada la clase por televisión, el maestro repasará lo aprendido y aclarará las dudas, utilizando una variedad de interesantes recursos. De esta manera no se depende exclusivamente del maestro que se presenta por televisión; el maestro del salón no se releva de la importante función de ayudar al alumno en su aprendizaje. Además de usarse en la enseñanza de los idiomas extranjeros la televisión sirve para la enseñanza de cualquier otra asignatura.

En los niveles postsecundarios y universitarios, la televisión se está usando ampliamente en la enseñanza de cursos formales, en prácticamente todos los campos. Se han logrado las condiciones y el progreso necesarios para llevar la instrucción televisada a grandes grupos de alumnos dispersos por diversas regiones del mismo país. Esto asegura un mayor uso de este nuevo medio instruccional.

También se está usando ampliamente la televisión de circuito cerrado. La ventaja de este medio es que puede presentarse el programa en varios salones a la misma vez, dando la oportunidad a un gran número de estudiantes de beneficiarse de las enseñanzas de un maestro excelente. Este medio puede originarse en una escuela y extenderse a varios salones de la misma o puede originarse en una escuela y llegar a otras, aumentando así el uso del equipo y del programa.

Un nuevo desarrollo de grandes posibilidades educativas es la televisión vía satélite. Esta pone a los estudiantes en contacto con acontecimientos mundiales en el momento en que estos ocurren.

En Puerto Rico, desde el 1958 existe la televisora del pueblo de Puerto Rico, adscrita al Departamento de Instrucción Pública. Tiene como propósito el servir a la educación, la cultura y el interés general del pueblo. Como puede verse, la televisora aspira a elevar el nivel educativo y cultural de la población. También pretendía en sus inicios, llevar las facilidades televisivas a los sectores no alcanzados por la televisión comercial. Se parte del su-

---

* cinta videomagnetofónica.

puesto de que la comunicación en masa puede cambiar patrones de conducta y hábitos y que es un medio eficaz para trasmitir información de valor social a una parte de la población. La televisora continúa hasta nuestros días cumpliendo con su función original. Hoy más que nunca, debido a los rápidos cambios sociales, la población necesita más información, orientación y cultura general.

Desde el 1958 al 1962 los programas de la televisora consistieron casi exclusivamente de educación y cultura general. En 1962, además de los programas ya mencionados, se empezaron a trasmitir otros conocidos con el nombre de Programación Escolar, que están específicamente dirigidos a la enseñanza en el salón de clases. Este tipo de programas se llevó a cabo por varios años. En el presente han sido descontinuados, aunque dentro de la programación general se conservan algunos de carácter instructivo, como Plaza Sésamo, The Electric Company y Villa Alegre.

En cuanto al uso de la televisión para propósitos de instrucción por parte de la Universidad de Puerto Rico, se han hecho estudios y se han realizado algunos proyectos. En el año académico 1961-62 se ofrecieron dos cursos por televisión, dirigidos a mejorar la capacitación de los maestros de instrucción pública. El Doctor Oscar Loubriel, profesor del Colegio de Pedagogía, dirigió este proyecto, el cual resultó de gran valor. En los últimos años, bajo la administración del ex-Rector Pedro José Rivera, se trabajó intensamente en un proyecto para proveer al Recinto de Río Piedras de una televisora con el propósito de extender la educación al pueblo. En 1973 se intentó comprar un canal de televisión, pero la idea no llegó a realizarse. Creemos que la Universidad del estado, si va a cumplir plenamente su misión, debe embarcarse en un amplio programa de tecnología educativa, que incluya la televisión educativa, no solo para servir a los estudiantes matriculados en los recintos, sino también a la comunidad en general. La Administración de Colegios Regionales ofrece cursos televisados.

## Las películas educativas

Desde su introducción las películas como recurso educativo han tenido gran aceptación por los maestros. El buen uso que en la Segunda Guerra Mundial el ejército norteamericano hizo de las películas con propósitos de instrucción, ayudó a garantizarle a las mismas un sitio importante como ayuda valiosa al maestro para acelerar al aprendizaje de sus alumnos. Es bien sabido por todos que el buen maestro no puede depender exclusivamente de la película para trasmitir conocimientos y destrezas, pero esta sirve para suplementar ventajosamente otros medios y técnicas. Con los adelantos alcanzados en los proyectores, la grabación, la fotografía y la producción de películas, auguramos un uso mayor de este recurso por parte de los maestros.

Las películas tienen ciertas ventajas sobre otros medios audiovisuales. Aunque cuesta mucho dinero producirlas, técnicamente pueden ser más perfectas y más permanentes que otros medios, como por ejemplo, la televisión.

Uno de los más recientes éxitos en el uso de las películas es en la enseñanza de mecanografía.

No queremos dejar de mencionar que también hay muchas películas comerciales que la escuela puede usar con fines educativos, pues su contenido es relevante a varias disciplinas del currículo.

## El aprendizaje programado

Incluimos bajo este tema el uso de las máquinas de enseñar, los textos programados y la computadora.

*La máquina de enseñar.* La máquina de enseñar es un aparato diseñado para el uso individual del estudiante. Hay varios tipos de máquinas de enseñar, pero todas tienen unas características comunes: presentan al estudiante una pregunta o problema, el estudiante debe responder a la pregunta escribiendo la contestación u oprimiendo un botón que indica la respuesta, y se le informa al estudiante si ha contestado correcta o incorrectamente la pregunta. Esto se conoce como el principio de retrocomunicación (*feedback*), lo que puede afectar la actuación futura del alumno. Deja saber al maestro si el alumno está progresando satisfactoriamente o no y si necesita alguna ayuda especial. El conocimiento inmediato y continuo de su actuación refuerza la motivación del alumno. Esta es una de las ventajas que ofrece la máquina. También tiene otras ventajas: no se cansa, no se impacienta si el estudiante no aprende; no se enoja con el alumno. Pero también tiene desventajas: no puede identificar los problemas personales que afectan la habilidad del alumno para aprender. Si el estudiante se equivoca una y otra vez, la máquina continua señalando el error, pero no puede ir más allá. Es el maestro el que puede hacer al estudiante consciente de su falla.

Debemos recordar que lo importante desde el punto de vista educativo no es la máquina, sino el programa que se pone a la misma. El programa consiste de las preguntas, problemas y otros ejercicios que el alumno debe contestar. El problema debe tener en mente una teoría de aprendizaje, la naturaleza del estudiante, la materia que se enseña y la naturaleza de la máquina.

La máquina permite que el estudiante proceda de acuerdo con su proprio ritmo de aprendizaje. Muchas veces en los salones de clases convencionales, los maestros se confrontan con el problema de las diferencias individuales de los alumnos. Con el uso de la máquina se reduce este problema. La máquina permite que el estudiante aprenda a su propio ritmo, aumentando su nivel de satisfacción y sentido de logro.

Las primeras máquinas de aprender consistían de ejercicios de selección múltiple. En las más modernas, el estudiante tiene que componer su contestación en lugar de escogerla entre una serie de alternativas. La máquina lleva al estudiante a través de una secuencia de pasos cuidadosamente diseñados, en la misma forma que el estudiante en su proceso de aprendizaje pasa por esta secuencia mental.

*Los textos programados.* Los materiales de instrucción programada no se usan solamente en las máquinas de enseñar. También se usan en los libros programados. El texto se complementa con diapositivas, películas, diagramas y cintas magnetofónicas. Los principios involucrados en los textos programados son los mismos de la máquina. Cada estudiante progresa a su propio ritmo, aprendiendo de acuerdo con cierta secuencia y recibiendo un refuerzo inmediato por las contestaciones correctas. Los textos programados han ganado mayor aceptación que las máquinas por su economía y flexibilidad.

*La computadora.* La computadora nos está afectando de muchas maneras. Se está utilizando provechosamente en la industria, en los bancos, en las comunicaciones y en las investigaciones. Aunque tardíamente, ya ha comenzado a usarse en la educación. Primero empezaron las universidades a utilizar la computadora en los procesos de admisión, matrícula y registro de los alumnos. Hoy día las universidades están haciendo mayor uso de la computadora y la misma está llegando al salón de clases para propósitos de instrucción.

Uno de los mejores ejemplos del uso de la computadora en la enseñanza a los niveles elemental y secundario lo ofrece la Corporación de Aprendizaje Westinghouse (Westinghouse Learning Corporation) a través de su sistema PLAN (Planning of Learning Activities According to Needs), o sea, plan de actividades de aprendizaje basado en necesidades. A través de pruebas de aprovechamiento y del estudio de las características del estudiante, se determinan los objetivos 'de la instrucción a ofrecerse a cada alumno. El sistema recomienda al maestro lo que el estudiante necesita aprender de acuerdo con los objetivos señalados, programa las unidades de aprendizaje con sus correspondientes actividades y lleva a cabo la evaluación. A base de la evaluación se determina si el estudiante tiene que repasar la unidad de trabajo o algunas partes de ella, o si puede proseguir con nuevas tareas. En todo momento el maestro está disponible para ayudar al alumno, haciéndose realidad el principio de la individualización de la enseñanza.

La enseñanza que hace uso de la computadora va dirigida hacia la individualización del aprendizaje, basado en las habilidades del propio estudiante. El alumno aprende a su propio ritmo, ayudado y dirigido por su maestro. El estudiante compite con él mismo, y no con el grupo, como en los salones tradicionales.

A pesar de las ventajas y posibilidades que afrece la computadora, hay un detalle que no podemos dejar de mencionar. Nos referimos al costo del equipo, lo que dificulta su adquisición para muchos sistemas escolares.

## Los centros de recursos

En el último cuarto de siglo ha habido un gran desarrollo en la producción de materiales y equipos con propósitos educativos, dando lugar a la creación de centros de recursos múltiples. Su uso para propósitos de instrucción se basa en nuestro empeño por aumentar la motivación del niño, acrecentar su interés por aprender e individualizar la enseñanza para que se pueda realizar un aprendizaje más efectivo.

Los centros cuentan con el mayor número de recursos educativos disponibles que responden a las necesidades, intereses y estilos de aprender de los alumnos — libros, folletos, periódicos, manuales, gráficas, diapositivas, películas, transparencias, vistas fijas, grabaciones, radios, cámaras, máquinas de enseñar, tocadiscos, cintas magnetofónicas, televisores y computadores. El centro tiene áreas donde se produce toda clase de materiales, donde se evalúan los mismos, se escuchan grabaciones y se ven películas. También está dotado de áreas para estudio independiente. El centro es un verdadero laboratorio de aprendizaje. Los más modernos centros de recursos son una combinación de biblioteca, departamento audiovisual, salón de trabajo y centro de aprendizaje electrónico.

Hay centros de recursos en las escuelas que sirven para motivar a los educandos y permitirles que ellos asuman una posición más activa en su propio aprendizaje. Los estudiantes participan en la preparación de materiales, lo que aumenta su interés en la educación. Hay centros que funcionan a nivel de distrito o a nivel regional, también equipados con todo tipo de material, pero sirven principalmente a los maestros. Estos vienen a ser centros para el mejoramiento del currículo y sirven esencialmente para el adiestramiento en servicio de los maestros. Generalmente, un centro se encarga del mejoramiento del currículo de una discplina, y otro centro, de otra disciplina. El centro A puede especializarse en los estudios sociales, el B en las ciencias naturales y las matemáticas y el C en las artes del lenguaje. Estos centros producen materiales en sus respectivas disciplinas y facilitan el uso de materiales y equipos más complejos que las escuelas individuales no pueden comprar.

Muchos maestros desconocen el valor de los centros de recursos, les hacen críticas y no están muy dispuestos a usarlos. Se quejan de que el equipo cuesta mucho dinero, prefieren tener los recursos en sus salones en vez de en un centro, no saben manejar los aparatos, resienten trabajar con los especialistas y creen que las máquinas los van a remplazar.

## Los laboratorios de idiomas o laboratorios de aprendizaje

Los laboratorios son hoy parte esencial en la enseñanza de idiomas y han probado ser muy efectivos en el aprendizaje de los mismos. Hoy diferentes tipos de laboratorios, algunos más complejos y más costosos que otros. A través del número de estaciones con que cuenta el laboratorio, se facilita el que un grupo de alumnos pueda usarlo a la vez.

El laboratorio ofrece al estudiante la oportunidad de oír una lengua pronunciada correctamente y comparar sus propios esfuerzos en la pronunciación, con el modelo que se le presenta. Esto requiere que el estudiante escuche cuidadosamente y luego repita ante el micrófono lo que escucha, ya sean sonidos, palabras, frases u oraciones. Luego, se escuchan nuevamente ambas cintas para que el alumno pueda comparar su ejecutoria. Se ha encontrado que este sistema es superior al usado anteriormente, en que el estudiante no podía comparar sus esfuerzos con los del maestro o modelo. Hoy día se han hecho mayores progresos en la enseñanza de los idiomas, gracias al desarrollo de la tecnología, que ha permitido enriquecer el aprendizaje del idioma con experiencias visuales. Esto facilita el que el estudiante pueda aprender a escribir y a pronunciar la palabra simultáneamente.

En la actualidad, el laboratorio de aprendizaje no se usa exclusivamente para el estudio de idiomas. También se puede usar en el aprendizaje de muchas otras disciplinas del currículo escolar.

### EL MAESTRO Y LA TECNOLOGÍA EDUCATIVA

El maestro no debe temer que la nueva tecnología lo sustituya. A pesar de los adelantos tecnológicos, el mejor recurso en el salón de clases es el maestro bien preparado, responsable y dedicado.

La nueva tecnología no puede prescindir del maestro. Por el contrario, su posición se realza al poner a su disposición unos recursos que le facilitarán su labor de enseñanza y que ofrecerán al estudiante una oportunidad para acrecentar su aprendizaje y desarrollar hábitos de estudio que pueden extenderse por toda la vida.

El maestro no será reemplazado por la nueva tecnología, pero su rol tendrá que cambiar. La computadora, por ejemplo, será un auxiliar valioso para el maestro: presentará el material al alumno, conducirá ejercicios de práctica y corregirá los papeles de los ejercicios. Esto implica cambios en el rol del maestro. Se podrá entonces utilizar mejor al maestro en su rol puramente profesional, como es el diseño del currículo, el descubrimiento de nuevas estrategias y el desarrollo de una mejor evaluación.

El maestro seguirá diagnosticando los problemas de aprendizaje del alumno y ayudando a planear su currículo. Ofrecerá ayuda remedial, coordinará los programas y dirigirá las actividades de grupo, mejorando las relaciones interpersonales. El maestro tendrá que ocuparse de los procesos altamente cognoscitivos, como son el llevar al estudiante a ver relaciones entre cosas y conceptos. También estimulará la curiosidad y la creatividad en los alumnos y fomentará el pensamiento crítico.

En resumen, el empleo de la tecnología proveerá los recursos para que la enseñanza sea más efectiva y el maestro pueda sentirse más satisfecho en el desempeño de su rol profesional.

Como hemos dicho anteriormente, los colegios y universidades que preparan maestros tendrán que ofrecer a los candidatos los conocimientos y las experiencias necesarias en tecnología educativa, que los ayuden a comprender el valor pedagógico de estos nuevos recursos y los estimulen a usarlos como auxiliares en su función docente. Deben también las universidades mantener a los futuros maestros informados sobre los hallazgos de las investigaciones realizadas en el campo de la tecnología educativa.

## Resumen

A través de este capítulo hemos hecho hincapié en que la educación debe responder a los cambios que se operan en la sociedad. Las críticas que se hacen a nuestra escuela demuestran que los padres y los ciudadanos en general están insatisfechos con los resultados logrados. Una de las maneras de hacer frente a estas críticas es promoviendo cambios en el sistema educativo, introduciendo innovaciones y evaluando sus resultados.

En este capítulo hemos dado importancia a las innovaciones que giran en torno a la tecnología educativa, porque creemos que la escuela ha sido lenta en incorporar estos nuevos desarrollos o en hacer el mejor uso de los mismos. El alumno no puede depender exclusivamente del maestro para adquirir los conocimientos. En la forma en que estos se han ido acumulando hay que enseñar al niño a aprender por su propia cuenta, utilizando los variados recursos tecnológicos con que hoy día contamos.

Hemos hecho un recuento del desarrollo de la tecnología educativa, dando importancia al estudio de aquellos nuevos recursos que están disponibles a los maestros y a sus alumnos. Aquí incluimos la prensa, la radio, la televisión, las películas educativas, las máquinas de enseñar, la instrucción programada, las computadoras, los centros de recursos y los laboratorios de aprendizaje.

Se ha probado que la tecnología educativa contribuye de muchas maneras al progreso educativo: amplía y enriquece las experiencias educativas de los alumnos, motiva el interés de estos en muchas áreas de aprendizaje y mejora la utilización del personal docente.

Hicimos hincapié en el hecho de que la tecnología no remplazará al maestro, aunque reconocemos que su rol puede cambiar a medida que la misma se introduce en los salones de clases. El maestro debe ver la tecnología como un auxiliar en su tarea y como un medio para que él desempeñe su función en una forma más efectiva y más placentera.

## LECTURAS

Boocock, Sarane S. *An Introduction to the Sociology of Learning.* Boston: Houghton Mifflin Company, 1972, Capítulo 14.

Brembeck, Cole S. *Social Foundations of Education: Environmental Influences in Teaching and Learning.* Segunda edición. New York: John Wiley and Sons, Inc., 1971, páginas 367-376.

Brown, Francis J. *Educational Sociology.* Segunda edición. New York: Prentice-Hall, Inc., 1954, Capítulo 17.

Bushnell, Don D. y Dwight Allen. *The Computer in American Education.* New York: John Wiley and Sons, Inc., 1967.

Cole, William E. y Roy L. Cox. *Social Foundations of Education.* New York: American Book Co., 1968, Capítulo 24.

Consejo Superior de Enseñanza. *Estudio del sistema educativo de Puerto Rico.* Río Piedras: Universidad de Puerto Rico, 1960, Capítulo 18.

Consejo Superior de Enseñanza. *Caminos del aire.* Río Piedras: Universidad de Puerto Rico, 1951.

Dale, Edgar. *Audiovisual Methods in Teaching* New York: Henry Holt, 1969.

David Harold. *Organizing a Learning Center.* Cleveland, Ohio: Educational Research Council of America, 1968.

De Cecco, John P. *Educational Technology: Readings in Programmed Instruction.* New York: Holt, Rinehart and Winston, 1964.

Erickson, Carlton W. H. *Administering Instructional Media Programs.* New York: Macmillan Co., 1968.

González de Piñero, Europa (ed.). *Accountability and Change in Education.* Danville, Illinois: The Interstate Printers and Publishers, Inc., 1972.

Graham, Grace. *The Public School in the New Society: The Social Foundations of Education.* New York: Harper and Row, Publishers, 1969, Capítulo 7.

Green, John A. *Fields of Teaching and Educational Services.* New York: Harper and Row, Publishers, 1966, Capítulo 14.

Klasek, Charles B. *Instructional Media in the Modern School.* Lincoln, Nebraska: Professional Educators Publications, Inc., 1972.

Loubriel, Oscar. *Final Report on the Effectiveness of Two University TV Courses.* San Juan: Departament of Education, 1963.

National Commission on the Reform of Secondary Education. *The Reform of Secondary Education.* New York: McGraw-Hill Book Co., 1973, Capítulo 8.

U.S. Department of Health, Education and Welfare. Office of Education. *Computer-based Vocational Guidance Systems.* Washington: D.C.: U.S. Government Printing Office, 1969.

Von Haden, Herbert I. y Jean Marie King. *Innovations in Education: Their Pros and Cons.* Worthington. Ohio: Charles A. Jones Publishing Co., 1971, Capítulos 2 y 4.

Westby-Gibson, Dorothy. *Social Perspectives on Education: The Society, The Student, The School.* New York: John Wiley and Sons, Inc., 1965, Capítulo 10.

Westby-Gibson, Dorothy. (ed.). *The Social Foundations of Education.* New York: The Free Press, 1967, Capítulo 13.

# CAPÍTULO XIX

## ORGANIZACIÓN PARA EL APRENDIZAJE

En el capítulo anterior iniciamos el estudio de las innovaciones educativas. Dimos importancia al desarrollo de la nueva tecnología y al uso que de ella pueden hacer el maestro y el alumno en el proceso de enseñanza-aprendizaje. En este capítulo continuaremos con el tema de las innovaciones educativas, esta vez destacando aquellas que tienen que ver con la organización para un mejor aprendizaje. Esta incluye nuevas formas de agrupar a los alumnos para el aprendizaje y de utilizar el personal docente y demás recursos con que cuenta la escuela. Esta vez discutiremos las innovaciones relacionadas con: la individualización del aprendizaje, incluyendo la instrucción individualizada, el salón de clases abierto (*open classroom*) y la escuela sin grados; la reorganización para un aprendizaje más efectivo, como el horario flexible y el calendario escolar continuo; y la utilización del personal, como el uso diferenciado de la facultad y la enseñanza en equipo.

Además de estas innovaciones, también discutiremos brevemente otras, como el concepto de responsabilidad (*accountability*), los objetivos operacionales, el programa nacional de evaluación, el sistema PPBS, los contratos de ejecución (*performance contracting*), el sistema de certificados garantizados (*voucher system*), la tutoría y el aprendizaje por contratos. Finalmente, haremos algunas observaciones sobre las innovaciones en el nivel universitario.

Como señalamos en el capítulo anterior, en la mayoría de los salones de clases se usan métodos rígidos e inflexibles. Todas las innovaciones que aquí se presentan buscan flexibilizar el proceso educativo y lograr la participación del alumno en su propio aprendizaje. Así se satisfarán más plenamente sus particulares intereses y necesidades y se le motivará a seguir aprendiendo por su cuenta. También se trata de mejorar las relaciones entre maestros y estudiantes y hacer de la escuela un lugar atractivo y placentero para aprender. En resumidas cuentas, las innovaciones van dirigidas a mejorar el aprovechamiento académico de los alumnos y a promover una mayor satisfacción, tanto de parte del maestro como del alumno en la labor que realizan juntos.

Estamos conscientes de que en Puerto Rico se han realizado algunas innovaciones en el pasado y se están llevando a cabo otras en el presente, pero creemos que pueden implementarse muchas más. Hay un buen ambiente para producir cambios — los padres están haciendo mayor presión para mejorar la efectividad de las escuelas. Muchos grupos, especialmente los menos privilegiados, conscientes de la desigualdad educativa, claman por que se acabe con este mal. Si la escuela pública quiere ganar un mayor grado de confianza de parte del pueblo en general, deberá hacer esfuerzos por experimentar, evaluar sus logros e implantar aquellas innovaciones que prueben ser de mayor provecho.

## La individualización del aprendizaje

A pesar de que la psicología educativa nos ha hecho conscientes de las diferencias individuales, en la mayoría de los casos, todavía seguimos enseñando al grupo de estudiantes como grupo, dando poca importancia al alumno individualmente. Ofrecemos la misma instrucción a todos en el mismo espacio de tiempo y esperamos que adquieran los mismos conocimientos. Como resultado de ese tipo de enseñanza, evaluamos el progreso individual en términos del grupo de alumnos y arbitrariamente asignamos una letra, que por lo general fluctúa entre la "A" y la "F". Le estamos diciendo a los lentos, a los que obtienen "D" o "F", que no son capaces de hacer mejor trabajo. Negamos de esta manera el principio de que cada ser es único y particular, que aprende a su propio ritmo y capacidad y que desarrolla un estilo propio de aprendizaje.

Es tiempo de que pongamos en práctica una psicología del aprendizaje que respete las diferencias individuales, que reconozca el hecho de que si se le presta atención al alumno y se le da el tiempo y la ayuda necesaria, también los lentos pueden aprender. Es imprescindible proveer al educando experiencias de aprendizaje que satisfagan sus necesidades individuales. El maestro es responsable de velar por el desarrollo de cada alumno en su forma particular.

Para ayudar al maestro y al alumno en este aprendizaje individual es de gran ayuda la tecnología educativa de que hablamos en el capítulo anterior: los centros de recursos, los laboratorios de aprendizaje, las máquinas de enseñar y la instrucción programada. Esto implica que un buen programa de esta naturaleza requiere el empleo de variados recursos. Incluye el uso de diversos niveles de individualización —aceleración, enriquecimiento y diferenciación— para atender las necesidades particulares de los alumnos. Puede implicar también el uso de la escuela sin grados y la instrucción en grupos pequeños y medianos.

Queremos recalcar que la enseñanza individual no puede prescindir del grupo. Esa enseñanza no tiene que ser siempre en forma individual. Puede ocurrir en grupos, si vemos a los miembros de estos como individuos diferentes. El estudiante es miembro de un grupo y gran parte de su aprendizaje ocurre dentro de este contexto social, en interacción con los demás. A medida que educamos al niño como individuo, atendiendo sus particulares problemas de aprendizaje, le estamos preparando para desenvolverse mejor como un miembro efectivo del grupo social.

### La enseñanza individualizada

Actualmente muchas escuelas han adoptado la individualización de la enseñanza como un medio prometedor para satisfacer las necesidades de los estudiantes. La enseñanza individualizada incluye el diagnóstico de las necesidades de cada alumno y la prescripción de las experiencias de aprendizaje para cada uno, basadas en las necesidades determinadas, y no en el grado o nivel en que se encuentra el estudiante. Los materiales utilizados para dirigir estas experiencias de aprendizaje o unidades de enseñanza pueden estar a la venta. Estas unidades son las que están organizadas en lo que se conoce como un sistema. También pueden ser preparadas por el maestro mismo. Las que están a la venta son producto de la labor de psicólogos, educadores y otro personal especializado que trabaja en institutos de investigación o en corporaciones privadas, creadas para estos propósitos.

La individualización de la enseñanza tiene en cuenta todas las diferencias en experiencias, intereses, propósitos, necesidades y estilos de aprender de los niños. Corresponde al maestro identificar estas diferencias. Una vez identificadas, se esforzará por ofrecer experiencias de aprendizaje únicas, que satisfagan las características particulares del alumno. De esta manera, el maestro trata de ofrecer condiciones óptimas para el aprendizaje y dirige al niño hacia la comprensión y realización de su propia habilidad. Contrario al maestro convencional, el que individualiza no enseña a grupos de estudiantes. Pasa gran parte del tiempo evaluando los logros del niño, diagnosticando sus necesidades a medida que estas van surgiendo y preparando lecciones especiales para el alumno. El objetivo principal de este enfoque individual es que cada alumno progrese a su propio ritmo a través de unidades de enseñanza que siguen una secuencia ordenada.

Miles de escuelas en los Estados Unidos y en otros lugares, la mayor parte al nivel elemental, están implementando algún sistema de enseñanza individualizada, que se conoce con diversos nombres. Algunos de estos sistemas son los siguientes: Individually Prescribed Instruction (IPI) o Instrucción Prescrita Individualmente, Individually Guided Education (IGE) o Educación Dirigida Individualmente y el Proyecto PLAN (Program for Learning in Accordance with Needs), Plan de Actividades de Aprendizaje Basado en Necesidades, del cual hablamos en el capítulo anterior.[1] En la preparación del primer sistema participa la corporación Research for Better Schools, de Philadelphia; la Universidad de Wisconsin participa en el segundo y la Westinghouse Learning Corporation, en el tercero. Casas publicadoras, como la Appleton-Century-Crofts, de Nueva York y Rand McNally, de Chicago, distribuyen programas especiales por asignaturas, la primera para el IPI y la segunda para el IGE.

La diferencia entre un sistema y otro depende de si es la escuela o el alumno quien determina lo que se va a aprender —los objetivos— o si es la escuela o el alumno quien determina los medios para lograr los objetivos de la educación. Por ejemplo, en el primer sistema, el IPI, la escuela selecciona los objetivos y los medios para evaluar los mismos. Por eso se le conoce como un sistema de instrucción prescrita. En el segundo sistema, el IGE, la escuela determina lo que hay que aprender, mientras que el estudiante puede participar en la selección de los medios para lograr los objetivos. El Proyecto PLAN, que utiliza la computadora, ofrece oportunidad al estudiante para participar en la selección de los objetivos y de su programa. En el IPI las experiencias de aprendizaje están prescritas por el

---

1. Ronald E. Hull. *Selecting an Approach to Individualized Education.* En *Phi Delta Kappan,* Vol. LV, Núm. 3, noviembre de 1973, pp. 169-173.

sistema, en el IGE los maestros toman la mayor parte de las decisiones fundamentales, mientras que en el PLAN, el maestro y el discípulo conjuntamente hacen decisiones.

Para tener éxito un programa de individualización de la enseñanza, se requiere que la escuela identifique y dé a conocer sus objetivos. Una vez los maestros y la comunidad estén convencidos de los objetivos, se debe escoger el sistema que se va a emplear o un enfoque ecléctico que use parte de los varios modelos de individualización. También puede tomarse la decisión de que es la escuela, y especialmente el maestro con la ayuda de expertos, quien va a preparar los materiales a usarse. Un maestro debidamente preparado y asesorado, puede preparar materiales ajustados a la habilidad del niño, su estilo de aprender y sus necesidades. Para preparar los materiales puede usar una variedad de recursos —libros y otro material impreso y ayudas audiovisuales— de los cuales se seleccionan los más apropiados para los objetivos que se tratan de lograr.

El maestro es un elemento crucial en un programa de enseñanza individualizada. Es imprescindible conocer los recursos que posee la facultad. Antes de pedir a los maestros que diagnostiquen las necesidades de los niños, es necesario diagnosticar las necesidades de la facultad. Ese parece ser el primer paso en la implementación de un programa de enseñanza individualizada. Si la facultad no está preparada para el programa, es necesario capacitarla y continuar educándola a través del desarrollo del programa, si es que se determina que tal preparación hace falta.

## Los salones de clases abiertos ("open classrooms")

También se puede individualizar la enseñanza a través de lo que se conoce como los salones de clases abiertos (*open classrooms*). Con el uso de este tipo de salón se provee un ambiente completamente informal y libre y se pone énfasis en el educando como ser humano. El propósito es humanizar el aprendizaje y hacerlo más significativo, a la vez que se proporciona un mayor grado de satisfacción al alumno.

Una de las mejores descripciones de los salones abiertos la hacen Nyquist y Hawes en su libro *Open Education*.[2] Para ellos este es un nuevo enfoque de la enseñanza que descarta la organización familiar del salón de clases y los roles tradicionales del maestro y del alumno, y los sustituye por un ambiente más libre, más informal, altamente individualizado, que ofrece experiencias educativas centralizadas en el niño. Se recalca el respeto y la confianza en el alumno y asume que todos los niños *quieren* aprender y *pueden* aprender. Se da énfasis al *aprendizaje* y no a la *enseñanza*, a los procesos de pensar de cada niño y no a la adquisición de destrezas de memoria, a la libertad y responsabilidad, en vez de a la conformidad y el seguir direcciones. Se reconoce que todos los niños son diferentes, aprenden de diferentes modos, a ritmos diferentes y que unos pueden aprender de los otros. El maestro facilita el aprendizaje, provee un ambiente acogedor y los materiales necesarios, estimula al alumno y le ofrece ayuda. Trabaja con

---

2. Ewald B. Nyquist y Gene R. Hawes (ed.). *Open Education*. New York: Bantam Books, 1972.

grupos pequeños de estudiantes o con un niño individualmente, para dirigir el logro de sus metas y evaluar su progreso, el cual siempre se mide en términos del individuo.

El salón de clases abierto ha tenido mucho éxito en las escuelas primarias de Inglaterra, y de allí se ha traído a América, donde actualmente se ensaya en varios lugares de los Estados Unidos. Este tipo de salón de clases tiene objetivos amplios, pero no objetivos predeterminados para cada día y para cada actividad. Los objetivos nacen de las experiencias que se llevan a cabo y se centralizan en la calidad de la interacción humana, pues esta educación va dirigida hacia el desarrollo de valores humanísticos.

El propósito principal de este salón de clases es permitir a los niños participar activamente en su propia educación. El maestro no ejerce el control formal que ejercería en un salón de clases convencional, sino que utiliza enfoques indirectos para lograr la disciplina. La vida escolar transcurre en un ambiente espontáneo y natural. Los niños se mantienen activos física y mentalmente.

El salón de clases abierto da importancia a los intereses del niño, permite el movimiento de los alumnos en el ámbito escolar y propicia una gran cantidad de interacción verbal informal entre los niños. Los alumnos mayores ayudan a los menores. El aprendiz está expuesto a una variedad de materiales educativos: textos, libros de referencia, material para manipular y experimentar y equipo de arte y música, entre otros. El niño participa en un variado programa de actividades, que incluye académicas, atléticas, manuales, contactos con la comunidad, plantas y animales.

A pesar de que se atienden las asignaturas de conocimientos y destrezas, esto se hace de una manera informal. No se distingue entre una asignatura y otra, ni entre períodos de juego y trabajo, ya que todo está interrelacionado. Tampoco se administran exámenes formales ni se envían a los padres los informes de notas tradicionales. Se prepara un historial de cada niño donde se le informan al padre los logros alcanzados. El progreso del niño se evalúa en forma individual. Como puede verse, este enfoque ofrece máxima libertad al estudiante para escoger las experiencias en que desea participar y asumir responsabilidad por su educación, con la ayuda y dirección de su maestro y los demás compañeros. El niño tiene que envolverse en su aprendizaje y experimentar la excitación de esa aventura.

Se recomienda que la educación abierta empiece con los niños más pequeños y que continúe a través de su vida escolar. En la edad que correspondería a los primeros tres años de escuela el niño está más receptivo a este nuevo enfoque y no ha sido todavía expuesto a los métodos educativos tradicionales. Puede empezarse el plan con un solo salón, no tiene que funcionar en toda la escuela a la vez. Es preferible moverse lentamente al principio, ya que envuelve una nueva experiencia para administradores, maestros, padres y alumnos. Es también recomendable empezar en una escuela pequeña y no en una grande.

## La escuela sin grados

La mayoría de las escuelas funcionan a base de un sistema de grados, esto es, cada grupo de niños está asignado a un mismo grado durante el año escolar. Este sistema tradicional presupone que el grupo de niños en un grado puede progresar al mismo ritmo en la adquisición de destrezas y conocimientos. Es un sistema uniforme. Al terminar el año escolar, los que han adquirido las destrezas y conocimientos son promovidos al grado próximo, los que no las han adquirido, son fracasados y deben repetir el grado.

Un nuevo sistema conocido como la escuela sin grados o por niveles, que rompe con el plan de grados, se está implantando en muchas escuelas elementales. Este sistema presupone que el progreso del niño no es uniforme, lo que implica que en algunas ocasiones adelantará marcadamente y en otras, su progreso será lento. El progreso del niño puede variar en las diferentes asignaturas y destrezas, debido a diferencias en niveles de aprovechamiento, habilidades especiales y potencialidades.

Otero y Johnson describen la escuela sin grados o por niveles como una forma de organización diseñada para proveer a cada niño oportunidad de crecimiento continuo de acuerdo con las diferencias individuales en aprovechamiento académico, inteligencia y madurez física y socioemocional.

La organización sin grados es una filosofía de enseñar y aprender que reconoce las diferencias entre los alumnos y da énfasis al progreso continuo del niño a un ritmo individual. El progreso del alumno depende de los demás niños en el salón, depende de sus logros individuales, a base de su interés, esfuerzo y capacidad. Esto lo hace un sistema de enseñanza individualizada, en el que se diagnostican las necesidades del niño y se prescribe la instrucción. No hay niños fracasados ni promovidos. Al eliminar el fracaso y la competencia excesiva, se mejora la actitud del alumno hacia la escuela y hacia el aprendizaje, resultando en el enaltecimiento de su autoconcepto y en sentimientos positivos hacia su experiencia educativa total.

Como hemos visto, la escuela sin grados es un sistema de agrupación flexible. Se provee para el movimiento del niño de un grupo a otro y de un salón a otro, de manera que el alumno esté en todo momento localizado en el nivel donde mejor puede lograr su máximo desarrollo. Este movimiento puede ocurrir en cualquier época del año. Elimina el aburrimiento de parte de los alumnos que progresan rápidamente. Todos los niños deben pasar por todos los niveles, aún los más sobresalientes. Estos, sin embargo, se pueden mover más rápidamente de nivel.

El sistema sin grados es más común en la etapa que se conoce como el nivel primario de la escuela elemental, pero ya se está extendiendo a otros niveles de la escuela elemental y está teniendo alguna aceptación en la escuela secundaria. El establecimiento de un sistema por niveles es un proceso lento y gradual. Requiere el orientar a los maestros y a los padres. Se necesitan abundantes materiales instruccionales, que respondan a los intereses y diferencias de los niños. El nuevo sistema también requiere reajustes en los horarios de los maestros y de los niños y cambios en la utilización de la facultad.

La Escuela Elemental de la Universidad de Puerto Rico, en Río Piedras, inició un programa de instrucción por niveles en agosto de 1962, el cual está en vigor al presente, con mucho éxito. En el artículo de Otero y Johnson,

---

3. Ana L. Rodríguez de Otero y Charles E. Johnson. *Un sistema de instrucción por niveles en la Escuela Elemental de la Universidad de Puerto Rico.* En *Pedagogía,* Vol. XII, Núm. 1, enero-junio de 1964, pp. 39-51.

antes mencionado, se explican detalladamente los pasos seguidos para la implementación de ese programa, la orientación a los maestros y a los padres, la agrupación de los niños, la reorganización del currículo para determinar los niveles de aprovechamiento en las varias asignaturas y la preparación de materiales e instrumentos de evaluación. Se presenta, además, en forma muy clara y sencilla el desarrollo de los niveles de aprovechamiento en lectura. Recomendamos el estudio de ese artículo.

### REORGANIZACIÓN PARA UN APRENDIZAJE MÁS EFICAZ

La mayoría de nuestras escuelas, especialmente las secundarias, se caracterizan por la uniformidad y rigidez de sus horarios tradicionales. No estamos completamente satisfechas con sus logros. Como un medio para atender mejor las necesidades de los alumnos hace falta innovar. Es necesario buscar nuevas formas de organizar la escuela, formular un currículo a tono con las demandas del mundo de hoy e implementar nuevos métodos de enseñanza. A tono con esta preocupación por mejorar la presente estructura, se vislumbran cambios radicales en la forma en que los maestros emplean su tiempo y trabajan con los estudiantes. En vez de enseñar regularmente varias clases de 30 ó 35 estudiantes cada una, cinco días a la semana, 50 minutos diarios, el maestro puede alternar su enseñanza entre grupos grandes, medianos o pequeños. También puede variar el tiempo y los días dedicados a cada asignatura. Una nueva organización de este tipo imprimiría mayor flexibilidad a la escuela secundaria.

Es tiempo también de examinar las ventajas y desventajas del presente año escolar de diez meses, que hemos heredado y continuamos utilizando. El análisis cuidadoso del presente calendario escolar ha llevado a los educadores a ver la posibilidad de que la escuela funcione todo el año —los doce meses. Tal organización ofrecería la oportunidad de utilizar mejor los recursos físicos y humanos con que contamos, de extender las oportunidades educativas, y sobre todo, de reformar el currículo presente para que este responda a los intereses, necesidades y habilidades de una población heterogénea.

A continuación presentaremos estas dos innovaciones: el horario flexible y el calendario escolar continuo.

### El horario flexible

A través de los años el maestro de escuela elemental ha disfrutado de relativa libertad para distribuir el tiempo del día escolar entre las distintas actividades que debe realizar. No puede decirse lo mismo en relación con el maestro de escuela secundaria. El horario tradicional de ese tipo de escuela se ha caracterizado por la rigidez. Cada asignatura se enseña, por lo general, la misma proporción de tiempo e igual número de días por semana. Con muy pocas excepciones, el horario de cada día es igual al de cualquier otro día.

Como resultado de las críticas constantes que se han venido haciendo a la escuela secundaria al no satisfacer esta plenamente las necesidades de los jóvenes, los educadores han empezado a hacer innovaciones en este nivel. Una de estas es el cambio del horario tradicional por uno caracterizado por la flexibilidad. Se le conoce como el horario flexible, modular o variable, un horario que en vez de repetirse diariamente como el anterior, se repite todas las semanas.

El horario flexible es un procedimiento mediante el cual se organiza el día escolar de manera que proporcione períodos de tiempo de distinta duración para las diferentes asignaturas y otras actividades que se llevan a cabo en la escuela secundaria. Esta forma diferente de organizar el horario puede proveer bloques de tiempo más largos, una o dos veces a la semana, y períodos diarios de 20 ó 30 minutos. El horario flexible emplea unidades de tiempo de 15, 20, 25 ó 30 minutos, llamados módulos. Pueden unirse dos períodos de 20 minutos para hacer un período de 40, tres períodos de 20 minutos para hacer 60 y cuatro períodos para hacer 80 minutos, o cualquier otra combinación que envuelva múltiplos de 20 minutos. Pueden igualmente combinarse períodos largos con períodos cortos, utilizando los primeros para la enseñanza a grupos de distinto tamaño y los cortos para la discusión y ayuda individual. También pueden dejar períodos sin programar para estudio independiente. La cantidad y el arreglo del tiempo se determina por los objetivos, las actividades a realizarse y las facilidades disponibles. El maestro puede participar en la planificación del tiempo. Puede informar al director el número de períodos que requiere la asignatura y la duración de los mismos, los días y horas de los períodos y el tamaño de los grupos.

La enseñanza en grupos grandes se presta para el uso del método de conferencia y para presentar una clase utilizando ayudas audiovisuales, como películas o programas televisados. El grupo grande puede ser de 100 estudiantes o más. En los grupos medianos y pequeños se puede discutir la actividad presentada en el grupo grande, se atienden diferencias individuales y se ofrecen períodos de práctica en destrezas básicas. Los grupos medianos o pequeños ofrecen la oportunidad para que el estudiante y el maestro puedan interactuar, lo que no es siempre posible en el grupo grande.

El estudiante puede aprender solo en períodos de estudio independiente, en los cuales se le ofrece la oportunidad de desarrollar sus intereses, destrezas y habilidades, lo mismo solo que con un pequeño número de compañeros. Tiene libertad para seleccionar actividades de su preferencia: puede leer, escribir, escuchar grabaciones, realizar experimentos o conducir investigaciones. Es esencial que la escuela cuente con un buen centro de recursos de aprendizaje.

Vergne [4] explica las formas en que puede funcionar el período de estudio independiente. Primero está el estudio independiente total que puede ser usado por estudiantes maduros y responsables, quienes lo utilizan constructivamente y sin limitaciones de tiempo. En segundo lugar está el estudio independiente limitado, en el que se le ofrece alguna dirección o ayuda al estudiante en la planificación del uso del tiempo. Puede también requerir la supervisión de un maestro. En la última forma —el estudio independiente dirigido— los estudiantes reciben supervisión directa porque necesitan desarrollar hábitos de estudio. Luego que estos se desarrollan se pueden mover

4. Aida A. de Vergne. *Tendencias modernas en la educación secundaria.* En *Pedagogía,* Vol. XVI, Núm. 1, enero-junio de 1968, p. 103.

a cualquiera de las primeras dos formas. El éxito en el uso adecuado del tiempo depende del grado de responsabilidad de cada estudiante y de las facilidades de estudio que se le ofrezcan.

El horario flexible se usa frecuentemente en la enseñanza en equipo (*team teaching*), en cuyo caso las responsabilidades de los maestros varían de día a día. El horario flexible no debe verse como un rearreglo del horario. Lo importante es el esfuerzo que se hace para mejorar el aprendizaje a través de la individualización y el mayor reconocimiento a las diferencias individuales. Asimismo se utilizan métodos más efectivos de enseñanza y se provee para que el estudiante tome decisiones y asuma responsabilidad por su tiempo.

Cambiar de un horario tradicional a uno flexible no es fácil. Cuando una clase se ha estado enseñando por toda la vida de una manera dada, es de esperarse que haya resistencia al comienzo cuando se ensaya un horario flexible, alterándose el número de reuniones en una semana y la duración de los períodos. Es necesario, por lo tanto, orientar debidamente a los maestros al igual que a los padres y a los estudiantes, y convencerlos de que más importante que el horario es que se mejoren las oportunidades educativas para todos. Es necesario ofrecer participación a los maestros en el desarrollo del nuevo horario. No hay una sola manera de confeccionar el mismo. Puede emplearse una forma sencilla de agrupar estudiantes y materias, como se hace en el horario tradicional. Sin embargo, si se quiere atender realmente las necesidades de los estudiantes y preparar horarios individuales para cada uno, será necesario el uso de la computadora. Vale la pena los esfuerzos que se hagan en el arreglo de tiempo, facilidades y recursos, si es que se mejora el aprendizaje de los alumnos.

## El calendario escolar continuo

El calendario escolar continuo es un programa educativo que requiere una reestructuración del tiempo que actualmente se dedica a la enseñanza. La instrucción no se limita a los dos semestres tradicionales, sino que se ofrece durante todo el año, incluyendo los meses de verano. El verano no es una sesión especial, sino una unidad igual a las otras que se ofrecen durante el año. Mediante un calendario de este tipo las escuelas funcionarán en forma continua durante los doce meses del año.

Hay muchas maneras de organizar un calendario escolar continuo. Las más comunes son las siguientes: la organización en trimestres, consistente de tres períodos de 16 semanas cada uno, con un mes de vacaciones en el verano; la organización en cuatrimestres, cuatro sesiones de 12 semanas cada una y un mes libre en el verano; la organización en quinmestres, cinco términos de 45 días lectivos (cuatro de clases y el quinto de vacaciones) y la organización conocida como el plan 45-15, que consiste de 45 días laborables consecutivos y 15 días de vacaciones, lo que resulta en cuatro períodos lectivos largos y cuatro cortos de vacaciones. Este último plan se recomienda principalmente para la escuela elemental porque los estudiantes son más pequeños y tienden a cansarse más de la rutina de la escuela. El plan de quinmestres se adapta mejor al nivel secundario, ya que como consecuencia del plan departamentalizado que se usa en ese nivel, resulta más factible la organización de los cursos en períodos cortos.

Existen grandes presiones por reorganizar el calendario escolar. Por un lado, la ciudadanía, preocupada por el hecho de que los salones y demás facilidades están desocupados en el verano, reclama el uso económico de los recursos. Por otro lado, exige mejores oportunidades educativas para todos, muy especialmente para los alumnos que proceden de áreas de pobreza y para los marginados. Preocupa a la ciudadanía el desasosiego de la juventud y el alto grado de deserción escolar, y se culpa por ello a las prácticas educativas tradicionales. De ahí la necesidad de buscar nuevos enfoques para mejorar la situación escolar. Los educadores están preocupados por el currículo tradicional que se enseña en nuestras escuelas. Alegan que el conocimiento ha crecido considerablemente y que es tiempo de mejorar y ampliar el currículo para llevar los nuevos conocimientos a una población escolar de intereses y habilidades variadas. También señalan la necesidad de renovar los actuales métodos de enseñanza para poder flexibilizar los requisitos e individualizar la enseñanza. Ven el calendario escolar continuo como una contestación a los actuales problemas educativos.

En los Estados Unidos, desde hace muchos años, y en Puerto Rico, desde la década del 70, se han estado cuestionando las bondades del calendario escolar existente. En Puerto Rico, se está implementando con carácter experimental en seis distritos escolares, una organización de año escolar continuo, a base de quinmestres, en el nivel de escuela secundaria. Este plan consiste de cinco términos de 45 días lectivos, cada término de 9 semanas, de los cuales los maestros y los estudiantes utilizarán cuatro y tendrán uno de vacaciones. El plan asegura a los estudiantes 180 días lectivos al año. Se organiza de tal manera, que mientras un grupo está de vacaciones los demás asisten a clases. Siempre habrá una quinta parte de los estudiantes de vacaciones durante el año, en distintas épocas del año. Todos los estudiantes y maestros tendrán los recesos de Navidad, Semana Santa y días feriados, como los tienen ahora. Los estudiantes que así lo deseen pueden asistir el quinto quinmestre y sacrificar sus vacaciones, para acelerar sus estudios, aumentar los conocimientos o remediar deficiencias. De los resultados de la evaluación dependerá el que el plan se extienda a otros distritos.

En un artículo reciente, el Secretario de Instrucción Pública, Dr. Ramón A. Cruz,[5] discute los razonamientos para explorar la posibilidad de utilizar un calendario distinto en nuestro sistema educativo. Resumimos brevemente algunas de sus ideas.

Primer razonamiento: el calendario actual de dos semestres y un verano, no se establece por razones pedagógicas. Copiamos de otra cultura un patrón de calendario que obedecía a una sola razón. Cuando en Estados Unidos llegaba la época de la cosecha, había la necesidad de dar un receso escolar para que los hijos ayudaran a sus padres en las faenas agrícolas. El receso coincidía con el verano. Así se origina la división del año académico en dos semestres y un verano.

Segundo razonamiento: el uso de nuestros recursos tanto físicos como humanos. Usamos el plantel escolar diez meses y la cerramos dos. Utilizamos

---

5. Ramón A. Cruz. *Plan de quinmestres: Un proyecto de reforma educativa.* En *Educación,* Núm. 38, nov°. de 1973, pp. 19-33.

los recursos humanos durante diez meses, cerramos las escuelas y lanzamos a la calle casi tres cuartos de millón de estudiantes.

Tercer razonamiento: el programa docente. No estamos satisfechos con la rigidez de nuestro programa. No atiende las diferencias individuales de los alumnos. Ofrecemos los mismos cursos a todos los estudiantes y todos de la misma duración. Todos los estudiantes leen los mismos libros de texto.

Cuarto razonamiento: ingreso y salida de los estudiantes. El alumno que no puede ingresar a la escuela en agosto se queda fuera. Se le crean problemas de ingreso a los hijos de los puertorriqueños que regresan del Continente fuera de la fecha predeterminada para el comienzo del curso escolar.

Quinto razonamiento: la revisión curricular. El currículo ha sido básicamente el mismo durante este siglo. Hemos hecho modificaciones simples: sustituir un curso por otro, añadir uno, eliminar otro. Es necesaria una revisión curricular que se ajuste a las necesidades y peculiaridades del estudiante de hoy. El calendario escolar continuo proyecta realizar una reestructuración total del currículo para que el mismo se ajuste a unos cursos de corta duración, de aproximadamente 45 días. Se reestructurarán los cursos de todas las disciplinas. En vez de ofrecerse, por ejemplo, un curso de biología, se incluirán los elementos de la biología organizados en forma tal que puedan cubrirse en 45 días. Se ofrecen cursos adicionales en cada una de las disciplinas, que los estudiantes podrán tomar como electivas. El alumno tomará cuatro cursos como mínimo por quinmestre.

Sexto razonamiento: experiencias de verano para muchos jóvenes. Sabemos que no es posible ofrecer a todos nuestros estudiantes experiencias educativas, culturales, recreativas, ni de trabajo, en verano cuando ellos están libres. Es muy limitado el número de estudiantes que viaja, estudia o trabaja en verano.

*Posibles ventajas y dificultades del calendario escolar continuo.* El Departamento de Instrucción ha preparado varias publicaciones para ilustrar a los maestros, los estudiantes y a la ciudadanía en general sobre el nuevo calendario escolar. Del estudio de esas publicaciones hemos extraído algunas ventajas y dificultades de este plan, según estas pueden afectar a los estudiantes, a los maestros, a los padres, a la comunidad y al sistema educativo en general.

Señalamos a continuación algunas de las posibles ventajas más significativas.

*El estudiante:* recibirá mayor atención individual y se facilitaría su progreso de acuerdo con sus capacidades intelectuales; podría ingresar en cualquier época del año; disfrutaría de vacaciones en diferentes épocas; tendría mayores oportunidades de empleo, ya que solamente una quinta parte de los estudiantes estaría de vacaciones a la vez; estudiaría con diferentes maestros y se beneficiaría de diversas técnicas y procedimientos de enseñanza; y tendría a su disposición un programa más variado de asignaturas electivas.

*El maestro:* disfrutaría de vacaciones en diferentes épocas del año; tendría la oportunidad de descansar periódicamente y la tarea se haría menos agotadora; y devengaría un ingreso adicional si trabaja durante el período en que normalmente le corresponderían las vacaciones.

*Los padres y la comunidad:* podrían planear sus vacaciones en diferentes épocas del año de acuerdo con el programa de los hijos; se les facilitaría el problema de preparar a los hijos para la escuela porque estos empezarían las clases en diferentes épocas; se reduciría la aglomeración de personas en los sitios de recreación, descanso y esparcimiento; estarían de vacaciones solamente una quinta parte de los estudiantes a la vez, reduciéndose grandemente la cantidad de niños que están sin hacer nada; y el comercio y la industria podrían beneficiarse del trabajo de estudiantes en diversos períodos del año.

*El sistema educativo:* los edificios escolares estarían en uso durante todo el año; se les podría dar mayor y mejor uso a las facilidades educativas y se evitaría el deterioro que puede sufrir el equipo y los materiales cuando permanecen fuera de uso; se atendería mayor cantidad de estudiantes ya que se podrían usar las mismas facilidades con diferentes grupos en diferentes épocas; se reestructuraría el currículo de tal manera que resultaría ser más flexible y relevante a la enseñanza; y se podría reducir el problema de la deserción escolar.

Se señalan a continuación algunas de las dificultades que podrían surgir con la implementación del nuevo calendario.

*Al estudiante:* cambiaría de maestro más a menudo y esto conllevaría la adaptación a diferentes personalidades, diversas técnicas de enseñanza, enfoques y procedimientos; y no todos podrían tener vacaciones en verano cuando es la temporada de playa, de algunos deportes y otros entretenimientos.

*El maestro:* tendría que hacer ajustes en los métodos y técnicas de enseñanza para que se adapten al sistema de calendario continuo, y tendría que recoger y guardar sus materiales de enseñanza durante sus vacaciones ya que el salón de clases sería utilizado por otro maestro.

*Los padres:* se podría dar la situación de que algunos de los hijos estén de vacaciones mientras los otros estén en clase, y se podría hacer difícil planear vacaciones con toda la familia como grupo.

*El sistema educativo:* significaría un aumento en el presupuesto ya que todo cambio requiere estudios y trabajos; se extenderían a todo el año servicios tales como salarios, almuerzos y transportación; habría que revisar todo el currículo y preparar nuevas unidades de enseñanza, textos y otros materiales.

Para terminar esta parte queremos recalcar que lo importante no es que se modifique el calendario escolar, pero sí se produzcan cambios positivos en la educación de nuestros niños. ¿Cuáles son algunos de los cambios positivos que pueden esperarse? Se reduciría la desigualdad de oportunidades educativas al disminuir el número de escuelas organizadas en matrícula doble y alterna, se ofrecerían un mayor número de opciones curriculares al alumno, habría mayores oportunidades de trabajo para los estudiantes por un tiempo más prolongado y se haría mayor utilización de todos los recursos educativos al aumentar el uso de las facilidades escolares. Véase el artículo de Santiago de Jesús [6] sobre las implicaciones educativas, económicas y sociales de la adopción de un calendario escolar de año continuo.

---

6. José **Santiago de Jesús**. *Implicaciones educativas, económicas y sociales de la adopción de un calendario escolar de año continuo.* En *Educación*, Núm. 38, nov.e de 1973, pp. 35-55.

## UTILIZACIÓN DEL PERSONAL

A través de este capítulo hemos visto la necesidad de organizar la escuela para proveer un aprendizaje más efectivo. El patrón tradicional se ha sustituido por uno flexible, adaptado a las necesidades de los estudiantes. Se han puesto en práctica varias formas de individualizar la enseñanza y diferentes estilos de agrupación. Hoy día se está dando importancia a nuevos modos de organizar el cuerpo de maestros para realizar la enseñanza, ya que reconocemos que el continuar usando la forma tradicional afecta adversamente el mejor uso de su talento y habilidad.

Entre unos maestros y otros existen grandes diferencias. Unos tienen habilidad especial para trabajar con diferentes grupos en sus salones, otros, para atender hábilmente las diferencias individuales de los alumnos, y otros para impartir destrezas fundamentales. Asimismo algunos maestros tienen habilidad especial para exponer ideas y conceptos en forma clara e interesante, otros para ejercer control del grupo, otros para diagnosticar deficiencias y corregirlas y otros para propiciar la participación y envolver a los estudiantes en la discusión. Algunos maestros prefieren trabajar solos; a otros les gusta compartir materiales con sus compañeros y dar clases demostrativas. Otros sienten satisfacción en ofrecer ayuda y orientación a los maestros jóvenes. Algunos son buenos organizadores; unos son líderes y otros, seguidores. A algunos les gusta innovar; otros se sienten más seguros con las prácticas tradicionales.

A pesar de reconocer que existen tantas diferencias en el cuerpo de maestros, todavía asignamos a todos las mismas responsabilidades y esperamos que las desempeñen con igual grado de efectividad.

La escuela moderna, orientada hacia un nuevo concepto de enseñar y aprender, reconoce las diferencias entre los miembros de la facultad y las pone al servicio del programa educativo y de los estudiantes. Esto nos lleva naturalmente al uso diferenciado de la facultad y a la enseñanza en equipos.

### El uso diferenciado de la facultad

El uso diferenciado de la facultad es un plan que provee para las necesidades, intereses y habilidades de los estudiantes a través de una utilización más efectiva del talento y las destrezas de todo el personal que participa en las tareas educativas —administradores, maestros y subprofesionales. Este plan innovador se fundamenta en la premisa de que el uso efectivo del talento del personal resultará en un aprendizaje más provechoso y una enseñanza más placentera.

Este plan es más que un nuevo despliegue de la facultad. Es un cambio en la filosofía de lo que es enseñar y aprender. Se afectan la organización de la escuela, pero también la posición del maestro, su autoridad y su reconocimiento profesional. El plan concede mayor autonomía al maestro y le garantiza más participación en la planificación y en la toma de decisiones. Por eso es que algunos administradores se oponen al plan porque les preocupa que su autoridad pueda sufrir. El dar más participación y reconocimiento al maestro puede producir mayor satisfacción y resultar en que un número considerable prefiera seguir en la profesión.

Hay varias razones que justifican el uso diferenciado de la facultad. Entre ellas está la explosión del conocimiento. Este es tan complejo que se necesita la participación de todos para trasmitirlo a los alumnos y despertar en ellos interés por seguir aprendiendo. El interés en profesionalizar el magisterio estimula la creación de nuevos roles. Se ha añadido nuevas funciones al maestro que lo han desviado de la tarea de enseñar. Para atender muchas de estas tareas se emplean paraprofesionales.

El uso diferenciado de la facultad introduce tres tipos de paraprofesionales: (1) el personal secretarial; (2) ayudantes de tipo general, que desempeñan funciones no docentes, como supervisar el tránsito en el edificio, encargarse de las colectas de dinero, preparar materiales, manejar equipo audiovisual, hacer los arreglos para las excursiones, corregir exámenes objetivos y desempeñar otras funciones de rutina; y (3) ayudantes de maestros, que pueden participar también en las funciones no docentes antes mencionadas, pero que principalmente realizan tareas docentes, como las siguientes: ayudar en la enseñanza a grupos grandes, ayudar a pequeños grupos o a estudiantes individualmente, y leer cuentos. Las funciones de los paraprofesionales pueden variar dependiendo de las demandas de la escuela y de las cualificaciones del candidato.

El ayudante releva al maestro de tareas no profesionales para que este pueda atender mejor la enseñanza. Los padres se han convencido de que el empleo de paraprofesionales es una buena inversión porque el maestro puede dedicar todo su tiempo a atender las necesidades de los alumnos y proveerles experiencias de aprendizaje significativas.

El uso diferenciado de la facultad se está poniendo en práctica en muchas escuelas en los Estados Unidos. En algunas se ha puesto en vigor un nuevo modelo jerárquico entre los maestros. Este sigue un sistema de rangos, desde maestros modelos o superiores hasta los asociados y auxiliares. Estos rangos pueden conllevar diferencias en sueldo, basadas en las diferentes funciones que desempeñan los maestros. Los paraprofesionales pertenecen a la categoría de subprofesionales y no forman parte de la escala de rangos. En algunos sistemas no hay diferencias de sueldo entre los maestros que participan en el plan.

En un estudio realizado por la Fundación Ford[7] se encontró que el uso diferenciado de la facultad fue la innovación más exitosa y la más permanente de las que financió la fundación. Esto se debió a que los cambios en conducta y actitudes de los maestros podían lograrse en una escuela o en un grupo de salones de clases con un mínimo de disloque, y con frecuencia sin que la comunidad se diera cuenta de lo que estaba ocurriendo. Los maestros en ese plan se sentían más satisfechos que los otros en el plan tradicional. No por eso deja de haber problemas en la implementación. No es fácil determinar el nivel de responsabilidad de los maestros, asignarles deberes a los diferentes niveles y evaluar su competencia. Algunos maestros creen que el plan es un medio para explotarlos. Algunos administradores conservadores temen el envolver a los maestros en la formulación de la política educativa

7. The Ford Foundation. *A Foundation goes to School: The Ford Foundation Comprehensive School Improvement Program, 1960-1970.* New York: The Ford Foundation, 1972.

y en las decisiones. Otros lo ven como un medio de garantizar una mejor educación a cada niño y hacer del magisterio una verdadera profesión.

Finalmente, queremos recalcar varios puntos sobre el uso diferenciado de la facultad: los equipos deben tener tiempo para planear; es esencial organizar la escuela bajo un horario flexible y contar con espacios suficientes y centros de recursos. Los administradores deben compartir con los maestros la toma de decisiones. El plan no tiene como propósito el reducir los costos. Estos podrían bajar, pero no necesariamente, solo si se cuenta con suficientes voluntarios. El plan existe para mejorar el aprendizaje a través de una mejor planificación y utilización del talento del maestro, y no por razones económicas.

## La enseñanza en equipo

A través de los años, los maestros han estado acostumbrados a trabajar solos, cada uno aislado en su salón, a cargo de la educación de un grupo de estudiantes. El maestro asume responsabilidad total por la enseñanza de esos alumnos, pero a la vez desarrolla una actitud de suficiencia individual, independencia y competencia con sus compañeros. Con el propósito de contrarrestar estas actitudes entre los maestros y a la vez enriquecer las experiencias de los alumnos, surge el concepto de enseñanza en equipo. El salón de clases deja de ser del dominio de un solo maestro y se desarrollan sentimientos de cooperación y confianza entre el grupo de maestros que forma el equipo.

Autoridades competentes en este nuevo concepto, como Shaplin y Olds,[8] definen la enseñanza en equipo como un tipo de organización instruccional que envuelve el personal docente y los estudiantes asignados al equipo, en el cual dos o tres maestros asumen responsabilidad en forma cooperativa de toda o de una parte significativa de la instrucción que se ofrece a los alumnos.

La enseñanza en equipo es más que una agrupación de estudiantes y maestros. Es una filosofía de aprendizaje diseñada para vitalizar el currículo, desarrollar más competencia en los maestros e individualizar la enseñanza. La implementación del concepto ha variado de escuela a escuela. Algunas ven el equipo como cualquier grupo de dos o tres maestros que enseñan la misma asignatura y que trabajan juntos para presentar la materia con mayor profundidad que lo que hacían antes enseñando aisladamente. También puede consistir de grupos de maestros de diferentes asignaturas que se preparan para presentar cooperativamente un curso interdisciplinario o integrado. El equipo puede enseñar todas las asignaturas a un grupo de estudiantes o la misma asignatura a diferentes grupos. El más creativo de los arreglos parece ser aquel grupo interdisciplinario en el cual estudiantes, maestros y paraprofesionales trabajan cooperativamente para ofrecer buenas experiencias educativas, como el que se ilustra a continuación.

Cada equipo consiste de cuatro maestros y un ayudante. El líder del equipo es un maestro excelente, el más preparado y el de mayor experiencia y buenas relaciones con los compañeros. Dos son buenos maestros, de buena

---

8. Judson Shaplin y Henry F. Olds. *Team Teaching*. New York: Harper, 1964, p. 15.

preparación e igual trasfondo; el cuarto es un maestro principiante. Cada maestro está especializado en una asignatura diferente. Cada equipo atiende a 125 estudiantes.

El equipo es responsable de planear las unidades de enseñanza. Las reuniones del equipo de maestros empezaron antes del comienzo de clases y continúan a través de todo el año, con el propósito de planificar y evaluar lo que se va logrando. Para propósitos de instrucción, se forman grupos de estudiantes de diverso tamaño: grupos grandes (equivalentes a dos o tres grupos regulares), grupos medianos de 25-35 estudiantes, sesiones de discusión de 12 a 15 estudiantes, sesiones para enseñanza remediativa, de 4 a 5 alumnos, y entrevistas individuales entre un maestro y un estudiante. Después de recibir la orientación de los maestros, algunos grupos trabajan solos, sin supervisión de adultos. Los líderes estudiantiles colaboran en esta tarea.

Un orientador profesional se reúne con el equipo periódicamente. Discute con los maestros el trabajo y los problemas de los estudiantes y hace arreglos para atenderlos individualmente o en grupos.

Como puede verse por este ejemplo, la clave del éxito del equipo es la cooperación, la responsabilidad compartida, las buenas relaciones humanas, el planeo y la evaluación continuas, la flexibilidad del horario, la atención individual a los alumnos que la necesitan y la variedad de las actividades que se llevan a cabo. El aunar los talentos de todos los maestros fortalece el equipo y ofrece oportunidades de mejoramiento.

Para poner en función la enseñanza en equipo, es necesario, entre otras cosas: orientar debidamente a los maestros, los alumnos y los padres, planear extensamente, escoger un líder del equipo que debe ser una persona que establece buenas relaciones humanas y que posee amplios conocimientos de currículo, contar con personal auxiliar y facilidades físicas adecuadas, proveer tiempo para que las reuniones del equipo continúen una vez este haya empezado a funcionar, proveer flexibilidad en el horario, propiciar reuniones de adiestramiento en servicio a la facultad, especialmente a los maestros jóvenes y evaluar no solo el aprendizaje de los niños sino también el funcionamiento del equipo, con énfasis en las relaciones humanas. Es aconsejable empezar el proyecto en pequeña escala, con varios grupos de alumnos, y no con toda la escuela o todo el distrito a la vez.

## OTRAS INNOVACIONES

Además de las innovaciones que hemos presentado, hay otras que se están poniendo en práctica y que no hemos descrito por falta de espacio. Algunas de las innovaciones ya se están practicando ampliamente y otras en forma limitada. Algunas tienen mucha aceptación; otras son seriamente criticadas.

### El concepto de responsabilidad (accountabiliy)

Uno de los conceptos innovadores de mayor repercusión en la pedagogía en la década del 70 es el de responsabilidad. Nos referimos al compromiso que tienen maestros y administradores de ser responsables de su ejecución como profesionales y de los resultados de sus programas docentes, específicamente del aprendizaje de los alumnos. En otras palabras, se hace a los educadores responsables de la ejecución de sus discípulos y de corregir las fallas que demuestren tener.

La aplicación del concepto de responsabilidad no se limita a la educación, se está aplicando a casi todos los órdenes de la vida, especialmente cuando demandamos el cabal cumplimiento de las finalidades de nuestras instituciones sociales. La aplicación del concepto a la educación responde al reclamo de los padres y de la ciudadanía por la efectividad de los programas educativos, ya que están preocupados por los males que aquejan a la sociedad. La responsabilidad debe ir dirigida a mejorar la educación, y no solamente a señalar fallas y a culpar a la escuela por las deficiencias.

Creemos en la necesidad de la responsabilidad escolar, pero es necesario primero que se defina claramente qué se espera de la escuela y de sus maestros, qué se espera del sistema y de los padres, como marco de referencia a la evaluación. Es necesario también formular objetivos claros y definidos y buscar medios válidos para evaluar la ejecución de los estudiantes. Los educadores son los primeros en reconocer las fallas de la escuela y en particular las deficiencias que exhiben sus alumnos, pero no debe culpárseles por fallas que corresponde a otras agencias subsanar. Es conveniente recordar que muchos de los problemas que se reflejan en la escuela tienen su origen fuera de esta. ¿Qué control tiene la escuela sobre el *status* socioeconómico de los estudiantes, el ambiente familiar o la influencia de los amigos íntimos en la conducta de los escolares? No podemos negar que todas estas fuerzas ejercen una poderosa influencia sobre el aprovechamiento escolar.

La importancia asignada a la contabilidad ha dado lugar a desarrollos en el campo de la educación que sirven para implementar el concepto. Nos referimos a la formulación de objetivos en términos de conducta observable, al programa nacional de evaluación, al sistema PPBS (Planning, Programming, Budgeting System), a los contratos de ejecución y el sistema de certificados garantizados. A continuación se explican estos desarrollos. Además vamos a tratar el sistema de tutoría, la formalización de contratos y las innovaciones en el nivel universitario.

## Los objetivos operacionales [9]

Los objetivos operacionales o de conducta observable son una declaración o formulación clara y precisa de la conducta del estudiante que se aceptará como evidencia de que ha logrado lo que él y el maestro se proponían realizar. Los objetivos deben indicar explícitamente, y sin lugar a dudas, las maneras en que se espera que los estudiantes cambien por medio del proceso educativo. Deben indicar claramente la conducta y el nivel de proficiencia que se esperan del alumno. Los objetivos representan una meta que indica la tarea que el estudiante debe realizar, una forma en que él debe responder

9. Véase la monografía de Ángel Luis Ortiz García, *La redacción de objetivos en términos de conducta observable*. Río Piedras: Universidad de Puerto Rico, Facultad de Pedagogía, 1973.

o una destreza que él puede demostrar como resultado de ciertas experiencias de aprendizaje.

## El programa nacional de evaluación (National Assessment)

Este es un programa nacional que se lleva a cabo en los Estados Unidos con el propósito de evaluar los resultados de la educación por medio de pruebas escritas, entrevistas, observación y otras técnicas. El propósito es ver cuánto han aprendido o no han aprendido en las diversas áreas del conocimiento grandes grupos de estudiantes y de adultos de toda la nación para luego, a base de la evaluación, tomar decisiones tendientes a mejorar la educación. Se toman muestras de los sujetos de diversas edades y variadas regiones de la nación, en diversos tipos de comunidades de diferentes niveles socieconómicos. La oficina federal de educación y diferentes fundaciones asumen los gastos del programa.

## El sistema PPBS (Planning, Programming, Budgeting System — Sistema de Planificación, Programación y Presupuesto)

A medida que escasean los fondos públicos y aumentan las demandas de las agencias por más recursos, surge la necesidad de establecer prioridades y hacer a las agencias responsables por su ejecución. El público ha empezado a ser más exigente con la escuela y a cuestionarse los costos de la instrucción. Surge así la necesidad de presupuestar científicamente. Se hace a los administradores escolares conscientes de los objetivos de la educación, de la realización de ciertas actividades y de la evaluación de los resultados en términos de las metas que se persiguen.

Veamos cómo definen Von Haden y King [10] el concepto PPBS. Lo definen como un sistema integrado que provee a los administradores públicos y a los cuerpos legislativos información confiable para analizar la calidad y la cantidad de los programas en progreso y los propuestos para poder hacer decisiones relativas a estos programas y determinar la ayuda financiera a recibir. Es una manera de presupuestar por programa y por ejecución. Los costos se analizan en términos del logro de los objetivos.

El primer paso en este sistema es determinar los objetivos de la escuela. Estos deben redactarse en forma clara y precisa y en términos medibles para que sirvan de base para evaluar la efectividad de las actividades escolares. La escuela explora todas las alternativas posibles (prácticas innovadoras, utilización de personal, mejoramiento del currículo) para lograr los objetivos, escoge las maneras más factibles para realizarlos, analiza las necesidades y asigna los recursos necesarios para que se lleven a cabo las actividades de aprendizaje y se logren las metas. La evaluación, que es parte del PPBS, determina hasta qué punto los objetivos sufragados por los fondos han sido logrados.

---

10. Herbert I. Von Haden y Jean Marie King. *Innovations in Education: Their Pros and Cons*. Worthington, Ohio: Charles A. Jones Publishing Co., 1971, pp. 37-39.

## Contratos de ejecución (performance contracting)

Se trata de una relación contractual entre un sistema escolar y una corporación privada, mediante la cual esta se compromete a llevar a cabo una tarea instruccional específica, como es la enseñanza de lectura o de matemáticas. Por una cantidad de dinero acordada, la corporación garantiza producir resultados específicos dentro de cierto período de tiempo. Bajo este contrato el sistema educativo delega ciertas responsabilidades a la corporación privada, pero retiene el control de la educación. La instrucción impartida va acompañada del uso intensivo de recursos tecnológicos, pruebas, clases pequeñas y enseñanza individualizada.

## Sistema de certificados garantizados (voucher system)

Es un plan para financiar la educación primaria y secundaria a través del uso de certificados que el gobierno otorga a los padres que tienen hijos de edad escolar. El padre selecciona la escuela de su predilección —pública o privada— y presenta los certificados como pago por la instrucción dada a su hijo. La escuela presenta la factura al gobierno y recibe un cheque por los servicios prestados. El objetivo de este plan es mejorar los programas educativos, ya que hace que la escuela responda más adecuadamente a las necesidades de los niños y los deseos de los padres. Provee al padre algún control sobre la educación que su hijo recibe.

## El sistema de tutoría

Aunque este es un sistema viejo, ha vuelto a revisarse últimamente. Consiste en la participación de los estudiantes mayores o los de mejor aprovechamiento académico en la educación formal de los estudiantes más jóvenes o los menos adelantados, especialmente en la enseñanza de las asignaturas fundamentales, como la lectura y las matemáticas. Algunas veces las sesiones de tutoría son informales; otras veces los tutores siguen un horario formal.

## El aprendizaje por contrato

Se está ensayando con la práctica de los contratos entre el alumno y el profesor. El contrato consiste de una tarea o tareas que el estudiante se compromete a realizar. Se toman en cuenta los logros del estudiante hasta el momento. El estudiante cumplirá con el contrato a su propio ritmo de progreso. Los contratos hacen al estudiante responsable de sus logros. Tan pronto este cumple con una tarea contratada, la misma se evalúa para determinar si el estudiante está preparado para la próxima. Cuando los resultados demuestran que se han logrado los objetivos del contrato, el estudiante y su profesor hacen un nuevo contrato. La escuela que permite la otorgación de contratos generalmente funciona bajo una organización flexible.

*Innovaciones a nivel universitario*

Casi todas las innovaciones que hemos descrito en este capítulo pueden aplicarse al nivel universitario. Reconocemos, sin embargo, que las instituciones universitarias han sido lentas en introducir innovaciones. A pesar de esto, muchas instituciones se han interesado en mejorar sus programas y han hecho cambios favorables.

Algunas innovaciones se aplican solamente al nivel universitario. Nos referimos a la admisión abierta, al cambio en el sistema de calificaciones en *aprobado* y *suspenso*, en vez de letras o números, y a la concesión de crédito académico por experiencias de trabajo o por la aprobación de exámenes, sin mediar asistencia a clases. Asimismo se consideran innovaciones los programas o cursos interdisciplinarios antes que la excesiva especialización de materias, al igual que el énfasis en experiencia de laboratorio o de trabajo en contacto directo de estudiantes y profesores con los problemas de la comunidad y su participación en la solución de los mismos. Muchas universidades han establecido programas de intercambio, y otras estimulan a sus estudiantes a cursar un año en instituciones del exterior.

Las universidades están también extendiendo su año académico a doce meses para utilizar mejor las facilidades físicas y atender un número mayor de estudiantes. Como resultado del activismo estudiantil de los últimos años, se nota una tendencia a dividir los colegios y escuelas en unidades más pequeñas y descentralizar su administración. Grupos de 50 - 100 estudiantes y un número de profesores forman una unidad. Los profesores ofrecen instrucción y sirven de consejeros a los estudiantes.

Se espera un crecimiento sin precedentes en la matrícula de los colegios y universidades que resulte en un cuerpo estudiantil heterogéneo. Un mayor número de estudiantes de niveles socioeconómicos bajos ingresará cada día a la universidad. Esto conllevará el énfasis en preparar profesores de colegio bien capacitados para enseñar estudiantes procedentes de diferentes niveles socioeconómicos y de diferentes niveles de habilidad. Como resultado del crecimiento en la matrícula a nivel subgraduado, las universidades tendrán que dar más énfasis a la enseñanza que a la investigación. Para atender los variados intereses de los estudiantes, se nota una tendencia al desarrollo de colegios regionales. Estos son instituciones de dos años que ofrecen programas terminales y de transferencia a los colegios de cuatro años.

Finalmente, se observa una tendencia de las universidades a preparar maestros con énfasis en el dominio de las competencias profesionales en vez de aprobar una serie de cursos requeridos para la obtención de la licencia de maestro de escuela elemental o secundaria.

## RESUMEN

En este capítulo hemos tratado sobre aquellas innovaciones que están más íntimamente relacionadas con el proceso de aprendizaje. Como educadores sentimos la necesidad de hacer más flexible el proceso educativo, lograr mayor participación del alumno en su propio aprendizaje y hacer de la escuela un lugar más atractivo y placentero, tanto para maestros como para estudiantes.

En primer lugar, presentamos la individualización del aprendizaje y recalcamos el hecho de que cada alumno es único e individual y aprende a su propio ritmo. Si reconocemos este hecho, aceptaremos que todos los estudiantes, aún los más lentos, pueden aprender. Es muy importante el diagnosticar las necesidades de los alumnos y prescribir una educación basada en esas necesidades. Esta es la clave de la enseñanza individualizada. Describimos cómo esta puede llevarse a cabo en salones de clases abiertos y en la escuela sin grados.

En segundo lugar, discutimos la reorganización de la escuela para un mejor aprendizaje. Para lograr esta meta es necesario imprimir mayor flexibilidad a los horarios y al calendario escolar. Relatamos cómo organizar un horario flexible para proveer períodos de clase de distinta duración con diferentes propósitos. Consideramos las ventajas y las desventajas del año escolar continuo y el experimento que se está llevando a cabo en Puerto Rico, en seis distritos escolares, con una organización a base de quinmestres.

En tercer lugar, tratamos las nuevas formas de organizar el cuerpo de maestros con el fin de utilizar mejor sus talentos y proveer una mejor educación a los alumnos. Específicamente discutimos el uso diferenciado de la facultad y la enseñanza en equipo. Ambos planes ofrecen mayor oportunidad al maestro para participar en la planificación educativa y le proporcionan una mayor satisfacción en su trabajo.

En último lugar, se introdujeron otras innovaciones, destacando el concepto de responsabilidad, en el cual tanto los administradores como los maestros se hacen responsables de su ejecución y de la conducta y aprovechamiento de los alumnos. Íntimamente relacionados con la responsabilidad están la formulación de objetivos en términos de conducta observable, el programa nacional de evaluación, el sistema PPBS, los contratos de ejecución y el sistema de certificados garantizados. En esta última parte también vimos la utilidad del sistema de tutoría y de los contratos, como medios para mejorar la educación de los educandos.

La mayor parte de las innovaciones aquí descritas se aplican tanto a los niveles de escuela elemental y secundaria como al universitario. Las universidades han sido menos receptivas en cuestión de innovaciones, pero aún así están ensayando muchas nuevas prácticas. Entre ellas se encuentran la introducción de los estudios interdisciplinarios, el envolvimiento en los problemas de la comunidad, una mayor atención al estudiantado y una mayor preocupación por contar con mejores profesores que puedan enseñar y ayudar a una población estudiantil heterogénea.

## LECTURAS

Anderson, Robert H. *Teaching in a World of Change*. New York: Harcourt, 1966.

Bennett, William S. y R. Frank Folk. *New Careers and Urban Schools: A Sociological Study of Teacher and Teacher Aide Roles*. New York: Holt, Rinehart and Winston, 1970.

Brown, B. Frank. *The Nongraded High School*. Englewood Cliffs, New Jersey: Prentice-Hall, 1963.

Bush, Robert N. y Dwight W. Allen. *A New Desing for High School Education* — *Assuming a Flexible Schedule.* New York: McGraw-Hill, 1964.

Claudio Tirado, Ramón. *La individualización de la enseñanza.* En *Pedagogía.* XIX, Núm. 1, enero-diciembre de 1971, 69-82.

Corwin, Ronald G. *Education in Crisis: A Sociological Analysis of Schools and Universities in Transition.* New York: John Wiley and Sons, 1974, Capítulo 6.

Cruz, Ramón A. *Plan de quinmestres: Un programa de reforma educativa.* En *Educación.* XXXVIII, noviembre de 1973, 19-33.

Featherstone, Joseph. *Informal Schools in Britain Today.* New York: Citation Press, 1971.

Ford Foundation. *A Foundation goes to School: The Ford Foundation Comprehensive School Improvement Program, 1960-1970.* New York: The Ford Foundation, 1972.

González de Piñero, Europa (ed.). *Tendencias e ideas pedagógicas: su aplicación en Puerto Rico.* Madrid: Ediciones Plaza Mayor, 1971.

González de Piñeiro, Europa (ed.). *Accountability and Change in Education.* Danville, Illinois: The Interstate Printers and Publishers, Inc., 1972, Parte I.

Goodlad, John I. y M. Frances Klein. *Behind the Classroom Door.* Worthington, Ohio: Charles A. Jones Publishing Co., 1970.

Goodlad, John I. y Robert H. Anderson. *The Nongraded Elementary School.* New York: Harcourt, 1963.

Gross, Ronald y Judith Murphy. *The Revolution in the Schools.* New York: Harcourt, Brace and World, 1964.

Hull, Ronald E. *Selecting an Approach to Individualized Education.* En *Phi Delta Kappan,* LV, No. 3, November, 1973, 169-173.

McLain, John D. *Year Round Education: Economic, Educational, and Sociological Factors.* Berkeley: McCutchen Publishing Corp., 1973.

Noar, Gertrude. *Teacher Aides at Work.* Washington, D.C.: N.E.A., 1967.

Nyquist, Ewald B. y Gene R. Hawes (ed.). *Open Education.* New York: Bantam Books, 1972.

Ortiz García, Ángel Luis. *La redacción de objetivos en términos de conducta observable.* Río Piedras: Universidad de Puerto Rico, Facultad de Pedagogía, 1973.

*Phi Delta Kappan,* LII, No. 4, December, 1970. (8 artículos sobre el tema de *Accountability.*)

Quintero Alfaro, Ángel G. *Educación y cambio social en Puerto Rico.* Río Piedras: Editorial Universitaria, 1972, Capítulos 4 y 5.

Rodríguez de Otero, Ana L. y Charles E. Johnson. *Un sistema de instrucción por niveles en la Escuela Elemental de la Universidad de Puerto Rico.* En *Pedagogía.* XII, Núm. 1, enero-junio de 1964, 39-51.

Rogers, Carl. *Freedom to Learn.* Columbus, Ohio: Charles E. Merrill Publishing Co., 1969.

Santiago de Jesús, José. *Implicaciones educativas, económicas y sociales de la adopción de un calendario escolar de año continuo.* En *Educación,* XXXLIII, noviembre de 1973, 35-55.

Shaplin, Judson y Henry F. Olds. *Team Teaching.* New York: Harper, 1964.

Shiman, David A. y otros. *Teachers on Individualization: The Way we do it.* New York: McGraw-Hill Book Co., 1974.

Silberman, Charles E. *Crisis in the Classrom.* New York: Random House, 1970.

Stahl, Dona Kofod y Patricia Anzalone. *Individualized Teaching in Elementary Schools.* West Nyack, New York: Parker, 1970.

Universidad de Puerto Rico, Escuela Elemental. *La evaluación en el plan de progreso continuo.* Río Piedras: Universidad de Puerto Rico, 1972.

Vergne, Aida A. de. *Tendencias en la educación secundaria.* En *Pedagogía.* XVI, Núm. 1, enero-junio de 1968, 91-109.

VonHaden, Herbert I. y Jean Marie King. *Innovations in Education: Their Pros and Cons.* Worthington, Ohio: Charles A. Publishing Co., 1971.

# CAPÍTULO XX

## ESCUELA DE ALTERNATIVAS O ALTERNATIVAS A LA ESCUELA

Insatisfechos con la formalidad de la mayoría de los salones de clases, la pobre calidad de la enseñanza, la poca atención al individuo y el distanciamiento entre la escuela y la sociedad, los reformistas acentúan en la década del 70 sus críticas al sistema educativo y claman por el establecimiento de alternativas. Contrario a los innovadores anteriores que se conformaban con reformar el currículo y las prácticas inherentes al salón de clases, los del presente son mucho más ambiciosos. Algunos quieren reformar el sistema existente; mientras otros, los radicales, quieren ir más allá y rehacer la sociedad completa. Surgen, como es de esperarse, dos grupos de reformistas: los que quieren operar dentro del sistema educativo, sin prescindir del mismo, aunque promoviendo cambios revolucionarios, y los que creen que el sistema está tan deteriorado que es mejor ignorarlo y operar desde afuera. Nos encontramos, inevitablemente, con dos tipos de alternativas distintas. El futuro dirá cuál de las dos es la correcta, o si las dos pueden coexistir.

En este capítulo analizaremos los distintos tipos de alternativas que proponen unos y otros reformistas: los que operan dentro del sistema y los que funcionan fuera de este. Al finalizar el capítulo trataremos las alternativas al nivel universitario.

### APARICIÓN DE LA ESCUELA DE ALTERNATIVAS

Siempre hemos tenido algún tipo de alternativa a la educación pública. No todos los estudiantes asisten a una escuela pública. Un número limitado de estudiantes asiste o ha asistido a diversos tipos de escuelas privadas: kindergartens al estilo Montessori, escuelas religiosas y especiales, academias militares, institutos preparatorios para ingreso en colegio y muchos otros tipos de escuelas privadas que sabemos existen. Debido a los altos costos de la educación privada, a estas instituciones asiste un pequeño por ciento de nuestra población estudiantil. La gran maporía ingresa a la escuela pública.

Las escuelas operadas por el estado también han ofrecido alternativas desde hace mucho tiempo. Unas siguen un currículo vocacional y otras uno académico. Existen escuelas vocacionales al igual que escuelas de artes plásticas y de música. También hay escuelas especiales, para niños con dificultades de aprendizaje y con impedimentos físicos y mentales, centros de estudio y trabajo y escuelas para pre-delincuentes y delincuentes. A estos centros educativos ingresa una pequeña proporción de nuestros niños y jóvenes. La inmensa mayoría asiste a la escuela pública convencional.

Casi todos estos diferentes tipos de escuelas ofrecen currículos o programas alternativos o alternos, pero la mayoría funciona con métodos y enfoques tradicionales. Siguen siendo escuelas controladas casi totalmente por los adultos, donde los estudiantes y los padres tienen muy poco que aportar, porque no se les consulta, y si se les consulta, no se les presta mucha atención a sus recomendaciones. Durante los años de la presente década, principalmente en los Estados Unidos, hemos visto el nacimiento de nuevas escuelas, llamadas escuelas de alternativas, dentro de los sistemas de instrucción pública.

Las escuelas de alternativas garantizan un aprendizaje más efectivo, ya que ofrecen a los estudiantes diferentes clases de opciones que les permiten trabajar en un ambiente agradable, siguiendo sus propios estilos de aprender. Como surgen en respuesta a problemas y necesidades locales, las escuelas de altenativas son diferentes unas de otras. Los estudiantes, y también sus padres, tienen opciones no solo en las asignaturas o programas a seguir, sino también en sus estilos de aprender. Se ofrecen opciones para desarrollar la variada gama de aptitudes y talentos de los estudiantes y el tipo de ambiente y los modos en que quieren trabajar. Los estudiantes están en libertad de decidir si prefieren estudiar en una escuela formal o informal, en un currículo uniforme o en uno individualizado. El alumno participa en la toma de decisiones que le van a afectar directamente y que se reflejarán en su aprendizaje. Sus padres y sus maestros también tendrán voz en las decisiones que les afecten.

No puede relegarse a un segundo plano el tipo de maestro que requiere esta nueva escuela. Se necesita un maestro que inspire a los alumnos, respete sus personalidades y crea en la individualización de la enseñanza y la practique.

## RAZÓN DE SER DE LA ESCUELA DE ALTERNATIVAS

Como ya hemos dicho, la escuela de alternativas surge como resultado de las críticas y la insatisfacción de los padres con la situación actual de la educación pública, del producto que de ella sale y de los males de la sociedad, que según ellos son causados por las deficiencias del mismo sistema. A estos críticos se unen los estudiantes que censuran la inflexibilidad de la institución, el currículo y el trato que reciben. Los maestros igualmente censuran la burocracia educativa, las demandas cada día mayores que se hacen a la profesión y la conducta de los alumnos. No están satisfechos con el estado actual de la educación y demandan opciones. Este pedido de opciones por mayor eficiencia, libertad y diversidad en materia educativa es consistente con nuestra filosofía democrática de vida. La escuela de alternativas provee oportunidad de participación a la comunidad en los asuntos educativos.

Hoy día cientos de comunidades en más de 30 estados de la nación norteamericana han organizado escuelas de alternativas. Muchas comunidades están en el proceso de organizar otras. Este tipo de escuela surge generalmente como resultado de un problema específico que confronta la comunidad, como es el alto por ciento de deserción escolar, las frecuentes ausencias a clases, la alta proporción de fracasos, el número crecido de delincuentes y las limitaciones educativas de muchos niños, especialmente los pertenecientes a los grupos minoritarios.

La escuela de alternativas puede justificarse a base de razones sociales, psicológicas, educativas, políticas y económicas.

Desde el punto de vista social se justifica la reforma porque hay necesidad de ofrecer a la comunidad una mayor participación en los asuntos educativos. Si la alternativa surge en respuesta a un problema de la comunidad, se justifica aún más el envolvimiento de todas las personas.

Hay razones psicológicas que justifican la escuela de alternativas. En el salón de clases tradicional se ofrece el mismo programa a todos los niños y se espera que todos adquieran los mismos conocimientos en un tiempo determinado. Hoy día reconocemos la falacia que encierra esta afirmación. La escuela de alternativas reconoce que no existe programa que satisfaga plenamente las necesidades de aprendizaje de todos los alumnos. Diferentes niños aprenden de distintas formas. El mismo niño puede aprender de diferentes formas en las distintas etapas de desarrollo. La nueva escuela provee diferentes modos de educación para satisfacer las necesidades de los niños que tienen diferentes estilos de aprender. Lo mismo ocurre con el maestro. No todos los maestros tienen el mismo estilo de enseñar. La escuela de alternativas ofrece al maestro una gran variedad de modos de trabajo para ajustarse a sus variados estilos de enseñar. Por estas razones, la vida en la nueva escuela se desarrolla en un ambiente más humano y placentero, tanto para los maestros como para los estudiantes.

Podemos justificar la escuela de alternativas desde el punto de vista educativo. Una de las críticas a la escuela convencional es su currículo tradicional, que se pasa por costumbre a los alumnos, año tras año. El contenido de las lecciones no cambia porque los textos, que son el instrumento principal de trabajo, no varían. Esta situación puede corregirse significativamente con la adopción de la escuela de alternativas. Se ofrece la oportunidad para diseñar un nuevo currículo, especialmente uno que ayude a resolver los problemas locales. Los estudiantes, en contacto directo con la comunidad, pasan gran parte del tiempo estudiando la vida comunal y sus problemas.

La escuela de alternativas ayuda a solucionar conflictos políticos ya que en ella se unen voluntariamente estudiantes, padres y maestros. En vez de conflictos, por el contrario se aumenta la cooperación entre todo el componente. El respeto de los derechos de los individuos —padres, maestros y estudiantes— adquiere prominencia, se reducen las decisiones hechas por grupos que anteriormente se imponían a los demás, como por ejemplo, grupos de padres, maestros o las asociaciones magisteriales.

Finalmente, hay una justificación adicional: la económica. Si hay una buena planificación y se logra el envolvimiento de los participantes, no se espera que aumente considerablemente el presupuesto escolar. La base para la economía es la mejor utilización de los recursos existentes. Siendo así, se espera que las alternativas puedan implantarse con el mismo presupuesto sin afectar a otras escuelas y grupos que no estén participando en la innovación. El gobierno federal también ha estado en disposición de proveer fondos para proyectos innovadores que los distritos escolares puedan justificar adecuadamente.

## EL ESTABLECIMIENTO DE ALTERNATIVAS DENTRO DEL SISTEMA DE EDUCACIÓN PÚBLICA

Una tendencia corriente en aquellos distritos que desean innovar sin envolver de inmediato a todo el sistema, es dejar la mayoría de las escuelas públicas como están y establecer algunas alternativas que sirvan de modelo. Los propulsores de esta técnica creen que el sistema de educación pública debe mantenerse, pero que es necesario crear escuelas de alternativas que sirvan de demostración. La idea es que en las nuevas escuelas surja el cambio que puede extenderse a todos los demás centros, renovando así la escuela tradicional. Algunas de las escuelas así establecidas, que funcionan en ciudades de gran concentración poblacional, son muy conocidas en la literatura pedagógica reciente, como las escuelas de Parkway en Philadelphia, las escuelas experimentales de Berkely y la escuela Metro de Chicago.[1]

### Ubicación

La mayoría de estas escuelas funcionan en edificios especiales, provistos para esos fines, separados de la escuela pública. Parece que este tipo de ubicación tiene mayor aceptación por los innovadores. A veces se establecen en edificios de oficinas en el centro de la ciudad, en almacenes que no se están usando, en los sótanos de las iglesias o en cualquier otra facilidad disponible.

### Patrones de organización

Algunas escuelas de aternativas se establecen en un edificio escolar tradicional. Las así establecidas se conocen como la escuela dentro de la escuela o miniescuela. Tiene la ventaja de que no hay que buscar facilidades físicas nuevas y se pueden usar muchos de los recursos que ya existen. Otro patrón de organización es establecer salones especiales como salones de alternativas. Un maestro o un grupo de maestros que enseñen el mismo grado o diferentes grados, pueden establecer alternativas. Si en el plantel hay tres salones de kindergarten, dos pueden seguir el programa corriente y uno puede organizarse como alternativa.

Algunos reformadores no favorecen el establecimiento de alternativas en pequeña escala. Son de opinión, que si las alternativas no se extienden pronto a otros salones pueden desaparecer porque el sistema las absorbe. Por eso es necesario evaluar continuamente estos nuevos desarrollos, dar a conocer los resultados de las evaluaciones y extender aquellos que resulten de mayor provecho.

---

1. Vernon H. Smith. *Options in Public Education*. En *Phi Delta Kappan*, Vol. LIV, No. 7, March, 1973, p. 434.

## Tipos de escuelas de alternativas

El profesor Vernon H. Smith,[2] del Proyecto de Alternativas Educacionales, de la Universidad de Indiana, clasifica de la siguiente forma las alternativas que funcionan como escuelas públicas:

*Escuelas abiertas* (*open schools*) — con actividades de aprendizaje individualizadas, organizadas alrededor de centros de interés en un salón de clases o en el edificio.

*Escuelas sin paredes* (*schools without walls*) — con las actividades de aprendizaje esparcidas por la comunidad y con mucha interacción entre la escuela y la comunidad.

*Escuelas imán* (*magnet schools*), *centros de aprendizaje, parques educativos* — con una concentración de recursos de aprendizaje en un centro, disponibles a todos los estudiantes de la comunidad.

*Escuelas multiculturales, escuelas bilingües, escuelas étnicas* — con énfasis en el pluralismo cultural y el desarrollo de una conciencia étnica y racial.

*Academias callejeras* (*street academies*), *centros para desertores escolares y centros para niñas embarazadas* — con énfasis en programas educativos para una población escolar específica.

*Escuelas dentro de una escuela* — puede ser una de las antes mencionadas, organizadas dentro de una escuela convencional.

*Modelos de integración* (*integration models*) — puede ser cualquiera de las antes mencionadas, con una población voluntaria, representativa de los grupos raciales, étnicos y socieconómicos de la comunidad.

*Escuelas libres* (*free schools*) — con énfasis en una mayor libertad para estudiantes y maestros. El término se aplica generalmente a alternativas no públicas, pero también hay algunas escuelas libres que funcionan dentro del sistema de educación pública.

## Características

Las escuelas de alternativas surgen para satisfacer necesidades específicas, y tienen, por lo tanto, la obligación de ser responsables a la comunidad. Esta, a su vez, asume más responsabilidad en la organización de una escuela que ella misma ayuda a establecer. Estas nuevas escuelas persiguen unos objetivos mucho más abarcadores que el dominio de las destrezas fundamentales, como son el desarrollo del autoconcepto, del talento individual y de la comprensión entre los diferentes grupos. Asimismo, se da importancia a la actitud del estudiante hacia la escuela y hacia su propia educación. Como son más pequeñas que las escuelas convencionales, es más fácil establecer buenas relaciones entre los participantes, escuchar sus puntos de vista e incorporar sus recomendaciones.

Se distinguen por el énfasis que dan a la creación de estructuras que ofrecen al estudiante mucha más libertad para aprender y lo releva de un

---

2. *Ibid.*, pp. 434-435.

alto grado de control por los adultos. Algunas dan importancia a la autonomía estudiantil y a la dirección del aprendizaje por los mismos estudiantes. Las escuelas de alternativas proveen la oportunidad para el diseño de un nuevo currículo a tono con los intereses y deseos de los alumnos. Son escuelas más flexibles y descartan aquellos aspectos de las normas escolares que tradicionalmente han sido más desagradables para los estudiantes.

No debemos olvidar que estas escuelas son voluntarias y que, como tales, ofrecen opciones tanto para estudiantes como para maestros. Para llamarse escuela de alternativas tiene que haber en la comunidad otras escuelas a las cuales puedan asistir los que no están de acuerdo con la nueva.

Las escuelas de alternativas exhiben otras características. Una de las más notables es el esfuerzo que hacen por individualizar la enseñanza. Una vez se diagnostican las necesidades de los estudiantes y se prescribe un programa, la instrucción puede proceder casi por cuenta del estudiante, con más o menos dirección del maestro, según sea necesario, o según el tipo de individualización que se quiera lograr. La escuela tradicional, por su tamaño, no ha podido individualizar sus programas como ha pretendido. Es posible que cada día esté individualizando menos. La escuela de alternativas, por su tamaño reducido, en que aspira a lograr un mejor conocimiento del alumno y mejorar relaciones entre maestro y aprendiz, puede atender mejor que la tradicional los diferentes enfoques de la individualización de la enseñanza. Estos enfoques según los describe la comisión sobre la reforma de la educación secundaria norteamericana son: [3]

*Instrucción diagnosticada y prescrita individualmente.* El personal escolar determina los objetivos de aprendizaje y selecciona los materiales; el estudiante progresa a su propio ritmo.

*Instrucción autodirigida.* El personal escolar determina los objetivos instruccionales y cada estudiante selecciona los materiales y los métodos de trabajo.

*Instrucción personalizada.* El estudiante establece sus propios objetivos, pero sigue un programa establecido por el maestro y usa los materiales seleccionados por la escuela.

*Estudio independiente.* El estudiante establece sus objetivos, selecciona los materiales y determina los procedimientos.

No se puede decir que todo sea esperanzador en relación con las escuelas de alternativas. Estas no podrán resolver todos los problemas de la educación. Es posible que muchos de los objetivos de la escuela puedan atenderse mejor a través de un sistema tradicional que a través de uno alterno. Se ha criticado la vaguedad de los objetivos de la educación. Las escuelas de alternativas tendrán que exponer razonadamente sus objetivos y sus opciones para que los estudiantes y los padres puedan hacer selecciones inteligentes. Gran parte de la población no está lo suficientemente preparada para hacer selecciones. Habría que capacitarla para que no ocurriera que las alternativas se quedaran entre unos pocos, especialmente los más preparados y los más inteligentes. Debemos también cuidarnos de que las alternativas no resulten en mayor segregación. Estas deben estar abiertas a todos los grupos

---

3. National Commission on the Reform of Secondary Education. *The Reform of Secondary Education.* New York: McGraw-Hill Book Co., 1973, pp. 110-111.

de una comunidad, sin que se tome en cuenta su condición racial, étnica, social o económica.

## Recomendaciones para implantar alternativas

El proceso de organizar alternativas en una comunidad toma tiempo. Es necesario educar a los padres, maestros y estudiantes para que deseen experimentar con nuevas formas de trabajo. Es necesario, además, envolverlos en todo el proceso de planificación para que realmente se sientan partícipes en una nueva aventura. Todos juntos deben sentar las bases y determinar las normas para la operación de la escuela.

Debe hacerse claro que es una actividad voluntaria y que continuará operando la escuela regular o tradicional para los que no interesen la alternativa, por el momento. Una vez probadas las ventajas de la misma, otras personas podrían aprovecharse de esta oportunidad.

La escuela de alternativas no debe reclamar que va a sustituir a la escuela regular, ni que es superior, antes de haber probado que realmente lo es. Tampoco debe asumir la actitud de que la escuela regular no sirve. Debe reconocerla como una alternativa más. De hecho, un numero considerable de padres están satisfechos con la escuela como ha estado operando y la quieren conservar así. Hay que respetar el sentir de los padres.

La comunidad quiere tener la garantía de que la alternativa puede cumplir con los objetivos tradicionales de la escuela, como es el dominio de los procesos fundamentales y el desarrollo social, moral, emocional y físico, al igual que el intelectual, en adición a los nuevos objetivos que se desean añadir. En otras palabras, al padre no le satisface que el maestro le diga que su hijo se siente bien en la escuela, tiene amigos y participa en actividades de grupo; le satisface más cuando le dicen que, en adición a esos atributos, sabe leer, escribir y domina las operaciones matemáticas.

Se debe garantizar el ingreso a la escuela de alternativas a todos los que se sientan atraídos a ella. No debe ser exclusiva para ningún grupo racial, religioso o de determinado nivel socioeconómico. Un último punto, igualmente importante, es el económico. La comunidad está consciente de que las innovaciones cuestan dinero, pero no debe inflarse demasiado el presupuesto educativo porque se sabe que no será bien acogido. La comunidad interesará saber cómo se van a usar los recursos existentes.

### LA EDUCACIÓN NO FORMAL COMO ALTERNATIVA
### DENTRO DEL SISTEMA DE INSTRUCCIÓN PÚBLICA

La educación no tiene que ocurrir exclusivamente en la escuela o en un salón de clases. En adición a la escuela puede ocurrir en una variedad de ambientes: industria, talleres, fincas, centros culturales, organizaciones sociales, radio, televisión y agencias de servicio social, como casas de cuidado de envejecientes, centros de cuidado infantil, hospitales y dependencias gubernamentales, entre otras muchas. También puede ocurrir en el servicio militar, en el estudio, en el hogar, a través de la lectura del periódico o del deleite de la música. Estas experiencias de aprendizaje que se adquieren en esos diversos ambientes no provistas por el sistema regular de escuelas, se conoce como la educación no formal. Son alternativas a la educación convencional que ocurre en el salón de clases exclusivamente. Estas experiencias educativas, cuando están directamente relacionadas con el programa regular docente, son parte de él, suplementan o complementan el mismo y están bajo el control de la escuela. Rompen las barreras del salón de clases e imprimen mayor realidad al programa académico. Porque se reconoce el valor educativo de las mismas, y por la contribución que hacen al desarrollo del ser humano, deben ofrecerse como alternativas para todos aquellos estudiantes que se sientan atraídos hacia ellas.

### Razones que justifican el uso de las agencias de educación no formal

Ha aumentado el uso de las agencias de educación no formal por varias razones. Una de ellas es que la escuela no cuenta con los recursos que tienen otras agencias, como por ejemplo, la industria, para ofrecer adiestramiento en destrezas ocupacionales. Las escuelas vocacionales, aún las más modernas, se quedan rezagadas en cuanto a la incorporación de los cambios tecnológicos. Muchas no cuentan con los recursos de personal ni el equipo necesario para ofrecer una educación vocacional a la altura de los tiempos. La escuela, como un sistema burocrático, no ha respondido cabalmente a los intereses de la comunidad ni de los jóvenes. Estos no se conforman con una educación teórica y libresca. Claman por que la escuela se vincule plenamente con la vida e incorpore a su programa todo tipo de actividad que los haga partícipes de los problemas de la comunidad. Muchas escuelas reconocen el valor de estas experiencias y responden a este pedido de los jóvenes, asignándolos a actividades de estudio y trabajo, internados y diversos tipos de experiencias prácticas de gran significación para su desarrollo, mediante paga o como voluntarios.

Se ha reconocido plenamente que la comunidad es una escuela, mejor dicho, una escuela sin paredes, que puede ofrecer más y mejores experiencias que una institución que se limita a las cuatro paredes. La comunidad cuenta con un número de agencias y de personas que pueden contribuir significativamente a la realización de los objetivos de la educación.

### Diferencias entre la educación formal y la no formal

Al hablar de las agencias de educación no formal es inevitable la comparación con la agencia formal de la escuela. En las primeras, falta el alto grado de estructuración e interrelación entre las partes que caracteriza a la segunda. La escuela da énfasis al contenido académico, muchas veces verbal y teórico; las agencias no formales dan importancia a la adquisición de destrezas, determinadas por las necesidades funcionales de los participantes. La escuela, por lo general, requiere asistencia regular, muchas veces a tarea completa. Las agencias no formales son más flexibles en cuanto a asistencia y al tiempo que requieren para terminar el programa. La escuela recalca la función de socialización, la internalización de las normas de la sociedad y la adquisición de los valores de los adultos. La educación no formal puede tener varias funciones, pero antes que la socialización puede que recalque la resocialización y el aprendizaje de destrezas y conocimientos a usarse en el servicio a la comunidad. El estudiante puede aplicar inmediatamente lo aprendido en las agencias no formales; el aprendizaje escolar es para utilizarse más tarde en la vida.

En la escuela, el maestro utiliza métodos formales, casi siempre determinados por él. Hay menos relación entre maestro y estudiante. En las agencias no formales hay más interacción de maestro y discípulo y se utilizan métodos más flexibles. La escuela atiende unos grupos clasificados por edades y grados; en las agencias no formales no hay límites de edad, ni división en grados. Los maestros tienen que tener una preparación determinada y ser certificados por el sistema. Las agencias no formales utilizan una diversidad de personal, que hace las veces del maestro, con diferentes tipos de preparación.

## Acreditación de las experiencias adquiridas

Como hemos expresado, una gran cantidad de aprendizaje de valor ocurre fuera de la estructura formal de la escuela. Este tipo de aprendizaje puede contribuir significativamente al desarrollo intelectual y afectivo de los jóvenes. Por esta razón, la escuela debe aprovecharse de todas las experiencias que ofrece la comunidad en las cuales pueden participar los jóvenes.

La Comisión sobre la Reforma de la Educación Secundaria,[4] antes mencionada, reconoce el valor de las experiencias de aprendizaje adquiridas fuera de la escuela como un medio para cumplir con los objetivos de la educación secundaria. La Comisión recomienda que se conceda crédito académico por aquellas experiencias que contribuyan a lograr los objetivos de la educación. No se debe otorgar crédito a cualquier experiencia, sino a aquellas de probado valor que estén íntimamente relacionadas con las metas de la educación o con los objetivos de algunos cursos que se enseñan en la escuela. Cuando el estudiante pueda probar que posee los conocimientos y destrezas equivalentes a un curso que se ofrece en la escuela, es que debe recibir crédito. El estudiante, la escuela y la agencia participarán en la evaluación.

Es fácil conceder crédito en las áreas vocacionales y técnicas y en aquellas en las cuales el estudiante puede demostrar sus habilidades y destrezas. La concesión de crédito no debe limitarse a esas áreas. Experiencias en agencias de servicio social pueden ser equivalentes a un curso de ciencias sociales y experiencias en un centro de cuidado del niño, a un curso en esa materia. Asimismo se podrían convalidar experiencias en bibliotecas, museos, televisión, radio o periódicos por cursos de arte, música, literatura, historia e idiomas.

Para ofrecer crédito académico, no es necesario que las experiencias ocurran concurrentemente con la asistencia del estudiante a la escuela secundaria. Pueden haber ocurrido antes, como son la experiencia militar, en la industria y en organizaciones como los Cuerpos de Paz, Vista o Aspira.

El conceder crédito a la educación no formal reconoce el valor de estas

---

4. *Ibid.*, p. 75.

experiencias en la formación del estudiante de escuela secundaria. Asimismo hace más real la educación, ofrece una alternativa para la escuela y acorta el tiempo que el estudiante pasa en el salón de clases.

## OTRAS ALTERNATIVAS DENTRO DEL SISTEMA DE INSTRUCCIÓN PÚBLICA

Los contratos de ejecución (*performance contracting*) y los certificados garantizados (*vouchers*) ofrecen alternativas para la educación formal.

### Los contratos de ejecución

Como señalamos en el capítulo anterior, a través del plan de contratos de ejecución, el sistema educativo delega ciertas responsabilidades específicas, como la enseñanza de lectura, a una agencia privada, mediante la firma de un contrato. Uno de los contratos que más se han discutido en la literatura pedagógica reciente es el que firmó el sistema educativo de Gary, Indiana, con la corporación Behavioral Research Laboratories, de Palo Alto, California.[5] La corporación se hizo cargo de la enseñanza en una escuela elemental de unos 800 alumnos en un área de desventaja cultural. Se comprometía a elevar los promedios nacionales en lectura y en aritmética de los niños de esa escuela en un término de tres años. Al igual que en el caso antes mencionado, los contratos que se han preparado en los Estados Unidos especifican la cantidad de dinero a pagar por cada niño que alcance los niveles acordados. Algunas de las corporaciones privadas contratantes emplean los maestros del sistema, ayudados por paraprofesionales y otros recursos. Algunas corporaciones no emplean a los maestros y, en su lugar, utilizan los servicios de otro personal. Las asociaciones magisteriales se han opuesto a esta práctica al igual que a la dependencia exclusiva de pruebas como medidas que determinan el progreso de los niños. Estudios llevados a cabo han revelado que los niños objeto de estos contratos no han tenido logros significativos en comparación con los logros de los grupos de control.[6] A base de estos resultados, no se puede decir, sin embargo, que el sistema de contratos sea un fracaso total.

### El sistema de certificados garantizados

Este sistema ofrece una alternativa a los padres porque pueden escoger el tipo de escuela donde van a mandar a sus hijos. Los padres que se acogen a este sistema reciben unos certificados del gobierno que pueden presentar en la escuela de su predilección. La escuela, a su vez, presenta el

---

5. James A. Mecklenburger y John A. Wilson. *The Performance Contract in Gary.* En *Phi Delta Kappan*, Vol. LII, No. 7, March, 1971, pp. 406-410.
6. Ronald G. Corwin. *Education in Crisis: A Sociological Analysis of Schools and Universities in Transition.* New York: John Wiley and Sons, Inc., 1974, p. 278.
7. James A. Meckenburger. *Epilogue: The Performance Contract in Gary.* En *Phi Delta Kappan*, Vol. LIV, No. 8, April, 1973, pp. 562-563.

certificado a la oficina de gobierno llamada a administrar el programa y recibe paga por los servicios que presta al estudiante.

Se espera que los padres escojan diversos tipos de escuelas que satisfagan las necesidades de sus hijos: tradicionales e innovadoras, públicas y pribadas. Muchos se cuestionan si el padre promedio está preparado para hacer esta selección sabiamente.

El plan estimula a los maestros y administradores a mejorar el programa educativo para que pueda atraer a los estudiantes. Los programas que no se mejoran se quedarán sin alumnos. El plan contempla que aumenten las escuelas con programas experimentales e innovadores. El sistema de certificados garantizados está íntimamente relacionado con el concepto de responsabilidad, que discutimos en el capítulo anterior. Los padres, aunque indirectamente, a través de la compra de unos servicios educativos, pueden hacer a las escuelas responsables de la educación que prometen.

Como los reformistas buscan romper con el monopolio de la escuela pública, este plan ha sido aceptado por muchos educadores liberales. Poner las finanzas y parte del control de las escuelas en manos de los padres socava la burocracia de la educación pública, que los reformistas acusan de inflexible y poco innovadora. No cabe duda que este sistema puede representar una amenaza a la escuela pública. Por esta razón es que no ha tenido tanta acogida ni cuenta con el respaldo de las organizaciones del magisterio.

### ALTERNATIVAS FUERA DEL SISTEMA DE EDUCACIÓN PÚBLICA

Hasta ahora, las alternativas que hemos presentado ocurren dentro del sistema educativo. Son ideadas por el sistema, controladas o auspiciadas por el mismo. Surgen como consecuencia del reconocimiento de que las escuelas tienen fallas que pueden mejorarse, pero todas aceptan la institución educativa como el lugar desde donde pueden hacerse las reformas. Todas ofrecen cambios en el currículo y mayor libertad para estudiantes y profesores, pero no alteran las relaciones fundamentales entre maestro y discípulo. No se descarta el uso de la tecnología en todos aquellos casos en que esta pueda utilizarse. Tampoco se prescinde del uso de los recursos de la comunidad para suplementar o complementar la función educativa de la escuela. Se requiere el empleo de maestros profesionales debidamente certificados, y la escuela es la que determina los conocimientos que deben poseer los estudiantes.

### Alternativa a la escuela (alternative school)

Durante los últimos años se ha visto surgir una nueva tendencia que consiste en abandonar la escuela tradicional y crear nuevas estructuras fuera del sistema. Son alternativas a la escuela pública, libres del sistema de educación. Algunas de estas escuelas se establecen por los mismos estudiantes, por los maestros o los padres. En la medida en que solo admiten a una clase determinada de alumnos, como a menudo ocurre, los ricos, inteligentes, blancos o negros, pueden representar una escuela separatista, elitista o racista.

Estas escuelas fuera del sistema educativo se conocen con diversos nombres. Algunas ni siquiera se llaman escuelas. En algunos lugares se les conoce como escuelas de la comunidad porque son creadas, sostenidas y controladas por los padres. Generalmente estas escuelas permanecen abiertas muchas más horas que las escuelas públicas corrientes. Otras han surgido como consecuencia del movimiento de los derechos civiles y se llaman escuelas de la libertad (*freedom schools*). Aspiran a reconstruir la sociedad y luchan por la igualdad del negro. Persiguen unos objetivos políticos claros. Sus objetivos, currículo y organización son completamente diferentes a la escuela tradicional. También se sostienen con aportaciones de la comunidad.

Es difícil determinar el número exacto de alternativas porque las mismas surgen y desaparecen rápidamente. En un momento dado puede haber de 400 a 500; todas iniciadas y administradas por grupos de ciudadanos. Se reúnen en cualquier lugar que encuentran disponible —tiendas, casas, oficinas y sótanos de iglesias.

Como hemos dicho antes, este tipo de escuela es de corta duración. No más de la tercera parte de las que han surgido del 1969 para acá, han sobrevivido. Su promedio de vida es de dos años. Desaparecen por muchas razones, pero principalmente debido a dificultades económicas y las diferencias de criterio entre los que las fundaron. Los objetivos para los cuales se crearon son a menudo motivo de discrepancias entre sus miembros. Algunas quieren desarrollar estilos de vida diferentes, algunas tienen una orientación radical, conocidas como escuelas contra cultura (*counter culture schools*). Grubard [8] cree que mientras más responden a motivos políticos, menos posibilidades de supervivencia tienen.

La experiencia está demostrando que las que perduran son aquellas escuelas que más se parecen a las escuelas tradicionales que ellas mismas rechazan. Puede que no les ayude a subsistir el que la escuela pública cree alternativas dentro del sistema educativo que atraigan a más y más alumnos. De ser esto cierto, las alternativas quedarían para los grupos marginados y los más radicales.

Aunque compite con la escuela pública, este movimiento no la va a remplazar por ahora. Puede que las alternativas que existen actualmente, por su diversidad y sus problemas internos, no puedan ofrecer, como promedio, una educación superior a la de la escuela pública. Pueden, sin embargo, tener un efecto positivo en la educación pública. Debido a la competencia que recibe de afuera, la escuela pública tendrá que mejorar y hacerse más responsable a la gran mayoría de la sociedad.

## Exponentes de esta alternativa

Hay un grupo de personas que durante los últimos años se ha expresado en torno a la eliminación de la escuela y a favor del establecimiento de alternativas fuera del sistema de educación pública. Discutiremos brevemente las ideas de algunas de estas personas.

*Ivan Illich.* El más vocal de los críticos de la educación formal en los últimos años es Ivan Illich, del Centro Intercultural de Documentación

8. Allen Grubard *Free the Children: Radical Reform and the Free School Movement.* New York: Pantheon Books, 1973.

(CIDOC), en Cuernavaca, México. Defiende la tesis de que la escuela es producto de una sociedad en crisis. Esta crisis se refleja en la institución haciéndola inoperante y obsoleta y la única solución es eliminarla, quitándole así el monopolio de la educación. Según Illich la escuela no llena su cometido y tampoco puede proveer la educación universal que pretende. Sigue diciendo Illich, que la escuela engendra el prejuicio y el discrimen, confunde al alumno en vez de educarlo y mata la curiosidad natural del aprendiz. Por el efecto negativo que produce en el educando, la escuela debe eliminarse y con ella toda la burocracia educativa. La única manera de liberar al aprendiz sería quitándoles el control de la educación a los maestros y a las escuelas. Con la abolición de la escuela se establecerían solamente aquellos mecanismos que protegerían la autonomía del aprendiz para aprender lo que quiera. Mucho puede aprenderse, alega Illich, en relaciones informales. Este aprendizaje resultaría más placentero y aumentaría la motivación del alumno para seguir aprendiendo.

En vez de emplear maestros profesionales para enseñar un currículo predeterminado como se hace hoy día, Illich sugiere el uso de una red de comunicaciones, que describe en su libro *Deschooling Society*.[9] Esta red incluye bibliotecas, museos, teatros, fábricas y fincas, entre otros, que tomarían a los estudiantes en calidad de aprendices. También propone el establecimiento de estaciones de destrezas (*skill exchanges*) que permitirían a las personas exponer sus destrezas y las condiciones bajo las cuales podrían servir de modelos a otros que quisieran aprenderlas. Illich propone, además, una red de comunicaciones que permita a las personas describir las actividades de aprendizaje en que estén interesadas en la esperanza de hallar a otra que quiera acompañarle en esa aventura. Recomienda asimismo que se prepare un catálogo con nombres y direcciones de profesionales, paraprofesionales, escritores, fotógrafos, etc., y las condiciones bajo las cuales están disponibles para enseñar sus destrezas a los interesados.

Según él lo describe, no haría falta un establecimiento educativo para llevar a cabo ese programa. Tampoco haría falta la burocracia educativa que envuelve la construcción de escuelas, la contratación de maestros, la elaboración de un currículo, la compra de libros de texto, la supervisión de la instrucción y el mantenimiento de la edificación escolar.

Estas ideas son consideradas muy radicales por muchas personas, quienes consideran a Illich anárquico. Son mayormente aceptadas por aquellas que rechazan aspectos fundamentales de la sociedad americana. Es conveniente anotar que Illich mismo admite que su sociedad necesita elaborarse más ampliamente. Una sociedad descolarizada, como él propone, no existe hoy día en ningún lugar del mundo.

*Everett Reimer*. Perteneciente a la facultad del CIDOC, igual que Illich, Reimer critica fuertemente la educación moderna. Propone la eliminación de la burocracia educativa y de la escuela formal. Al igual que Illich, favorece el establecimiento de redes de comunicación que tomen las funciones de la escuela. Expresa sus ideas en su obra *La escuela ha muerto*.[10]

---

9. Ivan Illich. *Deschooling Society*. New York: Harper and Rowe Publishers, 1971.
10. Everett Reimer. *La escuela ha muerto: alternativas en materia de educación*. Cuarta edición. Barcelona: Barral Editores, S.A., 1973. En inglés: *School is Dead: Alternatives in Education*. New York: Doubleday and Company. 1970.

*Paul Goodman.*[11] Desde mucho antes que Illich, ya Goodman había empezado a hacer críticas a la educación. Para Goodman, la rebelión estudiantil es evidencia de que los estudiantes no quieren estar en esa institución. El ambiente académico de la escuela no es apropiado para los jóvenes de hoy, según él. En lugar de la escuela superior recomienda un sistema de educación incidental en el cual los estudiantes participan en todas las actividades de la sociedad como un medio para educarse. Este sistema se llamaría *comunidades de jóvenes.* También cree que el gobierno federal debe asignar dinero directamente a periódicos, estaciones de radio, teatros y organizaciones musicales para adiestrar y emplear a los jóvenes que hayan abandonado la escuela.

Hace fuertes críticas a la educación universitaria, en especial a la organización y administración de los colegios. Recomienda el establecimiento de colegios pequeños, compuestos de aproximadamente 15 profesores y 150-200 estudiantes, sin administración. Los estudiantes pagarían las cuotas directamente a los profesores, se alquilarían los salones de clases y se usarían las bibliotecas públicas y las facilidades culturales.

## ALTERNATIVAS A LA EDUCACIÓN UNIVERSITARIA

Las alternativas están llegando a las universidades a pasos agigantados. La enseñanza en el salón de clases va acompañada de seminarios en el campo, experiencias de laboratorio, proyectos de acción social en la comunidad, internados en las agencias públicas y privadas y programas de estudio y trabajo. Estas experiencias son parte de algunos cursos o son cursos por sí solas, lo que quiere decir que los estudiantes reciben crédito por ellas. Los profesores universitarios participan en la supervisión de las mismas. Estas alternativas son muy aceptadas por los estudiantes porque les permiten ganar crédito académico sin tener que asistir regularmente a la universidad.

Por otro lado, un buen número de estudiantes, no satisfechos con la educación colegial tradicional, han optado por buscar alternativas. Entre estas se encuentra el servicio en los Cuerpos de Paz, Vista o las fuerzas armadas. Otros optan por viajar por el mundo, emplearse por un año o dos antes de entrar a colegios o participan en programas de servicio social.

Uno de los mejores ejemplos que facilita a los estudiantes recibir crédito sin asistir al recinto, lo ofrece la universidad abierta, de Inglaterra. Los adultos, utilizando su tiempo libre, pueden completar grados universitarios en un período de tres a seis años. Escuchan conferencias por radio, ven programas por televisión y toman cursos por correspondencia. Usan las bibliotecas para prepararse para los exámenes que se ofrecen en unos 250 centros. En estos centros hay tutores y consejeros que ofrecen ayuda a los que la necesitan. Los estudiantes asisten a una sesión de verano de una semana en uno de los doce centros especiales o en los colegios. Hacen sus estudios a su propio ritmo y en horarios y fechas convenientes.

La contraparte de esta modalidad en los Estados Unidos es la universidad sin paredes, un consorcio de unos treinta centros de enseñanza superior. Los estudiantes toman cursos en sus propios colegios o se mudan a los colegios

---

11. Vea la bibliografía al final de este capítulo para la lista de obras de Goodman.

cooperadores para algunos cursos. Combinan los estudios formales con internados en la industria, el comercio, el gobierno u otras agencias. En estas experiencias el estudiante es ayudado por profesores de las universidades y otro personal que participa en el programa, como líderes del comercio y la industria, artistas, científicos y periodistas. El programa hace uso intensivo de la televisión y la radio, los discos y las cintas magnetofónicas. También se ofrecen cursos de estudio independiente. Con la ayuda de consejeros, los estudiantes deciden lo que quieren aprender de esta manera.

Los propulsores de la universidad sin paredes creen que el estudiante aprende mejor si él mismo determina sus metas educativas y los medios para lograrlas y estudia a su propio ritmo. En la evaluación de los logros, participa el propio alumno y todas aquellas personas que colaboran con él. Todos juntos deciden cuándo el estudiante está preparado para recibir el grado universitario.

## RESUMEN

En la década del 70 se han recrudecido las críticas al sistema escolar y los reformistas claman por establecer alternativas. Unos quieren hacer cambios a la institución educativa, operando desde dentro del sistema. Otros, los radicales, opinan que la situación está tan deteriorada que es mejor eliminar la escuela y establecer alternativas fuera del sistema educativo. En este capítulo hemos discutido ambos tipos de alternativas.

Como una solución a los problemas de la educación, muchas comunidades en los Estados Unidos han establecido escuelas de alternativas dentro del sistema de educación. Estas escuelas ofrecen diversas opciones a los estudiantes. Garantizan un aprendizaje más efectivo y permiten a los estudiantes trabajar en un ambiente más placentero, siguiendo sus propios estilos de aprender. Este tipo de escuela surge como consecuencia de algún problema que afecta la comunidad, como deserción escolar, ausencias frecuentes, fracasos o delincuencia. Se han organizado tipos de escuelas alternativas —escuelas abiertas, sin paredes, bilingües, multiculturales, étnicas, libres y de integración. Todas dan mayor libertad al estudiante y lo relevan de un alto grado de control por los adultos.

Además de la llamada escuela de alternativas, hay otras formas de ofrecer opciones dentro del sistema educativo. Una educación es a través del uso de la educación no formal. Es la educación que ocurre en una variedad de ambientes —industrias, talleres, fincas, organizaciones sociales, centros culturales y también a través de la prensa, la radio y la televisión. Se ha recomendado que se intensifique el uso de estas agencias en la educación de los jóvenes y se otorgue crédito académico por la participación del estudiante en actividades significativas, que guarden relación directa con los objetivos de la escuela secundaria. Otras alternativas dentro del sistema educativo lo constituyen los contratos de ejecución y el sistema de certificados garantizados. Ambas alternativas son retos al monopolio del sistema de educación pública.

Las alternativas fuera del sistema educativo no han tenido hasta la fecha tanta aceptación como las primeras. Son más bien alternativas a la escuela que escuelas de alternativas. Son escuelas controladas por la comunidad. Este tipo de escuela es de corta duración. No han podido subsistir por mucho tiempo debido a razones económicas y a discrepancias entre los fundadores. Las que han perdurado se parecen más a las escuelas tradicionales, que ellas rechazan.

Los más radicales reformistas, entre ellos, Ivan Illich como su exponente máximo, están a favor de eliminar la escuela formal y establecer una sociedad descolarizada. Illich expondría a los estudiantes a internados en bibliotecas, museos, teatros, aeropuertos y fincas, donde serían sometidos a experiencias de aprendizaje de su particular interés y selección. Reimer cree como Illich en una sociedad sin escuelas. Goodman crearía comunidades de jóvenes, donde estos participarían directamente en todas las actividades de la sociedad.

Finalmente, hemos discutido las alternativas al nivel colegial, destacando la universidad abierta de Inglaterra y la universidad sin paredes de los Estados Unidos. Estos centros facilitan al estudiante ganar créditos y grados, sin asistir regularmente a la institución universitaria. El estudiante estudia a su propio ritmo, siguiendo sus legítimos intereses.

## LECTURAS

Adams, Don y Gerald M. Reagan. *Schooling and Social Change in Modern America..* New York: David McKay Company, Inc., 1972.

Bookock, Sarane S. *An Introduction to the Sociology of Learning.* Boston: Houghton Mifflin Company, 1972, Capítulo 14.

Bremer, Anne y John Bremer. *Open Education: A Beginning.* New York: Holt, Rinehart and Winston, 1972.

Bremer, John y Michael von Moschzisker. *School without Walls.* New York: Rinehart and Winston, 1971.

Cave, William C. y Mark A. Chesler. *Sociology of Education: An Anthology of Issues and Problems.* New York: Macmillan Publishing Co., Inc., 1974, Parte III — E.

Corwin, Ronald G. *Education in Crisis: A Sociological Study of Schools and Universities in Transition.* New York: John Wiley and Sons, 1974, Capítulo 6.

Cox, Donald William. *The City as a Schoolhouse: The Story of the Parkway Program.* Valley Forge: Judson Press, 1972.

Cross, K. P. et. al. *Planning Non-traditional Programs.* San Francisco: Jossey-Bass, 1974.

De Carlo, Julia E. y Constant A. Madon (eds.). *Innovations in Education for the Seventies. Selected Reading.* New York: Behavioral Publications, 1973.

Fantini, Mario D. *Public Schools of Choice: A Plan for the Reform of American Education.* New York: Simon and Schuster, 1973.

Ford Foundation. *A Foundation goes to School: The Ford Foundation Comprehensive School Improvement Program 1960-1970.* New York: The Ford Foundation, 1972.

Freire, Paulo. *Pedagogy of the Oppressed.* New York: Herder and Herder, 1971.

Goodman, Paul. *Growing up Absurd.* New York: Harper and Bros., 1960.

———. *The Community of Scholars.* New York: Random House, 1962.

———. *People or Personnel.* New York: Random House, 1963.

———. *Compulsory Mis-Education.* New York: Horizon Press, 1964.

———. *New Reformation: Notes of a Neolithic Conservative.* New York: Random House, 1971.

Grubard, Allen. *Free the Children: Radical Reform and the Free School Movement.* New York: Pantheon Books, 1973.

Holt, John. *Freedom and Beyond*. New York: E. P. Dutton, 1972.

Illich, Ivan. *Deschooling Society*. New York: Harper and Rowe Publishers, 1971.

Kozol, Jonathan. *Free Schools*. Boston: Houghton Mifflin Co., 1972.

Martin, John Henry y Charles H. Harrison. *Free to Learn: Unlocking and ungrading American Education*. New Jersey: Prentice-Hall, 1972.

Mecklenburger, James A. John A. Wilson. *The Performance Contract in Gary*. En *Phi Delta Kappan*, LII, No. 7, marzo de 1971, 406-10.

———. *Epilogue: The Performance Contract in Gary*. En *Phi Delta Kappan*, LIV, No. 8, abril de 1973, 562-63.

National Commission on the Reform of Secondary Education. *The Reform of Secondary Education*. New York: McGraw-Hill Book Co., 1973, Capítulos 7, 8, 9.

*Phi Delta Kappan*, LIV, No. 7, marzo de 1973. Número especial sobre las escuelas de alternativas.

Reimer, Everett. *La escuela ha muerto: alternativas en materia de educación*. Cuarta edición. Barcelona: Barral Editores, S.A., 1973.

Saxe, Richard W. (ed.). *Opening the Schools: Alternative ways of Learning*. Berkeley: McCutchan, 1972.

Smith, Vernon H. *Alternative Schools: The Development of Options in Public Education*. Lincoln, Nebraske: Professional Educators Publications, Inc., 1974.

Stent, Madelon D. y otros. *Cultural Pluralism in Education: A Mandate for Change*. New York: Appleton-Century-Crofts, 1973.

Thomas, Donald R. *The Schools Next Time: Explorations in Educational Sociology*. New York: McGraw-Hill Book Company, 1973, Capítulos 4, 6, 8.

Turnbull, Brenda J. y otros. *Promoting Change in Schools: A Diffusion Casebook*. San Francisco: Far West Laboratory for Educational Research and Development, 1974.

Watson, Goodwin (ed.). *Change in School Systems*. Washington, D.C.: National Education Association, National Training Laboratories, 1967.

# CAPÍTULO XXI

## EL PROCESO DE CAMBIO EDUCATIVO

El Capítulo VI de este volumen se dedicó enteramente a la discusión del cambio social y la educación. Allí destacamos el hecho de que el cambio es una característica sobresaliente del mundo moderno. Discutimos ampliamente aquellos aspectos del cambio que mayor efecto tienen en la sociedad y las implicaciones de esos cambios en el sistema educativo en general y en la escuela en particular. Señalamos la necesidad de que la educación se ajuste a este mundo de grandes transformaciones sociales. Asimismo destacamos la importancia del maestro como agente de cambio.

No estudiamos en el Capítulo VI cómo se produce el cambio educativo. Creemos que donde mejor corresponde este tema es en la sección de este libro dedicada a las innovaciones educativas.

En los primeros tres capítulos de esta sección hemos hecho hincapié en las fallas que se señalan a la educación moderna y a las críticas que se hacen a la escuela. Entre esas se encuentran los métodos de instrucción rígidos e inflexibles, la poca atención al aprendiz como individuo, el aprovechamiento académico deficiente de los alumnos, la formalidad en los salones de clases, las relaciones poco satisfactorias entre profesores y estudiantes y el disgusto de un gran número de maestros con su profesión. También hemos discutido una variedad de innovaciones que se han adoptado en algunos sistemas para atender esas fallas.

En este capítulo hacemos resaltar el significado del proceso de cambio planeado, tan imprescindible para reformar el sistema educativo. Se discuten los siguientes aspectos: la definición del proceso, los blancos de cambio, los agentes, las estrategias, la implementación, la evaluación y la institucionalización del cambio, incluyendo la formulación de un plan para la renovación del sistema escolar. Finalmente, hacemos algunos comentarios en relación con el proceso de cambio en la educación puertorriqueña, destacando la participación del maestro.

### NECESIDAD DEL CAMBIO

Para entender las fallas y críticas que se hacen a la educación es necesario hacer cambios e introducir innovaciones. Muy pocas de estas se han puesto en práctica y muchas de las que se han introducido se han descontinuado antes de evaluarse debidamente. Hay un buen ambiente para introducir cambios. Nos hemos hecho más conscientes de las injusticias y desigualdades en nuestra sociedad y de la responsabilidad de la escuela ante estos problemas. Los padres están ejerciendo mayor presión para que se mejora la efectividad de la escuela y demandan una educación que responda a una sociedad cambiante. Se están haciendo esfuerzos por mejorar las oportunidades educativas de los menos privilegiados. Los nuevos hallazgos sobre la inteligencia humana y el proceso de aprendizaje justifican también el que se produzcan cambios en la forma en que estamos conduciendo el proceso educativo.

Es necesario, por lo tanto, que todo el personal escolar conozca el proceso de cambio. Este es un proceso inexorable. El cambio debe institucionalizarse en nuestras escuelas, o estaremos en conflicto. Como dice Allen,[1] la escuela está al borde de desaparecer sino cambia para satisfacer las necesidades de nuestra sociedad contemporánea.

Existen algunos factores que afectan el ritmo del cambio. Dos de estos tienen que ver con la lentitud del cambio y con la resistencia que se ofrece a la introducción de innovaciones. A continuación consideramos estos dos factores.

*Lentitud del cambio*

Se llevan a cabo una gran variedad de proyectos innovadores: la enseñanza en equipo, la escuela sin grados, los laboratorios de idiomas y los nuevos currículos en ciencias y matemáticas. Se introducen lentamente estas innovaciones y algunas veces nunca se llegan a establecer completamente. En un estudio realizado en los Estados Unidos[2] se encontró que el dos por ciento de las instituciones educativas habían adoptado esas innovaciones en un período de cinco años. La única excepción fue la matemática moderna que en un término de seis años se adoptó por el 88 por ciento de las escuelas.

En un estudio hecho por Mort se encontró que tomó 15 años para que el 50 por ciento de las escuelas adoptaran una innovación como el kindergarten y que podría tomar hasta 50 años el adoptarse en todo el sistema. El estudio de Mort se realizó hace algún tiempo, pero investigaciones recientes confirman los hallazgos de este educador. En un estudio preparado en 1970 para la Oficina Federal de Educación, Gideon señala que menos del 15 por ciento de las escuelas elementales y secundarias de la nación norteamericana habían implantado la enseñanza en equipo, la escuela sin grados o la instrucción programada. Igual hallazgo hace Goodlad en otro estudio reciente. Todo demuestra que las escuelas son muy lentas en adoptar innovaciones. A pesar de que hay muchas fuerzas que estimulan el cambio y se hacen esfuerzos por adoptar el sistema a esas fuerzas, todavía hay mucha resistencia al cambio.

---

1. Dwight Allen. *A New Direction for the Changing School*. En *Strategies for Change*. Abington, Pa.: Abington Learning. Associates, 1969. Citado en David R. Cook. *Guidance for Education in Revolution*. Boston: Allyn and Bacon, Inc., 1971, p. 453.

2. Los estudios mencionados en esta sección aparecen resumidos en el libro de Ronald G. Corwin, *Education in Crisis: A Sociological Analysis of Schools and Universities in Transition*. New York: John Wiley and Sons, Inc., 1974, pp. 319-321.

*Resistencia al cambio*

¿Por qué no se ponen en práctica las innovaciones recomendadas? Es difícil contestar esta pregunta categóricamente. Analicemos las respuestas que nos ofrecen algunos investigadores.[3]

La forma en que se recibe una innovación depende de las características envueltas en el proceso de innovación: (1) las características de la innovación misma; (2) el alcance del cambio; (3) la forma en que se introduce; (4) las características del sistema y (5) las características de los miembros del sistema social. Veamos cada uno de estos puntos separadamente.

*Características de la innovación misma.* Los individuos tienden a ver la ventaja de una innovación a base de si ellos creen que es superior o no a las ideas o prácticas que reemplaza. No se conforman con que la innovación pueda mejorar algunas de las prácticas o remediar un mal, sino muchos males a la vez. Mientras más compatible sea la innovación con las prácticas y valores existentes, más receptivos al cambio se sentirán los miembros del sistema. Mientras más compleja la innovación, más costará implementarla. El costo no se mide solo en términos de dinero, sino también en la forma en que puede afectarse el status y el prestigio de las personas envueltas.

*El alcance del cambio.* La innovación puede tener un alcance limitado o ilimitado. Puede requerir el sustituir un elemento por otro, hacer una adición a los elementos existentes, reorganizar los que están en vigor o envolver una modificación de nuestros valores culturales. Mientras más compleja la innovación, mayor será el alcance del cambio, pero mayor resistencia encontrará.

*La forma en que se introduce la innovación.* Cómo se recibe la innovación dependerá de quién la introduce y bajo qué condiciones. Muchas veces se impone el cambio desde arriba, por la persona que tiene el poder. La innovación así impuesta tiene la ventaja de contar con el apoyo administrativo, pero puede ser saboteado por los subordinados, que no han sido consultados. Por otro lado, si se consulta mucho a los afectados puede que surjan modificaciones dirigidas a satisfacer sus intereses personales y profesionales que alteren sustancialmente la innovación.

*Las características del sistema.* Algunos sistemas sociales son menos sensibles al cambio que otros. Entre los menos sensibles se encuentra la escuela, por varias razones: el alto grado de institucionalización, la resistencia a influencias externas, la centralización en la elaboración del currículo, la rigidez en la división de trabajo, las prácticas inflexibles en la agrupación de los alumnos y la inercia de la estructura. Todas estas características hacen de la escuela un sistema más tradicional que innovador.

*Las características de los miembros.* Es de mucha ayuda el que los miembros de una organización estén personalmente comprometidos con la deseabilidad del cambio. Mientras mayor sea el número de miembros en una organización que pueda clasificarse como innovadores, más receptiva estará al cambio.

Nadie puede negar que están ocurriendo cambios en la escuela, a pesar de las fuerzas que los resisten o los retardan, pero tampoco podemos negar

---

3. *Ibid.*, pp. 321-325.

que estamos insatisfechos con el ritmo de cambio. Quisiéramos que ocurrieran más cambios, y que estos se incorporaran al sistema a un ritmo más acelerado. Para conseguirlo tenemos que educar a los maestros y todo el personal escolar con respecto al proceso de cambio planeado.

### El cambio planeado

Las innovaciones que se producen pueden ser el resultado de cambios sin planificación, que no se pueden controlar fácilmente, o de cambios planeados. Para propósitos de este capítulo vamos a dar importancia al cambio planeado, porque creemos que podemos aprender a dirigir deliberadamente este proceso.

### Definición

Definimos el cambio planeado como un esfuerzo por producir cambios en una organización en una forma consciente, deliberada e intencional, a través de la utilización y aplicación de los conocimientos de las ciencias de la conducta.[4] Esta definición no excluye el que como resultado del proceso planeado puedan surgir cambios no planeados o secundarios, que no se anticipan, como pueden ser las relaciones de rivalidad entre los maestros de un plantel.

Como dice Johnson,[5] el cambio planeado envuelve una relación de ayuda entre un cliente (la organización a ser afectada por el cambio) y el agente de cambio (la persona o grupo que trabaja para producir el cambio). El agente, a través de la utilización y aplicación del conocimiento de las ciencias de la conducta, tiene un marco conceptual desde el cual trata de ayudar al cliente a cambiar, y un cuerpo de conocimientos desde el cual controla y dirige el proceso de cambio. Por una actitud de ayuda se entiende un esfuerzo combinado entre el cliente y el agente de cambio. Envuelve la determinación conjunta de los objetivos del proceso. Establece la confianza necesaria para poder trabajar juntos en la búsqueda e interpretación de datos. La actitud de ayuda es un medio de atenuar los temores y la resistencia.

### Blancos del cambio

Para poder llevar a cabo el proceso de cambio es muy importante identificar los blancos a que se quiere apuntar. Muchas veces las dificultades en el proceso de cambio organizacional se deben a que los agentes no han identificado claramente los blancos. Para determinar los mismos es necesario diagnosticar la situación cuidadosamente. Se ha dado el caso de que un proyectado cambio ha fracasado porque los agentes no han identificado los blancos correctamente. Han tratado de cambiar las actitudes de los miem-

---

4. Hemos adoptado la definición que nos da David W. Johnson en *The Social Psychology of Education*. New York: Holt, Rinehart and Winston, Inc., 1970, p. 253.
5. *Ibid.*, pp. 253-254.

bros cuando lo que debieron haber cambiado era la estructura de la organización.

Los blancos a que se dirige el cambio son varios. Incluyen mucho más
que los individuos o la estructura de una organización. Johnson [6] identifica
los blancos de la siguiente forma: (1) las personalidades, las destrezas y las
actitudes de los miembros; (2) los roles, las normas, los patrones de comunicación, las relaciones interpersonales, las relaciones de poder y la efectividad del equipo de trabajo y de la organización como un todo para resolver problemas; (3) la tecnología de la organización; que aplicada a la escuela
se refiere al currículo, los métodos de agrupación, la enseñanza en equipo, el
horario modular, la instrucción programada y la computadora y (4) los objetivos de la organización.

Se pueden utilizar distintos métodos para estudiar concienzudamente el
funcionamiento de una organización y determinar los blancos. Algunos de
los métodos recomendados son la entrevista, el cuestionario y la observación.

## EL AGENTE DE CAMBIO

En casi todas las organizaciones, hay personas que por la posición de
liderato que ocupan o por su preparación o cualidades de personalidad, promueven el cambio. Es muy importante que una organización que quiera
efectuar cambios, cuente con personas que puedan determinar las necesidades de cambio o qué aspecto justifican cambiarse, los blancos de cambio y
los métodos que se utilizarán para lograrlo.

Los agentes de cambio pueden venir de afuera, pero también pueden
estar dentro de la organización y funcionar desde ese lugar.

### Agentes externos de cambio

Una serie de fuerzas externas afectan continuamente el equilibrio del
sistema. Pueden ser fuerzas provenientes de otras agencias del gobierno, de
agencias privadas, de la profesión misma, de la comunidad o de los padres
específicamente.

Las personas de afuera que representan estas fuerzas, pueden ser agentes externos de cambio. Pueden ejercer su influencia desde afuera, a través
de las fuerzas externas de cambio, sin necesidad de acercarse físicamente
a la escuela. También pueden venir al sistema por un período de tiempo para
promover cambios. No pueden, sin embargo, permanecer aislados de las
fuerzas internas. En muchos casos, para que el cambio sea efectivo, es necesario que las fuerzas externas combinen sus esfuerzos con las internas y
trabajen juntas para lograr lo que desean.

El sistema, consciente de la necesidad de producir cambios, puede traer
personas de afuera, en calidad de consultores. El consultor es un agente externo de cambio. Después que ofrece el asesoramiento, el consultor se retira.
No permanece en el grupo para ver el desarrollo del cambio ni vivir con este
después de lograrlo. Sin embargo, el consultor puede regresar en diferentes

---

6. *Ibid.*, p. 255.

períodos, ofrecer el asesoramiento requerido, ayudar a evaluar lo que se ha logrado y hacer sus recomendaciones.

*Agentes internos*

Algunas personas creen que todos los cambios son promovidos por personas de afuera. Esto no es completamente cierto, ya que también dentro de la organización hay personas que promueven cambios.

Hay funcionarios dentro del sistema, específica y formalmente designados para promover y administrar el cambio. Estas personas desempeñan funciones especializadas como planificadores, investigadores y evaluadores. Todas son agentes de cambio planeado. Aunque no están asignadas a una escuela en particular, son parte del sistema. Pertenecen al distrito escolar, a la región o al nivel central del Departamento de Instrucción. Son personas con preparación especializada y experiencia en sus respectivos campos. Son recursos valiosos que pueden ayudar a la escuela o al distrito a buscar la mejor solución a un problema que les afecta.

Otra importante función de estos especialistas es la de formular proyectos a largo plazo que garanticen el cambio planeado. El especialista, trabajando individualmente o en equipo, hace las veces de un pronosticador del futuro de una situación a través del conocimiento del pasado y del presente. A base de este conocimiento hace proyecciones futuras, en varias áreas bajo estudio, como por ejemplo, la matrícula esperada en el distrito en los próximos diez años, los gastos, el plantel escolar o el personal docente. De esta manera los especialistas ejercen funciones de agente de cambio, porque ayudan a la organización a proyectarse hacia el futuro y a prepararse para el cambio esperado.

Además de estos especialistas designados especialmente para desempeñar funciones de cambio, hay otros dentro de la organización que también realizan esta tarea. Son personas que por la posición de liderato que ocupan, tienen la función de promover el cambio como parte de sus otras funciones en la organización. Nos referimos a los administradores —superintendentes, supervisores y directores— y a los maestros.

*Los administradores.* En cualquier organización el ejecutivo principal juega un papel importante en el proceso de cambio. En el caso del sistema educativo, se trata del director regional, el superintendente de escuelas o el director del plantel. Son personas con poder, que muy bien pueden facilitar o bloquear las fuerzas de cambio. Se ha demostrado que las innovaciones son más efectivas cuando se inician en la administración o cuando tienen su apoyo directo. Tratar de iniciar un cambio en la conducta de los miembros que ocupan una baja posición en la jerarquía de autoridad es frustrante, a menos que se tenga la seguridad de que la administración favorece esos cambios. El éxito de un cambio en la organización depende del apoyo de los administradores. Esto no quiere decir que para producir cambios no se deba trabajar con los que ocupan posiciones bajas, porque como hemos dicho antes, para que un cambio tenga éxito es necesario envolver a todos los afectados en la planificación e implementación del mismo.

*Los maestros.* A pesar de que reconocemos la posición ventajosa en que se encuentra el administrador para dirigir el cambio, no queremos decir que este sea la única persona que puede promover cambios. Por su contacto con los jóveens, los maestros están en buena posición para compenetrarse de los cambios que ocurren y de la necesidad de que la escuela se adapte a los mismos. La presencia del maestro innovador y creador en una facultad es una fuerza poderosa de cambio. Debe ofrecérsele toda la ayuda posible a este tipo de maestro para que desarrolle sus potencialidades al máximo. Debe estimulársele continuamente mientras se encuentre en el proceso de innovar y en el desarrollo de nuevos comportamientos. Debe ofrecérsele oportunidad de estudiar, de leer, de relacionarse con otros maestros innovadores y de visitar proyectos nuevos donde se pongan en práctica los últimos desarrollos de la pedagogía.

El agente de cambio puede surgir en cualquier nivel y generar suficiente poder para poder producir innovaciones. Como dice Watson,[7] cualquier persona en el sistema educativo, desde el superintendente para abajo, hasta el alumno de kindergarten, tiene algún potencial como agente de cambio.

El maestro juega un papel importante en el cambio. Es necesario contar con él, pues el maestro está en una posición clave para hacer triunfar o fracasar cualquier innovación.

### LAS ESTRATEGIAS DE CAMBIO

Después que se ha tomado la determinación de que hay que hacer ciertos cambios y se sabe qué aspectos específicos se van a cambiar, es necesario decidir las estrategias o técnicas a utilizar para promover la innovación. Vamos primero a hacer ciertos comentarios de las estrategias generales, y luego discutiremos las específicas.

### Estrategias generales

Una de las primeras cosas que debe hacer el agente de cambio es adquirir un conocimiento completo de la situación que se desea cambiar. En el caso específico de una escuela, requeriría un conocimiento cabal de las personalidades envueltas, las características de la facultad y la administración, los símbolos de *status* social, la estructura de poder, el clima de trabajo, las relaciones humanas, los valores y las actitudes del grupo y el papel de los estudiantes, los padres y las organizaciones profesionales.

Después que se tiene un buen conocimiento de la situación, hay que hacer la decisión en cuanto a las prioridades o qué problemas van a ser atacados primero. A pesar de la decisión que se tome en cuanto a las prioridades, no debe perderse de vista el sistema total, que es a la larga, lo que se quiere cambiar.

### Estrategias específicas

Hemos consultado varias fuentes que discuten las estrategias de cambio, pero de todas queremos destacar el libro de Johnson,[8] por ser más abarca-

---

7. Goodwin Watson (ed.). *Change in School Systems* Washington, D.C.: National Education Association, 1967, p. 89.
8. Johnson. *Op. cit.*, pp. 256-266.

dor, completo y claro en la exposición del tema. Las estrategias que aquí se mencionan se tomaron de este libro, aunque no necesariamente así los comentarios y explicaciones sobre las mismas. Estas técnicas pueden usarse independientemente o pueden combinarse, dependiendo de la complejidad de la organización, del cambio y de las personas envueltas.

*Decreto por una autoridad superior.* Esta es una técnica corriente de promover cambios en la organización, en que el ejecutivo, sea este superintendente o director, decreta que a partir de una fecha dada se implantará una innovación específica. El ejecutivo espera que todos los afectados acaten la orden. Por la manera impersonal, formal y directa en que se da la orden y por la falta de participación de los subordinados en esta decisión, es de esperarse que haya resistencia al cambio. Los maestros no se sentirán emocionalmente comprometidos o envueltos en esta innovación.

Algunos investigadores [9] favorecen esta estrategia, basándose en que la administración tiene muchas veces, un mejor conocimiento que los maestros de los problemas que afectan una organización. La innovación que no cuenta con el respaldo de los administradores tiene pocas probabilidades de éxito. La Fundación Ford [10] da cuenta del papel importante que juega el administrador en el éxito o fracaso de la implementación de un cambio. El administrador no es solamente importante en la planificación, sino durante todo el proceso en que la innovación se lleva a cabo. El que esto sea así, en ningún momento niega la importancia de los maestros como fuente principal de innovación, en muchos casos.[11]

*Remplazo de personal.* Esta estrategia reconoce que en una organización pueden existir ciertas personas claves que obstaculizan el cambio. De acuerdo con esta técnica, sería necesario sustituir esas personas por otras más receptivas a la innovación, con la esperanza de que el cambio de personal resulte en la aceptación del nuevo elemento que se desea adoptar.

Un ejemplo del uso de esta estrategia es el caso del superintendente de escuelas que quiere introducir la enseñanza por equipo y se encuentra con un director resistente. Decide que para introducir la innovación hay que sustituir al director, trasladándolo a otro plantel. En este caso se impone de nuevo la autoridad de la persona de más poder. Cabe preguntarnos si esta es la mejor estrategia. Aquí entran en juego una serie de factores: el arraigo que tenía en el grupo el anterior incumbente, el grado de aceptación del nuevo funcionario y la actitud de los maestros.

Un punto importante a considerar es a quién se debe nombrar para remplazar al director. ¿A un miembro del grupo o a un candidato de afuera? Es difícil hacer una recomendación categórica. La contestación depende de las características de las personas envueltas y de la situación interna de la escuela. En muchos casos, se ha encontrado que el que viene de afuera está más presto a hacer innovaciones. El que viene del mismo grupo, muchas veces trata de darle estabilidad a la organización.

Hay un detalle adicional que es muy importante. No es fácil remplazar personal, ni aún trasladarlo, máxime cuando se trata de funcionarios con

9. Corwin. *Op. cit.*, p. 334.
10. Ford Foundation. *A Foundation goes to School. Th- Ford Foundation Comprehensive School Improvement Program 1960-70* New York: The Ford Foundation, p. 33.
11. Watson. *Op. cit.*, p. 108.

permanencia, a menos que se opte por ascenderlos. Esto último no es siempre lo más conveniente. No es fácil tampoco el despedirlo, sin crear problemas. Recomendamos la lectura de un interesante artículo sobre esta situación en el estado de Nueva York.[12]

*Presentación de información.* Esta técnica presupone que una vez los individuos conozcan bien una innovación y comprendan su justificación la adoptarán automáticamente. La desventaja de esta estrategia es que la mera información no es fuente de motivación. Serán necesarios otros métodos que promuevan la motivación. Se ha probado que el individuo que recibe bien la información es aquel que estaba suficientemente motivado para el cambio.

*Adiestramiento o readiestramiento.* Esta estrategia descansa en la premisa de que una vez se les ofrecen a las personas las destrezas que necesitan, mejorarán su capacitación y aumentará la efectividad de la organización. Por ejemplo, si se quiere introducir la enseñanza individualizada será imprescindible ofrecer a la facultad todo el adiestramiento que se necesita para que pueda funcionar eficazmente. Es posible que se requieran métodos adicionales al adiestramiento para que se produzcan cambios favorables.

Cave y Chesler [13] discuten ampliametne el readiestramiento de maestros como estrategia de cambio educativo. Presentan los cinco aspectos que deben atenderse para prepararlos adecuadamente: (1) el nivel de información que los educadores tienen acerca de los estudiantes y de la comunidad; (2) la personalidad del maestro —la manera de pensar sobre su trabajo, los estudiantes, sus propias vidas, sus emociones y sus actitudes; (3) las relaciones del maestro con otro personal escolar— maestros, estudiantes, administradores; (4) la tecnología de la instrucción y (5) la imagen del futuro que tienen los maestros y el sistema escolar, ya que el cambio está concebido en alternativas y comportamientos futuros.

*Orientación individual y terapia.* El blanco de cambio en esta estrategia es la personalidad individual. Se presume que a través de la orientación personal el individuo cambiará la personalidad y su conducta en la organización. Mejorará sus relaciones interpersonales, y como resultado, la organización funcionará más efectivamente. Esta técnica resulta más provechosa cuando las personas de autoridad entorpecen un proyecto debido a problemas de personalidad. El cambio que se logre en la personalidad de esas personas a través de la terapia puede resultar en una organización más efectiva, debido a la posición influyente que las mismas ocupan dentro de la agencia.

*Adiestramiento en grupos de sensitividad o la celebración de vivenciales.* *(sensitivity-group training).* De acuerdo con Rogers,[14] uno de los métodos más efectivos para facilitar el cambio en los individuos y las organizaciones es a través de una experiencia intensa de grupo. Esta experiencia ha recibido varios nombres; uno de los más usados es adiestramiento en sensitividad o vivenciales.

El grupo que se somete a esta experiencia consiste generalmente de

12. Ellen Lurie. *Firing the Staff: How to Get Rid of Incompetent Teachers, Principals and Supervisors.* Citado en William M. Cave y Mark A. Chesler. *Sociology of Education. An Anthology of Issues and Problems.* New York: Mcmillan Publishing Co., 1974, pp.468-474
13. Cave y Chesler. *Op. cit.,* pp. 365-367.
14. Carl R. Rogers. *Freedom to Learn.* Columbus, Ohio: Charles E. Merrill Publishing Co., 1969, pp. 304-307.

10 - 15 miembros, y un líder profesional. El adiestramiento se lleva a cabo generalmente en una experiencia residencial en que los participantes viven y se reúnen por períodos que pueden variar de tres días a dos o tres semanas. Se provee máxima libertad para la expresión, exploración de los sentimientos y la comunicación interpersonal. Se da énfasis a las relaciones entre los miembros del grupo, en una atmósfera que estimula a cada uno a relajar sus defensas y los capacita para relacionarse directa y abiertamente con los otros compañeros. Las personas llegan a conocerse mejor. El clima de franqueza en que funciona el grupo genera confianza y ayuda al individuo a reconocer sus limitaciones y sus actitudes negativas hacia el cambio. Como resultado, adopta una actitud innovadora y una conducta constructiva.

En términos generales, el propósito de esta experiencia de grupo es mejorar los conocimientos y las habilidades de los participantes en las áreas de liderato y de relaciones interpersonales. Otro propósito es producir cambios en los climas de la organización en que operan los miembros.

En los últimos años, los educadores han empezado a usar esta experiencia intensiva de grupo, aunque todavía se desarrolla en pequeña escala. En las experiencias celebradas con administradores, maestros y estudiantes se ha dado énfasis al desarrollo de la capacidad de los participantes para un mejor liderato a través de las relaciones interpersonales. Se ha fomentado también un mejor conocimiento de la persona.

Rogers [15] ve grandes posibilidades al uso de esta estrategia en aquellos sistemas escolares que sienten la necesidad de efectuar cambios. En su libro, presenta un plan para implementar este propósito y los cambios que pueden esperarse de los administradores, los maestros, los alumnos y los padres que se sometan a esta experiencia. Recomienda que se establezca un plan continuo de adiestramiento para que un mayor número de personas puedan beneficiarse de esta experiencia de grupo. Solo mediante el adiestramiento continuado del personal se podrá mantener un sistema educativo en constante deseo y estímulo de cambio.

*Resultados de una encuesta.* Este es un método en que los miembros de la organización y personal de afuera participan en la recolección, análisis e interpretación de datos sobre diversos aspectos de la empresa y de sus miembros. Esos aspectos pueden incluir lo siguiente: percepción de las normas, satisfacción de los empleados, la percepción de uno mismo y de las personas de autoridad en la toma de decisiones. Para recoger esta información se utilizan cuestionarios y entrevistas.

Los datos que revele el estudio se discuten primero con la persona de mayor autoridad y luego con los miembros de la organización, a través de reuniones con los diversos grupos de trabajo en que están divididos. Los grupos tienen un supervisor común. Un jefe de departamento y los maestros que componen el mismo forman un grupo de trabajo. La idea es que, como resultado de la discusión de los hallazgos del estudio, se prepare un plan de acción como respuesta a los problemas revelados. Todos juntos analizan el problema o problemas identificados, señalan las posibles causas y llegan a un acuerdo en cuanto a las soluciones que se recomiendan. Puede que, como resultado de la discusión, se reorganice la estructura de la organización y se alteren las relaciones de trabajo entre los miembros.

---

15. *Ibid.*, pp. 307-322.

*El método clínico-experimental.* Este método combina los elementos de la encuesta con los del adiestramiento en sensitividad. Tiene funciones de investigación y de cambio. Se empieza recogiendo información acerca del funcionamiento de la organización. Luego se hace un diagnóstico clínico de la misma. A la luz de este diagnóstico los agentes de cambio intervienen para ayudar a la organización a definir y resolver sus problemas en una forma que mejore las habilidades futuras de la empresa para diagnosticar y resolver sus dificultades. Esto puede incluir el ofrecer información sobre los hallazgos de la encuesta a los miembros del grupo y ofrecer adiestramiento en sensitividad o alguna otra destreza necesaria para mejorar su eficiencia. Se recogen datos de la efectividad de la intervención para evaluar sus resultados y aumentar los conocimientos de las ciencias de la conducta sobre el cambio organizacional.

Este método podría aplicarse a una escuela que quiere implantar la enseñanza en equipo. La innovación se adoptaría después que, se hace el diagnóstico de la situación que revele que la enseñanza en equipo mejoraría el funcionamiento de la escuela. Se diseñaría un método específico de introducir la innovación que se ajuste a las características especiales de esa escuela. Antes y después de adoptar la innovación, se recogerían datos acerca del funcionamiento de la escuela que se usarían para evaluar el éxito de la enseñanza en equipo y aumentarían los conocimientos de las ciencias de la conducta sobre el proceso de cambio.

## INICIACIÓN DEL CAMBIO

No es tarea fácil iniciar el cambio en una institución que se ha considerado opuesta al mismo, como en el caso de la escuela. Esta, al igual que otras instituciones, por el mero hecho de ser instituciones, es conservadora. Las instituciones proveen seguridad y estabilidad, que son contrarias al cambio.

Las personas que trabajan en la escuela, han pasado tanto tiempo bajo la influencia de esta institución —como estudiantes o como maestros— que han tomado las características de la misma. Son, por lo tanto, generalmente personas conservadoras. La tendencia de los humanos es a temer al cambio y, por lo tanto, a resistirlo. Ese es el caso de la mayoría de los maestros. Resisten el cambio, por inercia, por la presión interna de responder a una situación de la manera acostumbrada. De acuerdo con Watson,[16] hay evidencia que indica que a pesar de los programas de adiestramiento en servicio y de los esfuerzos de los supervisores, los maestros continúan enseñando en la misma forma que ellos mismos fueron enseñados, o en la misma forma que lo hicieron en sus primeros años en la profesión. A pesar de esta condición se están produciendo cambios en la escuela, aunque no al ritmo que hace falta, que justifican el que nos ocupemos de estudiar esta situación.

---

16. Goodwin Watson. *Resistance to Change.* Citado en G. Watson (ed.). *Concepts for Social Change.* Washington, D.C.: National Training Laboratories, 1967, pp. 10-26.

*Factores que propician la introducción del cambio*

Hay factores externos y factores internos que estimulan la innovación.

*Factores externos.* La mayor parte del cambio que se produce en los programas escolares es promovido y estimulado por presiones de afuera. El mejor ejemplo de la veracidad de esta afirmación son los cambios que se han producido en el currículo de ciencias y matemáticas. Aunque los expertos en estos campos y los educadores estaban conscientes de la necesidad de reformar el currículo, no fue hasta que ocurrió el lanzamiento del Sputnik, el primer satélite ruso, que se puso en marcha toda una maquinaria y un proceso para producir nuevos programas de ciencias y matemáticas. Un estudio [17] sobre los cambios educativos que se hizo en el estado de Nueva York, reveló que entre 1953-1960 el nivel de las innovaciones educativas fue más del doble en quince meses después del lanzamiento del Sputnik ruso I el 4 de octubre de 1957. Los cambios que ocurrieron en Nueva York también tuvieron lugar en otros sistemas escolares de la nación. Algunos cambios que los educadores habían estado pidiendo por años ocurrieron de la noche a la mañana. Se establecieron más bibliotecas y mejores laboratorios de ciencia. También aumentaron los sueldos de los maestros.

Hemos visto cómo una situación ajena a la escuela (las tensiones internacionales y, en especial, nuestras relaciones con Rusia), tuvo un impacto directo en los cambios educativos.

*Factores internos.* Hay una variedad de factores internos que afectan la iniciación del cambio. Nos referimos a los factores inherentes al sistema escolar que propician la innovación, especialmente aquellos factores que influyen directamente sobre todo el personal escolar. Entre estos factores se encuentran los recursos económicos, las facilidades físicas, las bibliotecas, los laboratorios, los materiales y el equipo tecnológico, entre otros.

Más importante que estos factores es el tipo de recursos humanos —administradores, maestros y estudiantes— con que cuenta la escuela. Ayudan más aquellos administradores que crean condiciones que propician la innovación y que permite a los individuos funcionar en ese ambiente. Son administradores que creen en el cambio y en el potencial del personal escolar para promoverlo. No solamente toleran las ideas divergentes y otras formas de originalidad, sino que las estimulan. No les preocupa el tener que hacer alteraciones en la estructura del sistema, aunque esto implique cambios en las relaciones sociales existentes. Ofrecen a los maestros y a los estudiantes la oportunidad de envolverse en la planificación del cambio para que se sientan parte del mismo desde el comienzo.

Es característica de las instituciones innovadoras mantener abiertos los canales de comunicación y estimular el contacto de los estudiantes con personas fuera de la escuela que tengan ideas nuevas. Permiten y estimulan la libre discusión de las ideas. Ofrecen a los maestros y a los estudiantes la oportunidad de participar en la toma de decisiones. Este punto es muy importante, especialmente para los estudiantes, a quienes tradicionalmente se les ha dado muy poca oportunidad en el control de los asuntos de la escuela y aun en aquellos relacionados con el control de su vida escolar. La facultad y

---

17. Jean Dresden Grambs. *Schools, Scholars, and Society.* Englewood Cliffs, New Jersey: Prentice-Hall, Inc., 1965, p. 10.

la administración han tomado las decisiones por ellos. Los estudiantes expresan su disgusto, y a veces, indignación, por esta situación. Están demandando mayor participación en el reconocimiento de sus derechos como clientes de la escuela. Las escuelas innovadoras están dando a los estudiantes oportunidad de participar como parte esencial de su formación ciudadana.

Las instituciones cambian cuando se producen cambios en la gente. Las escuelas innovadoras tienen una facultad joven, alerta, con amplia preparación y de mente abierta. Ofrecen a sus maestros la oportunidad de asistir a convenciones, seminarios, institutos y talleres, tanto en la comunidad como fuera de esta. Traen consultores o recursos que trabajan con los maestros y los mantienen en adiestramiento continuo. La escuela innovadora establece contacto con las universidades y sus escuelas de laboratorio, pues estas son, por lo general, centros de innovación. En resumen, estas escuelas mantienen los agentes de cambio en actividad constante.

## Las características de las personas innovadoras

Hemos dicho que la mayor parte de los cambios son impulsados por factores externos a la escuela. También hemos dicho que algunos cambios se inician por personas dentro de la institución. Veamos cuáles son las características de las personas innovadoras.

Un examen de la literatura demuestra que existen diferencias de personalidad e inteligencia entre las personas innovadoras y las conservadoras. Las innovadoras son probablemente más jóvenes que los que resisten el cambio. Están orientadas hacia el mundo exterior, viajan mucho, participan en actividades fuera de la comunidad; son cosmopolitas. Tienen mayor *status* social, visto en términos de educación, prestigio y recursos económicos. Leen mucho y obtienen ideas de sus lecturas y de los medios de comunicación. Son más liberales y se sienten menos atadas a las normas del grupo. Son individualistas y creativas. Son dominantes y les importa más el cambio que el respeto al grupo. Por poseer estas cualidades no siempre son respetados y apreciados por sus compañeros. Tienen espíritu de aventura, les gusta correrse riesgos, hacer cosas difíciles y experimentar. Son inteligentes y emprendedores.

Los maestros y directores innovadores son superiores en originalidad de ideas a los que no se preocupan por los cambios. Demuestran tener más conocimiento de las buenas prácticas pedagógicas y diversidad de trasfondos educativos y profesionales.

En resumen, los miembros de una profesión que son más jóvenes, de orientación liberal, cosmopolitas y de mayor *status*, tienden a ser más receptivos al cambio que los que son mayores, conservadores, orientados hacia la comunidad inmediata o local y de *status* inferior.

## Algunos principios generales

El análisis cuidadoso de los escritos de varias personas que se han dedicado a estudiar el fenómeno de cambio en las instituciones educativas, nos ha llevado a formular unos principios generales que consideramos muy valiosos para el educador interesado en promover innovaciones.

1. El cambio en una institución requiere el idearse maneras que apresten o motiven a la gente a hacer las cosas de manera diferente. Esto implica el producir cambios en la manera de pensar de los miembros de la organización, a través de un proceso de educación y adiestramiento. Puede que sea necesario el sustituir unas personas por otras.

2. Para que el cambio sea efectivo deben modificarse, tanto las normas de la organización y los roles que esta espera que los miembros desempeñen como las actitudes y los valores de estos.

3. Para poder introducir un cambio con éxito es necesario contar con el apoyo de los miembros de la organización en todos los niveles de autoridad. Los administradores, los maestros y los estudiantes deben estar comprometidos con los cambios a hacerse. El compromiso de los administradores es esencial. Este se logra si se les envuelve y se les permite participar en la planificación y en las decisiones relacionadas en la planificación y en las decisiones relacionadas con el cambio. La gente acepta los cambios que ellos mismos hacen y resisten los impuestos por otros.

4. Es más fácil producir un cambio cuando la gente afectada lo entiende claramente. El aspecto más importante de un cambio propuesto es la información. Debe anticiparse el mayor número de preguntas y tener las contestaciones para las mismas.

5. Mientras más innovadora es una nueva técnica, más difícil es diseminarla. Introducir una nueva ayuda audiovisual no ofrece dificultad, pero introducir una técnica que requiera del maestro el dominio de nuevos materiales y nuevas maneras de visualizar al educando, presenta problemas de aceptación. Requiere un período de adiestramiento y seguimiento.

6. Debe darse tiempo suficiente al desarrollo de un nuevo programa o plan, para el adiestramiento del personal y para la adquisición e instalación del nuevo equipo o los materiales que se necesiten. La buena planificación es esencial y toma tiempo.

7. Ningún cambio en el sistema educativo puede verse como un fenómeno aislado. La introducción del cambio en unas partes del sistema conlleva cambios en otras partes.

8. No se requiere contar con el entusiasmo de toda la comunidad, dentro y fuera de la escuela, para introducir una innovación, pero por otro lado, una fuerte oposición a la misma puede evitar su adopción. La mejor estrategia con respecto al público y a los maestros es mantenerlos bien informados.

## EVALUACIÓN

Muchas veces damos por sentado que la innovación va a mejorar el funcionamiento del sistema y no proveemos para la evaluación del cambio. Una de las fallas corrientes en la implementación de innovaciones es la falta de un plan sistemático de evaluación que pueda producir resultados objetivos. Como consecuencia, se llega a conclusiones subjetivas que ayudan muy poco o nada al desarrollo de la ciencia de la educación.

La evaluación científica debe ser parte integrante de cualquier programa innovador para que podamos saber con exactitud si el cambio ha sido beneficioso, o no. Una falla de la educación moderna es la falta de investigación sobre las innovaciones que se ensayan. Es raro encontrar una innovación que haya estado basada en investigación o que haya sido sometida a cuidadosa prueba y experimentación. Miles [18] dice que, en un importante estado de la nación norteamericana, menos de un medio por ciento de los programas experimentales financiados con fondos externos, han sido evaluados sistemáticamente. Sigue diciendo Miles que nunca se decidió si un programa multimillonario dedicado a la evaluación de los maestros justificó la inversión en dinero y esfuerzo. La enseñanza de la lectura en los últimos treinta años tampoco ha estado basada en los resultados de la investigación.

Comentando sobre la falta de investigación científica, Johnson [19] dice que las innovaciones pedagógicas no se han adoptado sobre una base empírica. Más bien han respondido a la habilidad para venderlas que tienen los que las promueven y a las modas imperantes en los círculos educativos en un momento dado.

Una razón que podría explicar la escasa evaluación pedagógica que se hace es que la misma es costosa en tiempo y dinero. Requiere el uso de situaciones controladas y procedimientos de medición mantenidos por períodos relativamente largos. Asimismo se requiere la evaluación cuidadosa de los efectos de la innovación. Muy pocas veces se dan estas condiciones en las prácticas educativas.

La educación está cobrando conciencia de esta falla y está dando atención a la preparación de evaluadores. Ya se han alcanzado logros en el campo de la evaluación pedagógica en lo concerniente a la preparación de instrumentos válidos. Esto podría hacer más fácil la labor de evaluación en el futuro. Mientras ese personal se prepara adecuadamente, los sistemas educativos deben contar con especialistas y consultores en las áreas de investigación y evaluación para valorar sus nuevos proyectos.

## LA INSTITUCIONALIZACIÓN DEL CAMBIO

El mundo se está transformando a pasos agigantados y estos cambios están afectando la educación y la conducta del hombre. Se justifica, por lo tanto, que la educación acepte como objetivo el desarrollar un individuo receptivo al cambio, que se sienta cómodo y seguro viviendo en una sociedad en constante transformación. Esto impone a los educadores la obligación de envolverse efectivamente en el proceso de cambio y de dar la bienvenida a las innovaciones necesarias que preparen a los educandos para el mundo cambiante del futuro.

Rogers [20] discute ampliamente la responsabilidad del educador que se preocupa por vivir el cambio e inculcarlo a través de todo el sistema educativo. Según Rogers, es necesario desarrollar un clima favorable al crecimiento personal, en el cual la innovación no represente una amenaza y en el que se reconozcan las capacidades creativas de los educadores y los estudiantes.

---

18. M. B. Miles (ed.). *Innovation in Education.* New York: Teachers College Press, 1964. Citado en David W. Johnson. *Op. cit.,* p. 279.
19. Johnson, *Op. cit.,* p. 279.
20. Rogers. *Op. cit.,* p. 304.

Para ayudar en el desarrollo de este tipo de clima es que Rogers recomienda la experiencia intensiva de grupo, llamada adiestramiento en sensitividad o vivencial, a la cual debe someterse, a su debido tiempo, el personal escolar.

## Un plan de autorrenovación para el sistema escolar

Un sistema escolar moderno, que responda plenamente a las necesidades de los educandos, tiene que buscar los medios para institucionalizar el cambio. Este debe permear todas las actividades del sistema. Se institucionaliza el cambio, cuando se formula, lo que Watson [21] llama, un plan de autorrenovación del sistema educativo. Este plan renovador envuelve diez pasos: (1) identificar las necesidades o problemas; (2) fijar las prioridades; (3) diagnosticar las causas de los problemas; (4) pensar posibles soluciones o remedios; (5) pesar las soluciones propuestas; (6) decidir la acción a tomar; (7) introducir la innovación; (8) implantarla; (9) evaluar los logros y (10) hacer revisiones.

Watson opina que un sistema escolar que quiere autorrenovarse hace que el personal esté consciente de su responsabilidad de señalar las cosas que necesitan mejorarse. Estas deben discutirse ampliamente. Es necesario establecer un orden de importancia a las necesidades y atender primero los problemas más urgentes. Hay que diagnosticar las causas de los problemas y dar oportunidad a todos de sugerir remedios. Un pequeño grupo debe pesar todas las soluciones sugeridas, antes de decidirse por una innovación o un plan de acción para atacar el problema. La decisión debe ser del grupo, a la cual se llegue por consenso. La introducción de la innovación debe responder a un plan bien desarrollado. Son muy importantes los tipos de estrategias que se usen para introducir la innovación. Luego viene la implantación, acompañada de un proceso continuo y periódico de evaluación. Como consecuencia de la misma es que puede venir el último paso, la revisión. Al hacer la revisión, se repite la secuencia de pasos antes mencionados.

Todas estas actividades de autorrenovación conllevan una gran cantidad de tiempo y esfuerzo. Algunas puede realizarlas el personal escolar. Otras, como establecer prioridades, diagnosticar las causas, pesar las soluciones, tomar decisiones, evaluar los resultados, requieren la formación de equipos de trabajo que incluyan administradores, personal docente, alumnos, grupos de ciudadanos, padres y especialistas en investigación y evaluación.

Este plan que formula Watson puede parecer muy formal para algunas personas. Así lo reconoce él, pero afirma que a medida que se gana experiencia en estos menesteres se pueden utilizar métodos más cortos. Los diez pasos que recomienda Watson pueden verse más bien como un modelo para investigaciones grandes. Para atender problemas menores, pueden abreviarse estos pasos.

### ALGUNOS COMENTARIOS EN TORNO AL PROCESO DE CAMBIO EN PUERTO RICO

No queremos terminar este capítulo sin antes hacer algunos comentarios relacionados con el proceso de cambio educativo en Puerto Rico. Discutiremos

---

21. Watson. *Op. cit.*, pp. 110-115.

dos asuntos principales: la insatisfacción como estímulo para el cambio y el papel del maestro en este importante proceso.

## La insatisfacción como estímulo para el cambio

En Puerto Rico, al igual que en otros lugares, hay muchos grupos insatisfechos con el sistema educativo. Entre esos grupos se encuentran maestros, estudiantes y padres. Debe aprovecharse esta insatisfacción para ofrecer a estos grupos la oportunidad de expresarse libremente sobre los problemas educativos, sugerir planes de acción, elaborar los mismos y participar en su implementación. En Puerto Rico, quizás debido a la centralización del sistema educativo, no se ha dado a estos grupos amplia oportunidad de aportar sus ideas para la solución de los problemas que afectan la educación.

Las personas de mayor autoridad en el sistema —directores y superintendentes— deben estimular a estos grupos a señalar las necesidades y alentarlos en el proceso de buscar soluciones. Deben reforzarse esos grupos con expertos que puedan enjuiciar la situación críticamente. Entre esos expertos debe incluirse a profesores universitarios que sientan verdadero interés en el estudio de la disparidad entre lo que se enseña en la universidad y lo que se pone en práctica en la escuela. Estos expertos pueden ayudar a examinar críticamente los problemas educativos, a formular nuevas alternativas y a estimular el que estas se pongan en práctica y se evalúen adecuadamente.

## La educación del maestro en el proceso de cambio

Los maestros son parte importantísima de un programa de reforma educativa. Debe educárseles para el cambio, mientras se preparan para el magisterio y mientras se desempeñan como profesionales. Esta capacitación debe empezar en los centros universitarios, ofreciéndole al candidato a maestro desde temprano en su formación la oportunidad de relacionarse con los problemas de la profesión, de los estudiantes y de las comunidades. Es de vital importancia el poner al futuro maestro en contacto con las áreas de privación socioeconómica y los grupos menos privilegiados. Aquí es donde hay más necesidad de educación y mayores problemas.

Tradicionalmente, el contacto de los futuros maestros con las escuelas y la comunidad se ha limitado a un semestre de práctica docente. Los cursos profesionales han sido teóricos y desprovistos de experiencias de laboratorio sistemáticas y verdaderamente significativas.

El Colegio de Pedagogía de la Universidad de Puerto Rico, Recinto de Río Piedras, consciente de esta falla, reformó en 1972 su currículo para la preparación de maestros e instituyó las experiencias de laboratorio como parte esencial del programa. El curso denominado *Teoría, Metodología y Práctica Docente*, que toman todos los candidatos al magisterio es un bloque profesional que incluye el estudio, análisis y evaluación de la enseñanza. Ofrece una secuencia de experiencias de laboratorio que proveen al estudiante la oportunidad de observar, descubrir, analizar e interpretar la problemática edu-

cativa y de involucrarse progresivamente y sistemáticamente en el proceso
de enseñanza-aprendizaje hasta asumir responsabilidad en la enseñanza
formal.

Desde 1970, el Colegio de Pedagogía también ha estado participando en
una serie de proyectos encaminados a preparar maestros para servir en zonas
de desventaja social y económica. Los estudiantes universitarios pasan dos
o tres años envueltos en la problemática del arrabal, la identificación y solución de los problemas locales, trabajando en proyectos de investigación en
la comunidad y participando en la enseñanza. Sirven de agentes de cambio
en el núcleo escolar y en la comunidad donde se desempeñan.

El curso universitario muchas veces se traslada a la escuela del arrabal.
Aquí tiene mucha más significación para el estudiante, ya que se ofrece en
un ambiente similar a aquel en que se desempeñará luego. Así se establece
la debida relación entre la teoría y la práctica. El estudiante aprende y pone
en función las prácticas más innovadoras para trabajar con niños de ese
ambiente. Se espera que la educación que reciba y las experiencias vividas
le sirvan de modelo para la solución de los problemas en las zonas de desventaja donde vaya al graduarse.

Este tipo de educación puede ayudar a los maestros jóvenes a desarrollar actitudes positivas hacia su profesión. Es desafortunado que tantos de
nuestros maestros jóvenes exhiban actitudes autoritarias y desarrollen un
ambiente de tensión y miedo en el salón de clases, según lo reveló un estudio del Centro de Investigaciones Sociales de la Universidad de Puerto
Rico.[22] Es necesario dar a conocer a los maestros esas fallas en las relaciones con sus discípulos y ofrecerles los medios para superarlas.

Hasta este punto hemos destacado la importancia de que se eduque al
maestro para el cambio. Este proceso educativo deberá iniciarse mientras
el maestro se prepara en la universidad y luego deberá continuarse en
servicio.

La preparación para el cambio innovador es un proceso fundamentalmente educativo. Envuelve cambios en las actitudes, las ideas y los valores.
Como dice Quintero Alfaro,[23] estos cambios solo se obtienen dentro del proceso innovador, remplazando programas, métodos y organizaciones. En otras
palabras, los cambios producidos en los maestros los llevan a innovar y a la
vez surgen cambios en ellos como resultado de su acción innovadora. El
cambio viene a ser estímulo para la innovación y resultado de esta.

Para que este proceso se efectúe, es necesario fomentar la iniciativa individual para el cambio, desarrollar seguridad, confianza y orgullo en lo que
se hace y estimular la superación personal y profesional continua.


### RESUMEN

La efectividad del sistema educativo no se determina solamente por la
forma en que cumple con sus funciones tradicionales, pero sí por su habili-

---

22. Universidad de Puerto Rico, Centro de Investigaciones Sociales. *Estrategias de
cambio educativo: su impacto sobre los maestros.* Río Piedras: Universidad de Puerto
Rico, 1970, pp. 75-77.
23. Ángel Quintero Alfaro. *Educación y cambio social en Puerto Rico: Una época
crítica.* San Juan, Universidad de Puerto Rico, 1972, p. 142

dad para adaptarse a las nuevas situaciones de cambio que nos afectan cada día. A pesar de la resistencia al cambio, un número crecido de maestros, estudiantes y padres está exigiendo que la escuela realice innovaciones y se transforme en una institución dinámica. Solo así podrá cumplir a cabalidad con las funciones para las cuales fue creada. Por esta razón, es necesario que el educador comprenda claramente la dinámica envuelta en el proceso de cambio planeado. Este es un proceso consciente, deliberado e intencional en que colaboran mutuamente la institución y los agentes de cambio.

Es muy importante en este proceso determinar los métodos para lograr el cambio y los blancos a los cuales están dirigidos los esfuerzos innovadores. Estos blancos incluyen las personalidades de los miembros, la estructura formal e informal de la organización, la tecnología y los objetivos. Los métodos o estrategias de cambio pueden ser variados. Entre ellos discutimos los siguientes: (1) el decreto por una autoridad superior; (2) el remplazo de personal; (3) la presentación de información; (4) el adiestramiento; (5) la orientación individual y terapia; (6) el adiestramiento en sensitividad o la celebración de vivenciales; (7) los resultados de una encuesta y (8) el método clínico-experimental.

La mayor parte del cambio en las instituciones educativas está influido por factores externos. También hay factores internos —personas o grupos dentro de la escuela— que impulsan las innovaciones. Son personas inteligentes y bien preparadas que basan sus propuestas de cambio en argumentos racionales y objetivos. Hay factores en la organización que influyen en la introducción del cambio. Son organizaciones receptivas a innovaciones, que ofrecen libertad a los individuos para ensayar nuevas formas de hacer las cosas, estimulan las ideas discrepantes y promueven el contacto con el mundo exterior.

La innovación no debe verse como el producir cambios por el mero hecho de cambiar, pero sí como el efectuar cambios que mejoren el sistema educativo. Para determinar si esto último ocurre hay que realizar una evaluación rigurosa, empleando una serie de recursos que puedan dar a la evaluación la seriedad que la misma reviste. Por eso toda propuesta de cambio debe incorporar un buen plan de evaluación.

Terminamos el capítulo recalcando la necesidad de institucionalizar el cambio en el sistema educativo y de formular un plan para la renovación del mismo. A través de todo el capítulo hemos insistido en la importancia del maestro en el proceso de cambio. Hay por eso que educarlo, tanto mientras se prepara en la universidad como en el ejercicio de su profesión. Esta educación envuelve cambios en las actitudes, las ideas y los valores del maestro.

## LECTURAS

Adams, Don y Gerald M. Reagan. *Schooling and Social Change in Modern America.* New York: David McKay Co., Inc., 1972, Capítulos 1 y 2.

Benben, John S. y José R. López (ed.). *For Educational Administrators.* Book two. San Juan, Puerto Rico: Department of Education, 1972, Capítulo 7.

Bennis, Warren G. Kenneth D. Benne y Robert Chin. *The Planning of Change.* Segunda edición. New York: Holt, Rinehart and Winston, Inc., 1969.

Boocock, Sarane Spence. *An Introduction to the Sociology of Learning.* Boston: Houghton Mifflin Co., 1972, Capítulo 14.

Cave, William A. y Mark A. Chesler. *Sociology of Education: An Anthology of Issues and Problems*. New York: Macmillan Publishing Co., Inc., 1974, Parte III, Secciones A, B, C y D.

Cook, David R. *Guidance for Education in Revolution*. Boston: Allyn and Bacon, Inc., 1971, Capítulo 18.

Corwin, Ronald G. *Reform and Organizational Survival: The Teacher Corps as an Instrument of Educational Change*. New York: Wiley — Interscience, 1973.

Corwin, Ronald G. *Education in Crisis: A Sociological Analysis of Schools and Universities in Transition*. New York: John Wiley and Sons, Inc., 1974, Capítulo 7.

Erickson, Edsel, Clifford Bryan y Lewis Walker. *Social Change, Conflict and Education*. Columbus, Ohio: Charles E. Merrill Publishing Co., 1972.

Ford Foundation. *A Foundation goes to School: The Ford Foundation Comprehensive School Improvement Program, 1960-1970*. New York: The Foundation, 1972.

Goodlad, John I. M. Frances Klein y asociados. *Behind the Classroom Door*. Worthington, Ohio: Charles A. Jones Publishing Co., 1970.

Grambs, Jean Dresden. *Schools, Scholars and Society*. New Jersey: Prentice-Hall, Inc., 1965, Capítulo 2.

Hodgkinson, Harold L. *Education, Interaction and Social Change*. New Jersey: Prentice-Hall, Inc., 1967.

Johnson, David W. *The Social Psychology of Education*. New York: Holt, Rinehart and Winston, Inc., 1970, Capítulo 14.

Miles, Matthew B. (ed.). *Innovation in Education*. New York: Teachers College Press, 1964.

Miller, Harry L. y Roger R. Woock. *Social Foundations of Urban Education*. New York: Holt, Rinehart and Winston, Inc., 1973, páginas 481-483.

Miller, Richard I. *Perspectives on Educational Change*. New York: Appleton-Century-Crofts, 1967.

Moore, Wilbert E. *Social Change*. New Jersey: Prentice-Hall, Inc., 1963.

Quintero Alfaro, Ángel G. *Educación y cambio social en Puerto Rico: una época crítica*. Río Piedras: Editorial Universitaria, Universidad de Puerto Rico, 1972, Capítulo 7.

Roger, Carl R. *Freedom to Learn*, Columbus, Ohio: Charles E. Merrill Publishing Co., 1969, Parte V y Epílogo.

Sarason, Seymour B. *The Culture of the School and the Problem of Change*. Boston: Allyn and Bacon, Inc., 1971.

Steiner, G. A. (ed.). *The Creative Organization*. Chicago: University of Chicago Press, 1965.

Thomas, Donald R. *The Schools next Time: Explorations in Educational Sociology*. New York: McGraw-Hill Book Co., 1973, Capítulo 8.

Turnbull, Brenda J., Lorraine I. Thorn y C. L. Hutchins. *Promoting Change in Schools: A Diffusion Casebook*. San Francisco: Far West Laboratory for Educational Research and Development, 1974.

Universidad de Puerto Rico, Centro de Investigaciones Sociales. *Estrategias de cambio educativo: su impacto sobre los maestros*. Río Piedras: Universidad de Puerto Rico, 1970.

Watson, Goodwin (ed.). *Change in Schol Systems*. Washington, D. C.: National Training Laboratories, National Education Association, 1967.

Watson, Goodwin (ed.). *Concepts for Social Change*. Washington, D.C.: National Training Laboratories, National Education Association, 1967.

# INDICE ANALITICO